Britannica®
ENCICLOPEDIA
UNIVERSAL
ILUSTRADA

Jesús
***
Lexington y Concord

ENCYCLOPÆDIA
Britannica®

Britannica
ENCICLOPEDIA UNIVERSAL ILUSTRADA

Edición en español de BRITANNICA CONCISE ENCYCLOPEDIA

Edición promocional para América Latina desarrollada, diseñada y publicada por Sociedad Comercial y Editorial Santiago Ltda., Avda. Apoquindo 3650, Santiago, Chile.

ISBN 956-8402-79-9 (Obra completa)
ISBN 956-8402-90-X (Volumen 11)

Impreso en Chile, Printed in Chile.
Código de barras 978 956840290 - 7

Jesús *o* **Cristo** *o* **Jesucristo** En el CRISTIANISMO, el hijo de Dios y segunda persona de la Santísima TRINIDAD. La doctrina cristiana sostiene que con su CRUCIFIXIÓN y resurrección redimió los pecados de toda la humanidad. Su vida y ministerio son relatados en los cuatro EVANGELIOS del NUEVO TESTAMENTO. Nació en Belén de Judea, cuatro años antes de la muerte de HERODES el Grande, y fue crucificado y muerto bajo Poncio Pilatos, gobernador romano de Judea (por lo tanto, entre el 28 y 30 DC). Su madre, MARÍA, contrajo matrimonio con José, carpintero de Nazaret (ver san JOSÉ). Nada se sabe de su niñez y de su juventud, aparte de lo narrado acerca de su nacimiento en los Evangelios de Mateo y Lucas, y de una visita a Jerusalén que hizo junto a sus padres. Empezó su ministerio a la edad de

La Crucifixión, fresco del Master of the Urbino Coronation.
FOTOBANCO

30 años y se convirtió en predicador, guía espiritual y realizó sanaciones milagrosas. Escogió a sus discípulos en la región de GALILEA, incluidos los doce APÓSTOLES, y predicó la llegada inminente del REINO DE DIOS. Sus enseñanzas morales, definidas en el SERMÓN DE LA MONTAÑA, y la divulgación de sus milagros le ganaron un número creciente de seguidores que vieron en él al MESÍAS esperado. En vísperas de la Pascua entró a Jerusalén montando un asno; compartió la Última Cena con sus discípulos, pero fue traicionado por JUDAS ISCARIOTE y entregado a las autoridades romanas. Arrestado y juzgado, fue condenado a muerte acusado de agitador político, crucificado y sepultado. Al tercer día, las Santas Mujeres que fueron a su tumba la encontraron vacía. Según los Evangelios, Cristo resucitado se presentó varias veces ante sus discípulos para confirmarlos en su misión y posteriormente ascendió a los Cielos.

jet lag Expresión inglesa que alude al período de ajuste del RITMO BIOLÓGICO, después de desplazarse de una zona con un determinado huso horario a otra, que se experimenta como fatiga y disminución de la eficiencia. Refleja un desfase en la sincronización de los cambios del nivel de cortisol sanguíneo, el ESTEROIDE principal producido por la corteza suprarrenal (ver GLÁNDULA SUPRARRENAL), con el ciclo nictemeral local. Su duración e intensidad son mayores mientras mayor es la distancia recorrida y menor el tiempo empleado en cubrirla. Este fenómeno, que puede persistir durante varios días, se advirtió por primera vez a raíz de los viajes en aviones de reacción, y de ahí deriva su nombre.

Jewett, (Theodora) Sarah Orne (3 sep. 1849, South Berwick, Maine, EE.UU.–24 jun. 1909, South Berwick). Escritora estadounidense. Interesada en captar los estilos de vida populares de una cultura en extinción, compuso retratos realistas de los envejecidos nativos de Maine, cuyos hábitos, modismos y expresividad registró con mordacidad y humor. Entre sus 20 obras destacan *Deephaven* (1877), *A White Heron* [Una garza blanca] (1886) y *The Country of the Pointed Firs* [El país de los abetos puntiagudos] (1896).

Jezabel (m. circa 843 AC). En las escrituras hebreas, la esposa del rey ACAB de Israel. Hija del rey-sacerdote Etbal de Tiro y Sidón, convenció a Acab para que introdujera en Israel el culto al dios tirio Baal-Melkart, interponiéndose así con el exclusivo culto a Yahvé. El libro de Reyes 1 cuenta cómo fue combatida por ELÍAS. Después de la muerte de Acab, su hijo Joram se convirtió en el rey de Israel, pero ELISEO alentó al general

Jehú a que se rebelara. Joram fue asesinado y Jezabel murió defenestrada. Los perros devoraron buena parte de su cadáver, cumpliendo así una profecía de Elías. En la historia y la literatura se convirtió en el arquetipo de la mujer malvada.

Jhabvala, Ruth Prawer *orig.* **Ruth Prawer** (n. 7 may. 1927, Colonia, Alemania). Novelista y guionista angloestadounidense de origen alemán y de padres judeopolacos. En 1939 emigró con su familia a Inglaterra. Tiempo después se casó con un arquitecto hindú, con quien se mudó a India, país donde vivió hasta 1975. Desde entonces reside en Nueva York. Muchas de sus novelas, entre las que destaca *Calor y polvo* (1975, premio Booker), están ambientadas en India. También ha escrito guiones originales para filmes, como *Shakespeare-Wallah* (1965), y adaptaciones fílmicas de las novelas como *Las bostonianas* (1984), *Habitación con vistas* (1985), *La mansión Howard* (1992), *Lo que queda del día* (1993) y *La copa dorada* (2000).

Jharkhand Estado (pob., est. 2001: 26.909.428 hab.) del nordeste de India. Limita con los estados de BIHAR, BENGALA OCCIDENTAL, ORISSA, CHATTISGARH y UTTAR PRADESH. Tiene una superficie de 74.677 km² (28.833 mi²) y su capital es Ranchi. La mayor parte del estado se encuentra en la meseta de Chota Nagpur, que está compuesta de planicies, cerros y valles. Numerosos pueblos aborígenes viven allí. Después de la independencia de India, en 1947, el actual territorio de Jharkhand formó parte del estado de Bihar, hasta que en 2000 se transformó en un estado separado. Es rico en minerales (principalmente cobre), aunque la mayoría de la población trabaja en la agricultura.

Jhelum, río Río de India y Pakistán. El más occidental de los "Cinco ríos" de la región de Panjab, nace en los HIMALAYA, en el estado indio de JAMMU Y CACHEMIRA. Discurre en dirección noroeste en el sector de CACHEMIRA, administrado por Pakistán. Gira hacia el sur y se une con el río CHENAB después de completar un curso de 725 km (450 mi). Se cree que corresponde al río Hydaspes mencionado por Arriano, el historiador de ALEJANDRO MAGNO, y al Bidaspes mencionado por TOLOMEO.

El río Jhelum a su paso por Srinagar, estado de Jammu y Cachemira, India.
RICHARD ABELES—ARTSTREET

Jhering, Rudolf von (22 ago. 1818, Aurich, Hannover–17 sep. 1892, Gotinga, Alemania). Jurista alemán. Enseñó derecho romano en Giessen (1852–68), Gotinga (a partir de 1872) y en otras cuatro universidades (entre ellas, la Universidad de Viena) por períodos más breves. Examinó la relación entre el derecho y el cambio social en *El espíritu del derecho romano* (1852–65) y entre intereses individuales y sociales en *El fin en el derecho* (1877–83). Sostenía que el objeto del derecho es proteger los intereses individuales y sociales coordinándolos y de ese modo reduciendo al mínimo las ocasiones de conflicto. A veces se lo llama el padre de la JURISPRUDENCIA sociológica.

Jia Xian (floreció c. 1050, China). Matemático y astrónomo que trabajó al comienzo del período más grande de la matemática china tradicional. Tuvo un puesto militar de rango relativamente bajo durante el reinado (1022/23-1063/64) del emperador Renzong de la dinastía SONG. Fue discípulo del matemático y astrónomo Chu Yan, quien en 1023 contribuyó a la revisión del calendario de Chongtian, y se desempeñó en la Oficina imperial de astronomía. El nombre de Jia fue principalmente citado en conexión con su método para extraer raíces (soluciones) de polinomios de grados superiores a tres y con el triángulo relacionado, llamado de Jia Xian, el cual contiene los coeficientes binomiales para ecuaciones de hasta sexto grado (ver teorema del BINOMIO). Este diagrama es similar al triángulo de BLAISE PASCAL, el cual fue descubierto después de manera independiente en Occidente.

Jiang Jieshi ver CHIANG KAI-SHEK

Jiang Jinguo ver CHIANG CHING-KUO

Jiang Qing o **Chiang Ch'ing** orig. **Li Jinhai** (¿1914?, Zhucheng, Shandong, China–14 may. 1991, Beijing). Tercera esposa de MAO ZEDONG y miembro de la radicalizada BANDA DE LOS CUATRO. Se casó con Mao en la década de 1930, pero entró en la política sólo en la de 1960. Como una de las cabecillas de la REVOLUCIÓN CULTURAL, adquirió amplísimos poderes sobre la vida cultural de China y supervisó la eliminación total de una gran variedad de actividades culturales tradicionales. Arrestada después de la muerte de Mao y acusada de fomentar los vastos disturbios civiles que caracterizaron la Revolución cultural, rehusó declararse culpable y recibió una condena a muerte que fue conmutada por cadena perpetua. Su muerte fue informada como suicidio.

Jiang Zemin (n. 17 ago. 1926, Yangzhou, Jiangsu, China). Secretario general del PARTIDO COMUNISTA CHINO PCCh (1989–2002) y presidente de China (1993–2003). Comenzó su carrera de ingeniero en Shanghai, recibió entrenamiento en el extranjero y ascendió gradualmente a través de los diversos niveles del PCCh. Fue nombrado alcalde de Shanghai en 1985 y presidente de la Comisión militar central de China en 1989. Se piensa que Jiang fue un candidato de consenso para reemplazar a Zhao Ziyang como secretario general en junio de 1989, después del incidente de la plaza de TIANANMEN. Ha combinado el compromiso de mantener la política reformista de libre mercado con la determinación de preservar el monopolio del poder político en manos del PCCh. Después de gobernar el máximo de dos períodos de cinco años como presidente, fue reemplazado por Hu Jintao. Jiang siguió presidiendo la Comisión militar central hasta que su jefatura pasó también a Hu en 2004.

Jiangsu o **Chiang-su** convencional **Kiangsu** Provincia (pob., est. 2000: 74.380.000 hab.) del este de China. Ubicada a orillas del mar AMARILLO, limita con las provincias de SHANDONG, ANHUI y ZHEJIANG y el municipio de SHANGHAI. Con una superficie de 102.600 km² (39.600 mi²), es una de las provincias de China más pequeñas, más densamente pobladas y una de las más ricas. Su capital es NANJING (Nanking). Situada en una ancha llanura aluvial, está dividida en dos por el estuario del río YANGTZÉ (Chang Jiang). Formó parte del antiguo estado de Wu y estaba adscrita a la provincia de Nanjing durante el reinado de la dinastía MING JIANG (1368–1644). En 1667 se convirtió en provincia y fue el cuartel general (1853–64) de la rebelión TAIPING. Constituyó una base de operaciones importante para el GUOMINDANG de China, que hizo de ella la capital de la nación de 1928 a 1937 y, una vez más, de 1946 a 1949. La provincia fue ocupada por Japón durante la guerra CHINO-JAPONESA (1937–45), y en 1949 quedó bajo control comunista. Produce acero, artículos electrónicos y productos agrícolas.

Jiangxi o **Kiang-si** Provincia (pob., est. 2000: 41.400.000 hab.) del centro-sur de China. Limita con las provincias de HUBEI, ANHUI, ZHEJIANG, FUJIAN, GUANGDONG y HUNAN. Cubre una superficie de 164.800 km² (63.600 mi²) y su capital es NANCHANG.

Situada en la cuenca del río GAN JIANG, es una de las provincias agrícolas más ricas de China; también es afamada por su producción de porcelana, que data del s. XI. La apertura del GRAN CANAL durante la dinastía TANG (618–907) la situó en la principal ruta comercial entre el norte y el sur de China. Durante la dinastía MONGOL (1206–1368), incorporaba parte de los territorios de Guangdong; sus límites actuales se establecieron durante la dinastía MING. En 1926 CHIANG KAI-SHEK la capturó y fue disputada por nacionalistas y comunistas. Los japoneses la ocuparon desde 1938 hasta 1945, y en 1949 quedó bajo control comunista. La producción agrícola, al igual que una próspera industria maderera, forman parte importante de su economía.

jibia ver SEPIA

Jibrail En el Islam, el arcángel que actúa como intermediario entre Dios y la humanidad y que transmitió revelaciones divinas a MAHOMA y profetas anteriores. Su equivalente bíblico es GABRIEL. Ayudó a Mahoma en tiempos de crisis y lo guió durante su ascensión al cielo. La creencia musulmana sostiene que se apareció a ADÁN después de su expulsión del Paraíso para enseñarle a escribir, cultivar el trigo y trabajar el hierro, y también que ayudó a MOISÉS a liberar a los israelitas de Egipto.

jícama Enredadera (*Pachyrhizus erosus* o *P. tuberosus*), también llamada frijol ñame. LEGUMINOSA originaria de México y América Central y del Sur, se cultiva por su raíz comestible. Los tubérculos irregularmente globulares de piel parda son de pulpa blanca, quebradiza y jugosa. Hay dos variedades, la de jugo transparente y la de jugo lechoso. Ambas tienen un sabor suave y se comen crudas o cocidas. Las semillas maduras son sumamente tóxicas; sin embargo, las vainas inmaduras son a veces comestibles.

Jiddah Ciudad (pob., 1992: 2.046.251 hab.) del oeste de ARABIA SAUDITA. Ubicada a orillas del mar Rojo, es la capital diplomática y uno de los principales puertos del país. Su nombre (que significa "antepasada" o "abuela") deriva de la existencia de una tumba, supuestamente de Eva, que el gobierno saudí destruyó en 1928. Ha sido durante muchos años el puerto de entrada de los peregrinos musulmanes en ruta hacia las ciudades sagradas de LA MECA y MEDINA. Perteneció al Imperio otomano hasta 1916, año en que se rindió a las fuerzas británicas durante la primera guerra mundial (1914–18). En 1925 la capturó el líder tribal IBN SA'UD y en 1927 fue incorporada a Arabia Saudita.

jilguero Cualquiera de varias especies (género *Carduelis*, familia Carduelidae) de aves canoras que tienen una cola corta, bifurcada y de plumaje predominantemente amarillo.

Jilguero (*Spinus tristis*).
© ENCYCLOPÆDIA BRITANNICA, INC.

Tiene un pico que es más delicado y puntiagudo que el del PINZÓN. Los jilgueros viven en bandadas y se alimentan de malezas en campos y jardines. Tienen reclamos agudos, ceceantes. Varias especies habitan en el oeste de Eurasia, América del Norte y del Sur, y han sido introducidas en Nueva Zelanda y Australia. Suelen medir 10–14 cm (4–5,5 pulg.) de largo. El jilguero americano (o canario silvestre) macho, que habita en América del Norte, es de un color amarillo brillante, con copete, alas y cola negra.

Jilin o **Ki-lin** o **Ki-rin** Provincia (pob., est. 2000: 27.280.000 hab.) del nordeste de China. Limita con RUSIA y COREA DEL NORTE, con las provincias de HEILONGJIANG y LIAONING, y MONGOLIA INTERIOR. Con una superficie de 187.000 km² (72.200 mi²), es la provincia más urbanizada de China; su capital es CHANGCHUN, y la ciudad de Jilin la sigue en importancia. Su río principal es el Sungari, afluente del AMUR. Se convirtió en provincia en 1907. Fue ocupada por el ejército japonés en 1931 y pasó a formar parte del estado títere de MANCHUKUO (1932–45). Las fuerzas comunistas se la arrebataron a los nacionalistas en 1948. Ha experimentado una rápida industrialización desde fines del s. XX.

Jim Crow, ley de Ley que impuso la SEGREGACIÓN RACIAL en el Sur de EE.UU. entre 1877 y la década de 1950. El término, tomado de un espectáculo musical que imitaba el estilo de los negros, se convirtió en un epíteto insultante para los afroamericanos. Después de la RECONSTRUCCIÓN, los organismos legislativos del Sur aprobaron leyes que exigían la segregación de los blancos y de las "personas de color" en el transporte público. La exigencia luego se extendió a las escuelas, los restoranes y demás lugares públicos. En 1954, la Corte Suprema de EE.UU. declaró que la segregación en las escuelas públicas era inconstitucional, en el fallo BROWN BOARD OF EDUCATION; fallos posteriores acabaron con otras leyes de este tipo.

Jiménez de Quesada, Gonzalo (c. 1495, Córdoba o Granada, España–16 feb. 1579, Mariquita, Nueva Granada). Conquistador español. Llegó al Nuevo Mundo como un importante magistrado colonial. En 1536 dirigió una expedición de 900 hombres que remontó el río Magdalena hacia el interior de la llanura central de Nueva Granada (actual Colombia) y derrotó a los indios CHIBCHAS, conquistando así el territorio para España. En 1538, dos conquistadores rivales recusaron su reclamo de conquista; aunque el caso fue sometido a la corona en Madrid, la decisión no fue concluyente, pero Jiménez se convirtió en la figura con más influencia de Nueva Granada. En 1569 partió con 500 hombres en búsqueda del mítico El DORADO; regresó en 1571 con sólo 25 miembros de su compañía original.

Jiménez, Juan Ramón (24 dic. 1881, Moguer, España–29 may. 1958, San Juan, Puerto Rico). Poeta español. Sus primeras poesías reflejan la influencia de RUBÉN DARÍO; su estilo emocional dio paso a un tono más austero c. 1917, dentro del cual buscó aproximarse a la poesía pura. Entre sus poemarios principales cabe mencionar *Ninfeas* (1900), *Arias tristes* (1903), *Elegías* (1908), *Diario de un poeta recién casado* (1917), *Eternidades* (1918), *Piedra y cielo* (1919). Fue muy popular en América con *Platero y yo* (1917), narración en la que refiere la historia de un hombre y su burro. Durante la guerra civil española (1936–39), se unió a las fuerzas republicanas, y luego de la derrota de esta facción se trasladó a Puerto Rico, donde vivió gran parte de sus últimos años. Su obra poética es inmensa. En 1956 fue galardonado con el Premio Nobel de Literatura.

Jimmu Primer emperador de Japón legendario y fundador de la dinastía imperial. Se le atribuye haber establecido su dominio en 660 AC en las llanuras de Yamato. (La existencia histórica de un estado en dicho lugar data del s. III DC). Según la leyenda, Jimmu descendía de Ninigi, quien a su vez era nieto de la diosa del sol AMATERASU.

Jin, dinastía *o* **dinastía Kin** *o* **dinastía Tsin** (1115–1234). Dinastía que gobernó un imperio formado por las tribus juchen tungús de Manchuria. Abarcó gran parte del Asia interior y toda la China septentrional. Al igual que la dinastía LIAO, que controló anteriormente dicho territorio, los Jin establecieron una burocracia de estilo chino para gobernar la parte meridional de su imperio y un estado tribal para regir la zona de Asia interior. Muy conscientes de preservar su identidad étnica, conservaron su lengua, desarrollaron su propia escritura y prohibieron la vestimenta y costumbres de la usanza china en su ejército.

jina ver TIRTHANKARA

Jinan *o* **Ki-nan** *o* **Tsi-nan** Ciudad (pob., est. 1999: 1.713.036 hab.), capital de la provincia de SHANDONG, nordeste de China. Data de la dinastía ZHOU (c. siglos XI–III AC) e incluso antes, y ha sido un centro administrativo desde el s. VIII AC. El monte Tai, que está en las cercanías, era una de las montañas más sagradas de China; en los s. IV–VII DC se construyeron numerosos templos budistas en grutas de los montes situados al sur de la ciudad. Pasó a ser la capital de Shandong durante la dinastía MING (1368–1644). En 1904 se abrió al comercio extranjero, y su desarrollo se intensificó después de transformarse en nudo ferroviario en 1912. En la actualidad es un importante núcleo administrativo e industrial y el principal centro cultural de Shandong, con instituciones de enseñanza superior en agricultura, medicina e ingeniería y una gran universidad (1926).

jingxi ver ópera de PEKÍN

Jingzhai ver LI YE

Jinnah *o* **Yinnah, Muḥammad ʿAlī** (25 dic. 1876, Karachi, India–11 sep. 1948, Karachi, Pakistán). Político indio musulmán, fundador y primer gobernador general de Pakistán (1947–48). Fue educado en Bombay (actual Mumbai) y Londres, donde se convirtió en abogado a la edad de 19 años. Después de regresar a India, practicó la abogacía y en 1910 fue elegido miembro del Consejo legislativo imperial de India. Comprometido con la causa de un gobierno autónomo para India y con la conservación de la unidad hindú-musulmana, ingresó a la Liga MUSULMANA en 1913 y procuró asegurar la colaboración de esta con el CONGRESO NACIONAL INDIO (o Partido del Congreso). Se opuso al movimiento de no cooperación de MOHANDAS K. GANDHI y se retiró del congreso. A fines de la década de 1920 y principios de la de 1930, fue considerado demasiado moderado por algunos musulmanes, pero demasiado musulmán por el Partido del Congreso. A partir de 1937, cuando este partido rehusó formar gobiernos de coalición con la Liga musulmana en las provincias, comenzó a trabajar por la división de India y la creación de un estado musulmán. Pakistán surgió como país independiente en 1947, y Jinnah fue su primer jefe de Estado. Murió en 1948, venerado como el padre de la nación.

Muḥammad ʿAlī Jinnah.
GENTILEZA DE LA EMBAJADA DE PAKISTÁN, WASHINGTON, D.C.

Jinsha Jiang *o* **Chinsha** Río de China. El más occidental de los afluentes principales del YANGTZÉ (Chang Jiang), nace al sur de los montes KUNLUN, en el oeste de la provincia de QINGHAI, y fluye hacia el sur, demarcando el límite occidental de la provincia de SICHUAN, a lo largo de unos 400 km (250 mi). Luego discurre en la provincia de YUNNAN y desvía hacia el nordeste para unirse al río MIN JIANG, en Yibin, unión de la que nace el Yangtzé.

jirafa Especie de RUMIANTE (*Giraffa camelopardalis*), la de mayor talla de todos los mamíferos. Alcanza una altura total de 5,5 m (18 pies) o más. Las patas y cuello son desmesuradamente largos. La jirafa tiene un cuerpo corto, cola empenachada, melena corta y cuernos pequeños cubiertos de vello. El lomo desciende hacia los

Jirafa (*Giraffa camelopardalis*).
© ENCYCLOPÆDIA BRITANNICA, INC

cuartos traseros. El pelaje es de color de ante claro, con manchas color pardo rojiza. Se alimenta principalmente de hojas de las especies del género ACACIA. Vive en manadas en sabanas y chaparrales y es originaria de la mayor parte del África subsahariana. Las jirafas aún son numerosas en el este de África, donde están protegidas; pero la caza ha reducido sus poblaciones en otras partes. El único otro miembro de la familia Giraffidae es el OCAPI.

jitō En el Japón feudal, administrador agrario designado por el gobierno militar central en cada una de las unidades agrícolas (*shōen*) en que fue dividido el campo. Recaudaba los impuestos y mantenía la paz; además, tenía derecho a una parte de los impuestos recaudados. El cargo, creado por MINAMOTO YORITOMO en 1184, se convirtió en hereditario. Con el tiempo, estableció vínculos más estrechos con los líderes locales que con el gobierno central, lo que contribuyó al debilitamiento del sogunado Kamakura (ver período KAMAKURA).

jitterbug Danza, variación del *two-step*, en la que las parejas realizan giros y otros movimientos ágiles, según pautas establecidas al ritmo de música sincopada en compás de 4 por 4. Se originó en EE.UU. a mediados de la década de 1930 y se popularizó a nivel internacional en la década siguiente. Originalmente incluía alzamientos y giros acrobáticos, pero fue modificada en sus versiones de salón. También se cambiaron las pautas de los pasos, incluyendo el *lindy hop* y el *jive*.

Jiulong, península de ver península de KOWLOON

Jmelnitski, Bogdán (Zinovii Mijáilovich) (c. 1595, Chigurin, Ucrania–16 ago. 1657, Chigurin). Líder COSACO ucraniano (1648–57). Aunque fue educado en Polonia y sirvió con los militares polacos, huyó a la fortaleza cosaca de los zaporozhets en 1648 y organizó una rebelión. Luego de ganar el apoyo de la población ucraniana campesina y urbana descontenta, marchó contra Polonia. Después de años de guerra, buscó la ayuda de los rusos en 1654, quienes invadieron Polonia y lograron que tierras ucranianas pasaran del control polaco al ruso. Sus intentos por obtener la autonomía de sus seguidores cosacos sólo consiguió la posterior sujeción de estos al dominio ruso.

jmer *o* **khmer** *o* **camboyano** Miembro del grupo etnolingüístico que constituye la mayoría de la población de Camboya. Grupos menos numerosos de jmer viven también en el sudeste de Tailandia y en el delta del río Mekong, en el sur de Vietnam. Los jmer tradicionales son un pueblo predominantemente agrícola, que se alimenta sobre todo de arroz y pescado y vive en aldeas. Entre sus artesanías figuran la tejeduría, alfarería y metalurgia. Son seguidores del budismo THERAVADA, que convive con creencias animistas prebudistas. La cultura india ha ejercido históricamente una fuerte influencia en la cultura jmer.

jmer *o* **khmer** *o* **camboyano** Lengua MON-JMER hablada por más de siete millones de personas en Camboya (donde es la lengua nacional), sur de Vietnam y partes de Tailandia. El jmer se escribe con un sistema de escritura distintivo, que, como los sistemas de escritura del birmano, el tailandés y el lao, desciende del sistema pallava, del sur de Asia (ver sistemas de escritura ÍNDICA); la primera inscripción en jmer antiguo data del s. VII. Durante el período ANGKOR (s. IX–XV), el jmer proporcionó muchas palabras al tailandés, al lao y a otras lenguas de la región (ver lenguas THAIS). El propio jmer ha tomado numerosos préstamos cultos del SÁNSCRITO y del PALI.

Jmer Rojo *o* **Khmer Rojo** Movimiento comunista radical que gobernó Camboya desde 1975 hasta 1979. El Jmer Rojo, bajo el liderazgo de POL POT, se opuso al gobierno de NORODOM SIHANUK, de vasto arraigo popular. Sus integrantes ganaron apoyo después de que Sihanuk fue derrocado por LON NOL (1970) y que las fuerzas estadounidenses bombardearan zonas rurales a principios de la década de 1970. En 1975, el Jmer Rojo obligó a Lon Nol a dejar el país. El régimen del Jmer Rojo, que fue extraordinariamente brutal, provocó la muerte (por inanición, privaciones y ejecuciones) de uno a dos millones de personas. Derrocados en 1979 por los vietnamitas, se retiraron a regiones remotas y continuaron su lucha por el poder en Camboya. Las últimas guerrillas del Jmer Rojo se rindieron en 1998.

Joachim, Joseph (28 jun. 1831, Kittsee, cerca de Pressburg, Austria-Hungría–15 ago. 1907, Berlín, Imperio alemán). Violinista austrohúngaro. Niño prodigio del violín, comenzó sus estudios en Pest, y los continuó posteriormente en Viena y Leipzig, donde se asoció con FELIX MENDELSSOHN. Fue primer violín en Weimar bajo la dirección de FRANZ LISZT (1850–52), pero sus gustos musicales divergían radicalmente. Trabó amistad con JOHANNES BRAHMS, quien le pidió su parecer respecto del concierto para violín que este componía. Joachim escribió las cadenzas que todavía se usan en algunos conciertos. Como rector por casi cuatro décadas de la Hochschule de Berlín (1868–1905), convirtió esta institución en un conservatorio de primera categoría.

Joaquín de Fiore (c. 1130/35, Celico, Reino de Nápoles–1201/02, Fiore). Místico y teólogo italiano y filósofo de la historia. Después de peregrinar a Tierra Santa, se convirtió en monje cisterciense y en 1177 fue abad en Corazzo, Sicilia. En 1191 se retiró a las montañas para llevar una vida contemplativa y, en 1196, fundó la Orden de san Giovanni en Fiore. Su obra *Concordia de ambos Testamentos* bosqueja una teoría de la historia y establece correspondencias entre el Antiguo y el Nuevo Testamento. En su *Comentario al Apocalipsis* examinó los símbolos del ANTICRISTO y en *Salterio decorado* expuso su doctrina de la Santísima TRINIDAD. Hombre de gran imaginación, fue aclamado como profeta y denunciado como hereje.

Job Personaje central del Libro de Job en el ANTIGUO TESTAMENTO, conocido por su fidelidad a Dios a pesar de sus muchas aflicciones. Inicialmente era un hombre acaudalado con una familia numerosa. Satanás desafió a Dios a que le permitiera quitarle las bendiciones para así probar su fe. Poco después, Job estaba desolado, cubierto de diviesos, sin su riqueza y con su familia muerta. Tres amigos llegaron a consolarlo; discutió con ellos, negando haber hecho algo que mereciera esa desdicha, pero mantuvo su fe en Dios. Al final, en una confrontación con Dios, el poder y el misterio de la divinidad fueron reafirmados en forma memorable, pero el problema de por qué el inocente sufre quedó sin resolver. El libro data de los s. VI–IV AC.

Jobim, Antonio Carlos (25 ene. 1927, Río de Janeiro, Brasil–8 dic. 1994, Nueva York, N.Y, EE.UU.). Letrista y compositor brasileño. Tocaba la guitarra y el piano en clubes de Río de Janeiro antes de ser el director musical de la Odeon Records. En 1959, él y Luís Bonfá compusieron la música de la película *Orfeo negro*, lo que le acarreó poco después el éxito mundial. Transformó la música del samba en bossa nova ("nuevo estilo" o "nueva ola"), una fusión entre un ritmo de samba discreto (percusión tranquila, guitarras sin amplificación que tocan ritmos sutilmente complejos), un canto delicado y las armonías melódicas y sofisticadas del "cool jazz". Este estilo encontró un nicho duradero en la música popular. Colaboró con FRANK SINATRA, STAN GETZ y Astrud Gilberto, además compuso obras clásicas y música para cine. Entre sus más de 400 canciones destacan "Samba de una nota", "Meditación" y "La chica de Ipanema".

Jobs, Steven Paul (n. 24 feb. 1955, San Francisco, Cal., EE.UU.). Empresario estadounidense. Fue adoptado en su infancia y creció en Los Altos. Abandonó el Reed College y se fue a trabajar para Atari Corp., diseñando juegos de vídeo. En 1976 cofundó (con Stephen Wozniak) Apple Computer, Inc. La primera computadora Apple, creada cuando Jobs tenía sólo 21 años, cambió la idea del público de una computadora, de una máquina enorme para uso científico a un aparato doméstico que podía ser operado por cualquier persona. La computadora Macintosh de Apple, que apareció en 1984, introdujo una interfaz gráfica de usuario y la tecnología del ratón, que llegó a ser el estándar para todas las interfaces de aplicación. En 1980, Apple se transformó en una corporación pública y Jobs ocupó el cargo de presidente de la compañía. Conflictos administrativos lo llevaron a dejar Apple en 1985 para formar NeXT Computer Inc., pero regresó a Apple en 1996 y llegó a ser director general en 1997. La sorprendente computadora iMac (1998) y la tecnología del iPod, en el rubro de música y vídeo, reflotaron las finanzas de la compañía.

Jōchō (m. 1057, Japón). Escultor budista japonés. Hijo y alumno de un escultor, trabajó principalmente para la familia Fujiwara. Se le otorgaron honores sin precedentes por la realización de las esculturas para el templo Hōjō de Kioto y para el templo de la familia Fujiwara en Nara. Al organizar a los escultores budistas en un gremio contribuyó de manera decisiva a mejorar el estatus social de estos. Perfeccionó la llamada *kiyosehō* o técnica de madera aglomerada. La única obra de su autoría que sobrevive es una figura tallada de Amida (Buda), que data c. 1053 en el templo Byōdō en Uji.

Joel Segundo de los 12 profetas menores en las escrituras hebreas, autor del libro de Joel. (Su profecía es parte de un libro más extenso, Los Doce, en el canon judío). Vivió durante el período del segundo templo de Jerusalén (516 ac–70 dc), pero nada se sabe de su vida. Comienza su profecía describiendo una plaga de langostas, alegoría de los desastres que caerán sobre el pueblo infiel. Su mensaje es simple: la salvación llegará a Judá sólo cuando el pueblo se vuelva verdaderamente a Yahvé. El fin del libro trata de los últimos días, cuando todo Israel participará en el conocimiento de Dios.

Joffre, Joseph (-Jacques-Césaire) (12 ene. 1852, Rivesaltes, Francia–3 ene. 1931, París). Comandante en jefe del ejército francés en el frente occidental en la primera guerra mundial. Fue el responsable de la desastrosa campaña con la que las fuerzas francesas iniciaron las operaciones en 1914 en contra de Alemania, pero luego las reubicó y creó un nuevo ejército francés bajo su mando directo, que obtuvo una gran victoria en la primera batalla del Marne (1914). Como comandante en jefe (1915–16), ordenó a sus contingentes penetrar en las posiciones alemanas, a un altísimo costo. Su prestigio decayó y debido a la falta de preparación de los soldados en la batalla de Verdún (1916), fue despojado del mando directo y renunció. Fue nombrado mariscal de Francia en 1916.

Joseph Joffre, detalle de un retrato por H. Jacquier, 1915.
H. ROGER-VIOLLET

Joffrey, Robert orig. **Abdullah Jaffa Bey Khan** (24 dic. 1930, Seattle, Wash., EE.UU.–25 mar. 1988, Nueva York, N.Y.). Bailarín y coreógrafo estadounidense, fundador y director del Joffrey Ballet. Hijo de padre afgano y madre italiana, estudió danza en Seattle y luego en Nueva York. En 1953 creó una escuela de ballet y, un año después, formó el primero de varios grupos de danza. En 1956 fundó el Robert Joffrey Ballet (más tarde, Joffrey Ballet) junto con Gerald Arpino (n. 1928). La compañía adquirió fama internacional y realizó numerosas giras. En 1965 se afilió al New York City

Center. Entre los ballets de Joffrey se cuentan *Persephone* (1952), *Astarte* (1967), *Remembrances* (1973) y *Postcards* (1980). Tras su muerte, Arpino asumió la dirección de la compañía, que en 1995 trasladó a Chicago con el nombre de Joffrey Ballet of Chicago.

Johannesburgo, importante centro comercial y financiero de Sudáfrica.
ALTRENDO TRAVEL/ALTRENDO/GETTY IMAGES

Johannesburgo Ciudad (pob., 1996: área metrop., 1.480.530 hab.) del nordeste de la República de Sudáfrica. Es una de las ciudades más populosas del país y está ubicada en las laderas meridionales de las tierras altas, llamadas Witwatersrand. Fundada en 1886, después del descubrimiento de oro en las cercanías, los británicos la ocuparon en 1900, durante la guerra de los Bóers. Fue hasta 1991 una ciudad legalmente segregada; los no blancos estaban obligados a vivir en municipios circundantes, entre ellos Soweto. El Gran Johannesburgo cubre una superficie de más de 500 km² (200 mi²) y lo integran más de 500 poblaciones y municipios periféricos. Es un importante centro industrial y financiero. Entre sus instituciones culturales y educativas se cuentan la Galería de arte de Johannesburgo, el Teatro cívico, la Universidad de Witwatersrand y la Universidad Rand Afrikaans.

Johannsen, Wilhelm Ludvig (3 feb. 1857, Copenhague, Dinamarca–11 nov. 1927, Copenhague). Botánico y genetista danés. Respaldó el descubrimiento de Hugo de Vries, de que la variación del genotipo puede ocurrir por mutación; el nuevo carácter, si bien independiente de la selección natural en su presentación inicial, queda luego sujeto a ella. La obra de Johannsen *Elements of Heredity* [Elementos de la herencia] (1909) ejerció influencia, y sus términos *fenotipo* y *genotipo* son hoy parte del lenguaje de la genética.

Johansson, (Per) Christian (20 may. 1817, Estocolmo, Suecia–1903, San Petersburgo, Rusia). Bailarín y profesor de ballet de origen sueco. Formado con August Bournonville, en 1841 lo contrató el Ballet del Teatro Imperial de San Petersburgo. En su vida destacó por una caballerosidad y gallardía insuperables. Desde 1860 se volcó de lleno a la enseñanza en la Escuela de ballet del Teatro Imperial. Durante los siguientes 40 años contribuyó a renovar la técnica rusa, proporcionándole una base sólida con el método francés que había aprendido de Bournonville.

John, Augustus (Edwin) (4 ene. 1878, Tenby, Pembrokeshire, Gales–31 oct. 1961, Fordingbridge, Hampshire, Inglaterra). Pintor, retratista, muralista y dibujante galés. A los 20 años de edad ya era conocido por su brillante técnica de dibujo. Tenía una personalidad pintoresca; erró por Gran Bretaña viviendo con los gitanos, cuyo lenguaje y costumbres aprendió. La pintura *Encampment on Dartmoor* (1906) se basa en esas experiencias. Es muy conocido por sus retratos de personalidades europeas, entre ellos, los de James Joyce y George Bernard Shaw.

John o'Groat's Localidad de Escocia, cerca del cabo DUNNET. Lo fundaron John de Groat y sus dos hermanos en 1793. Antiguamente se consideraba el lugar más septentrional de Gran Bretaña, lo que dio lugar a la expresión "desde LAND'S END hasta John o'Groat's".

Elton John, 2001.
FOTOBANCO

John, Sir Elton (Hercules) *orig.* **Reginald Kenneth Dwight** (n. 25 mar. 1947, Pinner, Middlesex, Inglaterra). Pianista y cantautor de rock británico. Desde niño tocaba el piano de oído y a los 11 años de edad se ganó una beca para estudiar en la Academia real de música. A fines de la década de 1960 empezó una exitosa asociación con el letrista Bernie Taupin (n. 1950) que produciría álbumes famosos como *Goodbye Yellow Brick Road* (1973) y canciones como "Rocket Man", "Bennie and the Jets" y "Philadelphia Freedom". A principios de la década de 1980 retornaron con otros éxitos como "I Guess That's Why They Call It the Blues". En 1997, Elton John presentó una nueva versión del tema "Candle in the Wind" (1973) en el funeral de su amiga DIANA, princesa de Gales, cuya grabación se convirtió inmediatamente en la más vendida de todos los tiempos.

Johns Hopkins, Universidad Universidad privada con sede en Baltimore, Md., EE.UU. Fue fundada en 1876, como escuela de posgrado, gracias a una donación de Johns Hopkins, comerciante de Baltimore (n. 1795–m. 1873). Pasó a ser mixta luego de que, en 1893, un grupo de mujeres proporcionara fondos para la creación de una escuela de medicina. En la actualidad, su escuela de medicina y el Hospital Johns Hopkins, afiliado a la escuela, constituyen los centros de investigación médica más avanzados del país. Además de medicina, la universidad cuenta con escuelas de arte y ciencias, ingeniería, salud pública, enfermería, música, estudios internacionales y educación permanente.

Johns, Jasper (n. 15 may. 1930, Augusta, Ga., EE.UU.). Pintor, escultor y grabador estadounidense. Inició su carrera como artista comercial, produciendo montajes para vitrinas de tiendas neoyorquinas. En 1958 realizó su primera exposición individual, que tuvo un éxito extraordinario. Las siguientes pinturas de Johns presentan imágenes cotidianas, bidimensionales, como banderas, blancos, mapas, números y letras del alfabeto. Fue capaz de elevar estos objetos a nivel de iconos por medio de su destreza pictórica y manipulación de texturas superficiales, las que obtuvo mediante la técnica de la encáustica. Tanto por su deliberada e irónica banalidad como por su rechazo a la expresión emocional, estas primeras obras constituyeron un alejamiento radical del entonces dominante estilo expresionista abstracto (ver EXPRESIONISMO ABSTRACTO). Su desenfadada presentación de los emblemas y objetos cotidianos fue imitada por muchos artistas del POP ART. A partir de 1961 comenzó a integrar objetos reales a sus telas. En la década de 1970 pintó obras compuestas de grupos de líneas paralelas, que llamó *crosshatchings* (líneas entrecruzadas). En la década de 1980 experimentó con la figuración.

Johnson, Andrew (29 dic. 1808, Raleigh, N.C., EE.UU.–31 jul. 1875, cerca de Carter Station, Tenn.). Decimoséptimo presidente de EE.UU. (1865–69). Nació en la pobreza y nunca fue a la escuela; aprendió a leer y a escribir solo. Fue por un breve tiempo aprendiz de sastre, se trasladó con su familia a Greeneville, Tenn., donde abrió su propia sastrería. Antes de cumplir los 21 años de edad, organizó un partido de trabajadores. Cuando fue elegido para integrar el poder legislativo del estado, se convirtió en vocero de los pequeños agricultores. Luego formó parte de la Cámara de Representantes (1843–53) y posteriormente fue gobernador de Tennessee (1853–57). Cuando ingresó al Senado (1857–62), se opuso a la agitación antiesclavista, pero en 1860, luego de la elección del pdte. ABRAHAM LINCOLN, rechazó con vehemencia la secesión del Sur, postura que mantuvo incluso después de la secesión de Tennessee en 1861. Durante la guerra de SECESIÓN, fue el único senador sureño que se negó a unirse a la Confederación. En 1862 fue nombrado gobernador militar de Tennessee, entonces bajo el control de la Unión. En 1864 se le nombró candidato a la vicepresidencia en la lista del presidente Lincoln; ocupó la presidencia cuando este murió asesinado. Durante la RECONSTRUCCIÓN fue partidario de una política moderada para readmitir en la Unión a los antiguos estados confederados con pocas disposiciones relativas a reformas o derechos civiles para los libertos. En 1867, vetó las leyes dirigidas a establecer una oficina de los LIBERTOS y otras medidas relacionadas con los derechos civiles, lo que enardeció tanto a los moderados como a los republicanos radicales, quienes se unieron para aprobar la ley de INAMOVILIDAD (1867), que prohibió al presidente destituir funcionarios sin el consentimiento del Senado. En 1868, en violación de la ley, destituyó al secretario de guerra, EDWIN M. STANTON, aliado de los radicales. La Cámara votó entonces por someterlo a juicio político; era la primera vez que ocurría en la historia de EE.UU. En el posterior juicio en el Senado, los cargos resultaron débiles y faltó un voto para reunir los dos ter-

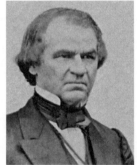

Andrew Johnson.
GENTILEZA DE LA BIBLIOTECA DEL CONGRESO, WASHINGTON, D.C.

cios de votación necesarios. Permaneció en el cargo hasta 1869, pero había perdido su liderazgo. Regresó a Tennessee, donde fue reelegido senador poco antes de su muerte.

Johnson, Eyvind (29 jul. 1900, Svartbjörnsbyn, cerca de Boden, Suecia–25 ago. 1976, Estocolmo). Novelista sueco. Sobrellevó una infancia triste de duro trabajo. Sus primeras novelas muestran sentimientos de frustración; en *Bobinack* (1932) revela las maquinaciones del capitalismo moderno, y *Rain at Daybreak* [Lluvia al amanecer] (1933) es un ataque contra el trabajo esclavizante del oficinista moderno. *Odisea, regreso a Ítaca* (1946) y *Los días de su majestad* (1960) han sido traducidas a varios idiomas. En sus novelas acerca de las clases trabajadoras, Johnson experimentó con nuevas formas y técnicas narrativas y, al mismo tiempo, incorporó nuevos temas en la literatura sueca. En 1974 compartió el Premio Nobel de Literatura con HARRY MARTINSON.

Johnson, Frank (Minis), Jr. (30 oct. 1918, Halyeville, Ala., EE.UU.–23 jul. 1999, Montgomery, Ala.). Juez estadounidense. Al titularse luego de ocupar el primer lugar de su clase en la escuela de derecho de la Universidad de Alabama en 1943, ingresó al ejército con el grado de teniente de infantería. Después de la guerra regresó a Alabama a ejercer su profesión. Como juez del tribunal federal de distrito para Alabama central, nombrado en 1955, se hizo célebre por sus fallos en apoyo del movimiento por los DERECHOS CIVILES. En 1955 votó con la mayoría por la derogación de la ley de segregación en los autobuses, impugnada por ROSA PARKS, y en 1965 dio la orden que permitió que MARTIN LUTHER KING, JR., encabezara una marcha histórica por los derechos civiles, desde

Selma hasta Montgomery. Además, ordenó la integración en diversos servicios públicos en Alabama, y fue el primer juez federal que dictó la redistribución de representantes legislativos. Entre 1979 y 1992 se desempeñó en la Corte de Apelaciones de Distrito, y en 1995 recibió la Medalla presidencial de la libertad.

Johnson, Jack *p. ext.* **John Arthur Johnson** (31 mar. 1878, Galveston, Texas, EE.UU.–10 jun. 1946, Raleigh, N.C.). Boxeador estadounidense, el primer afroamericano que conquistó el título mundial de los pesos pesados. Su carrera estuvo marcada desde el principio por la discriminación racial; hasta que combatió contra Tommy Burns había tenido muchas dificultades para conseguir peleas. Ganó el título de los pesados en 1908, al noquear a Burns, y mantuvo la corona hasta 1915, cuando Jess Willard lo noqueó en el *round* 26. En el mejor momento de su carrera, Johnson fue vituperado por la prensa por haberse casado dos veces con mujeres blancas, y ofendió aún más a los defensores de la supremacía blanca cuando noqueó a James J. Jeffries, que había sido inducido a salir de su retiro como "la gran esperanza blanca". En 1912, Johnson fue condenado a prisión por violar la ley Mann, al traspasar la frontera estatal con su prometida antes de casarse. Fue sentenciado a un año de prisión y salió libre bajo fianza. Huyó a Canadá, luego a Europa y se mantuvo como fugitivo durante siete años. En París defendió tres veces el título mundial antes de acceder a pelear con Willard en La Habana. Algunos observadores pensaron que Johnson, creyendo erróneamente que los cargos en su contra serían levantados si cedía el título ante un blanco, perdió deliberadamente frente a Willard. En 1920 se entregó a las autoridades estadounidenses y cumplió un año de condena. Entre 1897 y 1928 intervino en 114 peleas, de las cuales ganó 80, 45 de ellas por *knock out*.

Johnson, James P(rice) (1 feb. 1894, New Brunswick, N.J., EE.UU.–17 nov. 1955, Nueva York, N.Y.). Pianista y compositor estadounidense, una de las figuras principales en la transición del RAGTIME al JAZZ. En su adolescencia, Johnson ya se presentaba en tabernas y fiestas de la comunidad afroamericana neoyorquina. Creó la técnica pianística del *stride*, una evolución del ragtime que usaba ritmos de dos tiempos con la mano izquierda para acompañar líneas melódicas de amplio rango con la mano derecha, en piezas como "Carolina Shout" y "Harlem Strut". Compuso y orquestó música para revistas de espectáculos, entre ellas, *Keep Shufflin'* (1928) con su alumno FATS WALLER. Entre sus canciones están "The Charleston" (responsable en gran medida de la locura por este baile en la década de 1920) y "Old Fashioned Love". Entre sus obras de gran formato figura *Harlem Symphony* (1932).

Johnson, James Weldon (17 jun. 1871, Jacksonville, Fla., EE.UU.–26 jun. 1938, Wiscasset, Me.). Escritor estadounidense. Ejerció la abogacía en Florida antes de trasladarse con su hermano, el compositor J. Rosamond Johnson (n. 1873–m. 1954), a Nueva York donde compusieron más de 200 canciones para obras de Broadway. Desempeñó cargos diplomáticos en Venezuela y Nicaragua, fue secretario ejecutivo de la NAACP (1920–30). Desde 1930 fue docente en la Universidad Fisk. Entre sus obras figuran la novela *Autobiography of an Ex-Colored Man* [Autobiografía de un ex hombre de color] (1912), *Fifty Years and Other Poems* [Cincuenta años y otros poemas] (1917), y su escrito más conocido, *God's Trombones* [Los trombones de Dios] (1927), conjunto de sermones dialectales en verso. Los hermanos colaboraron en la edición de las pioneras antologías *Book of American Negro Poetry* [Antología de la poesía afroamericana] (1922) y *American Negro Spirituals* (1925, 1926). La más famosa de sus canciones originales, "Lift Every Voice and Sing", se convirtió en un himno del movimiento por los derechos civiles.

Johnson, John H(arold) (19 ene. 1918, Arkansas City, Ark., EE.UU.– 8 ago. 2005, Chicago). Editor estadounidense de revistas y libros. Se trasladó a Chicago con su familia y se dedicó al periodismo. En 1942 fundó el *Negro Digest*, una revista para afroamericanos. Tres años después lanzó *Ebony*, revista inspirada en *Life*; en 2002, la revista ya tenía una circulación de más de 1,8 millones de ejemplares. Por medio de Johnson Publishing Co., también publicó libros y otras revistas de orientación afroamericana, e incursionó además en la radio-telefonía, los seguros y la fabricación de cosméticos.

Johnson, Lyndon B(aines) (27 ago. 1908, cond. de Gillespie, Texas, EE.UU.–22 ene. 1973, San Antonio, Texas). Trigésimo sexto presidente de EE.UU. (1963–69). Hizo clases en un colegio de Houston, Texas, antes de trasladarse a Washington, D.C., en 1932, como asistente de parlamentario. En Washington se hizo amigo de SAM RAYBURN, presidente de la Cámara de Representantes, y su carrera política prosperó. Ganó un escaño en la Cámara (1937–49) como partidario del NEW DEAL, entonces blanco de los ataques conservadores. Su lealtad impresionó al pdte. FRANKLIN D. ROOSEVELT, quien lo hizo su protegido. En 1949 fue elegido senador en una campaña despiadada en que hubo fraude de ambas partes. Como coordinador (1951–55) y jefe de la mayoría demócrata (1955–61), demostró su talento para lograr consensos con métodos tanto discretos como implacables. Se le debió, en gran medida, la aprobación de los proyectos de ley de derechos civiles de 1957 y 1960, las primeras del s. XX. En 1960 fue elegido vicepresidente bajo la administración de JOHN F. KENNEDY y ocupó la presidencia en 1963, cuando este murió asesinado. En los primeros meses de su mandato obtuvo la aprobación de la ley sobre DERECHOS CIVILES FUNDAMENTALES DE 1964, legislación más amplia y trascendente de su tipo en la historia estadounidense. Ese mismo año anunció su programa de la GRAN SOCIEDAD, compuesto de leyes sobre bienestar social y derechos civiles, pero su preocupación por los asuntos internos se vio in-

Lyndon B. Johnson.
FOTOBANCO

terrumpida por la participación creciente del país en la guerra de VIETNAM (ver resolución del golfo de TONKÍN), que, a partir de finales de la década de 1960, provocó grandes manifestaciones estudiantiles y otras protestas. Entre tanto, el descontento y la alienación aumentaron entre la juventud y las minorías raciales, al no materializarse las promesas de la Gran Sociedad. En 1967 su popularidad había decaído notablemente y a comienzos de 1968 anunció que no se presentaría a la reelección. Se retiró a su hacienda en Texas.

Johnson, Magic *orig.* **Earvin Johnson, Jr.** (n. 14 ago. 1959, Lansing, Mich., EE.UU.). Basquetbolista estadounidense. En 1979 lideró al quinteto de la Universidad del estado de Michigan al título nacional universitario, y en la década de 1980 condujo a Los Angeles Lakers a ganar cinco campeonatos de la NBA. De 2,06 m de estatura (6 pies 9 pulg.), era excepcionalmente alto para el puesto de conductor y podía aprovechar su altura para coger rebotes y anotar bajo el tablero. No obstante, era conocido sobre todo por sus pases sorpresivos y su experto liderazgo en la cancha. Fue elegido Jugador Más Valioso en tres ocasiones (1987, 1989 y 1990). Se retiró en 1991, luego de haberse descubierto que era portador del VIH, aunque retornó a los Lakers, por breves períodos, como jugador y técnico.

Johnson, Marguerite ver Maya ANGELOU

Johnson, Michael (Duane) (n. 13 sep. 1967, Dallas, Texas, EE.UU.). Velocista estadounidense. Durante buena parte de la década de 1990 fue prácticamente imbatible en las carreras de 200 y 400 m planos. Compartió una medalla de oro en los Juegos Olímpicos de 1992, como miembro del equipo de posta de 4 × 400 m que impuso un nuevo récord mundial. En los Juegos de 1996 se convirtió en el primer hombre en ganar medallas de oro en los 200 y 400 m, e impuso un récord mundial de 19,32 s en los 200 m. En 1999 logró un nuevo récord mundial al correr los 400 m en 43,18 s. En los Juegos Olímpicos de 2000 ganó otras dos medallas de oro.

Johnson, Philip (Cortelyou) (8 jul. 1906, Cleveland, Ohio, EE.UU.–27 ene. 2005, New Canaan, Conn.). Arquitecto y crítico estadounidense. Estudió filosofía y arquitectura en la Universidad de Harvard. Como coautor de *El estilo internacional: arquitectura desde 1922* (1932) y director del departamento de arquitectura (1932–34, 1946–57) del Museo de Arte Moderno de Nueva York, hizo mucho para familiarizar a los estadounidenses con la arquitectura europea moderna. Ganó fama con la Casa de Cristal (1949), de su propiedad, en la que logró un equilibrio razonable entre la influencia de LUDWIG MIES VAN DER ROHE (quien fue su colaborador en el edificio SEAGRAM) y la alusión clásica. Su estilo tuvo un giro sorprendente con el diseño del edificio institucional de la AT&T en Nueva York (1982), un polémico hito posmodernista. En 1979, Johnson se convirtió en el primer galardonado con el Premio Pritzker de Arquitectura.

Johnson, Robert (c. 1911, Hazlehurst, Miss., EE.UU.–16 ago. 1938, cerca de Greenwood, Miss.). Guitarrista y cantautor de BLUES estadounidense. Nacido en el seno de una familia de aparceros, aprendió armónica y guitarra, influido probablemente por su contacto personal con otros cultores del blues del delta como Eddie "Son" House y Charley Patton. Viajó por todo el sur hasta Chicago y Nueva York por el norte, tocando en fiestas, boliches y campamentos madereros. En 1936–37 grabó canciones de House y de otros, y también piezas originales como "Me and the Devil Blues", "Hellhound on My Trail" y "Love in Vain". Se dice que murió a los 27 años, después de beber whisky con estricnina (posiblemente obra de un marido celoso) en un boliche. Su falsete espectral y su maestría en la guitarra "slide" influyeron en muchos músicos posteriores de blues y de rock.

Johnson, Samuel *llamado* **Dr. Johnson** (18 sep. 1709, Lichfield, Staffordshire, Inglaterra–13 dic. 1784, Londres). Literato británico, fue una de las figuras más excepcionales del s. XVIII en Inglaterra. Hijo de un humilde librero, asistió brevemente a la Universidad de Oxford. Se trasladó a Londres luego de que fracasara un colegio que fundó con su esposa. Escribió para revistas y diarios, y luego fue contratado para que catalogara la gran biblioteca del conde de Oxford. En 1755, tras ocho años de trabajo, publicó su obra monumental, que lo hizo famoso, *Diccionario de la lengua inglesa* (1755), el primer gran diccionario del inglés. Siguió colaborando con diversos periódicos, como *The Gentleman's Magazine* y *The Universal Chronicle*, y casi sin ayuda escribió y editó la revista quincenal *The Rambler* (1750–52). También fue autor de algunas obras de teatro, que no triunfaron en los escenarios. En 1765 hizo una edición crítica de la obra de WILLIAM SHAKESPEARE que incluía un célebre prefacio al que se debe, en gran parte, la consagración de Shakespeare como la figura central del canon literario. Entre sus escritos de viajes está *A Journey to the Western Islands of Scotland* [Viaje a las islas escocesas occidentales] (1775). Su *Vida de los eminentes poetas ingleses*, 10 vol. (1779–81), se constituyó en una de las obras críticas esenciales para entender la poesía anglosajona. Fue un conversador brillante y ayudó a fundar el Literary Club (c. 1763), célebre por la eminencia de sus miembros, como DAVID GARRICK, EDMUND BURKE, OLIVER GOLDSMITH y JOSHUA REYNOLDS. Sus aforismos lo transformaron en uno de los autores ingleses más citados. La biografía de Johnson escrita por su contemporáneo JAMES BOSWELL es considerada una de las cumbres del género.

Johnson, Sir William, 1er baronet (1715, Smithtown, cond. de Meath, Irlanda–11 jul. 1774, cerca de Johnstown, N.Y., EE.UU.). Funcionario colonial británico. En 1737 emigró de Irlanda y se estableció en el valle Mohawk del estado de Nueva York. Dos años más tarde compró su primer predio, con el que inició las adquisiciones que con el tiempo lo convirtieron en uno de los terratenientes más grandes y uno de los colonizadores más acaudalados de la América del Norte británica. Promovió las relaciones amistosas con los indios y sus lazos con ellos se afirmaron aún más cuando, a la muerte de su primera mujer, se casó sucesivamente con dos indias mohawk. En 1746 fue nombrado coronel de la Confederación IROQUESA. En la guerra FRANCESA E INDIA derrotó a las fuerzas francesas en Lake George, N.Y. (1755), y capturó Fort Niagara (1759). Fue superintendente de la confederación iroquesa de las Seis Naciones (1756–74), ayudó a apaciguar el levantamiento de los indios que se conoce como guerra de Pontiac (1763–64) y negoció el primero de los tratados de FORT STANWIX (1768).

Johnson, Virginia ver William H(owell) MASTERS y Johnson, Virginia E(shelman)

Johore, estrecho de Brazo septentrional del estrecho de Singapur, situado entre SINGAPUR y el extremo meridional de la península de MALACA. Tiene 50 km (30 mi) de longitud y 1,2 km (0,75 mi) de ancho. En la parte occidental existe un canal de aguas profundas que da acceso a la base naval de Changi, en la costa nororiental de Singapur. En 1942 fue escenario de encarnizadas batallas durante la ofensiva lanzada por Japón para conquistar Singapur. Una carretera elevada conecta Singapur con el continente.

Joinville, Jean, señor de (c. 1224, Joinville, Champaña–24 dic. 1317, Joinville). Cronista francés. Fue miembro de la baja nobleza de Champaña y trabó amistad con LUIS IX mientras participó en la Séptima Cruzada (1248–54). Su célebre *Vida de San Luis, rey de Francia*, que fue completada c. 1309, es una crónica en prosa que entrega un magnífico recuento de aquella cruzada, con vívidas descripciones de las penurias financieras, los peligros de los viajes marítimos, los estragos de las enfermedades, la confusión e indisciplina en el ejército cruzado y las costumbres musulmanas. Luego de su retorno fue nombrado senescal de Champaña, y dividió su tiempo entre la corte real y su feudo de Joinville.

Joliot-Curie, (Jean-) Frédéric *orig.* **Jean-Frédéric Joliot** (19 mar. 1900, París, Francia–14 ago. 1958, Arcouest). Fisicoquímico francés. En 1926 se casó con Irène Curie (n. 1900–m. 1958), hija de Pierre y MARIE CURIE, y finalmente añadiría el nombre de ella al suyo. En 1932 fue el primero en observar la producción de un par electrón-positrón. Frédéric e Irène son recordados por su descubrimiento de nuevos isótopos radiactivos preparados en forma artificial, por lo que se les otorgó en conjunto el Premio Nobel en 1935. Frédéric militó en la resistencia durante la segunda guerra mundial y se hizo miembro del Partido Comunista; en los años de posguerra sirvió como el encargado de gobierno de más alto rango en el área de energía atómica, pero fue relevado por sus convicciones políticas. De 1946–56 Irène dirigió el Instituto del Radium, donde había trabajado en 1918; Frédéric la sucedió en ese puesto. Ambos murieron a causa de su larga exposición a la radiactividad.

Jolliet, Louis (sep. 1645, probablemente Beaupré, cerca de Quebec, Canadá–¿may.? 1700, prov. de Quebec). Explorador y cartógrafo francocanadiense. En 1669 condujo una expedición a la región de los Grandes Lagos y en 1672, el gobernador de Nueva Francia le encargó la exploración del Mississippi con JACQUES MARQUETTE y cinco personas más. Los expedicionarios partieron en 1673 navegando en canoas de corteza de abedul; cruzaron el lago Michigan, siguieron por los ríos Fox y Wisconsin hasta llegar al Mississippi, luego bajaron por él hasta su confluencia con el Arkansas y concluyeron que el río corría hacia el sur hacia el golfo de México y no, como era su esperanza, hacia el océano Pacífico. A su regreso, exploró las zonas de la bahía de Hudson y la costa del Labrador.

Jolson, Al *orig.* **Asa Yoelson** (26 may. 1886, Srednike, Rusia–23 oct. 1950, San Francisco, Cal., EE.UU.). Cantante, letrista y comediante estadounidense de origen ruso. La familia de Jolson llegó a EE.UU. en 1893 y se estableció en Washington, D.C., donde en 1899 Jolson hizo su debut, presentándose en el VODEVIL antes de integrar una *troupe* de *ministrils* (ver MINSTREL SHOW) en 1909. En Nueva York actuó en musicales como *La Belle Paree* (1911), *Honeymoon Express* (1913) y *Big Boy* (1925). En *Sinbad* (1918) transformó la fallida canción "Swanee", de GEORGE GERSHWIN, en su número característico. En *Bombo* (1921) introdujo "My Mammy", "Toot, Toot, Tootsie" y "California, Here I Come". En 1927 protagonizó *El cantante de jazz*, el primer filme con habla sincronizada así como música y efectos sonoros. Entre sus filmes posteriores están *The Singing Fool* (1928), *Mammy* (1930) y *Swanee River* (1940).

Jomeini, Ruholá *orig.* **Ruhollah Musavi** (¿17 may. 1900?, Jomein, Irán–3 jun. 1989, Teherán). Clérigo chiita y líder de IRÁN (1979–89). Recibió una educación religiosa tradicional y se estableció en Qum c. 1922, donde se convirtió en un estudioso chiita de cierta reputación y en un declarado opositor de REZA KAN PAHLAVI, gobernante de Irán (r. 1926–41), y luego de su hijo, MUHAMMAD REZA PAHLAVI (r. 1941–79). Reconocido por el pueblo como un gran AYATOLÁ a principios de la década de 1960, fue encarcelado y luego exiliado (1964) por sus críticas al gobierno. Se instaló primero en Irak, enseñó en la ciudad santa de Al-Najaf por algunos años, y luego, en 1978, cerca de París, donde continuó criticando al sha. También en esa época, perfeccionó su teoría del *velāyat-e faqīh* ("gobierno del jurista"), según la cual el clero chiita –cuyo papel político en Irán había sido tradicionalmente pasivo– gobernaría el Estado. El descontento en Irán fue en aumento hasta que el sha huyó en 1979; Jomeini regresó poco después y fue finalmente nombrado líder político y religioso (*rahbar*) de Irán. Encabezó un sistema político dominado por el clero, y su política exterior fue tanto antioccidental como anticomunista. Durante el primer año de su liderazgo, militantes iraníes capturaron la embajada de EE.UU. en Teherán –lo que exacerbó en alto grado la tensión con ese país– y comenzó la devastadora guerra de IRÁN-IRAK (1980–90).

Ruholá Jomeini.
FOTOBANCO

Jomini, (Antoine-) Henri, barón de (6 mar. 1779, Payerne, Suiza–24 mar. 1869, Passey, Francia). General y teórico militar francés nacido en Suiza. Después de un período como voluntario en el ejército francés (1798–1800), escribió *Tratado sobre grandes operaciones militares*, 5 vol. (1805). Fue nombrado en 1805 coronel de estado mayor por NAPOLEÓN I, quien había leído su libro. Recibió el título de barón después de los tratados de Tilsit (1807). Ascendió hasta el puesto de jefe del estado mayor, pero un trato injusto por parte de sus superiores lo indujo a renunciar (1813), y de ahí en adelante combatió por el enemigo de Francia, Rusia. De sus numerosas obras posteriores sobre historia y estrategia militar, las más conocidas son *Vida política y militar de Napoleón* (1827) y *Compendio del arte de la guerra* (1838). Fue el primero que estableció la separación entre ESTRATEGIA, TÁCTICA y LOGÍSTICA, y sus esfuerzos sistemáticos por definir los principios que rigen la actividad bélica lo hacen un fundador del pensamiento militar moderno.

jōmon, cultura (c. 7500–c. 250 AC). Cultura del período do MESOLÍTICO caracterizada por una cerámica que posee una rica decoración cordada (*jōmon*). Se han encontrado artefactos de esta cultura desde Hokkaido hasta las islas Ryukyu. El pueblo jōmon vivía en moradas semienterradas y subsistía principalmente de la caza, pesca y recolección. Primero usaron herramientas de piedra tallada y, más tarde, de piedra pulimentada, y su vestimenta estaba hecha de corteza. Aunque su cerámica era elaborada con técnicas primitivas, sus diseños y decoraciones eran de formas variadas e imaginativas. Muchos AINU contemporáneos creen ser descendientes del pueblo jōmon. Ver también cultura YAYOI.

Vasija de cerámica jōmon del mesolítico.
FOTOBANCO

Jonás (c. 785 AC). Uno de los 12 profetas menores del ANTIGUO TESTAMENTO, cuya historia es narrada en el libro de Jonás. (Su relato es parte de un libro más extenso, Los Doce, en el canon judío, y se le menciona por primera vez en el libro de Reyes.) Dios ordena a Jonás profetizar en contra de la maldad de NÍNIVE, pero Jonás rehúsa creer que el pueblo de esta odiada ciudad extranjera merezca la salvación y se embarca en dirección opuesta. Cuando una gran tormenta amenaza destruir la nave, confiesa su falta y pide a la tripulación que lo arroje por la borda. Un gran pez lo traga, pero él ora para liberarse y el pez lo vomita en la playa. Viaja a Nínive y predica el mensaje de Dios; el pueblo pecador se arrepiente y se salva. Cuando se enoja por la salvación de los ninivitas y tiene la esperanza de que la ciudad será destruida, Dios lo reprende. El libro, que se opone al estrecho nacionalismo judío de la época, fue escrito probablemente en los s. V o IV AC.

Jonatán En las escrituras hebreas, el hijo mayor del rey SAÚL y amigo de DAVID. Guerrero del ejército israelita, es mencionado por primera vez como vencedor de los filisteos en Geba. Después de que David se unió a la corte de su padre, ambos se convirtieron en grandes amigos. Saúl comenzó a sentir celos de la popularidad de David e intentó darle muerte, pero Jonatán lo impidió. Cuando se reunieron por última vez, planearon que David sería el próximo rey de Israel y Jonatán su primer ministro, pero Saúl y Jonatán murieron en la batalla del monte Gilboa.

Jones, (Alfred) Ernest (1 ene. 1879, Rhosfelyn, Glamorgan, Gales–11 feb. 1958, Londres, Inglaterra). Psicoanalista galés. Después de ingresar a estudiar medicina en el London's Royal College of Physicians, comenzó a interesarse gradualmente en la psiquiatría. Junto con CARL GUSTAV JUNG organizó el primer congreso de psicoanálisis (Salzburgo, 1908), donde conoció a SIGMUND FREUD. Jones contribuyó a introducir el psicoanálisis en Gran Bretaña y América del Norte; en 1919 fundó el Instituto británico de psicoanálisis y, en 1920, la revista *International Journal of Psycho-Analysis*, que editó hasta 1939. Después de la ocupación nazi de Austria, ayudó a Freud y su familia a escapar a Londres. Su libro *The Life and Work of Sigmund Freud* [Vida y obra de Sigmund Freud], 3 vol. (1953–57), se consideró durante muchos años la biografía referencial de Freud.

Jones, Bill T. *orig.* **William Tass Jones** (n. 15 feb. 1952, Bunnell, Fla., EE.UU.). Bailarín y coreógrafo estadounidense. Estudió danza y teatro en la Universidad del estado de Nueva York, en Binghamton. En 1982, junto con su compañero Arnie Zane (n. 1948–m. 1988), fundó la Bill T. Jones/Arnie Zane Dance Co. Jones ha bailado únicamente en obras cuya coreografía le pertenece, sea por sí solo o con algún colaborador, entre ellas *Runner Dreams* (1978) y *Open Spaces* (1980). En sus trabajos, por lo general se refiere explícitamente a problemáticas sociales. Despertó polémica con *Still/Here* (1995), en la cual abordó el sufrimiento de los infectados con el VIH, enfermedad que Jones padece y que provocó la muerte de Zane.

Jones, Bobby *p. ext.* **Robert Tyre Jones, Jr.** (17 mar. 1902, Atlanta, Ga., EE.UU.–18 dic. 1971, Atlanta). Golfista estadounidense, ganador de 13 torneos mayores entre 1923 y 1930, hazaña que sólo fue igualada en 1973. En 1930 se convirtió en el primer jugador en

Bobby Jones.
UPI/EB INC.

ganar el Grand Slam del golf de la época –los Abiertos Británico y de EE.UU., y el Campeonato Amateur–, después de lo cual se retiró del golf competitivo, a los 28 años, sin haber sido nunca profesional. Jones contribuyó a la instauración del Torneo de MAESTROS, uno de los cuatro grandes campeonatos que componen el Grand Slam moderno (los otros tres son el Abierto Británico, el de EE.UU. y el Campeonato de la Profesional Golfers' Association [PGA]).

Jones, Chuck *p. ext.* **Charles Martin Jones** (21 sep. 1912, Spokane, Wash., EE.UU.–22 feb. 2002, Corona del Mar, Cal.). Animador estadounidense de dibujos animados. Trabajó como caricaturista en Warner Brothers (1933–62), donde contribuyó a crear personajes como Bugs Bunny, El Correcaminos y Wile E. Coyote. Obtuvo tres premios de la Academia por sus cortometrajes de dibujos animados, notables en su veloz acción. Fue el director del departamento de animación de la MGM en la década de 1960, y luego formó su propia compañía, donde dirigió largometrajes animados como *The Phantom Tollbooth* (1971) y programas especiales para la televisión. En 1996, Jones recibió un premio de la Academia a la trayectoria.

Jones, George (Glenn) (n. 12 sep. 1931, Saratoga, Texas, EE.UU.). Cantautor de música COUNTRY estadounidense. Nació en el seno de una familia empobrecida, que se mudó a Beaumont, Texas, cuando él tenía 11 años de edad. En su juventud cantaba en las calles y comenzó a grabar a comienzos de la década de 1950. Su primer éxito, "Why, Baby, Why" (1955), fue seguido de "She Thinks I Still Care", "He Stopped Loving Her Today" y varios otros. En 1957 se integró al GRAND OLE OPRY. Su carrera de éxitos continuó hasta la década de 1980, muchos de ellos con su ex esposa Tammy Wynette. Lo inestable de su vida personal y su carrera no han hecho más que aumentar el afecto constante de sus admiradores.

Jones, Inigo (15 jul. 1573, Smithfield, Londres, Inglaterra–21 jun. 1652, Londres). Pintor, arquitecto y diseñador británico. Hijo de un fabricante de telas, estudió pintura en Italia y consiguió el mecenazgo del rey de Dinamarca, para quien aparentemente diseñó dos palacios antes de regresar a Inglaterra. Comenzó en 1605 diseñando los escenarios y los trajes para las mascaradas de BEN JONSON y otros. A partir de 1615 y hasta 1642 fue inspector de obras del rey. Su primer trabajo importante fue la Queen's House en Greenwich (comenzada en 1616), el primer edificio al estilo de Palladio construido en Inglaterra. Su mayor obra, la Banqueting House en Whitehall (1619–22), consiste en un salón de gran altura con columnatas fijas a los muros, en donde se apoya un cielo plano envigado. A Jones se le atribuye la introducción de la planificación urbana en Inglaterra, por su diseño para el COVENT GARDEN (1630), la primera plaza de Londres.

Jones, James Earl (n. 17 ene. 1931, Arkabutla, Miss., EE.UU.). Actor estadounidense. Estudió actuación en Nueva York y en 1957 debutó en Broadway. Fue elogiado por su interpretación en *Otelo* (1964) y por sus roles en el New York Shakespeare Festival (1961–73). Protagonizó a un boxeador afroamericano en *La gran esperanza blanca* (1969, premio Tony; película, 1970) y después regresó a Broadway con las obras *Paul Robeson* (1978) y *Fences* (1985, premio Tony). Posteriormente actuó en las series de televisión *Paris* (1979–80) y *Gabriel's Fire* (1990–91, premio Emmy). Ha protagonizado numerosas películas, y su profunda voz le otorgó peso y solemnidad al personaje de Darth Vader en la saga *La guerra de las galaxias* (1977, 1980, 1983, 1997); también vocalizó al personaje de Mufasa en *El rey león* (1994).

Jones, Jennifer *orig.* **Phyllis Isley** (n. 2 mar. 1919, Tulsa, Okla., EE.UU.). Actriz de cine estadounidense. En 1939 comenzó a interpretar roles protagónicos en películas menores antes de ser descubierta por DAVID O. SELZNICK, quien la invitó a actuar en su película *La canción de Bernadette* (1943, premio de la Academia). Selznick continuó escogiendo sus roles, y ella protagonizó filmes como *Cartas a mi amada* (1945), *Duelo al sol* (1946) y *La colina del adiós* (1955). Se casó con Selznick en 1949 y durante la década de 1960 hizo esporádicas actuaciones en la pantalla grande.

Jones, John Paul *orig.* **John Paul** (6 jul. 1747, Kirkbean, Kirkcudbright, Escocia–18 jul.1792, París, Francia). Héroe naval estadounidense de origen escocés. Se embarcó a los 12 años de edad y a los 21 ya era dueño de un buque. En 1775 se reunió con su hermano en Virginia. Cuando comenzó la guerra de independencia de los ESTADOS UNIDOS DE AMÉRICA, ingresó a la nueva marina continental, a las órdenes de Esek Hopkins. En 1776, al mando del *Providence*, navegó por la costa del Atlántico donde capturó a ocho buques británicos y hundió otros tantos. Asignado por el congreso a cargo del recién construido *Ranger*, cumplió una navegación espectacular por el canal San Jorge y el mar de Irlanda (1777–78), donde tomó varias presas. En 1779, al mando del *Bonhomme Richard*, interceptó una flota mercante. Aunque un buque escolta, el *Serapis*, tenía más capacidad de fuego, lo obligó a rendirse luego de una batalla encarnizada; cuando se le conminó a ren-

Banqueting House, en Whitehall, Londres; obra arquitectónica de Inigo Jones.
FOTOBANCO

dirse, respondió "¡Todavía no he comenzado a pelear!". Si bien, su buque zozobró, llevó dos presas británicas hasta los Países Bajos. En 1790 se retiró, enfermo, a Francia.

Jones, Mary Harris *orig.* **Mary Harris** *llamada* **Madre Jones** (1 may. 1830, Cork, Irlanda–30 nov. 1930, Silver Spring, Md., EE.UU.). Sindicalista estadounidense. Nacida en Irlanda, fue llevada en 1835 a EE.UU. En 1867, sus hijos y esposo (un trabajador del hierro) murieron debido a una

John Paul Jones, retrato de Charles Willson Peale, 1781.

GENTILEZA DE LA INDEPENDENCE NATIONAL HISTORICAL PARK COLLECTION, FILADELFIA, EE.UU.

epidemia de fiebre amarilla en Memphis. Cuatro años después perdió todas sus posesiones en el gran incendio de Chicago. Recurrió a la ayuda de la orden de los CABALLEROS DEL TRABAJO, lo que la llevó a convertirse en una destacada figura del movimiento sindical estadounidense. Viajó por el país con el propósito de organizar el sindicato de mineros UNITED MINE WORKERS OF AMERICA (UMWA) y apoyar las huelgas, cualquiera fuera el lugar en que se realizaran. A los 93 años de edad aún trabajaba con los mineros del carbón en huelga en Virginia Occidental. Apoyó activamente las leyes para prohibir el trabajo infantil. Fue una de las fundadoras del Partido Social Demócrata en 1898 y de los Industrial Workers of the World (Trabajadores industriales del mundo) en 1905. Su autobiografía fue publicada en 1925. Murió a la edad de 100 años y fue sepultada en el cementerio del sindicato de mineros en Mount Olive, Ill.

Jones, Quincy *orig.* **Quincy Delight Jones, Jr.** (n. 14 mar. 1933, Chicago, Ill., EE.UU.). Compositor, director de bandas y productor estadounidense. Jones se integró a un combo con su amigo RAY CHARLES en su adolescencia y después estudió música en Seattle y Boston. A comienzos de la década de 1950 tocaba trompeta con LIONEL HAMPTON. Fue arreglista de DIZZY GILLESPIE y otros hasta que finalmente formó su propia orquesta y trabajó con figuras como COUNT BASIE, SARAH VAUGHAN y DINAH WASHINGTON. Desde comienzos de la década de 1960 musicalizó decenas de filmes, entre ellos, *Walk Don't Run* (1966), *In Cold Blood* (1967) y *El color púrpura* (1985). Desde mediados de la década de 1970 trabajó principalmente de productor; como fundador de Qwest Productions ha producido álbumes de enorme éxito para MICHAEL JACKSON, FRANK SINATRA y otros. Fundó la revista de música *Vibe*.

Jones, Sir William (28 sep. 1746, Londres, Inglaterra–27 abr. 1794, Calcuta). Orientalista, lingüista y jurista británico. En 1771 dio término a un docto compendio titulado *Grammar of the Persian Language* [Gramática persa]. Por razones financieras, se dedicó al estudio y ejercicio de la abogacía. En 1782 se publicó su *Moallakât*, traducción de siete odas árabes famosas. Al año siguiente fue nombrado caballero y enviado a Calcuta (actual Kolkata), como juez del Tribunal Supremo. Fundó la Sociedad asiática de Bengala para estimular los estudios asiáticos y publicó obras de gran erudición sobre la ley hindú y musulmana. Su propuesta, formulada en 1786, acerca de la existencia de una fuente común para todas las lenguas desde el celta hasta el sánscrito, llevó al reconocimiento de la familia de las lenguas INDOEUROPEAS.

Jones, Spike *orig.* **Lindley Armstrong Jones** (14 dic. 1911, Long Beach, Cal., EE.UU.–1 may. 1965, Los Ángeles, Cal.). Director de orquesta popular estadounidense, conocido por la originalidad de sus grabaciones. A fines de la década de 1930 tocaba batería en orquestas radiales y pronto se hizo conocido por añadir anárquicamente a la percusión sonidos cómicos como bocinas de automóviles, cencerros y yunques. En 1942 formó el grupo Spike Jones and His City Slickers, y pronto la

banda grabó el éxito "Der Fuehrer's Face". Sus éxitos cómicos continuaron hasta la década de 1950, cuando además tuvo su propio show televisivo. La banda siguió grabando hasta la década de 1960, pero cambiando la comedia por el DIXIELAND.

Jonia Antigua región en la costa oeste de ANATOLIA (actual Turquía), que bordea el mar EGEO. Comprendía una faja costera de 160 km (100 mi) que se extendía desde la desembocadura del río Hermus hasta la península de Halicarnaso. En el s. VIII AC, en la región había 12 importantes ciudades griegas, entre ellas FOCEA, ERITRAS, COLOFÓN y MILETO en el continente, y las islas QUÍOS y SAMOS. Fue una zona muy próspera y hasta 500 AC la filosofía y la arquitectura jónicas, y el dialecto jónico, ejercieron una gran influencia en Grecia. A mediados del s. VI AC cayó en manos de LIDIA y más tarde de los persas. Luego de un breve período de independencia que se inició en 334 AC, pasó a formar parte del reino de la dinastía de los SELÉUCIDAS. En 133 AC fue conquistada por los romanos y se integró a la provincia romana de Asia. Los turcos devastaron Jonia durante la conquista de Asia Menor.

jónica, escuela Escuela de filósofos griegos de los s. VI–V AC, entre ellos, TALES DE MILETO, ANAXIMANDRO, ANAXÍMENES, HERÁCLITO, ANAXÁGORAS, Diógenes de Apolonia, Arquelao e Hipón. Si bien JONIA fue el centro originario de su actividad, difirieron a tal grado entre sí en sus conclusiones, que no puede decirse que representen verdaderamente una escuela específica de filosofía, aunque su interés común por explicar los fenómenos en términos de la materia o las fuerzas físicas los distinguió de los filósofos posteriores.

Jónicas, islas *antig.* **Heptanesos** Grupo de siete islas griegas (pob., 2001: 214.274 hab.) del mar Jónico. Comprende CORFÚ, CEFALONIA, Zante, Leukas, Ítaca, Citera y Paxos, que en conjunto ocupan una superficie de 2.307 km² (891 mi²). En los s. XV–XVI estuvieron bajo el control de Venecia, pero en 1799 fueron conquistadas por las fuerzas rusas y turcas. En virtud del tratado de París en 1815 quedaron bajo dominio británico, quienes las cedieron a Grecia en 1864.

Jónico, mar Brazo del MEDITERRÁNEO comprendido entre Grecia, Sicilia e Italia. Antiguamente se incluía como parte del mar ADRIÁTICO, con el cual se comunica a través del estrecho de Otranto, pero en la actualidad se considera un cuerpo separado. El Mediterráneo alcanza su mayor profundidad (4.900 m o 16.000 pies) en el Jónico sur de Grecia. A lo largo de su costa oriental se encuentran las islas JÓNICAS.

jonio Cualquier antiguo habitante griego de JONIA, que data de la época del colapso de Micenas. Los jonios fundaron varias ciudades en el sur de Italia y exploraron el mar Negro c. 700 AC. Entre sus aportes a la cultura griega se cuentan las épicas de HOMERO y la primera poesía elegíaca y yámbica. En el s. VI dieron inicio al estudio de la geografía, filosofía e historiografía. Después de Alejandro Magno, su lenguaje literario constituyó la base de la KOINÉ o "lengua común", que es la lengua de prácticamente todos los escritos griegos hasta la actualidad.

jonios, revuelta de los Levantamiento (499–494 AC) de algunas ciudades jonias de Asia Menor contra sus amos persas. Las ciudades derrocaron a sus propios tiranos y, con ayuda de Atenas, intentaron sin éxito deshacerse del dominio persa. DARÍO I de Persia utilizó la intervención de Atenas como pretexto para invadir Grecia en 490, lo cual dio inicio a las guerras MÉDICAS, que se tradujo en una mayor influencia ateniense en el oeste de Anatolia.

Jonson, Ben(jamin) (¿11? jun. 1572, Londres, Inglaterra–6 ago. 1637, Londres). Dramaturgo, crítico y poeta británico. Aprendió el oficio teatral como actor ambulante, y tiempo después escribió obras que se representaron en los teatros de PHILIP HENSLOWE. En 1598 se consagró con la comedia *Cada* *cual según su humor*. Escribió varias MASCARADAS para la corte de Jacobo I y creó la "antimascarada", que precedía a la mascarada al recibir los invitados. Sus clásicas obras *Volpone* (1605–06), *El alquimista* (1610) y *La feria de san Bartolomé* (1614) utilizaron la sátira para exhibir la insensatez y los vicios de su época, atacando la avaricia, la charlatanería y la hipocresía religiosa y se mofaron de los tontos útiles víctimas de estos males sociales. Es considerado el más importante dramaturgo de la época posterior a la de WILLIAM SHAKESPEARE, e influenció a dramaturgos venideros, especialmente en la caracterización dramática de los personajes de la comedia de la Restauración (ver LITERATURA INGLESA DE LA RESTAURACIÓN). También fue un poeta lírico, entre cuyas obras se encuentran dos famosas elegías a su hijo e hija.

Jooss, Kurt (12 ene. 1901, Wasseralfingen, Alemania–22 may. 1979, Heilbronn, Alemania Occidental). Bailarín, profesor y coreógrafo alemán. Después de estudiar danza con RUDOLF LABAN (1920–24), fundó una escuela y una compañía. Llegó a ser maestro de ballet de la Ópera de Essen en 1930, donde compuso la coreografía de su famoso ballet *La mesa verde* (1932). En 1934 trasladó a Inglaterra su escuela y compañía, que con el nombre de Ballets Jooss realizó giras internacionales extensas hasta disolverse en 1947. Regresó a Essen en 1949, donde continuó componiendo coreografías en las que combinaba el ballet y la danza moderna con un estilo expresionista.

Kurt Jooss en *La mesa verde*, c. 1935.
H. ROGER-VIOLLET

Joplin, Janis (Lyn) (19 ene. 1943, Port Arthur, Texas, EE.UU.–4 oct. 1970, Los Ángeles, Cal.). Cantante de rock y BLUES estadounidense. Proveniente de una familia de clase media, huyó de casa a los 17 años de edad y comenzó a cantar en Austin, Texas, y después en Los Ángeles. En 1966 ingresó al conjunto Big Brother and the Holding Company en San Francisco y pronto se hizo famosa por su estilo crudo, poderoso y emocional de blues. El álbum *Cheap Thrills* (1968) contiene algunas de sus grabaciones más conocidas. Tras dejar ese grupo, continuó grabando canciones de éxito, como "Me and Bobby McGee". Murió víctima de una sobredosis de heroína a los 27 años.

Joplin, Scott (24 nov. 1868, cond. de Bowie, Texas, EE.UU.–1 abr. 1917, Nueva York, N.Y.). Pianista y compositor estadounidense, exponente destacado de la música de RAGTIME, y de formación musical clásica. Sus composiciones como "Maple Leaf Rag" (1899), primer éxito del ragtime, y "The Entertainer" (1902), muestran una lógica aguda que trasciende la dimensión a veces mecánica del género. También escribió un ballet y dos óperas, entre ellas, *Treemonisha* (1911), así como varias obras didácticas. En 1911 sufrió un colapso nervioso y en 1916 fue confinado en una institución especial.

Jordaens, Jacob (19 may. 1593, Amberes, Países Bajos españoles–18 oct. 1678, Amberes). Pintor flamenco que desarrolló su obra en Amberes. Fue admitido en el gremio de pintores en 1615. Alrededor de 1620 ya poseía un próspero taller con muchos alumnos. Luego de la muerte de PETER PAUL RUBENS, al que debía su estilo barroco, se convirtió en el principal pintor de Flandes. Sus pinturas, llenas de figuras robustas, destacan tanto por los fuertes contrastes de luz y sombra como por el aire de sensual vitalidad que bordea la vulgaridad. También produjo pinturas religiosas y retratos. Sus más importantes trabajos por encargo fueron dos enormes murales para la residencia real, llamada Huis ten Bosch, cerca de La Haya. Sus obras posteriores suelen ser consideradas mediocres, y con frecuencia fueron ejecutadas por sus ayudantes.

"El rey bebe", pintura al óleo de Jordaens, 1638; Musées Royaux des Beaux-Arts, Bruselas.
GENTILEZA DE LOS MUSÉES ROYAUX DES BEAUX-ARTS, BRUSELAS; FOTOGRAFÍA, PHOTO SASKIA, NORTH AMHERST, MASS., EE.UU.

Jordan, David Starr (19 ene. 1851, cerca de Gainesville, N.Y., EE.UU.–19 sep. 1931, Stanford, Cal.). Catedrático e ictiólogo estadounidense. Estudió en la Universidad Cornell y enseñó en varias universidades hasta 1885, año en que llegó a ser rector de la UNIVERSIDAD DE INDIANA. En 1891 fue el primer rector de la Universidad de Stanford, donde prestó servicios hasta 1913. Sus extensos viajes de estudio lo llevaron a bautizar 1.085 géneros y más de 2.500 especies de peces. Fue coautor (con B.W. Evermann) de *The Fishes of North and Middle America* [Los peces de América del Norte y central] (1896–1900) y autor del *Manual of the Vertebrates of the Northern United States* [Manual de los vertebrados del norte de Estados Unidos] (13 ediciones, 1876–1929). Más tarde, dedicó su carrera a la causa de la paz internacional, desempeñándose como director jefe de la World Peace Foundation (Fundación para la paz mundial).

Jordan, Michael (Jeffrey) (n. 17 feb. 1963, Brooklyn, N.Y., EE.UU.). Basquetbolista estadounidense. En 1982, como estudiante de primer año, contribuyó a que la Universidad de Carolina del Norte ganara el título nacional universitario. Reclutado por los Chicago Bulls en 1984, consiguió diez títulos de goleador y cinco premios al Jugador Más Valioso, al tiempo que conducía a los Bulls a obtener seis campeonatos de la NBA (1991–93, 1996–98). Integró también los quintetos olímpicos de EE.UU. que ganaron medallas de oro en los Juegos de 1984 y 1992. Se retiró, temporalmente en 1993, con la esperanza de jugar en forma profesional al béisbol, pero retornó a los Bulls en 1995. Se retiró otra vez en 1999, pero después de un breve período como propietario y gerente general de los Washington Wizards, volvió a jugar en 2001 en los Bulls. Conocido como "Jordan el Aéreo" por su excepcional capacidad de salto, combinaba el juego acrobático con un fiero espíritu competitivo. Se lo considera uno de los mejores jugadores de la historia del baloncesto. Su éxito en la cancha y en los negocios hizo de él uno de los deportistas más populares y admirados de todos los tiempos.

Jordán, río Río del Medio Oriente. Nace en Siria, cruza el lago TIBERÍADES (mar de Galilea) y recibe luego las aguas de su principal afluente, el río YARMUK. Desemboca en el mar MUERTO a 400 m (1.312 pies) bajo el nivel del mar, después de completar un curso de 360 km (223 mi). En la tradición cristiana se lo conoce como el lugar en que san JUAN BAUTISTA bautizó a JESÚS.

JORDANIA

▸ **Superficie:** 89.342 km²
(34.495 mi²)

▸ **Población:** 5.182.000 hab.
(est. 2005)

▸ **Capital:** AMMÁN

▸ **Moneda:** dinar jordano

Jordania *ofic.* **Reino Hachemí de Jordania** País del MEDIO ORIENTE, ubicado al este del río JORDÁN. Limita con SIRIA, IRAK, ARABIA SAUDITA, ISRAEL y el territorio de CISJORDANIA. Jordania tiene un litoral de 19 km (12 mi) en el golfo de AQABA. La inmensa mayoría de los habitantes son árabes, de los cuales cerca del 66% correponden a árabes palestinos que huyeron a Jordania desde Israel y Cisjordania a consecuencia de las guerras ÁRABE-ISRAELÍES. Idioma: árabe (oficial). Religión: Islam (oficial), en su mayoría sunní (más del 90% de la población). El 80% del territorio está constituido por desiertos y menos del 10% es cultivable. La mayor elevación, el monte Ramm (1.754 m [5.755 pies]), se levanta en las tierras altas ubicadas en el margen oriental del río Jordán, en cuyo valle se encuentra el mar MUERTO. La economía se basa principalmente en la actividad manufacturera y de servicios (entre ellas, el turismo); los principales productos de exportación son fosfato, potasa, productos farmacéuticos, frutas y hortalizas y fertilizantes. Jordania es una monarquía constitucional bicameral; el rey es el jefe de Estado y de Gobierno, asistido por el primer ministro. El país comparte gran parte de su historia con Israel, por ocupar ambos el territorio conocido históricamente como PALESTINA. La mayor parte de la Jordania actual formaba parte en el pasado, en tiempos de DAVID y SALOMÓN (c. 1000 AC), del reino de Israel. En 330 AC quedó bajo control de los seléucidas y, en el s. VII DC, de los árabes musulmanes. En 1099, los cruzados extendieron el reino de Jerusalén hasta el oriente del río Jordán. La región pasó a formar parte del Imperio OTOMANO en el s. XVI. En 1920, la zona que comprendía Jordania (entonces conocida como Transjordania) fue incorporada en el mandato británico de Palestina. Transjordania se transformó en Estado independiente en 1927, aunque el mandato británico no concluyó hasta 1948. En 1949, cuando terminaron las hostilidades con el nuevo estado de Israel, Jordania anexó Cisjordania y el este de JERUSALÉN, territorios que administró hasta que Israel se apoderó de ellos en la guerra de los SEIS DÍAS (1967). En 1970–71, Jordania se vio destrozada por las luchas entre el gobierno y las guerrillas de la OLP (Organización para la Liberación de Palestina), que terminaron con la expulsión de

la OLP del país. En 1988, el rey HUSSEIN renunció a todos los derechos jordanos sobre Cisjordania en favor de la OLP. En 1994, Jordania e Israel firmaron un acuerdo de paz total.

Jorge I, detalle de una pintura al óleo al estilo de Sir Godfrey Kneller, 1714.
GENTILEZA DE LA NATIONAL PORTRAIT GALLERY, LONDRES

Jorge I *orig.* **Jorge Luis** *alemán* **Georg Ludwig** (28 may. 1660, Osnabrück, Hannover–11 jun. 1727, Osnabrück). Primer rey de Inglaterra (1714–27) de la casa de HANNOVER. Sucedió a su padre como elector de Hannover (1698) y combatió con distinción en la guerra de sucesión ESPAÑOLA. Como bisnieto de JACOBO I de Inglaterra y bajo la ley de ESTABLECIMIENTO, ascendió al trono inglés en 1714. Formó un gabinete whig y dejó los asuntos de política interna a sus ministros, entre ellos, JAMES STANHOPE, CHARLES TOWNSHEND y ROBERT WALPOLE. Fue impopular debido a sus costumbres germánicas y a sus amantes alemanas y por su participación en la crisis de la SOUTH SEA BUBBLE, pero fortaleció la posición británica al formar la CUÁDRUPLE ALIANZA (1718). Fue sucedido por su hijo, JORGE II.

Jorge I *griego* **Georgios** *orig.* **príncipe Guillermo de Dinamarca** (24 dic. 1845, Copenhague, Dinamarca–18 mar. 1913, Salónica, Grecia). Rey de Grecia. Hijo de CRISTIÁN IX de Dinamarca, sirvió en la armada danesa y en 1862 fue propuesto al trono griego por Gran Bretaña, Francia y Rusia después de que el rey griego Otón fuera depuesto. Aceptado por la Asamblea nacional griega, ascendió al trono como Jorge I en 1863. Supervisó la incorporación a Grecia de territorios en Tesalia y Epiro, así como la anexión de Creta. En los disturbios causados por las guerras BALCÁNICAS, fue asesinado en Salónica; lo sucedió su hijo, Constantino I. Su largo reinado representó el período de formación de Grecia como un estado europeo moderno.

Jorge II *orig.* **Jorge Augusto** *alemán* **Georg August** (10 nov. 1683, Palacio Herrenhausen, Hannover–25 oct. 1760, Londres, Inglaterra). Rey de Gran Bretaña y elector de Hannover (1727–60). Su padre, el elector de Hannover, se convirtió en JORGE I de Inglaterra; le sucedió en ambos cargos en 1727. Mantuvo a ROBERT WALPOLE como su ministro más importante hasta 1742. Llevada Inglaterra a la guerra de sucesión AUSTRÍACA por su nuevo ministro, John Carteret (n. 1690–m. 1763), combatió valerosamente en la batalla de Dettingen (1743), la última vez en que un rey británico estuvo en el campo de batalla. El parlamento y los ministros forzaron la renuncia de Carteret y el nombramiento de WILLIAM PITT. Perdió interés en

la política y por la estrategia de Pitt se logró una victoria británica en la guerra de los SIETE AÑOS.

Jorge II *griego* **Georgios** (20 jul. 1890, Tatoi, cerca de Atenas, Grecia–1 abr. 1947, Atenas). Rey de Grecia (1922–24, 1935–47). Se convirtió en rey cuando su padre, CONSTANTINO I, fue depuesto en 1922, pero la familia real era impopular y Jorge huyó de Grecia en 1923. La Asamblea Nacional proclamó la república en 1924. Permaneció en el exilio hasta que el conservador Partido Populista, con apoyo del ejército, obtuvo el control de la legislatura y restauró la monarquía en 1935. Apoyó a IOÁNNIS METAXÁS cuando este se tomó el poder en 1936. Debió marcharse al exilio en 1941 durante la segunda guerra mundial; el sentimiento republicano amenazó su trono, pero, restablecido por un plebiscito, regresó a Grecia en 1946.

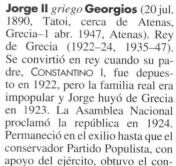

Jorge II, rey de Grecia.
DIMITRI PAPADIMOS, ATENAS

Jorge III *orig.* **Jorge Guillermo Federico** (4 jun. 1738, Londres, Inglaterra–29 ene. 1820, castillo de Windsor, cerca de Londres). Rey de Gran Bretaña e Irlanda (1760–1820); también elector (1760–1814) y rey (1814–20) de Hannover. Nieto de JORGE II, ascendió al trono durante la guerra de los SIETE AÑOS. Su primer ministro, Lord BUTE, forzó la renuncia de WILLIAM PITT y causó intrigas más que estabilidad dentro del gobierno. Propició políticas que fueron desestimadas por los sucesores de Bute, renunciado en 1763, hasta que Lord NORTH se convirtió en primer ministro en 1770. Debido a que Inglaterra estaba afligida por problemas financieros causados por la guerra, apoyó los intentos de recaudar fondos a través de la fijación de impuestos a las colonias americanas, lo que provocó la guerra de independencia de los ESTADOS UNIDOS

DE AMÉRICA. Junto a North, fue responsabilizado de prolongar la guerra y perder las colonias. Recobró su autoridad cuando North y CHARLES JAMES FOX planearon tomar el control de la COMPAÑÍA INGLESA DE LAS INDIAS ORIENTALES; los obligó a renunciar y reafirmó su poder a través de un nuevo primer ministro "patriótico", WILLIAM PITT el Joven, a quien apoyó hasta que la guerra con la Francia revolucionaria (1793) y los temores de rebeliones similares en Irlanda llevaron a Pitt a proponer la emancipación política de los católicos, a lo cual se opuso vehementemente, provocando la renuncia del ministro en 1801. En 1811, debido a su mala salud y a la reaparición de la locura que lo había afligido anteriormente por períodos breves, el parlamento decretó la regencia de su hijo, el futuro JORGE IV.

Jorge IV *orig.* **Jorge Augusto Federico** (12 ago. 1762, Londres, Inglaterra–26 jun. 1830, Windsor, Berkshire). Rey del Reino Unido (1820–30) y rey de Hannover (1820–30). Hijo de JORGE III, se ganó la mala voluntad de su padre debido a sus extravagancias y costumbres disolutas. Contrajo un matrimonio secreto que fue anulado por su padre. En 1811 se convirtió en regente, pues el rey había sido declarado demente. Prefirió mantener a los ministros de su padre antes que nombrar a sus amigos whigs y fue testigo del triunfo de Gran Bretaña y sus aliados sobre Napoleón en 1815. Mecenas del arquitecto JOHN NASH, patrocinó la restauración del castillo de WINDSOR.

Jorge V *orig.* **Jorge Federico Ernesto Alberto** (3 jun. 1865, Londres, Inglaterra–20 ene. 1936, Sandringham, Norfolk). Rey del Reino Unido (1910–36). Segundo hijo del futuro EDUARDO VII, sucedió a su padre en 1910. A principios de su reinado, enfrentó problemas causados por la contienda constitucional para limitar el poder de la CÁMARA DE LOS LORES.

Jorge V.
CAMERA PRESS

Durante la primera guerra mundial aumentó el respeto por el nuevo rey, quien visitó el frente en Francia en varias ocasiones. Después de la guerra debió encarar una grave crisis industrial y, en 1923, la renuncia del primer ministro Andrew BONAR LAW, quien fue reemplazado por STANLEY BALDWIN. Después del colapso de la libra esterlina y la consiguiente crisis financiera en 1931, convenció a James RAMSAY MACDONALD de mantenerse en el cargo y formar un gobierno de coalición nacional. Sus hijos EDUARDO VIII y JORGE VI heredaron sucesivamente el trono.

Jorge VI *orig.* **Alberto Federico Arturo Jorge** (14 dic. 1895, Sandringham, Norfolk, Inglaterra–6 feb. 1952, Sandringham). Rey del Reino Unido (1936–52). Segundo hijo de JORGE V, fue proclamado rey después de la abdicación de su hermano, EDUARDO VIII. Fue un importante líder simbólico del pueblo británico durante la segunda guerra mundial. Apoyó la política en época de guerra de WINSTON CHURCHILL y visitó a las tropas en varios frentes de batalla. En 1949 fue oficialmente reconocido como jefe de la COMMONWEALTH por sus estados miembros. Se ganó el respeto de su pueblo por cumplir escrupulosamente las responsabilidades de un monarca constitucional y por superar el obstáculo de su marcado tartamudeo. Fue sucedido por su hija, ISABEL II.

Jorge VI.
KEYSTONE

Jorge, san (c. siglo III–según la tradición, m. en Lidda, Palestina; festividad: 23 de abril). Mártir cristiano primitivo y santo patrono de Inglaterra. Su existencia histórica es incierta, pero a partir del s. VI apareció en las leyendas como un santo guerrero. Se dice que rescató a la hija de un rey libio de las garras de un dragón, al cual dio muerte a cambio de la promesa de que los súbditos del rey serían bautizados. En las representaciones artísticas, el joven santo a menudo lleva la armadura de un caballero, ornada de una cruz escarlata. Probablemente se convirtió en santo patrono de Inglaterra en el s. XIV, cuando EDUARDO III lo nombró patrono de la Orden de la JARRETERA.

Jornal do Brasil Periódico brasileño de circulación nacional, fundado en 1891. Creado por Rodolfo Dantas y Joaquím Tabuco como órgano de expresión de las corrientes monárquicas, fue adquirido dos años después por el escritor liberal RUY BARBOSA. Tras el exilio de este, pasó a manos de la familia Nascimento Brito, quien lo ha dirigido durante el último siglo y medio. En 2001, después de muchos años de inestabilidad económica, la familia vendió el 49% de la sociedad al empresario Nelson Tanure. El diario es muy leído en los medios intelectuales, políticos y empresariales.

joruri VER BUNRAKU

José En el ANTIGUO TESTAMENTO, hijo del patriarca JACOB y su esposa RAQUEL. Favorecido por su padre, sus hermanos se sintieron profundamente celosos cuando recibió una resplandeciente "túnica talar" (literalmente, túnica con mangas ondeantes). Lo vendieron a unos mercaderes que a su vez lo revendieron como esclavo en Egipto y le dijeron a Jacob que había sido muerto por una fiera. En Egipto, se ganó el favor del faraón y ascendió a un alto cargo, debido a su habilidad para interpretar sueños y por adquirir y almacenar los granos que permitieron a Egipto resistir una hambruna. Cuando la hambruna obligó a Jacob a enviar a sus hijos a Egipto a comprar granos, la familia se reconcilió con José y se estableció allí. Su historia, narrada en GÉNESIS 37–50, describe la preservación de Israel y da comienzo a la historia de los israelitas en Egipto que continúa en ÉXODO.

José II (13 mar. 1741, Viena–20 feb. 1790, Viena). Emperador germánico (1765–90). Sucedió a su padre, FRANCISCO I, y cogobernó inicialmente con su madre, MARÍA TERESA (1765–80). Tras la muerte de esta, intentó continuar con sus reformas. Considerado un "déspota ilustrado", abolió la SERVIDUMBRE, estableció la igualdad religiosa ante la ley, garantizó la libertad de prensa y emancipó a los judíos. Entró en conflicto con la Iglesia católica al intentar imponerle el control estatal, y países tradicionales como los Países Bajos austríacos y Hungría se opusieron a sus avanzadas reformas. Su política

José II, detalle de una pintura de Pompeo Batoni, 1769.
GENTILEZA DEL KUNSTHISTORISCHES MUSEUM, VIENA

exterior, en general, fracasó; intentó intercambiar los Países Bajos austríacos por Baviera, pero Prusia se negó. Una alianza con CATALINA II de Rusia comprometió la participación de tropas austríacas en una guerra contra Turquía, pero debió regresar para detener los desórdenes revolucionarios en Hungría y en los Países Bajos austríacos.

José Ben Matías ver FLAVIO JOSEFO

José Bonaparte, golfo de Ensenada del mar de Timor en el norte de Australia. Tiene 360 km (225 mi) en dirección este-oeste y se adentra unos 160 km (100 mi) en la costa australiana. Un navegante holandés entró en el golfo en 1644, y en 1803 lo visitó el francés Nicolás Baudin, que le dio su nombre actual en honor de JOSÉ BONAPARTE, hermano de NAPOLEÓN.

José, Padre *orig.* **François-Joseph le Clerc du Tremblay** (4 nov. 1577, París, Francia–18 dic. 1638, Rueil). Místico y reformador religioso francés. Se unió a los capuchinos en 1599. Su fervoroso deseo de convertir a los protestantes europeos al catolicismo coincidió con los planes del cardenal RICHELIEU para lograr la dominación francesa de Europa y se convirtió en secretario de este en 1611. Llegó a ser conocido como la "Eminencia Gris" (por su capote capuchino gris) y su estrecha colaboración con Richelieu (la "Eminencia Roja") le permitió tener facultades semejantes a las de un ministro de asuntos exteriores, especialmente durante la campaña de Richelieu para financiar la participación de Francia en la guerra de los TREINTA AÑOS, en cuya gestación su política exterior cumplió un importante papel.

José, san (c. siglo I DC, Nazaret, región de Galilea, Palestina; festividad principal: 19 de marzo; Fiesta de san José Obrero: 1 de mayo). En el NUEVO TESTAMENTO, esposo de MARÍA y padre terrenal de JESÚS. Descendiente de la casa de DAVID, era carpintero en NAZARET. Desposado con María, se percató que ya estaba embarazada. Entonces, se le apareció un ángel en una visión y le dijo que la criatura por nacer era el hijo de Dios. Viajó con María a BELÉN para ser empadronados en el censo romano y mientras estaban allí nació el niño. Es mencionado por última vez en el evangelio de San Lucas, cuando con María llevan a Jesús, por entonces de 12 años, a Jerusalén.

Josefina *orig.* **María Josefina Rosa Tascher de la Pagerie** (23 jun. 1763, Trois Ilets, Martinica–29 may. 1814, Malmaison, Francia). Consorte de NAPOLEÓN I y emperatriz de Francia. Se casó con un oficial de ejército, Alexandre, vizconde de Beauharnais, en 1779. Fue encarcelada por breve tiempo durante la Revolución francesa y su marido fue guillotinado. Importante figura de la sociedad parisiense, se casó con Napoleón I en una ceremonia civil en 1796. Fue una esposa indiferente y extravagante, pero durante el CONSULADO se valió de su posición social para impulsar la carrera política de su esposo. Después de que este se convirtió en emperador (1804), lo convenció de que se casaran nuevamente bajo ritos religiosos. No pudo darle un hijo y en 1810 él logró que su matrimonio fuese anulado para así poder contraer un matrimonio políticamente conveniente con MARÍA LUISA.

Josefina, detalle de una pintura de François Gérard; Musée National de Malmaison, París.
GIRAUDON—ART RESOURCE/EB INC.

Joseph, jefe (c. 1840, valle de Wallowa, Territorio de Oregón–21 sep. 1904, Reserva Colville, Wash., EE.UU.). Jefe de la tribu NEZ PERCÉ. En 1877 los estadounidenses intentaron obligar a su pueblo a trasladarse a una reserva en Idaho. Inicialmente aceptó, pero luego decidió conducir a sus seguidores a Canadá. Durante el viaje de tres meses, en que recorrieron más de 1.600 km (1.000 mi), se sobrepuso con destreza a diversos ataques y escaramuzas de las tropas federales y se ganó la admiración de muchos blancos por su conducta humanitaria. Finalmente, el grupo fue detenido casi al llegar a la frontera canadiense y posteriormente trasladado a territorio indígena (Oklahoma). En 1885 los nez percé fueron reubicados en una reserva en el estado de Washington.

Josephson, Brian D(avid) (n. 4 ene. 1940, Cardiff, Gales). Físico británico. Recibió un Ph.D. en la Universidad de Cambridge y empezó a investigar sobre la base de los primeros trabajos de LEO ESAKI, para IBM, e Ivan Giaever (n. 1929), para General Electric. Por su descubrimiento de lo que ahora es llamado el efecto JOSEPHSON en superconductividad, compartió el Premio Nobel con Esaki y Giaever en 1973. Elegido miembro de la Royal Society en 1970, fue nombrado profesor en Cambridge en 1974.

Josephson, efecto Flujo de corriente eléctrica entre dos piezas de material superconductor (ver SUPERCONDUCTIVIDAD) separadas por una capa delgada de material aislante. Este flujo fue pronosticado por el científico británico BRIAN JOSEPHSON en 1962, basado en la teoría BCS (ver JOHN BARDEEN). Según Josephson, pares de ELECTRONES pueden moverse de un superconductor a otro a través de una capa aislante (pasaje). El lugar geométrico de esta acción es llamado una unión Josephson. La corriente Josephson fluye sólo si no hay una batería conectada a los dos conductores. Una aplicación importante de este descubrimiento se encuentra en los dispositivos de interrupción extrarrápidos usados en las computadoras, los cuales pueden ser 100 veces más veloces que los circuitos semiconductores ordinarios.

Joshua Tree, parque nacional Parque nacional en el sudeste del estado de California, EE.UU. Se ubica en el límite entre los desiertos de MOHAVE y Colorado y ocupa una superficie de 3.124 km^2 (1.241 mi^2). Fue declarado monumento nacional en 1936 y parque nacional en 1994. Es famoso por la variedad de su flora desértica, como el árbol de Josué, que da el nombre al parque, el arbusto de creosota y la yuca de Mohave. Entre su fauna destacan el coyote, lince rojo y las tarántulas.

Josías (c. 640 AC–609 AC). Rey de JUDÁ y reformador religioso. Se convirtió en rey a los ocho años de edad, después del asesinato de su padre, Amón. Cuando el Imperio asirio se desmoronó, Judá ganó una cierta independencia y en 621 AC Josías inició un programa de renovación nacional. Expulsó los cultos extranjeros, abolió los santuarios locales y concentró el culto a Yahvé en el templo de JERUSALÉN. Cuando sus reformas estaban en marcha, partes del libro de Deuteronomio fueron descubiertas en el templo, dando más fuerza a sus intentos de revivir la observancia de la ley mosaica. Aspiraba a reunificar Judá e Israel, pero murió en una batalla contra los egipcios.

Jospin, Lionel (n. 12 jul. 1937, Meudon, Francia). Político del PARTIDO SOCIALISTA FRANCÉS, otrora primer ministro de Francia (1997–2002). Se educó en la exclusiva Escuela nacional de administración. Ingresó al servicio exterior y más tarde enseñó economía en el Instituto de Tecnología de la Universidad de París-Sceaux. Fue elegido a la Asamblea Nacional en 1977 y luego designado jefe del partido por el pdte. François Mitterrand. Se desempeñó como ministro de educación y perdió por un estrecho margen la elección presidencial de 1995 ante JACQUES CHIRAC. Después de que los socialistas y sus aliados obtuvieron la mayoría en la Asamblea Nacional en 1997, fue designado primer ministro por Chirac. Renunció en 2002 tras fracasar en su candidatura presidencial.

Josquin des Prez (c. 1445, ¿Condé-sur-l'Escaut?, Hainaut de Borgoña–27 ago. 1521, Condé-sur-l'Escaut). Compositor del norte de Francia. Tal vez discípulo de JOHANNES OCKEGHEM, pasó su vida trabajando como cantante, trasladándose de un cargo a otro en Italia, como en la catedral de Milán (1459–72) y la capilla papal (1486–94), antes de regresar a Condé en 1504, donde permaneció hasta su muerte. Josquin pudo equilibrar la complejidad del contrapunto imitativo con un don melódico inagotable. Dejó más de 60 motetes (como *Absalon, fili mi*), unas 18 misas completas (como la *Missa Pange lingua*) y varias canciones profanas excelentes en el estilo de acordes "italiano" (como "El grillo"). El primer editor de música, Ottaviano

Josquin des Prez, dibujo de Joris van der Straeten, s. XVI.
THE BETTMANN ARCHIVE

Petrucci, dedicó un volumen completo a las obras de Josquin, honor que no se había concedido a ningún otro compositor. Su reputación póstuma, como lo atestiguan Martín Lutero y otros, sobrepasó la de cualquier compositor precedente y sus obras fueron imitadas servilmente durante el s. XVI.

Josué Líder de las tribus israelitas después de la muerte de Moisés. Según el libro bíblico de Josué, llevó al pueblo de Israel al oeste, cruzando el río Jordán para invadir Canaán. Bajo su liderazgo, los israelitas conquistaron a los cananeos y obtuvieron el control de la tierra prometida. El libro comienza con un relato de las batallas, como el famoso derrumbe de las murallas de Jericó. Josué luego reparte Canaán entre las 12 tribus de Israel, pronuncia su discurso de despedida y muere. El libro fue compilado mucho después de los hechos descritos, tal vez durante la cautividad de Babilonia en el s. VI ac.

Jotunheim, cordillera Cordillera del centro-sur de Noruega. Corresponde a la cadena montañosa más alta de Escandinavia y se extiende por 130 km (80 mi). Sus picos más elevados son el monte Glitter (2.452 m [8.045 pies]) y el monte Galdhø (2.470 m [8.100 pies]). Pese a que esta cordillera era mencionada en la mitología nórdica, no fue explorada totalmente hasta comienzos del s. XIX.

Joule, James (Prescott) (24 dic. 1818, Salford, Lancashire, Inglaterra–11 oct. 1889, Sale, Cheshire). Físico inglés. Después de estudiar bajo la guía de John Dalton, en 1840 describió la "ley de Joule", la cual afirmaba que el calor producido en un alambre por una corriente eléctrica es proporcional al producto de la resistencia del alambre por el cuadrado de la corriente. En 1843 publicó el valor que encontró para la cantidad de trabajo requerido para producir una unidad de calor, llamada el equivalente mecánico del calor, y estableció que el calor es una forma de energía. Demostró que las diversas formas de energía son básicamente de la misma naturaleza y pueden ser transformadas unas en otras, descubrimiento que formó la base de la ley de conservación de la energía, que es la primera ley de la termodinámica. En su honor, el valor del equivalente mecánico del calor se representa por lo general con la letra J, y una unidad estándar de trabajo se llama joule.

Joven Italia *italiano* **Giovine Italia** Movimiento fundado por Giuseppe Mazzini en 1831 para lograr una nación italiana unida y republicana. A diferencia de los anteriores movimientos independentistas de los Carbonarios, la Joven Italia aspiraba a obtener el apoyo del pueblo italiano, el que sería educado en su papel político. Para propagar sus ideas, publicó el periódico *Giovine Italia* (1832–34). El movimiento se extendió en el norte del país y en 1833 tenía más de 50.000 miembros. Organizó rebeliones en las décadas de 1830–40, pero no consiguió ganar el apoyo del pueblo a la insurrección. En 1848 se reemplazó la Joven Italia por la Asociación Nacional Italiana. Después de 1850 su influencia declinó cuando el liderazgo del movimiento por la unificación italiana pasó a Camilo Benso, conde de Cavour. Ver también Risorgimento.

Jóvenes argelinos Grupo nacionalista argelino. Formado poco antes de la primera guerra mundial (1914–18), era un grupo poco organizado de trabajadores que habían recibido educación francesa en el modernizado sector francés. Se identificaban como "asimilacionistas", y se mostraban dispuestos a considerar la unión permanente con Francia a condición de que los naturales de Argelia recibieran plenos derechos como ciudadanos franceses. En los años que siguieron a la guerra, estos partidarios de las reformas graduales se encontraron con la oposición de los nacionalistas radicales que exigían la plena independencia. Ver también Ferhat Abbas; Asociación de ulemas de Argelia; Frente de Liberación Nacional.

Jóvenes Iracundos Grupo de jóvenes escritores británicos de mediados del s. XX. Sus obras expresan el resentimiento de las clases bajas contra el sistema sociopolítico imperante, así como la mediocridad e hipocresía de las clases media y alta. El apelativo proviene de la descripción que hace John Osborne de un agente de prensa, cuya obra teatral *Mirando atrás con ira* (1956) es el trabajo más representativo del movimiento. Destacaron en el grupo John Wain (n. 1925–m. 1994), Kingsley Amis, Alan Sillitoe y Bernard Kops (n. 1926). Tuvo mucha influencia durante la década de 1950, pero a principios de la década siguiente el movimiento había desaparecido.

Jóvenes tunecinos Partido político formado en 1907 por intelectuales tunecinos que habían recibido educación francesa y que se oponían al dominio francés. Exigían el pleno control del gobierno y de la administración del país, como asimismo plenos derechos ciudadanos para tunecinos y franceses. Protestaron contra la invasión italiana de Libia (1911) y provocaron disturbios contra las políticas francesas en el país. Los franceses exiliaron a sus líderes, lo que hizo que el partido entrara en la clandestinidad hasta 1920, año en que reapareció y se reorganizó como el Partido Destour, que continuó activo hasta 1957. Ver también Habib Burguiba.

Jóvenes turcos *turco* **jöntürkler** Coalición de jóvenes disidentes que pusieron fin al sultanato del Imperio Otomano. Constituido por estudiantes universitarios y militares disidentes, en 1908 el grupo obligó a Abdülhamid II a restablecer la constitución de 1876 y a convocar nuevamente a la legislatura. Lo depusieron al año siguiente, reorganizaron el gobierno, y comenzaron la modernización e industrialización de la sociedad turca. Se unieron a las Potencias Centrales durante la primera guerra mundial (1914–18). Enfrentados a la derrota, renunciaron un mes antes de que finalizara la guerra. Ver también Mustafá Kemal Atatürk; Enver Bajá; Midhat Bajá.

joyas de la Corona Ornamentos empleados en la coronación de un monarca e insignias formales de la monarquía usadas o llevadas en ceremonias de Estado, así como colecciones personales de joyería consolidadas por los soberanos europeos como emblemas valiosos de sus casas reales y de los cargos que desempeñaban. Las más conocidas son las de Gran Bretaña, que comprenden la corona de san Eduardo, el cetro real (con el diamante Estrella de África), el cetro de la equidad y la misericordia, y la espada de la ofrenda, así como el anillo y brazaletes de coronación. Muchas colecciones de joyería real han sido reunidas, confiscadas y dispersadas a través de los siglos.

Joyce, James (Augustine Aloysius) (2 feb., 1882, Dublín, Irlanda–13 ene. 1941, Zurich, Suiza). Novelista irlandés. Educado en una escuela jesuita (a pesar de lo cual renegó tempranamente del catolicismo) y en el University College de Dublín, ya en su juventud había decidido dedicarse a la literatura. En 1902 se trasladó a París, que se transformaría en su principal lugar de residencia tras algunos años que pasó en Trieste y Zurich. Tuvo una vida atribulada, jalonada

James Joyce, fotografía de Gisèle Freund, 1939.
GISELE FREUND

por estrecheces financieras, enfermedades oculares crónicas que lo dejaron casi completamente ciego, y la demencia progresiva de su hija Lucía. La magnífica colección de cuentos *Dublineses* (1914) y su novela autobiográfica *Retrato del artista adolescente* (1916), sus primeros trabajos en prosa, fueron poderosos ejemplos de su talento narrativo y su soberbia inteligencia. Gracias a la ayuda financiera que le prodigaron amigos y mecenas, como Ezra Pound, Sylvia Beach (n. 1887–m. 1962) y Harriet Shaw Weaver (n. 1876–m. 1961), pudo dedicarse durante siete años a escribir *Ulises* (1922), la controvertida obra maestra (prohibida inicialmente en EE.UU. y Gran Bretaña), que hoy muchos consideran la mejor novela en lengua inglesa del s. XX. La obra se destaca por la experimentación lingüística y por explorar técnicas literarias novedosas, como el monólogo interior y el flujo de CONCIENCIA. Pasó 17 años escribiendo su última obra, la extraordinaria *Finnegans Wake* (1939), famosa por su complejidad y enorme virtuosismo lingüístico.

joyería Objetos diseñados para el adorno del cuerpo, generalmente fabricados en oro, plata o platino, que suelen tener piedras preciosas o semipreciosas y sustancias orgánicas como perlas, coral y ámbar. La joyería evolucionó de las conchas, los dientes de animales y otros objetos usados como adorno en tiempos prehistóricos, y con el correr de los siglos se convirtió en un signo de rango social o religioso. En la Italia renacentista, la fabricación de joyas alcanzó el estatus de las bellas artes; muchos escultores italianos fueron formados como orfebres. A partir del s. XVII, la función decorativa de las joyas volvió a cobrar fama, eclipsando su significado simbólico. En el s. XIX, la industrialización puso la joyería al alcance de la clase media. Las firmas inauguradas por joyeros como CARL FABERGÉ y LOUIS COMFORT TIFFANY lograron gran éxito al fabricar joyería fina para los adinerados.

Joyner-Kersee, Jackie *orig.* **Jacqueline Joyner** (n. 3 mar. 1962, East St. Louis, Ill., EE.UU.). Atleta estadounidense. Ganó consecutivamente cuatro campeonatos nacionales juveniles de heptatlón y descolló en los equipos de baloncesto y atletismo de la UCLA. En 1986 se convirtió en la primera mujer en conseguir 7.000 puntos en el HEPTATLÓN. Quebró en seis ocasiones esa marca, y en cuatro de ellas estableció nuevos récords mundiales. Obtuvo medalla de oro en el heptatlón de los Juegos Olímpicos de 1988 y 1992, y se convirtió en la primera heptatleta en ganar en dos Juegos Olímpicos consecutivos. Sus mejores pruebas en el heptatlón eran el salto de longitud (logró el récord mundial en 1987 y la medalla de oro olímpica en 1988), los 100 m vallas, los 200 m planos y el salto de altura. Muchos la consideran la mejor atleta de la historia.

Jackie Joyner-Kersee.
FOTOBANCO

JPEG *sigla de* **Joint Photografic Experts Group** Formato estándar de archivo computacional, para almacenar imágenes gráficas en forma comprimida para uso general. Las imágenes JPEG se comprimen empleando un ALGORITMO matemático. Puede usarse una variedad de procesos codificadores, dependiendo de si el objetivo del usuario es la más alta calidad de la imagen (sin pérdida) o un tamaño de archivos más pequeño (con pérdida). Los formatos JPEG y GIF son los formatos gráficos más comúnmente utilizados en internet para la COMPRESIÓN DE DATOS con o sin pérdida, respectivamente.

Jruschov, Nikita (Serguéievich) (17 abr. 1894, Kalínovka, Ucrania, Imperio ruso–11 sep. 1971, Moscú, Rusia, U.R.S.S.). Líder soviético. Hijo de un minero, se unió al Partido Comunista en 1918. En 1934 fue elegido para integrar el comité central y en 1935 se convirtió en primer secretario de la organización partidaria en Moscú. Participó en las purgas de los líderes del partido ordenadas por STALIN.

En 1938 se convirtió en jefe del partido ucraniano y en 1939 fue hecho miembro del Politburó. En 1953 después de la muerte de Stalin y de una encarnizada lucha por el poder, emergió como primer secretario del partido y NIKOLÁI BULGANIN se convirtió en premier. En 1955, en su primer viaje fuera de la Unión Soviética, mostró su flexibilidad, además de su tosco y extrovertido estilo de diplomacia que se convertiría en su marca registrada. En el XX Congreso del PARTIDO COMUNISTA DE LA UNIÓN SOVIÉTICA en 1956, pronunció un discurso secreto

Nikita Jruschov, 1960.
WERNER WOLF—BLACK STAR

en que denunció a Stalin por su "intolerancia, brutalidad y abuso del poder". Miles de prisioneros políticos fueron liberados. Polonia y Hungría aprovecharon la desestalinización para reformar sus regímenes; Jruschov permitió a los polacos una relativa libertad, pero aplastó la REVOLUCIÓN HÚNGARA por la fuerza (1956) cuando IMRE NAGY intentó retirarse del pacto de VARSOVIA. La oposición dentro del partido cristalizó en 1957, pero consiguió la destitución de sus enemigos y en 1958 asumió como premier. Tras declarar una doctrina de coexistencia pacífica con las naciones capitalistas, en 1959 recorrió EE.UU., pero en 1960 una planificada cumbre con el pdte. DWIGHT EISENHOWER en París fue cancelada después del caso del U-2. En 1962 intentó colocar misiles soviéticos en Cuba; en la consiguiente crisis de los MISILES se batió en retirada. Las diferencias ideológicas y la firma del TRATADO DE PROHIBICIÓN DE PRUEBAS NUCLEARES (1963) provocaron una ruptura con los chinos. Las malas cosechas agrícolas que llevaron a la importación de trigo desde Occidente, la disputa con China, y sus métodos administrativos, a menudo arbitrarios, causaron su renuncia forzada en 1964.

Juan I *portugués* **João** *llamado* **Juan de Aviz** (11 abr. 1357, Lisboa–14 ago. 1433, Lisboa). Rey de Portugal (1385–1433) y fundador de la dinastía Aviz. Hijo ilegítimo de Pedro I, fue elegido rey en 1385 a pesar de la competencia de varios pretendientes castellanos. Rechazó una invasión castellana (1385) y preservó la independencia de Portugal. Acordó una alianza con Inglaterra (1386), y ambos países emprendieron en conjunto una invasión de León que no tuvo éxito. Aunque en 1389 firmó una tregua de diez años con Castilla, los enfrentamientos fronterizos persistieron en forma intermitente hasta 1411. Junto con sus hijos (entre ellos el menor, el futuro ENRIQUE EL NAVEGANTE) conquistó Ceuta (Marruecos) en 1415, dando así comienzo a la era de expansión portuguesa.

Juan II *francés* **Jean** *llamado* **Juan el Bueno** (16 abr. 1319, cerca de Le Mans, Francia–8 abr. 1364, Londres, Inglaterra). Rey de Francia (1350–64). Enemistado con Inglaterra y Navarra, intentó hacer las paces con el rey navarro CARLOS II, pero después lo hizo encarcelar (1356). EDUARDO EL PRÍNCIPE NEGRO, hijo de EDUARDO III de Inglaterra, invadió el sur de Francia, y derrotó y capturó a Juan en la batalla de POITIERS (1356). Se vio obligado a firmar los tratados de BRÉTIGNY y de Calais (1360), que fijaron un rescate exorbitante y entregaron la mayor parte del sudoeste de Francia a los ingleses. Ver también guerra de los CIEN AÑOS.

Juan II Comneno (13 sep. 1087–8 abr. 1143). Emperador bizantino (1118–43). Hijo de ALEJO I COMNENO, se propuso como objetivo reconquistar el territorio bizantino que había caído en manos de árabes, turcos y cruzados. Revocó los privilegios comerciales de los venecianos en el imperio, pero se vio obligado a restablecerlos cuando estos enviaron una flota en

Juan II Comneno, detalle de un mosaico, c. 1118; Hagia Sophia, Estambul.

HIRMER FOTOARCHIV, MUNICH

represalia. Se alió con el emperador germánico en contra de ROGER II de Sicilia (1130). Reconquistó Cilicia (1137) y consiguió que Antioquía le rindiera homenaje, pero no pudo derrotar a los turcos de Siria.

Juan II Kalojan Asen (m. oct. 1207, cerca de Tesalónica). Zar de Bulgaria (1197–1207). Hermano menor de los fundadores del segundo Imperio búlgaro, procuró mantener la independencia de Bulgaria. Aunque reconoció la autoridad papal y fue coronado por enviados papales en 1204, volvió a la creencia ortodoxa poco después de su coronación. Propuso una alianza con los ejércitos de la cuarta CRUZADA, pero luego encabezó un levantamiento grecobúlgaro en la península Balcánica que derrotó a los cruzados en Adrianópolis (1205), lo que tuvo como consecuencia la captura de BALDUINO I, el emperador latino. Sus victorias sobre los cruzados contribuyeron al colapso final del Imperio latino de Constantinopla. Murió cuando sitiaba Tesalónica, en su continua lucha por expandir el imperio.

Juan III Asen II (m. 1241). Zar del segundo imperio búlgaro (1218–41). Se apoderó del trono después de derrocar y cegar a su primo Boril. Buen militar y administrador, restableció el orden, controló a los BOYARDOS y logró dominar gran parte de Albania, Serbia, Macedonia y Epiro (1230). Forjó alianzas mediante el matrimonio de sus hijas; un tratado lo convertía en regente del Imperio latino, pero fue repudiado por los latinos, temerosos del creciente poder de Bulgaria, y posteriormente separó la Iglesia búlgara de Roma.

Juan III Ducas Vatatzes (c. 1193–3 nov. 1254, Ninfeo). Emperador de NICEA (1222–54). Sucedió a TEODORO I LÁSCARIS y en 1233 derrotó a varios contendores que pretendían el trono imperial. Dos años después venció a las fuerzas latinas leales a sus rivales y obtuvo el control de Asia Menor. Se alió con JUAN III ASEN II en contra de Epiro (1230) y puso sitio a Constantinopla (1235), lo cual impulsó a Asen a declararle la guerra (1235–37). Adquirió territorios en Bulgaria (1241) y Epiro (1242) y fomentó un renacimiento cultural desde su capital en Nicea, preparando así el camino para el posterior restablecimiento del Imperio bizantino. Venerado por su pueblo, fue canonizado por la Iglesia católica oriental.

Juan III Sobieski, grabado de Carel Allardt.

GENTILEZA DEL DIRECTORIO DEL MUSEO BRITÁNICO; FOTOGRAFÍA, J.R. FREEMAN & CO. LTD.

Juan III Sobieski *polaco* **Jan Sobieski** (17 ago. 1629, Olesko, Polonia– 17 jun. 1696, Wilanów). Rey electivo de Polonia (1674–96). Nombrado comandante en jefe del ejército polaco (1668), se distinguió por sus victorias sobre los cosacos y turcos. Su prestigio era tan grande que fue elegido rey en desmedro del candidato de los Habsburgo. En 1683 acordó un tratado con el emperador LEOPOLDO I en contra de los turcos otomanos. Cuando más tarde, ese mismo año, un ejército turco se aproximó a Viena, llegó rápidamente con sus tropas, tomó el mando de todas las fuerzas de socorro y obtuvo una brillante victoria; restableció por breve tiempo y por última vez la grandeza del reino de Polonia-Lituania. Fracasó en una campaña húngara (1683–91) para liberar Moldavia y Valaquia del dominio otomano. Más tarde, la rebelión dentro de su propia familia, con nobles que luchaban entre ellos más que contra los turcos, provocó finalmente el derrumbe de Polonia en el s. XVIII.

Juan V Paleólogo (18 jun. 1332, Didimoteichon–16 feb. 1391, Constantinopla). Emperador bizantino (1341–91). Hijo de ANDRÓNICO III PALEÓLOGO, heredó el trono a la edad de nueve años por lo que JUAN VI CANTACUCENO actuó como su regente y coemperador (1347–54). Cuando los turcos otomanos (ver Imperio OTOMANO) conquistaron Gallípoli y amenazaron Constantinopla, pidió ayuda de Occidente, proponiendo poner fin al cisma entre las Iglesias bizantina y latina. Empobrecido por la guerra, fue detenido por deudas cuando visitaba Venecia (1369). En 1371 se vio obligado a reconocer la autoridad de los turcos, que más tarde lo ayudaron a recuperar el trono (1379) después de haber sido depuesto por su hijo.

Juan VI Cantacuceno (c. 1292–15 jun. 1383, Mistra, Imperio bizantino). Emperador bizantino (1347–54). Como principal consejero (1328–41) de ANDRÓNICO III PALEÓLOGO, dirigió las políticas interior y exterior de Bizancio. Se esforzó por ser nombrado regente del joven JUAN V PALEÓLOGO y sólo pudo triunfar sobre la madre de Juan, Ana de Saboya, con ayuda turca. A partir de 1347 gobernó como coemperador con Juan V, pero en 1354 coronó a su propio hijo coemperador. Con ayuda veneciana, Juan V lo obligó a abdicar, y Cantacuceno se retiró a un monasterio, donde escribió sus memorias.

Juan VIII Paleólogo (17/18 dic. 1392–31 oct. 1448, Constantinopla). Emperador bizantino (1421–48). Hijo de MANUEL II PALEÓLOGO, en 1408 fue coronado coemperador junto con su padre y en 1421 tomó el control efectivo del imperio. Se convirtió en único emperador tras la muerte de su padre (1425). Del disminuido y fragmentado imperio, sólo gobernó Constantinopla y la zona adyacente. En 1422 la ciudad fue sitiada por los turcos otomanos, y cuando Tesalónica cayó ante las fuerzas turcas (1430), solicitó ayuda de Occidente. Unificó las Iglesias bizantina y latina (1439), pero sus esfuerzos conjuntos contra los turcos fracasaron y los bizantinos rehusaron someterse al papa. Murió en medio de intrigas sobre su sucesión.

Juan XXII *orig.* **Jacques Duèse** (Cahors, Francia–4 dic. 1334, Aviñón). Segundo papa de Aviñón (1316–34). Sucesor de CLEMENTE V, estableció de modo permanente la corte papal en Aviñón (ver papado de AVIÑÓN). Condenó la interpretación de los FRANCISCANOS espirituales acerca de la pobreza de Cristo y sus apóstoles, y defendió la autoridad papal sobre la elección de los emperadores contra la oposición del emperador LUIS IV. Cuando excomulgó a Luis, este se vengó declarándolo depuesto (1328) y propiciando la elección de un ANTIPAPA. Sus opiniones sobre la visión beatífica provocaron acusaciones de herejía (1331–32). Es recordado por haber centralizado la administración de la Iglesia y haber hecho adiciones al derecho canónico.

Juan XXIII *orig.* **Angelo Giuseppe Roncalli** (25 nov. 1881, Sotto il Monte, Italia– 3 jun. 1963, Roma). Papa (1958–63). Estudió teología en Roma, fue ordenado sacerdote en 1904 y ocupó una variedad de cargos eclesiásticos. En 1944 fue nombrado nuncio papal en la recién liberada Francia, donde logró que resurgiera la simpatía hacia el Vaticano. Nombrado cardenal en 1953, fue elegido papa tras la muerte de san PÍO XII en 1958. Debido a su avanzada edad, se esperaba que fuese poco más que

Papa Juan XXIII, 1963.

KEYSTONE

el titular del cargo, pero se convirtió en cambio en el principal papa reformista del siglo. Ansioso de conducir a la Iglesia a la era moderna, convocó el concilio VATICANO II en 1962 e invitó a observadores protestantes y ortodoxos orientales a unirse a los delegados católicos. También buscó enmendar las relaciones con los judíos. Aunque murió antes de que terminara el concilio, este efectuó luego importantes reformas en la liturgia y la administración de la Iglesia. Enérgico defensor de la paz mundial, fue uno de los papas más populares de la historia.

Juan Bautista, san (n. siglo I DC). PROFETA judío reverenciado en el cristianismo como el precursor de JESÚS. Las fuentes de su vida son sus cuatro EVANGELIOS, los Hechos de los Apóstoles y el historiador FLAVIO JOSEFO. Su madre, Isabel, era quizá pariente de MARÍA; su padre era el sacerdote Zacarías. En su juventud vivió en el desierto de Judea como ermitaño o como miembro de una comunidad monástica judía, como la de los ESENIOS. Cobró gran notoriedad pública c. 28 DC como profeta en el valle del Jordán. Predicó el inminente e iracundo juicio de Dios y llamó a sus oyentes a arrepentirse y ser bautizados. Jesús mismo acudió a él para ser bautizado y poco después comenzó su propio ministerio. Encarcelado por criticar el matrimonio ilegal de HERODES ANTIPAS, fue ejecutado después de que la hijastra de Herodes, SALOMÉ, exigió su cabeza como recompensa por danzar para los invitados del rey.

Juan Carlos I (n. 5 ene. 1938, Roma, Italia). Rey de España desde 1975. Nieto de ALFONSO XIII, vivió en el exilio hasta 1947. Después de que FRANCISCO FRANCO abolió la república y declaró a España una monarquía representativa, lo preparó para su futuro cargo, poniendo especial atención a su educación militar. En 1969 fue designado príncipe; ascendió al trono español dos días después de la muerte de Franco. Aunque había jurado lealtad al Movimiento Nacional de Franco, demostró ser relativamente liberal y ayudó a restablecer la democracia parlamentaria. En 1981 desbarató

Juan Carlos I, rey de España.
FOTOBANCO

un potencial golpe militar y preservó la democracia. Se convirtió en el primer rey español en visitar América y fue el primer monarca que hizo una visita oficial a China. A lo largo de su reinado, ha viajado al exterior en muchas misiones de buena voluntad y ha sido muy popular en su país.

Juan Crisóstomo, san (347, Antioquía, Siria–14 sep. 407, Cumanos, Helenoponto; festividad en Occidente: 13 de septiembre; en Oriente: 13 de noviembre). Padre de la Iglesia oriental, intérprete bíblico y arzobispo de Constantinopla. Fue criado como cristiano y vivió como ermitaño hasta que su salud se quebrantó, después de lo cual regresó a Antioquía y fue ordenado sacerdote. Ganó reputación como gran predicador (Crisóstomo significa "boca de oro"). Contra sus deseos, fue nombrado arzobispo de Constantinopla en 398. Disgustó a los acaudalados con su preocupación por los pobres y sus críticas al mal uso de las riquezas. Un sínodo convocado en 403 por Teófilo de Alejandría lo condenó por 29 cargos formulados en su contra y lo desterró a Armenia. Murió cuando viajaba a un exilio más distante en el mar Negro. En 438, sus reliquias fueron llevadas a Constantinopla y fue rehabilitado por la Iglesia.

Juan Damasceno, san (c. 675, Damasco–4 dic. 749, cerca de Jerusalén; festividad en Occidente: 4 de diciembre). Monje y doctor en teología de las Iglesias griega y latina. Pasó toda su vida bajo dominio musulmán. Como autor de himnos y de obras de teología, ejerció gran influencia en las Iglesias oriental

y occidental, en especial por su *Exposición de la fe ortodoxa*, resumen de las enseñanzas de los padres griegos. También escribió en contra de los iconoclastas (ver ICONOCLASIA).

Juan de Austria (24 feb. 1547, Ratisbona–1 oct. 1578, Bouges, cerca de Namur, Países Bajos españoles). Hijo ilegítimo del emperador CARLOS V y medio hermano de FELIPE II. Después de la muerte de Carlos, Felipe le dio el nombre de don Juan de Austria (1559). Se desempeñó como comandante militar español y en 1571 fue nombrado jefe de las fuerzas navales de la Santa Liga en contra de los turcos otomanos; obtuvo la victoria en la batalla de LEPANTO. En 1576 fue nombrado gobernador general de los Países Bajos, por entonces en abierta rebelión en contra del dominio español. Reanudó la guerra cuando fracasaron sus negociaciones diplomáticas.

Juan de Baliol (c. 1250–abr. 1313, Château Galliard, Normandía, Francia). Rey de Escocia (1292–96). Aunque era uno de los 13 pretendientes al trono, accedió al cargo por primogenitura. Rindió homenaje a EDUARDO I de Inglaterra, pero pronto rehusó prestarle la ayuda militar que este le había pedido para combatir en Gascuña, y firmó en cambio un tratado con los franceses. Cuando Eduardo invadió Gascuña en 1296, los escoceses atacaron el norte de Inglaterra. En pocos meses, el ejército de Eduardo había capturado varios castillos estratégicos en Escocia, y Juan se vio obligado a entregar su reino a Eduardo. Estuvo detenido en la Torre de Londres hasta 1299.

Juan de Brienne (c. 1170–mar. 1237, Constantinopla). Conde de Brienne (en el nordeste de Francia) y luego rey nominal de Jerusalén (1210–25) y emperador latino de Constantinopla (1231–37). Hijo menor de un conde francés y prácticamente en la miseria, se casó gracias al apoyo de Felipe II con la reina del estado cruzado de Jerusalén, y después de la muerte de esta se convirtió en regente de su hija, en ese momento menor de edad. Acordó una tregua con Egipto (1212) y participó en la fracasada quinta CRUZADA. En 1228 se convirtió en regente y coemperador de Constantinopla, y tres años más tarde fue coronado emperador. Repelió los ataques de JUAN III ASEN II y JUAN III DUCAS VATATZES.

Juan de Fuca, estrecho Estrecho en el océano Pacífico norte. Se ubica entre la península Olympic del estado de Washington, EE.UU., y la isla VANCOUVER de Canadá; tiene 18–27 km (11–17 mi) de ancho y 130–160 km (80–100 mi) de largo. Debe su nombre a un navegante griego al servicio de España que probablemente visitó el paso en 1592. Es transitado por embarcaciones que se dirigen a VANCOUVER y SEATTLE. Entre los asentamientos humanos ubicados en sus costas se cuentan VICTORIA, Columbia Británica, Canadá, y Port Angeles, Wash., EE.UU.

Juan de Gante, duque de Lancaster (mar. 1340, Gante–3 feb. 1399, Londres, Inglaterra). Príncipe inglés, cuarto hijo de EDUARDO III. El nombre adicional de "Gante" (proviene del nombre de su lugar de nacimiento) no se usó hasta que tuvo tres años de edad; sin embargo, se convirtió en la forma popularmente aceptada de su nombre merced a su uso en la obra de WILLIAM SHAKESPEARE *Ricardo II*. Participó como comandante en la guerra de los Cien Años en contra de Francia. A su regreso se convirtió en una figura de gran influencia en los últimos años del reinado de su padre y en el de su sobrino RICARDO II. Por su primera esposa, obtuvo el ducado de Lancaster en 1362 y fue el antepasado inmediato de los tres monarcas del s. XV de la casa de LANCASTER: ENRIQUE IV, ENRIQUE V y ENRIQUE VI.

Juan de la Cruz, san *orig.* **Juan de Yepes y Álvarez** (24 jun. 1542, Fontiveros, España–14 dic. 1591, Úbeda; canonizado en 1726; festividad: 14 de diciembre). Místico, poeta, doctor de la Iglesia y reformador español del monaquismo. Se convirtió en monje CARMELITA en Medina del Campo y en 1567 fue ordenado sacerdote. Se unió a santa TERESA DE JESÚS en su empeño por devolverles a los carmelitas su austeridad original y en 1568 cofundó la orden de los carmelitas descalzos. Estableció el primer monasterio de la orden en Duruelo un año después, pero la reforma causó fricciones entre sus miembros y provocó su encarcelamiento en Toledo en 1577. Escapó en 1578 y más tarde ocupó un alto cargo en la orden. En su gran poesía mística, como *La noche oscura del alma*, describe los pasos que da el alma en su ascenso para unirse a Dios.

Juan de París ver Jean de PARIS

Juan Evangelista, san *o* **san Juan el Apóstol** (c. siglo I DC). Uno de los doce APÓSTOLES originales de JESÚS, a quien la tradición le atribuye haber escrito el cuarto EVANGELIO y tres epístolas del Nuevo Testamento. La tradición también le atribuye el APOCALIPSIS DE SAN JUAN. Su padre fue un pescador galileo. Juan y su hermano Santiago (ver SANTIAGO EL MAYOR) estuvieron entre los primeros discípulos llamados por Jesús, y Juan parece haber ocupado una posición de autoridad en la Iglesia primitiva después de la resurrección. Los relatos posteriores acerca de su vida están basados en la leyenda. Se dice que murió en ÉFESO y su tumba devino en un lugar de peregrinación. Su Evangelio, a diferencia de los otros tres, presenta un punto de vista teológico bien desarrollado, comparable al de las cartas de san PABLO. Después de un prólogo en el que identifica a Dios con el Verbo (LOGOS), presenta episodios selectos de la vida y el ministerio de Jesús. Sus explicaciones de cuestiones teológicas, como la trascendencia del Hijo de Dios, ejercieron gran influencia en el desarrollo de la doctrina cristiana.

Juan Fernández, archipiélago de Grupo de islas del océano Pacífico sur. Situado a 650 km (400 mi) al oeste de Chile, está compuesto de dos islas y un islote. El grupo fue descubierto en 1563 por el navegante español Juan Fernández. El marinero escocés Alexander Selkirk permaneció abandonado entre 1704 y 1709; se piensa que sus aventuras inspiraron la novela *Robinson Crusoe* de DANIEL DEFOE. Las islas han pertenecido a Chile desde comienzos del s. XIX, y en el pasado se utilizaron como colonias penales.

Juan José de Austria (7 abr. 1629, Madrid, España–17 sep. 1679, Madrid). Noble español, el más famoso de los hijos ilegítimos de FELIPE IV. Fue comandante militar desde 1647 y en 1651 dirigió a las tropas del rey que sitiaron Barcelona. Fue gobernador de los Países Bajos (1656–58). Después de 1665 cumplió un papel activo en las intrigas políticas que rodearon al nuevo rey, su medio hermano CARLOS II, de quien fue su principal ministro (1677–79).

Juan Manuel, infante don (5 may. 1282, Escalona, España–c. 1349, Valladolid). Escritor medieval español, perteneciente a la tradición literaria didáctico-moralizante de la Edad Media. Nieto de Fernando III y sobrino de ALFONSO X el Sabio, perteneció a una aristocracia ilustrada que preparó el humanismo renacentista. Durante su vida combinó la dedicación a las letras con el ejercicio de las armas y de la política. Su obra incluye tratados en prosa sobre temas morales, políticos, la caza y el amor. Su creación más conocida es *El libro de los enxiemplos del conde Lucanor*, donde se abordan diversos temas de moral, política, teología y educación a través de una serie de diálogos en los que el conde consulta diversas cuestiones con su consejero Patronio, quien responde relatando historias que don Juan Manuel aplica agregándoles una moraleja.

Juan Mauricio de Nassau *neerlandés* **Johan Maurits van Nassau** (17 jun. 1604, Dillenburg, Nassau–20 dic. 1679, Cleves, Brandeburgo). Gobernador colonial y comandante militar holandés. A partir de 1621 combatió en las campañas de su primo FEDERICO ENRIQUE, príncipe de Orange, en contra de España. Como gobernador colonial en Brasil, recientemente conquistado a Portugal, aseguró el dominio de vastas áreas para la Compañía Holandesa de las Indias Occidentales

en 1636–44 y llevó al Imperio holandés en América Latina a la cúspide de su poder. También patrocinó la conquista de Angola (1641) y de varios puertos estratégicos en la costa africana occidental para abastecer de esclavos a las plantaciones brasileñas. En 1665 dirigió a un ejército holandés en las guerras ANGLO-HOLANDESAS.

Juan Pablo II *orig.* **Karol Wojtyla** (18 may. 1920, Wadowice, Polonia–2 abr. 2005, Roma). Papa (1978–2005). Fue el primer papa no italiano en 455 años y el primero proveniente de un país eslavo. Estudió para el sacerdocio en un seminario clandestino de Cracovia durante la segunda guerra mundial y se ordenó sacerdote católico en 1946. Obtuvo un doctorado en filosofía en Roma (1948) y volvió a su país para servir en una parroquia; obtuvo un segundo doctorado (también en 1948), en teología sagrada, otorgado por la Universidad Jagellón de Cracovia. Fue nombrado arzobispo de Cracovia en 1964 y cardenal en 1967. Elegido papa después

Juan Pablo II.
FOTOBANCO

del breve pontificado de Juan Pablo I (n. 1912–m. 1978), se hizo conocido por su energía, carisma e intelecto así como por sus visiones teológicas conservadoras y decidida postura anticomunista. En 1981, un terrorista turco disparó sobre Juan Pablo II en plena plaza de San Pedro; se recuperó de las heridas, reasumió su trabajo y perdonó a su cuasi asesino. En sus numerosos viajes al extranjero congregó a inmensas muchedumbres como nunca antes visto. Su activismo por la no violencia estimuló movimientos que contribuyeron a la disolución pacífica de la Unión Soviética, ocurrida en 1991. Abogó por la justicia económica y política en las naciones en vías de desarrollo. Al nombrar 44 cardenales de los cinco continentes (febrero 2001), Juan Pablo II integró en el espíritu de Cristo a culturas de todo el mundo. Canonizó a más santos, y de más partes del globo, que cualquier otro papa. Sus esfuerzos ecuménicos incluyeron reuniones con judíos, musulmanes y los líderes religiosos ortodoxos. Aunque afectado por el mal de Parkinson desde comienzos de la década de 1990, Juan Pablo II mantuvo su nivel de actividad. En marzo de 2000, hizo un viaje histórico a Jerusalén, durante el cual buscó mejorar las relaciones entre la Iglesia y el pueblo judío.

Juan sin Tierra (24 dic. 1167, Oxford, Inglaterra–18/19 oct. 1216, Newark, Nottinghamshire). Rey de Inglaterra (1199–1216). Hijo menor de ENRIQUE II, se unió a su hermano Ricardo (luego RICARDO I) en una rebelión contra Enrique (1189). Se convirtió en lord de Irlanda y, cuando Ricardo fue encarcelado, por el emperador germánico, en su camino de regreso de la tercera CRUZADA, intentó apoderarse de Inglaterra (1193). Al retornar Ricardo a Inglaterra, desterró a Juan (1194), pero después se reconciliaron. Coronado rey en 1199, Juan perdió Normandía (1204) y la mayor parte de sus otros territorios franceses en una guerra contra el rey de Francia FELIPE II (Felipe Augusto). Después de que INOCENCIO III lo excomulgó por rehusarse a reconocer a STEPHEN LANGTON como arzobispo de Canterbury, fue obligado a declarar a Inglaterra feudo de la Santa Sede (1213). En 1214 lanzó una campaña militar contra Francia, pero sus conquistas no fueron duraderas. Sus gravosos impuestos y la agresiva afirmación de los privilegios feudales llevaron al estallido de una guerra civil (1215). Los barones lo obligaron a firmar la CARTA MAGNA, pero la guerra civil continuó hasta su muerte.

Juana I *italiano* **Giovanna** (1326–22 may. 1382, Lucania, reino de Nápoles). Condesa de Provenza y reina de Nápoles (1343–82). Pertenecía a la casa de Anjou y su matrimonio con el hermano del rey de Hungría tenía por propósito conciliar las pretensiones húngaras y angevinas sobre Nápoles. Sospechosa del asesinato de su esposo, huyó a Aviñón (1348). Vendió Aviñón al papado a cambio de que se la exonerara de toda participación en el crimen, y en 1352 regresó a Nápoles. En 1378 reconoció al antipapa Clemente VII, y el papa URBANO VI coronó a Carlos de Durazzo rey de Nápoles en 1381. Cuando Carlos capturó Nápoles, la encarceló y la hizo matar.

Juana de Arco, santa *francés* **Jeanne d'Arc** (c. 1412, Domrémy, Bar, Francia–30 may. 1431, Ruán; canonizada en 1920; festividad: 30 de mayo). Heroína militar francesa. De familia campesina, desde temprana edad creyó escuchar las voces de san Miguel, santa Catalina y santa Margarita. Cuando tenía cerca de 16 años de edad, sus voces comenzaron a exhortarla a que ayudara al DELFÍN (príncipe heredero) de Francia y salvara a su país de Inglaterra, que intentaba conquistarlo en la guerra de los CIEN AÑOS. Vestida de hombre, se presentó ante el delfín y lo convenció a él, así como a sus consejeros y a las autoridades eclesiásticas, de que la apoyaran. Gracias a su inspiradora convicción, dio nuevos bríos a las tropas francesas y liberó a la ciudad de Orleans, hasta entonces sitiada por los ingleses (1429). Poco después derrotó nuevamente a los ingleses en Patay. El delfín fue coronado rey en Reims como CARLOS VII, con Juana al lado de él. Su sitio de París fracasó, y en 1430 fue capturada por los borgoñones y vendida a los ingleses. Abandonada por Carlos, fue entregada a un tribunal eclesiástico en Ruán, controlado por clérigos franceses que apoyaban a los ingleses, y sometida a juicio por brujería y herejía (1431). Se defendió con vehemencia, pero finalmente se retractó y fue condenada a prisión perpetua; cuando otra vez afirmó que había sido inspirada por Dios, fue quemada en la hoguera. No fue canonizada sino hasta 1920.

"Juana de Arco besa la espada de la liberación", pintura de D.G. Rossetti.
FOTOBANCO

Juana, papisa Mítica mujer pontífice que reinó supuestamente como papa Juan VIII por unos dos años entre 855 y 858. La leyenda sostiene que fue una mujer inglesa que se enamoró de un monje benedictino, se disfrazó de hombre e ingresó a su orden. Después de adquirir grandes conocimientos, se trasladó a Roma, donde se convirtió en cardenal y luego en papisa. Según la versión más antigua, se embarazó en la época de su elección y dio a luz durante una procesión a Letrán, después de lo cual fue arrastrada fuera de Roma y lapidada hasta morir. Considerada verdadera hasta el s. XVII, se ha demostrado que la leyenda es apócrifa.

Juárez *o* **Ciudad Juárez** Ciudad (pob., 2000: 1.187.275 hab.) del norte del estado de CHIHUAHUA, México. Situada a orillas del río BRAVO, frente a la ciudad de EL PASO, Texas, se la conocía antes con el nombre de El Paso del Norte, pero en 1888 se le cambió el nombre en honor del héroe nacional BENITO JUÁREZ, que en 1865 instaló su cuartel general. En la actualidad es una importante ciudad fronteriza que sirve como centro de comercialización para la producción de algodón de la zona. La ciudad ha experimentado un gran crecimiento desde la década de 1970, debido al aumento de las plantas maquiladoras orientadas a la exportación que se han instalado en ella. En Juárez se encuentra la Iglesia de Guadalupe (1662).

Juárez, Benito (Pablo) (21 mar. 1806, San Pablo Guelatao, Oaxaca, México–18 jul. 1872, Ciudad de México). Héroe nacional y presidente de México (1861–72). De origen ZAPOTECA, en un principio estudió para ser sacerdote, pero luego se tituló de abogado y se convirtió en legislador, juez y ministro de gabinete. Encabezó la REFORMA y en 1855, cuando las fuerzas liberales tomaron el control del gobierno nacional, pudo poner sus ideas en práctica. En 1856, una REFORMA AGRARIA dividió las grandes pro-

Benito Juárez.
GENTILEZA DE LA BIBLIOTECA DEL CONGRESO, WASHINGTON, D.C.

piedades y obligó a la Iglesia católica a vender sus tierras. En 1857 se promulgó una constitución liberal. Los conservadores expulsaron al presidente en 1858, pero él logró restaurar el gobierno liberal. Fue elegido primer mandatario en 1861 y reelegido dos veces. Los franceses bajo NAPOLEÓN III invadieron y ocuparon México, y pusieron a MAXIMILIANO de Austria en el poder, pero cuando Napoleón retiró sus tropas, Juárez logró imponerse nuevamente y ejecutó a Maximiliano. Sus últimos años fueron estropeados por una baja del apoyo popular y por tragedias personales. Murió en el cargo.

Juba, río Río en Somalia. Nace en el sur de Etiopía y fluye en la misma dirección por 875 km (545 mi) hasta desembocar en el océano Índico, a poca distancia al norte de Kismaayo, uno de los tres puertos principales de Somalia. Es el único río de la región confiable para la navegación.

Juchen ver dinastía JIN

Judá Una de las 12 tribus de ISRAEL, descendiente de Judá, el cuarto hijo de JACOB. La tribu llegó a CANAÁN junto con los demás israelitas después de escapar de Egipto y se estableció en la región situada al sur de Jerusalén. Finalmente se convirtió en la tribu más poderosa, de la cual salieron los reyes DAVID y SALOMÓN, y se profetizó que el MESÍAS surgiría de entre sus miembros. Después de que las diez tribus del norte fueron dispersadas por la conquista asiria de 721 AC, las tribus de Judá y Benjamín quedaron como las únicas herederas de la alianza mosaica. Judá prosperó hasta 586 AC, cuando fue invadida por los babilonios y gran parte de su gente fue llevada al exilio. CIRO II EL GRANDE les permitió regresar en 538 AC y el templo de JERUSALÉN fue reconstruido. Desde esa época en adelante, la historia de Judá es la historia de los JUDÍOS y el JUDAÍSMO. El reino de Judá fue reemplazado por JUDEA.

judaísmo Creencias y prácticas religiosas de los JUDÍOS. Una de las tres grandes religiones monoteístas del mundo, el judaísmo empezó como la fe de los hebreos antiguos y su sagrado texto es la BIBLIA hebrea, particularmente la TORÁ. Para el judaísmo es fundamental la creencia de que el pueblo de Israel es el pueblo escogido por Dios y que debe servir como luz para otras naciones. Dios hizo una ALIANZA, primero con ABRAHAM, más tarde la renovó con Isaac, JACOB y MOISÉS. El culto de Yahvé (Dios) se centró en Jerusalén desde el tiempo de DAVID. La destrucción del primer templo de JERUSALÉN por los babilonios (586 AC) y el exilio subsecuente de los judíos los llevó a abrigar la esperanza de la plena restauración del reino de Israel bajo la dirección de un MESÍAS. Posteriormente, Ciro II, emperador de Persia, les permitió retornar a su tierra y reconstruyeron el templo de Jerusalén. Siglos después, una rebelión infructuosa contra el Imperio romano llevó a la destrucción de ese segundo templo en 70 DC y a la DIÁSPORA. El JUDAÍSMO RABÍNICO vino a reemplazar el culto del templo en Jerusalén, mientras el pueblo judío disperso siguió con su cultura y religión a través de una tradición de estudio y estricta observancia. El gran cuerpo de leyes y comentarios orales fueron compilados en el TALMUD y la MISHNÁ. La religión judía se mantuvo en muchos países a pesar de las duras persecuciones. En la Edad Media surgieron dos ramas del judaísmo: el SEFARDÍ, centrado en España y culturalmente unido con los judíos babilónicos; y el ASQUENAZÍ, centrado en Francia y Alemania y unido con la cultura judía de PALESTINA y Roma. Se manifestaron elementos de misticismo, de modo notable en los escritos esotéricos de la CÁBALA y, en el s. XVIII, en el movimiento del HASIDISMO. El s. XVIII también tuvo su iluminismo judío, o HASKALA. Un judaísmo CONSERVADOR y otro reformado (ver JUDAÍSMO REFORMADO) surgieron en Alemania en el s. XIX en un esfuerzo por modificar la estricta rigidez del JUDAÍSMO ORTODOXO. A fines del s. XIX, el SIONISMO surgió como una consecuencia de la reforma. El judaísmo padeció el peor sufrimiento en el HOLOCAUSTO, cuando millones de judíos fueron asesinados por los nazis, mientras que el creciente flujo de emigrantes judíos a Palestina llevó finalmente a la declaración del Estado de Israel, en 1948.

Festividades judías

Mes	Día	Festividad
Tishrei (sep.–oct.)	1–2	Rosh Hashaná (Año Nuevo)
	3	Ayuno de Gedalia
	10	Yom Kippur (día de la expiación)
	15–21	Sukot (Tabernáculos)
	22	Sheminí Atzeret (Octavo día de la asamblea solemne)
	23	Simjat Torá (Alegría con la Torá)
Kislev (nov.–dic.)	25	Inicio de Hanuká (Fiesta de las luces)
Tebet (dic.–ene.)	2 ó 3	Final de Hanuká
	10	Ayuno
Shevat (ene.–feb.)	15	Año Nuevo de los árboles
Adar (feb.–mar.)	13	Ayuno de Ester
	14–15	Purim (Fiesta de las suertes)
Segundo Adar (Adar Sheni) o Veadar (mes intercalado); el feriado de Adar cae en Veadar durante los años bisiestos.		
Nisan (mar.–abr.)	15–22	Pésaj (Pascua)
Iyar (abr.–may.)	5	Día de la Independencia de Israel
	18	Lag BaOmer (Día 33 del período del Omer)
Siván (may.–jun.)	6–7	Shavuot (Fiesta de las semanas, o Pentecostés)
Tammuz (jun.–jul.)	17	Ayuno
Av (jul.–ago.)	9	Ayuno

judaísmo conservador Corriente del judaísmo situada entre el JUDAÍSMO REFORMADO y el JUDAÍSMO ORTODOXO. Fundado en Alemania en el s. XIX como escuela histórica, surgió entre teólogos judeoalemanes que preconizaban el cambio, pero que consideraban que las posiciones reformistas eran extremas. Aceptaron el énfasis reformista en el conocimiento crítico, pero deseaban mantener una observancia más estricta de la ley judía (p. ej., leyes dietéticas) y la creencia sostenida en la venida del MESÍAS. En 1886, rabinos de esta corriente centrista fundaron el Seminario teológico judío de América (Nueva York), que condujo al desarrollo del judaísmo conservador como un movimiento religioso.

judaísmo ortodoxo Religión de los judíos que adhieren estrictamente a las creencias y prácticas tradicionales; forma oficial del JUDAÍSMO en Israel. Sostienen que tanto la ley escrita (TORÁ) como la ley oral (codificada en la MISHNÁ e interpretada en el TALMUD) están fijadas inmutablemente y siguen siendo la única norma de observancia religiosa. Sus seguidores se han mantenido leales a prácticas como el culto diario, las leyes dietéticas, el estudio intensivo de la Torá y la separación de hombres y mujeres en la sinagoga. También prescribe la estricta observancia del SABBAT y no permite música instrumental durante los servicios comunitarios. Un importante centro de la ortodoxia en EE.UU. es la Universidad de YESHIVA de Nueva York.

judaísmo rabínico Forma principal del JUDAÍSMO que se desarrolló después de la destrucción del segundo templo de JERUSALÉN (70 DC). Se originó de las enseñanzas de los FARISEOS, que enfatizaban la necesidad de la interpretación crítica de la TORÁ. El judaísmo rabínico está centrado en el estudio del TALMUD y en el debate acerca de los problemas

legales y teológicos que suscita. Los judíos de todo el mundo siguen practicando su forma de culto y disciplina de vida.

judaísmo reformado Movimiento religioso que ha modificado o abandonado muchas creencias y prácticas judías tradicionales en un intento de adaptar el judaísmo al mundo moderno. Se originó en Alemania en 1809 y se extendió a EE.UU. en la década de 1840 bajo el liderazgo del rabino ISAAC MAYER WISE. Permite a hombres y mujeres sentarse juntos en la sinagoga, incorpora coro y música de órgano en el servicio, celebra una ceremonia de confirmación para las niñas paralela al BAR MITZVÁ de los niños y no observa el culto público diario, las leyes dietéticas estrictas o la restricción de las actividades normales en el SABBAT. Sus principios, enunciados inicialmente en la plataforma de Pittsburgh (1885), fueron revisados en la plataforma de Columbus (1937) para apoyar las costumbres y ceremonias tradicionales y el uso litúrgico del hebreo. El movimiento reformado continúa acercándose al JUDAÍSMO ORTODOXO sin aceptar todas sus restricciones.

Judas Iscariote (m. circa 30 DC). Discípulo que traicionó a JESÚS. Fue uno de los 12 discípulos originales. Hizo un trato con las autoridades judías para entregarles a Jesús. A cambio de 30 monedas de plata, llevó una guardia armada al jardín de GETSEMANÍ e identificó a Jesús con un beso. Luego se arrepintió de lo hecho y se suicidó; según Mateo 27, devolvió el dinero a los sacerdotes antes de ahorcarse. Su apellido significaría "hombre de Queriyyot", o puede vincularlo a los sicarios, una banda de terroristas judíos radicales.

Judas Macabeo (m. 161/160 AC). Líder de una rebelión judía contra los sirios. Hijo de un anciano sacerdote que huyó a las montañas en rebelión contra ANTÍOCO IV EPIFANES, cuando este intentó imponer a los judíos la religión griega, se convirtió en líder de los rebeldes a la muerte de su padre y ganó una serie de victorias sobre los sirios en 166–164 AC. En 166 purificó el templo de JERUSALÉN, hecho celebrado en HANUKÁ. Aunque a la muerte de Antíoco en 164, los selúcidas ofrecieron a los judíos la libertad de culto, insistió en la guerra, esperando obtener la libertad política. Murió poco después, pero sus hermanos continuaron la lucha. La historia de la dinastía se relata en los dos libros de los MACABEOS.

Judd, Donald (3 jun. 1928, Excelsior Springs, Mo., EE.UU.–12 feb. 1994, Nueva York, N.Y.). Escultor estadounidense. Estudió en la Universidad de Columbia y en la Art Students League. Montó su primera exposición individual en 1957. En 1959 comenzó a escribir para las revistas *Art News* y *Arts Magazine*. En 1960–62 transitó de la pintura a la escultura, convirtiéndose en el exponente líder del MINIMALISMO. Gran parte de su obra consiste en simples cubos u otras unidades geométricas, dispuestas en el suelo o apoyadas como vigas voladizas en el muro, generalmente en series o progresiones horizontales. Entre los materiales ocupados en sus obras destacan: acero pintado, plexiglás, fierro, madera y concreto. En la década de 1970 comenzó a intervenir el espacio alrededor de su taller en Marfa, Texas, con esculturas de gran formato. Esta área es hoy un museo.

Judea Región del sur de la antigua PALESTINA que fue gobernada sucesivamente por persas, griegos y romanos. Limitaba al norte con Samaria y al oeste con el mar Mediterráneo. Sucedió al reino hebreo de JUDÁ, que fue destruido por los babilonios. El revivido reino de Judea fue establecido por los MACABEOS, que se resistieron a la represión del judaísmo por los gobernantes extranjeros. Las disputas familiares llevaron a la intervención romana en 63 AC. Bajo dominio romano, HERODES (el Grande) fue coronado rey de Judea en 37 AC. Después de la muerte de Herodes, el país fue gobernado alternadamente por sus descendientes (ver HERODES ANTIPAS; HERODES AGRIPA I) y por procuradores romanos. En 70 DC, como represalia por una rebelión judía, los romanos destruyeron JERUSALÉN, situada en la región. En la actualidad, los israelíes utilizan el nombre de Judea para describir aproximadamente la misma región de la actual Cisjordania.

judía ver FRIJOL

judicial, poder Poder del Estado en el cual radica la función judicial. La principal tarea de la judicatura consiste en pronunciarse en disputas o controversias. Las normas determinan las partes que pueden comparecer ante una asamblea judicial o tribunal, las pruebas admisibles, el procedimiento judicial que debe aplicarse y el tipo de sentencia que puede dictarse. Por lo general, en el tribunal se encuentran el JUEZ que lo preside, las partes (a veces denominadas litigantes), los abogados que representan a las partes, y otras personas incluso testigos, actuarios, oficiales de justicia y jurados, en los casos en que el procedimiento exige la intervención de un JURADO. No obstante a los tribunales les corresponde administrar justicia de acuerdo con las reglas que dicta el poder legislativo, inevitablemente crean derecho. Por ejemplo, al decidir cómo deben aplicarse las disposiciones legales a los casos concretos, en rigor los tribunales crean derecho estableciendo reglas para los casos que se planteen en el futuro; esto es lo que se conoce como doctrina de los precedentes. En algunos sistemas, los tribunales ejercen el CONTROL DE LA CONSTITUCIONALIDAD, que les permite declarar la inconstitucionalidad de las leyes o actos del ejecutivo.

judío Cualquier persona cuya religión es el JUDAÍSMO. En un sentido más amplio, el término alude a cualquier miembro de un grupo étnico y cultural mundial descendiente de los antiguos hebreos que practicaban tradicionalmente la religión judía. El término hebreo *Yehudi*, traducido como *Judaeus* en latín y *judío* en español, se refería originalmente a un miembro de la tribu de JUDÁ. En la tradición judía, cualquier niño nacido de una madre judía es considerado como tal; en el JUDAÍSMO REFORMADO un niño es considerado judío si cualquiera de sus padres lo es.

judío, calendario *o* **calendario hebreo** Sistema de división temporal religioso y civil basado a la vez en los ciclos lunar y solar. En el calendario que se usa en la actualidad, el día se cuenta entre puestas de sol, la semana se compone de 7 días, un mes tiene 29 ó 30 días y el año tiene 12 meses lunares más 11 días aprox. (o 353, 354 ó 355 días). Para sincronizar el calendario con el ciclo solar anual, se añade un decimotercer mes de 30 días en los años tercero, sexto, octavo, undécimo, decimocuarto, decimoséptimo y decimonoveno en un ciclo de 19 años. Por lo tanto, un año bisiesto puede tener de 383 a 385 días. El calendario judío actual fue aceptado por la población alrededor del s. IV DC y está basado en cálculos bíblicos que ubican la creación en el año 3761 AC.

Mes	Días	Mes	Días
Tishrei (sep.–oct.)	30	Nisan (mar.–abr.)	30
Jeshván (oct.–nov.)	29 ó 30	Iyar (abr.–may.)	29
Kislev (nov.–dic.)	29 ó 30	Siván (may.–jun.)	30
Tevet (dic.–ene.)	29	Tamuz (jun.–jul.)	29
Shevat (ene.–feb.)	30	Av (jul.–ago.)	30
Adar (feb.–mar.)	29 ó 30	Elul (ago.–sep.)	29

Judit Heroína judía legendaria, personaje central del libro de Judit. (El libro está excluido de la Biblia hebrea.) Es una hermosa viuda judía cuya ciudad es sitiada por los asirios al mando del general Holofernes, que abandona la ciudad en una fuga fingida y predice la victoria a Holofernes. Invitada a su tienda, lo decapita cuando yace ebrio durmiendo y los judíos derrotan a los asirios acéfalos. Probablemente ficticia, la historia se habría escrito en el s. II AC, finalizada la rebelión macabea.

judo ver YUDO

Juego de pelota, juramento del (20 jun. 1789). Juramento prestado por los diputados del TERCER ESTADO en la REVOLUCIÓN FRANCESA. En la creencia de que su recién formada ASAMBLEA NACIONAL iba a ser disuelta, los diputados se reunieron en una sala del juego de pelota cercana cuando encontraron cerrado su salón habitual de reuniones en Versalles. Prometieron no separarse hasta que fuese establecida una constitución escrita para Francia. Su solidaridad forzó a LUIS XVI a ordenar al clero y a la nobleza a unirse con el tercer estado en la Asamblea Nacional.

juegos ver DEPORTES Y JUEGOS

Líder de una banda de gaiteros a la usanza tradicional durante la celebración de los Juegos escoceses en Santa Rosa, California, EE.UU.
FOTOBANCO.

Juegos escoceses Competencia atlética que se originó en las Highlands (Tierras Altas) de Escocia y que actualmente se lleva a cabo en ese y otros países, generalmente bajo el auspicio de la colonia escocesa local. Entre las pruebas figuran carreras de velocidad y con vallas, salto de altura y de longitud, lanzamiento del martillo y la bala, y lanzamiento del tronco (poste de abeto rematado en punta, de 5 m [17 pies] y 40 kg [90 lb], sujetándolo de un extremo para que caiga sobre el otro). Las competencias de gaita y de bailes de las Highlands escocesas también forman parte importante de estos juegos.

Juegos ístmicos En la antigua Grecia, festival de competencias atléticas y musicales en honor de POSEIDÓN, dios del mar. Se celebraba en la primavera del segundo y cuarto año de cada Olimpíada en el legendario santuario de Poseidón, ubicado en el istmo de Corinto. Los juegos se extinguieron en el s. IV DC, cuando el cristianismo pasó a ser la religión dominante.

Juegos Olímpicos Festival deportivo. En la antigua Grecia era un festival panhelénico que tenía lugar cada cuatro años, con competencias deportivas, musicales y literarias. El mismo nombre se ha utilizado desde 1896 para designar una restauración modificada de los antiguos Juegos, consistente en competencias atléticas internacionales celebradas cada cuatro años. Los Juegos originales comprendían, entre otras pruebas, carreras a pie, lanzamiento de la jabalina y del disco, salto de longitud, boxeo, lucha, pentatlón y carreras de carros. Con el dominio de Roma sobre Grecia, los Juegos comenzaron a declinar, hasta que finalmente fueron suprimidos en 393 DC. Renacieron a fines del s. XIX merced a los esfuerzos del barón de COUBERTIN; los primeros Juegos de la era moderna tuvieron lugar en Atenas. Los primeros Juegos Olímpicos de Invierno se llevaron a cabo en 1924. El Comité Olímpico Internacional (COI), con sede en Lausana, Suiza, está a cargo de la dirección del movimiento olímpico moderno y de la reglamentación de los Juegos. Hasta la década de 1970, los Juegos eran sólo para deportistas aficionados, pero a partir de esa fecha se autorizó la participación de deportistas profesionales. Los Juegos Olímpicos de Verano comprenden, entre muchas otras, competencias de: TIRO CON ARCO, BÉISBOL, BALONCESTO, BOXEO, PIRAGÜISMO, CICLISMO, SALTOS ORNAMENTALES, pruebas de equitación, ESGRIMA, HOCKEY SOBRE HIERBA, FÚTBOL, GIMNASIA, balon-

Sedes de los Juegos Olímpicos Modernos

Año	Verano	Invierno	Año	Verano	Invierno
1896	Atenas	*	1960	Roma	Squaw Valley
1900	París	*	1964	Tokio	Innsbruck
1904	Saint Louis	*	1968	Ciudad de México	Grenoble
1908	Londres	*	1972	Munich	Sapporo
1912	Estocolmo	*	1976	Montreal	Innsbruck
1916	†	*	1980	Moscú	Lake Placid
1920	Amberes	*	1984	Los Ángeles	Sarajevo
1924	París	Chamonix	1988	Seúl	Calgary
1928	Amsterdam	Saint-Moritz	1992	Barcelona	Albertville
1932	Los Ángeles	Lake Placid	1994	‡	Lillehammer
1936	Berlín	Garmisch-Partenkirchen	1996	Atlanta	‡
			1998	‡	Nagano
1940	†	†	2000	Sydney	‡
1944	†	†	2002	‡	Salt Lake City
1948	Londres	Saint Moritz	2004	Atenas	‡
1952	Helsinki	Oslo	2006	‡	Turín
1956	Melbourne	Cortina d'Ampezzo	2008	Beijing	‡
			2010	‡	Vancouver

* Los Juegos de Invierno no se realizaron hasta 1924.
† Los Juegos no se realizaron durante la primera y segunda guerra mundial.
‡ Después de 1992, los Juegos de Verano e Invierno se alternan cada dos años.

mano, YUDO, PENTATLÓN moderno, REMO, VELA, TIRO, SÓFTBOL, NATACIÓN, TENIS DE MESA, TENIS, ATLETISMO, TRIATLÓN, VÓLEIBOL, WATERPOLO, HALTEROFILIA y LUCHA. En el programa de los Juegos Olímpicos de Invierno figuran disciplinas como: BIATLÓN, BOB-SLEIGH, HOCKEY SOBRE HIELO, LUGE y varias pruebas de PATINAJE y ESQUÍ. En los programas pueden figurar también exhibiciones y deportes de demostración (esto es, deportes que aspiran a ser incluidos en los Juegos).

Juegos Panamericanos Competencia deportiva que se realiza cada cuatro años. Estos Juegos, concebidos en 1940 para los países del hemisferio occidental (América), se disputaron por primera vez en 1951. Diseñados según el patrón de los Juegos Olímpicos y aprobados por el Comité Olímpico Internacional (COI), los Juegos son dirigidos por la Organización Deportiva Panamericana (ODEPA), cuya sede está en Ciudad de México. En el programa ordinario figuran todos los deportes internacionales importantes y varias disciplinas más especializadas. Se celebran el año que precede a los Juegos Olímpicos, en diversas ciudades sede.

Juegos píticos Competencias deportivas y musicales que tenían lugar en la antigua Grecia, principalmente en DELFOS, en honor de APOLO. Los Juegos se celebraron desde antes del s. V AC hasta el s. IV DC, en el mes de agosto del tercer año de cada Olimpíada (el período de cuatro años entre los JUEGOS OLÍMPICOS). Las competencias eran similares a las de los Juegos Olímpicos de la antigüedad.

juegos, teoría de Rama de la matemática aplicada concebida para analizar ciertas situaciones en que hay influencia recíproca entre partes que pueden tener intereses similares, opuestos o mixtos. La teoría de juegos fue originalmente desarrollada por JOHN NEUMANN y Oscar Morgenstern en su libro *Teoría de juegos y comportamiento económico* (1944). En un juego típico, o competencia con reglas fijas, "los jugadores" tratan de superar a los otros anticipándose a sus decisiones o jugadas. La solución de un juego prescribe la estrategia o estrategias óptimas para cada jugador y predice el resultado promedio (o resultado esperado). Hasta la invención en 1967 de un contraejemplo extremadamente ingenioso, se pensaba que toda contienda tenía al menos una solución. Ver también teoría de la DECISIÓN; DILEMA DEL PRISIONERO.

juez Funcionario público investido de autoridad para conocer, juzgar y resolver los asuntos que se plantean ante los tribunales. En las causas en que interviene un JURADO, el juez preside la selección de sus miembros y los instruye acerca del derecho aplicable. También puede pronunciarse respecto de las peticiones formuladas antes del juicio o en su transcurso. En EE.UU. los jueces son elegidos o designados. La mayoría

de los jueces federales son designados de por vida por el presidente, con la aprobación del SENADO. El magistrado de mayor jerarquía del sistema legal de EE.UU., es el PRESIDENTE DE LA CORTE SUPREMA (ver Corte Suprema de los ESTADOS UNIDOS DE AMÉRICA). Ver también poder JUDICIAL, plan MISSOURI, SENTENCIA, TRIBUNAL DE MENOR CUANTÍA.

juez de paz En los sistemas legales angloestadounidenses, magistrado local facultado para administrar justicia principalmente en causas de menor cuantía. En EE.UU., los jueces de paz son elegidos o designados y resuelven asuntos civiles menores y causas criminales de escasa gravedad. También pueden celebrar matrimonios, dictar órdenes de arresto, conocer de infracciones a la ley del tránsito y realizar investigaciones indagatorias.

juge d'instruction (francés: "juez de instrucción"). En Francia, magistrado encargado de realizar la audiencia indagatoria que precede a un juicio criminal. En esta audiencia se presentan las pruebas principales, se escucha a los testigos y se toman declaraciones. Si al término de la audiencia el magistrado no se ha formado la convicción de que las pruebas de culpabilidad son suficientes para iniciar un juicio, este no se lleva a cabo. Este proceso difiere de la audiencia ante un GRAND JURY, propia del sistema angloestadounidense.

Jugendstil Estilo artístico surgido casi a fines del s. XIX en Alemania y Austria. Su nombre derivó de la revista de Munich *Die Jugend* ("Juventud"), fundada en 1896, en la que se presentaban diseños ART NOUVEAU. Su fase inicial, que privilegiaba las decoraciones florales, se asimilaba al art nouveau inglés y a los grabados japoneses. Después de 1900 emergió en su obra una fase más abstracta. De preferencia un estilo arquitectónico y de las artes decorativas, incluyó también al gran pintor austríaco GUSTAV KLIMT.

juglar Narrador profesional o actor de variedades ambulante de la Europa medieval. Se desempeñaba como músico, malabarista, acróbata y, sobre todo, recitador de obras literarias, principalmente heroicas y legendarias (ver MESTER DE JUGLARÍA). Los juglares actuaban tanto en los mercados durante los días festivos, como en las abadías y castillos de los nobles, quienes en algunas ocasiones los contrataban a permanencia. Los juglares tuvieron su apogeo en el s. XIII; y ya en el s. XIV, otros actores asumieron las diversas facetas de su oficio de artistas. Ver también GOLIARDO; TROVERO.

Juglares y trovadores ante el monarca; iluminación del *Manessa Codex*, c. 1300.
FOTOBANCO

juguete Objeto que sirve para que los niños jueguen. Su existencia data de épocas remotas y se encuentra en una gran variedad de culturas. Varían desde lo sencillo a lo complejo, desde un palo o una cuerda que se convierte en juguete en manos de un niño, hasta complicados dispositivos electrónicos o mecánicos. Entre los favoritos de siempre figuran pelotas, cuerdas para saltar, muñecas, tambores, pitos, dados, naipes, juegos de mesa, canicas, armas de juguete y disfraces. En la época moderna, la industria de los juguetes ha crecido enormemente, en especial con la aparición de los juegos computacionales.

juicio En derecho, examen judicial de cuestiones de hecho o de derecho con el objeto de establecer los derechos de las partes en juego. Los abogados del demandante y del demandado realizan declaraciones preliminares ante el juez o un jurado; a continuación, el abogado del demandante presenta sus testigos, que

pueden ser contrainterrogados por el abogado de la parte deman-
dada. A menos que la causa sea sobreseída por falta de pruebas
suficientes, corresponde al abogado del demandado presentar sus
testigos, que son contrainterrogados por el abogado del demandante. Ambas partes realizan alegatos finales. Cuando el juicio
tiene lugar ante un jurado, el juez instruye a este acerca del
derecho aplicable y el jurado se retira para deliberar. Si el demandado es encontrado culpable, el juez pronuncia la sentencia.

juicio de residencia Juicio al que la corona de España
sometía a las autoridades públicas de los territorios coloniales,
como virreyes, gobernadores y miembros de la REAL AUDIENCIA,
al concluir el desempeño de sus cargos y que tenía por propósito revisar las actuaciones de estas para determinar si habían
incurrido en faltas o irregularidades. Mientras se realizaba el
juicio, el funcionario saliente no podía cambiar su lugar de
residencia, de allí el nombre de esta institución.

Juilliard School Escuela de artes escénicas y música, de
reconocimiento internacional, con sede en Nueva York,
N.Y., EE.UU. Proviene del Institute of Musical Art (fundado
en 1905) y de una escuela de posgrado (1924) fundada con
una donación del financista Augustus D. Juilliard (n. 1840–
m. 1919). En la actualidad constituye la rama de educación profesional del LINCOLN CENTER FOR THE PERFORMING ARTS.
Ofrece grados de licenciatura en música, danza y teatro, como
asimismo programas de posgrado en música. El Julliard String
Quartet (fundado en 1946) fue importante para el desarrollo de
la música de cámara en EE.UU.

jujitsu ARTE MARCIAL en que se intenta dominar o incapacitar
al rival aplicándole llaves y golpes paralizantes o arroján-
dolo al suelo. Comenzó a desarrollarse hacia el s. XVII entre
los SAMURAI, clase guerrera de Japón. Se trata de una forma
despiadada de lucha, entre cuyas técnicas se cuenta el uso
de las partes duras o resistentes del cuerpo, como las manos,
los nudillos, las rodillas y los codos, para golpear los puntos
vulnerables del enemigo. El jujitsu decayó a mediados del
s. XIX, pero muchos de sus conceptos y métodos fueron incorporados al YUDO, KARATE y AIKIDO.

Julia (39 AC–14 DC, Reggio). Hija única de AUGUSTO. Se casó
con MARCELO, que murió en 23 AC, y luego con AGRIPA (21), principal lugarteniente de Augusto. Sus dos hijos mayores fueron
adoptados por Augusto (17) y se convirtieron en sus herederos.
Cuando Agripa murió (12 AC), la segunda esposa de Augusto lo
convenció de favorecer a sus hijos (hijastros de Augusto), TIBERIO
y Druso, como herederos. Augusto forzó a Tiberio a divorciarse
de su esposa y a casarse con Julia (11 AC). La infeliz Julia se
convirtió en una mujer promiscua y Tiberio se autoexilió. Cuando
Augusto se enteró de su conducta, la desterró a una isla frente a
Campania (2 AC) y luego a Reggio. Al convertirse en emperador,
Tiberio le negó la pensión y Julia murió de inanición.

Juliana de Norwich (1342, probablemente en Norwich,
Norfolk, Inglaterra–después de 1416). Mística inglesa. Luego
de recuperarse de una grave enfermedad (1373), escribió dos
relatos de sus visiones; *Revelaciones del amor divino* es notable por su claridad, belleza y profundidad. Vivió sus últimos
años reclusa en Norwich.

Juliana (Luisa Emma María Guillermina) (30 abr. 1909,
La Haya, Países Bajos–20 mar. 2004, Baarn). Reina de los Países
Bajos (1948–80). Durante la segunda guerra mundial se refugió
en Ottawa, Canadá, mientras que su esposo, el príncipe BERNHARD,
permaneció junto al gobierno de la reina GUILLERMINA en Londres.
De regreso en los Países Bajos en 1945, fue regente durante la
enfermedad de su madre y se convirtió en reina cuando esta
abdicó. En 1980 abdicó en favor de su hija BEATRIZ.

Juliano *o* **Juliano el Apóstata** *latín* **Julianus Apostata**
orig. **Flavius Claudius Julianus** (331/332 DC, Constantinopla–26/27 jun. 363, Ctesifonte, Mesopotamia). Empera-

Juliano el Apóstata, detalle de
una estatua de mármol; Museo
del Louvre, París.
GIRAUDON – ART RESOURCE

dor romano (361–363), destacado
erudito y líder militar. Sobrino de
CONSTANTINO I, fue criado como
cristiano, pero se convirtió al pa-
ganismo místico. Como césar
(subemperador) en Occidente, restableció la frontera del Rin y fue
proclamado augusto (emperador
más antiguo) por sus ejércitos.
Aunque Constancio II se opuso inicialmente a reconocerlo como su
sucesor, lo aceptó como tal en su
lecho de muerte (361). Como emperador, proclamó la libertad de
culto para paganos y cristianos en
361; sin embargo, fomentó el paga-
nismo por sobre el cristianismo, a
cuyos fieles sometió a actos de vio-
lencia y persecución. Introdujo austeridad en el gobierno mediante una reducción del personal y un reacondicionamiento
de las finanzas del imperio. Con el fin de restablecer el poder
romano en Oriente, atacó a Persia; el intento fracasó y murió
en una retirada cerca de Bagdad.

Julien Green ver Julian GREEN

Julio II *orig.* **Giuliano della Rovere** (5 dic. 1443, Albisola,
República de Génova–21 feb. 1513, Roma). Papa (1503–13).
Sobrino de SIXTO IV, huyó de Roma
en 1494 para evitar ser asesinado por
ALEJANDRO VI. Elegido papa en 1503,
se propuso restablecer los Estados
Pontificios, para lo cual sometió a
Perugia y Bolonia (1508) y derrotó
a Venecia (1509) con ayuda de la
Liga de CAMBRAI. Su primer intento
de expulsar a los franceses del norte
de Italia fracasó, pero en 1512 una
revuelta popular los obligó a salir,
y Parma y Piacenza fueron agre-
gadas a los Estados Pontificios.
Considerado el más grande mecenas
de las artes de la historia del papado,

Julio II, medallón
contemporáneo; colección
numismática de la Biblioteca del
Vaticano.
LEONARD VON MATT

fue amigo cercano de MIGUEL ÁNGEL, a quien encargó la escultura
de Moisés y las pinturas de la capilla Sixtina. También encomendó a RAFAEL los frescos del Vaticano.

Julio César ver Julio CÉSAR

julio, conspiración de *o* **conspiración de asesinato
en Rastenburg** Intento frustrado que encabezaron altos
jefes militares alemanes el 20 de julio de 1944 para asesinar
a ADOLF HITLER, con el fin de tomar el control del gobierno y
conseguir de los aliados condiciones de paz más favorables.
De acuerdo con el plan, el coronel Claus von Stauffenberg
(n. 1907–m. 1944) dejó una bomba oculta en un maletín en
el salón de conferencias del cuartel general de campaña en
Rastenburg, Prusia oriental, donde Hitler se iba a reunir con
altos jefes militares. Sin embargo, el maletín fue desplazado
detrás de un pilar de la mesa y Hitler sobrevivió a la explosión
con heridas leves. Mientras tanto, los otros conspiradores en
Berlín no cumplieron su parte del plan. Los principales conspiradores, Stauffenberg, los generales LUDWIG BECK y ERWIN
ROMMEL además de otros altos oficiales, fueron rápidamente
ejecutados o forzados a suicidarse. En los días siguientes, la
policía de Hitler capturó a cerca de 200 conspiradores, quienes
fueron fusilados, ahorcados o brutalmente estrangulados.

julio de 1917, jornadas de Período en la REVOLUCIÓN RUSA
DE 1917 durante el cual trabajadores y soldados de Petrogrado
realizaron manifestaciones armadas en contra del gobierno provisional, lo que causó una momentánea declinación de la influencia

BOLCHEVIQUE y la formación de un nuevo gobierno provisional encabezado por ALEXANDR KERENSKI. Para socavar la popularidad de los bolcheviques, el gobierno presentó pruebas de que VLADÍMIR LENIN tenía vínculos con el gobierno alemán. El pueblo reaccionó en contra de los bolcheviques y Lenin huyó a Finlandia, y LEÓN TROTSKI y otros dirigentes fueron encarcelados. El nuevo gobierno fue derrocado por los bolcheviques en octubre.

Julio-Claudia, dinastía (14–68 DC). Sucesores de AUGUSTO, primer emperador romano: TIBERIO, CALÍGULA, CLAUDIO y NERÓN. Más que por una línea sanguínea directa, sus miembros estaban unidos por diversas relaciones de parentesco. Tiberio fue un gobernante capaz, con notables logros, pero terminó como un tirano cruel. El demente Calígula fue violento y caprichoso. Bajo Claudio, Roma experimentó un marcado desarrollo. Con Nerón, el imperio prosperó, pero él mismo cayó en excesos y su reinado finalizó en medio de la rebelión y la guerra civil.

Julna Ciudad (pob., 1991: área metrop., 877.388 hab.) en el sudoeste de Bangladesh. Ubicada al nordeste de KOLKATA (Calcuta) en India, es un importante puerto fluvial y centro comercial, conectado por carreteras y ferrovías con las principales ciudades en el sur del delta del GANGES. En 1884 se convirtió en municipio; es sede de una universidad.

Junayd, Shaykh (1430, ¿Azerbaiyán iranio?–4 mar. 1460, cerca del río Kura). Cuarto líder de la orden safawí de místicos sufíes (ver SUFISMO). Se convirtió en el superior de la orden a la muerte de su padre en 1447 y se propuso transformar una sociedad, hasta entonces conocida por su piedad y saber, en una fuerza política. La militarización de sus seguidores causó un conflicto con Jahān Shāh (m. 1467), gobernante del Azerbaiyán iranio, por lo que fue expulsado con sus partidarios de Ardabīl, centro tradicional de la orden safawí, en 1448. Continuó su aventura militar en tierras de las actuales Siria y Turquía y finalmente murió en combate contra una fuerza de circasianos cristianos. Su hijo, Ḥaydar, fue el continuador de sus políticas, que culminaron finalmente en la fundación de la dinastía SAFAWÍ bajo el liderazgo del nieto de Junayd, ISMĀ'IL I, asegurando el dominio del Islam CHIITA en Irán.

Junco de Oregón
(*Junco oreganus*)

Junco ojioscuro
(*Junco hyemalis*)

Especies de junco.
© ENCYCLOPÆDIA BRITANNICA, INC.

junco Cualquiera de varias especies de aves similares al pinzón (género *Junco*, familia Fringillidae), de 15 cm (6 pulg.) aprox. de largo, de Canadá y EE.UU. Los juncos suelen ser algo grisáceos, tienen plumas caudales externas de color blanco, las que ostentan en el vuelo con el acompañamiento de reclamos chasqueantes o gorjeos. Son aves típicas del invierno. Su hábitat preferido es el bosque mixto o de coníferas, aunque se encuentran a menudo en campos, matorrales y parques urbanos.

junco Velero chino clásico de origen desconocido, todavía ampliamente en uso. De popa alta con una proa proyectante, el junco lleva hasta cinco mástiles, cada uno de los cuales provisto de una vela cuadrada consistente en paneles de lino o de estera, aplanados mediante franjas de bambú. Cada vela puede ser extendida o cerrada tirando de una cuerda, de manera semejante a una persiana veneciana. El masivo timón toma también la función de quilla. Ya en la Edad Media los juncos chinos navegaban hasta llegar a aguas de Indonesia e India.

junco Cualquiera de varias angiospermas que se distinguen por sus tallos cilíndricos u hojas huecas semejantes a tallos. Se encuentran en regiones templadas, particularmente en lugares más húmedos o umbríos. La familia Juncaceae abarca el género *Juncus* (juncos comunes) y el género *Luzula* (juncos leñosos). En muchas partes del mundo se tejen los juncos comunes para confeccionar

Junco común (*Juncus effusus*).
A TO Z BOTANICAL COLLECTION—EB INC.

asiento o respaldo de sillas, esteras y cestería, mientras que su médula sirve de mecha en lámparas de aceite abiertas y velas de sebo. Otros juncos son la TOTORILLA (familia Typhaceae), la COLA DE CABALLO (o rabo de mula), el junco florido (*Butomus umbellatus*, familia Butomaceae) y el cálamo aromático (*Acorus calamus*, familia de las ARÁCEAS).

Juneau Ciudad (pob., 2000: 30.711 hab) y capital del estado de Alaska, EE.UU. Se ubica en el sudeste de Alaska y en 1880 fue colonizada por Joe Juneau y Richard Harris, quienes descubrieron oro en sus cercanías. La minería fue importante hasta el cierre de la mina de oro Alaska-Juneau en 1944. En 1959, Juneau se erigió como capital del estado de Alaska. Las actividades principales son la pesca, silvicultura, administración y turismo. En 1970, se amplió el ámbito territorial de Juneau a la isla Douglas y pasó a ser una de las de mayor superficie de EE.UU. (8.050 km² [3.108 mi²]).

Jung, Carl Gustav (26 jul. 1875, Kesswil, Suiza–6 jun. 1961, Küsnacht). Psiquiatra suizo. En su juventud fue un gran lector de filosofía y teología. Después de obtener su título de médico (1902), trabajó en Zurich con EUGEN BLEULER en estudios sobre enfermedades mentales. De esas investigaciones emergió su noción de complejo, i.e., conjunto de asociaciones cargadas emocionalmente (y en gran medida inconscientes). En 1907–12 trabajó en estrecha colaboración con SIGMUND FREUD y fue su más probable sucesor, pero rompió con él debido a la insistencia de este en la base sexual de las neurosis. En los años siguientes fundó el campo de la PSICOLOGÍA ANALÍTICA, en respuesta al PSICOANÁLISIS de Freud. Jung formuló, entre otros, los conceptos de personalidad introvertida y extrovertida, arquetipo e inconsciente colectivo (el acervo de experiencia humana traspasado de generación en generación). Concibió nuevas técnicas psicoterapéuticas destinadas a que la persona reconozca su "mito" propio o su lugar en el inconsciente colectivo, como se expresa en los sueños y la imaginación. Criticada a veces de religión disfrazada y por su falta de verificabilidad, la labor de Jung ha influenciado la religión, la literatura y la psiquiatría. Entre sus trabajos importantes se cuentan *Transformaciones y símbolos de la libido* (1912), *Tipos psicológicos* (1921), *Psicología y religión* (1938) y *Recuerdos, sueños, sentimientos* (1962).

junio, días de (23–26 jun. 1848). En la historia francesa, breve y sangrienta sublevación civil en París en los primeros días de la SEGUNDA REPÚBLICA. El nuevo gobierno instituyó numerosas reformas radicales, pero la nueva asamblea, integrada principalmente por candidatos moderados y conservadores, estaba decidida a cortar gastos y poner fin a experimentos arriesgados, como los programas de obras públicas para ocupar a desempleados. Miles de trabajadores parisinos –repentinamente eliminados de las nóminas de pago estatales– se unieron a simpatizantes radicales y se tomaron las calles en espontánea protesta. La asamblea otorgó facultades al gral. LOUIS-EUGÈNE CAVAIGNAC para sofocar la rebelión y usó artillería en contra de las barricadas de los manifestantes. Al menos 1.500 rebeldes murieron, 12.000 fueron detenidos y muchos fueron exiliados a Argelia. Ver también REVOLUCIONES DE 1848.

junior college *o* **community college** Institución educativa que imparte programas de hasta dos años de duración, y que entrega instrucción académica, técnica y vocacional a nivel de COLLEGE (colegio universitario), con énfasis en la preparación de carreras profesionales. Es posible que los orígenes del *junior college* se encuentren en el movimiento de CHAUTAUQUA y otros programas de educación para adultos, creados después de la guerra de Secesión. En 1901 se estableció el primer *junior college* en Joliet, Ill. La gran mayoría de los *junior colleges* son públicos; cuando se los denomina *community colleges*, ofrecen una variedad de programas flexibles, que por lo general no son tradicionales ni en oficio ni en contenido. Los *junior colleges* han liderado la oferta de estudios de tiempo parcial, clases nocturnas, instrucción por televisión, talleres de fin de semana y otros destinados a los miembros de sus respectivas comunidades. En general, los estudiantes no viven en los campus. Quienes se gradúan en los junior colleges obtienen un grado de adjunto (*associate's degree*). Luego se trasladan a un *college* (colegio universitario) de cuatro años de duración, o bien ingresan al mundo laboral. Ver también EDUCACIÓN CONTINUA.

Juniperus Género que comprende unas 60–70 especies de árboles o arbustos siempreverdes aromáticos de la familia de las Cupresáceas (ver CIPRÉS), que se encuentran en todo el hemisferio norte. Las hojas tiernas son aciculares; las hojas maduras son aleznadas, extendidas y dispuestas en pares o en verticilos de tres. El enebro común (*J. communis*) es un arbusto desparramado, cuyas bayas fragantes, con olor a especias, se usan como saborizante en comidas y bebidas alcohólicas, en particular la GINEBRA. La madera fragante del cedro rojo oriental (*J. virginiana*) se utiliza para fabricar armarios, postes para cercas y lápices. El *J. horizontalis* es un popular enebro ornamental reptante de EE.UU., y la madera de la sabina mediterránea (*J. phoenicea*) se quema como incienso.

Cedro rojo oriental (*Juniperus virginiana*).
© ENCYCLOPÆDIA BRITANNICA, INC.

Juno, escultura clásica; Museo Archeologico Nazionale, Nápoles, Italia.
ALINARI—ART RESOURCE

Juno En la religión ROMANA, la diosa suprema y contraparte femenina de JÚPITER. Fue identificada con la diosa griega HERA. Con Júpiter y MINERVA, constituía la tríada capitolina de deidades que según la tradición fueron introducidas en Roma por los ETRUSCOS. Estaba relacionada con todos los aspectos de la vida de las mujeres, en especial con el matrimonio. De forma individual, se consideraba un espíritu guardián femenino; así como cada hombre tenía su GENIO, la mujer tenía su juno. Su templo en Roma albergó con el tiempo la casa de moneda romana y era invocada como la salvadora del Estado. Su ave sagrada era el pavo real.

junquillo Hierba bulbosa perenne de la región del Mediterráneo (*Narcissus jonquilla*) de la familia de las AMARILIDÁCEAS que da una flor de jardín muy difundida. Tiene largas hojas lineares y se cultiva profusamente por sus flores en racimo, de color amarillo o blanco, fragantes y de tubos cortos. El aceite proveniente de las flores del junquillo se usa en perfumes. Ver también NARCISO.

junta de comercialización Organización establecida por un gobierno para regular la compraventa de un determinado producto básico en un área específica. El tipo más simple de junta es aquel creado para realizar investigaciones de MERCADO, promover las ventas y entregar información. Habitualmente se financia mediante un derecho aplicado sobre todas las ventas del producto en cuestión. Ejemplos de este tipo de juntas son la Junta del té de Sri Lanka y la Junta del cacao de Ghana. Otras juntas están facultadas para regular los términos y condiciones de venta, en general mediante el establecimiento de normas de envasado y análisis de calidad. El objetivo principal de la mayoría de las juntas de comercialización es estabilizar los PRECIOS, especialmente de los productos destinados al mercado de exportación, donde las fluctuaciones de precio son con frecuencia extremas. Las juntas de comercialización pueden aumentar el precio promedio mediante la manipulación de los flujos del producto para mantener niveles de demanda razonablemente altos en todo momento. Existen juntas de comercialización, como la Comisión de la manzana del estado de Washington, que se utilizan en el caso de los productos perecederos en que se requiere que sus mercados se definan por anticipado. Ver también CARTEL.

juntura *p-n* Contacto eléctrico en TRANSISTORES y dispositivos relacionados entre dos diferentes tipos de material llamados SEMICONDUCTORES tipo-*p* y tipo-*n*. Estos materiales, como el SILICIO, son semiconductores de extremada pureza a los cuales se les ha agregado un tipo particular de impurezas en pequeñísima proporción. Los materiales de tipo-*p* contienen "huecos" (espacios vacíos ocupados originalmente por ELECTRONES) que se comportan como partículas de carga positiva, mientras que los materiales de tipo-*n* contienen electrones libres debido a las impurezas. Una CORRIENTE ELÉCTRICA fluye a través de una juntura *p-n* con más facilidad en una dirección que en la otra. Si el polo positivo de una batería se conecta al lado *p* de la juntura, y el negativo al lado *n*, fluye carga a través de la juntura. Si la batería se conecta en la dirección opuesta, muy poca carga puede fluir por la juntura. La base de los CHIPS DE COMPUTADORAS, CELDAS SOLARES y otros dispositivos electrónicos es la juntura *p-n*.

Júpiter El quinto PLANETA desde el Sol y el objeto no estelar de mayor tamaño en el sistema SOLAR. Su masa es 318 veces la de la Tierra y su volumen más de 1.400 veces el de esta. Su enorme masa hace que tenga 2,5 veces la gravedad de la Tierra (medida en la parte alta de su atmósfera), ejerciendo una fuerte influencia gravitacional sobre los otros miembros del sistema solar. Es responsable de los gaps de KIRKWOOD en el cinturón de asteroides y de cambios en la órbita de los COMETAS; puede actuar como "aspiradora", atrayendo cuerpos que de otra manera podrían chocar con otros planetas. Júpiter tiene por lo menos 60 lunas (ver SATÉLITES GALILEANOS) y un sistema de anillos difuso, descubierto en 1979 por la nave espacial VOYAGER. El planeta es un gigante gaseoso, compuesto principalmente de hidrógeno y helio en proporciones muy parecidas a las observadas en el Sol. Júpiter efectúa una revolución alrededor del Sol cada 11,9 años, a una distancia promedio de 778 millones de km

Fotografía de Júpiter tomada por la Voyager 1.
NASA/JPL

(484 millones de mi). Su rápida rotación (9 horas 55,5 minutos) actúa sobre corrientes eléctricas produciendo el campo magnético más intenso de todos los planetas del sistema solar, y genera fuertes tormentas, como una que ha durado cientos de años (la GRAN MANCHA ROJA). Poco se sabe de su interior, pero se cree que existe una capa profunda de hidrógeno metálico y un núcleo denso. Su temperatura central se estima en 25.000 °C (45.000 °F); irradia el doble de la energía que recibe del Sol, probablemente del calor residual de su formación.

Júpiter Dios supremo de las antiguas Roma e Italia. Tal como su equivalente griego, ZEUS, era adorado como dios del cielo. Con JUNO y MINERVA constituía la tríada de deidades que según la tradición habían sido introducidas en Roma por los ETRUSCOS. Júpiter estaba vinculado con los tratados, alianzas y juramentos; era la deidad protectora de la república y más tarde del emperador reinante. Su templo más antiguo estaba en el monte Capitolino en Roma. Era adorado en la cima de las colinas por toda Italia y todo lugar golpeado por el rayo se convertía en su propiedad. Su árbol sagrado era el roble.

Júpiter Doliceno Dios de un culto misterioso romano. Fue originalmente un dios hitita-hurrita de la fertilidad y el trueno, adorado en Dolice, Anatolia. Fue además identificado con el dios zoroastriano AHURA MAZDA como señor del universo. Las legiones que regresaban llevaron su culto a Roma, donde se hizo popular en los s. II–III DC. En la religión MISTÉRICA romana se creía que controlaba la seguridad y el éxito militar. Generalmente era representado de pie sobre un toro, sosteniendo un hacha doble y un rayo.

Jura, cordillera del Cordillera en Europa central. Se extiende por 360 km (225 mi) a lo largo de la frontera entre Francia y Suiza. Su pico más alto es el Crête de la Neige, de aprox. 1.700 m (5.650 pies) de altura, situado en Francia. En sus laderas occidentales nacen los ríos franceses DOUBS y Ain.

jurado En derecho, grupo de personas que han sido seleccionadas y que han prestado juramento para examinar una cuestión de hecho y entregar un veredicto de conformidad con las pruebas presentadas. Los jurados también pueden abordar cuestiones de derecho, aunque en EE.UU. los jurados federales generalmente se ocupan de cuestiones de hecho. La composición de los jurados modernos puede variar según el procedimiento, pero habitualmente tienen 6 ó 12 miembros. De acuerdo con el derecho estadounidense, los miembros de los "petit jury" y del "grand jury" deben ser elegidos al azar entre una muestra representativa de la comunidad del distrito o división territorial en que ejerce jurisdicción el tribunal. La selección de los jurados de los estados varía ligeramente. La Corte Suprema de los ESTADOS UNIDOS DE AMÉRICA ha señalado en una serie de sentencias que los jurados deben estar integrados por "pares e iguales" y que excluir sistemáticamente como jurados a una determinada clase de personas (p. ej., según el sexo, color de piel o ascendencia) es contrario a la IGUALDAD ANTE LA LEY consagrada en la XIV enmienda a la Constitución de los ESTADOS UNIDOS DE AMÉRICA y al derecho del demandado o acusado a un juicio por jurado. Sin embargo, el demandado no tiene derecho a elegir qué clase de personas debe integrar el jurado. Ver también EXAMEN PRELIMINAR; GRAND JURY; PETIT JURY.

jurado ordinario ver PETIT JURY

Jurāsān Provincia (pob., 1996: 6.048.000 hab.) del nordeste de Irán. Su capital es MASHAD. La región recibió su nombre durante la dinastía SASÁNIDA, cuya lengua significa "Tierra del Sol". Fue invadida por ejércitos musulmanes c. 650. Bajo el dominio árabe, abarcaba un vasto territorio que incluía el sur del actual Turkmenistán y el norte de Afganistán. Fue conquistada c. 1220 por GENGIS KAN y c. 1380 por TAMERLÁN. Sus actuales fronteras como la provincia de Irán fueron definidas en 1881. Su población está compuesta por varios grupos étnicos diferentes, como consecuencia de las numerosas migraciones e invasiones ocurridas a lo largo de los siglos. En ella se habla turco, persa y kurdo. La provincia da su nombre a las renombradas alfombras artesanales Jurāsān.

jurásico Período geológico, de 206 a 144 millones de años atrás, es una de las tres divisiones principales del MESOZOICO; lo precede el TRIÁSICO y lo sigue el CRETÁCICO. Durante el jurásico, el continente único PANGEA comenzó a separarse en los continentes actuales. Prosperaron los invertebrados marinos, y grandes reptiles dominaron muchos hábitats marinos. En tierra, florecieron HELECHOS, MUSGOS, CICAS y CONÍFERAS; algunas de estas coníferas desarrollaron estructuras similares a las flores en lugar de conos. Los DINOSAURIOS llegaron a establecer su supremacía en la Tierra y para el final del jurásico la evolución había producido las grandes especies. El ARQUEÓPTERIX, el ave más antigua conocida, apareció antes del fin del período. Los primeros mamíferos, pequeñas criaturas con aspecto de musarañas aparecieron cerca de fines del triásico, se las arreglaron para sobrevivir y evolucionar.

jurel Cualquiera de más de 150 especies de peces (familia Carangidae, orden Perciformes) que se encuentran en partes templadas y tropicales de los océanos Atlántico, Pacífico e Índico, y ocasionalmente en agua dulce o salobre. Aun cuando el tamaño y la forma de su cuerpo varían bastante, muchas especies tienen pequeñas escamas que les dan una apariencia lisa, un cuerpo comprimido lateralmente, hileras de grandes escamas erizadas en los flancos cerca de la aleta caudal, y una cola profundamente ahorquillada. Muchos tienen un viso verde azulado, plateado o amarillento. Los jureles tienen importancia comercial y son favoritos de la pesca deportiva. Ver también SERIOLA.

jurisprudencia Ciencia o filosofía del derecho. La jurisprudencia puede dividirse en tres ramas: analítica, sociológica y teórica. La jurisprudencia analítica articula axiomas, define términos, y señala los métodos que permiten abordar mejor el ordenamiento jurídico como un sistema lógico, internamente coherente. La jurisprudencia sociológica examina los efectos reales del derecho al interior de la sociedad y la influencia que ejercen los fenómenos sociales en los aspectos sustantivos y procesales del derecho. La jurisprudencia teórica evalúa y critica el derecho en función de los ideales u objetivos que postula.

Jūriyā Mūriyā ver KURIA MURIA

Jusraw Anusirwan ver COSROES I

justa *o* **torneo** Combate simulado de la Europa medieval occidental. Dos jinetes se enfrentaban con lanzas romas e intentaban desmontar al rival. La justa se originó probablemente en Francia en el s. XI, en reemplazo de la *mêlée* (en la cual dos grupos de jinetes armados también libraban batallas simuladas), y floreció en gran parte de la Europa de los s. XII–XV. Aunque las lanzas se enromaban, muchas veces los caballeros morían o quedaban gravemente heridos. En los torneos competían sólo la realeza y la nobleza; las damas de la corte solían amadrinar a sendos caballeros, para quienes los torneos se convirtieron en un ritual de AMOR CORTÉS. Caracterizados por su extraordinaria pompa y boato, los torneos representaban la exhibición más sublime de la CABALLERÍA.

justicia En filosofía, el concepto de una proporción apropiada entre los merecimientos de una persona (lo que es merecido) y las cosas buenas y malas que le acontecen o le son deparadas. El análisis de ARISTÓTELES de la virtud de la justicia ha sido el punto de partida de casi todas las descripciones occidentales. Para él, lo decisivo en lo concerniente a la justicia consiste en tratar los casos semejantes de la misma manera, idea que ha impuesto a los pensadores posteriores la tarea de determinar qué semejanzas (necesidad, mérito, talento) son pertinentes. Aristóteles distingue entre justicia distributiva (distribución de la riqueza u otros bienes) y justicia en la reparación, p. ej., castigar a alguien por haber obrado mal (justicia punitiva). La noción de justicia es también esencial en la idea de Estado justo, concepto central de la FILOSOFÍA POLÍTICA. Ver también DERECHO.

justificación En la teología cristiana, el paso de un individuo desde el estado de PECADO al estado de GRACIA. Algunos teólogos usan el término para referirse al acto de Dios de otorgar la gracia al pecador, mientras que otros lo usan para definir el cambio en la condición de un pecador que ha recibido la gracia. San PABLO usó el término para explicar cómo las personas pasan del pecado a la gracia por la muerte y resurrección de JESÚS y no debido al esfuerzo humano. San AGUSTÍN lo consideraba como un acto de Dios que convierte a los pecadores en justos, mientras que MARTÍN LUTERO hizo hincapié en la justificación sólo mediante la fe.

Justiniano I *orig.* **Petrus Sabbatius** (483, Tauresio Dardania–14 nov. 565, Constantinopla). Emperador bizantino (527–565). Decidido a recuperar las antiguas provincias romanas perdidas ante los invasores bárbaros, venció a los VÁNDALOS en el norte de África en 534, y en 540 obtuvo una victoria inicial sobre los OSTROGODOS en Italia. Sin embargo, la guerra contra los godos se prolongó durante otras dos décadas y trajo consigo una gran devastación antes de que Justiniano lograra controlar la totalidad de Italia (562). Fue incapaz de contener los ataques sorpresivos lanzados por búlgaros, eslavos, HUNOS y ÁVAROS a lo largo de la frontera norte del imperio. Por otra parte, libró hasta 561 una guerra intermitente con Persia. Reorganizó el gobierno imperial y ordenó la reforma y codificación del gran cuerpo de derecho romano conocido como código de JUSTINIANO. Sus esfuerzos por extirpar la corrupción desencadenaron en 532 una revuelta en Constantinopla que casi derribó su gobierno; su esposa TEODORA lo ayudó a sofocar la revuelta. Al igual que todos los emperadores romanos, fue un activo constructor; entre sus numerosas obras públicas destacaron la reconstrucción de ciudades y la edificación de la iglesia de SANTA SOFÍA, una de las construcciones más bellas y famosas del mundo.

Justiniano, código de Recopilación de leyes e interpretaciones jurídicas llevada a cabo bajo los auspicios del emperador bizantino JUSTINIANO I entre 529 y 565 DC. Estrictamente hablando, no constituyen un código nuevo. Más bien, los comités de juristas nombrados por Justiniano elaboraron dos obras de consulta que contenían una recopilación de las leyes anteriores y extractos de las opiniones de los grandes juristas romanos. También incluía una reseña elemental del derecho y una recopilación de las leyes dictadas por Justiniano. A partir de la edición completa de la obra publicada en 1583 por Dionisio Godofredo en Ginebra, el código de Justiniano se conoce también como *Corpus Iuris Civilis.*

Justino II (m. 4 oct. 578). Emperador bizantino (565–578). Toleró la herejía MONOFISITA hasta 571, año en que comenzó a perseguir a sus partidarios. A pesar de su alianza con los

Justiniano I, detalle de un mosaico; basílica de San Vitale, Ravena, Italia.
FOTOBANCO

francos, perdió partes de Italia a manos de los lombardos después de 568. Fue también derrotado por los ÁVAROS, a quienes prometió pagar tributo (574), y por los turcos del oeste, que se apoderaron de territorios en Crimea. En 572 invadió Persia, pero los persas rechazaron a su ejército e invadieron territorio bizantino, capturando Dara en 573. Se volvió loco, y después de 574 el gobierno efectivo del imperio fue ejercido por el general Tiberio, su hijo adoptivo.

Justino Mártir, san (c. 100, Flavia Neápolis, Palestina– c. 165, Roma; festividad: 1 de junio). Apologista y teólogo cristiano primitivo. Pagano nacido en Palestina, estudió filosofía antes de convertirse al cristianismo en 132, probablemente en Éfeso. Luego fue durante años predicador y maestro itinerante. Uno de los APOLOGISTAS cristianos más antiguos y el primero en combinar la filosofía griega y la doctrina cristiana. Escribió dos *Apologías* dirigidas a emperadores romanos, en las que afirmaba que la fe cristiana puede armonizar con la razón humana y que el cristianismo es una de las formas más puras de la verdad vislumbrada en la filosofía pagana. En su *Diálogo con Trifón* intentó demostrar la verdad del cristianismo a un sabio judío llamado Trifón. Mientras vivía en Roma, fue denunciado como subversivo y condenado a muerte.

Jutlandia, batalla de (31 may.–1 jun. 1916). Único enfrentamiento importante entre las flotas británica y alemana durante la primera GUERRA MUNDIAL, en Skagerrak, sección del mar del Norte frente a la costa de Jutlandia (Dinamarca). La batalla tuvo un final indeciso y ambos bandos se atribuyeron la victoria. Alemania destruyó y averió más buques y provocó más bajas, pero Gran Bretaña retuvo el control del mar del Norte. Las tácticas del almirante británico JOHN R. JELLICOE fueron criticadas en su tiempo, pero su victoria estratégica hizo que la flota alemana de alta mar fuese ineficaz por el resto de la guerra.

Jutlandia, península de *danés* **Jylland** Península de Europa septentrional. En ella se ubica la parte continental de Dinamarca y el estado alemán de SCHLESWIG-HOLSTEIN. Limita al oeste y el norte con el mar del Norte. El nombre sólo se aplica a la parte continental de DINAMARCA. Tiene una superficie de 29.775 km^2 (11.496 mi^2) y está dividida en unidades administrativas. En la primera guerra mundial, frente a sus costas se libró la batalla de JUTLANDIA.

Juvavum ver SALZBURGO

Juvenal *orig.* **Decimus Junius Juvenalis** (c. 55 DC –130). Poeta romano. Se cree que nació en el seno de una familia acaudalada, luego fue oficial de ejército y anidó un gran resentimiento por no haber sido ascendido. Es célebre por sus 16 *Sátiras*, ataques contra la brutalidad y locura humanas y, en particular, contra la corrupción de la sociedad romana bajo el gobierno de DOMICIANO y sus sucesores, NERVA, TRAJANO y ADRIANO. La poesía de Juvenal es técnicamente fina, con imágenes realistas y a menudo despiadadas, y ha sido admirada e imitada desde el s. V en adelante. Muchas de sus frases y epigramas ("pan y circo", "¿quién custodiará a los guardias?", etc.) ya son parte del habla universal.

Juventudes Hitlerianas *alemán* **Hitler-Jugend** Organización establecida por ADOLF HITLER en 1933 para educar y adiestrar a jóvenes de sexo masculino de entre 13 y 18 años de edad según los principios nazis. Bajo el liderazgo de Baldur von Schirach (n. 1907–m. 1974), en 1935 estaba integrada por casi el 60% de los niños alemanes y un año después se convirtió en una repartición estatal, a cuyas filas se esperaba que se unieran todos los jóvenes alemanes "arios". Se les sometía a una vida espartana de consagración, compañerismo y conformismo nazi, con escasa guía de los padres. Una organización paralela, la Liga de muchachas alemanas, educaba a las jóvenes para los quehaceres domésticos y la maternidad.

Jwarizm Región histórica que se extiende a lo largo del AMU DARYÁ (antiguo río Oxus), en los actuales Turkmenistán y Uzbekistán. Durante los s. VI–IV AC. formó parte del Imperio persa aqueménida. Los árabes la conquistaron en el s. VII DC. En las centurias siguientes fue gobernada por muchos pueblos, entre ellos los selyúcidas, los jwarizm-shahs, los mongoles (ver MONGOL) y los timuríes, período que terminó a comienzos del s. XVI, cuando pasó a ser el centro del kanato de Jiva. En 1873, Rusia conquistó la región y la transformó en protectorado. Después de la Revolución rusa de 1917, el kanato fue

Paso del Jyber, en la frontera entre Afganistán y Pakistán.
EB INC.

reemplazado por una república soviética, que más tarde fue disuelta e incorporada a la U.R.S.S.

Jwārizmī, al- *árabe p. ext.* **Muḥammad ibn Mūsā** (c. 780, Bagdad, Irak–c. 850). Matemático y astrónomo musulmán. Vivió en Bagdad durante la edad de oro de la ciencia islámica y, tal como EUCLIDES, escribió libros de matemática que reunían y organizaban los descubrimientos de matemáticos anteriores. Su obra *Al-Kitāb al-mujtaṣar fī ḥisāb al-jabr wa'l-muqābala* [Compendio de cálculo de la transposición y de la reducción] es una compilación de reglas para resolver ECUACIONES CUADRÁTICAS y lineales, así como problemas de geometría y proporciones (ver PROPORCIÓN/PROPORCIONALIDAD). Su traducción al latín en el s. XII constituyó el enlace entre los grandes matemáticos hindúes y árabes y los eruditos europeos. Una alteración del título del libro dio origen a la palabra *álgebra*; una alteración del nombre del autor dio origen al término *algoritmo*.

Jwarizmsah, dinastía (c. 1077–1231). Dinastía que gobernó Asia central e Irán, primero como vasallos de la dinastía SELYÚCIDA y luego en forma independiente. Fue fundada por un esclavo, Anūştegin Gharacha'ī, quien fue nombrado gobernador de Jwarizm. En su época de mayor esplendor, durante el reinado de 'Alā' al-Dīn Muḥammad (r. 1200–20) y de su hijo Jalāl al-Dīn Mingburnu (r. 1220–31), el territorio de la dinastía se extendía desde India hasta Anatolia. Sucumbió ante GENGIS KAN en 1231.

Jyber, paso del Paso ubicado en la cordillera de Safed Koh (Spin Jar), en la frontera entre Afganistán y Pakistán. Mide aprox. 53 km (33 mi) de longitud y ha sido el portal histórico de las invasiones del subcontinente indio procedentes del noroeste; desde el norte lo cruzaron invasores persas, griegos, mogoles y afganos, y los británicos desde el sur. El pueblo patán afridi que habitaba la región resistió largo tiempo el dominio extranjero, pero durante la segunda guerra angloafgana de 1879, las tribus jyber quedaron bajo dominio británico. En la actualidad, el paso es controlado por Pakistán.

K2, monte *o* **monte Dapsang** Cumbre de la cordillera KARAKORAM. El segundo pico más alto del mundo después del EVEREST. Tiene 8.611 m (28.251 pies); parte de él está en China y parte en el sector de la región de CACHEMIRA administrada por Pakistán. Fue descubierto y medido en 1856 por el coronel T.G. Montgomerie, y se le dio el símbolo K2 porque fue la segunda cumbre en medirse en los Karakoram. En 1954, los italianos Achille Compagnoni y Lino Lacedelli fueron los primeros en alcanzar la cima.

Ka'ba La construcción más sagrada de los musulmanes ubicada cerca del centro de la Gran Mezquita en LA MECA. Todos los musulmanes miran hacia ella en sus oraciones diarias. La estructura de forma cúbica, hecha de piedra gris y mármol, tiene sus esquinas orientadas hacia los puntos cardinales; el interior sólo contiene columnas y lámparas de oro y plata. Quienes peregrinan a La Meca, caminan siete veces alrededor de la Ka'ba y en su costado oriental tocan la PIEDRA NEGRA DE LA MECA, que puede datar de la religión preislámica de los árabes. La tradición sostiene que la Ka'ba fue construida por ABRAHAM e Ismael. En 630, MAHOMA purgó el lugar de sus ídolos paganos y lo dedicó nuevamente al ISLAM.

Kabalega, parque nacional Parque nacional situado en el noroeste de Uganda. Fundado en 1952, ocupa 3.840 km^2 (1.483 mi^2) de colinas cubiertas de pastizales. Su principal atractivo son las cataratas de Kabalega, ubicadas en el NILO VICTORIA inferior. Las cataratas, que son tres, tienen unos 6 m (20 pies) de ancho; la primera cae desde cerca de 40 m (130 pies).

Kabila, Laurent (Désiré) (1939, Jadotville, Congo Belga–¿18 ene.? 2001, camino a Harare, Zimbabwe). Líder rebelde y presidente de la República Democrática del Congo (1997–2001). Estudió en establecimientos en el extranjero, entre ellos una escuela militar en China, antes de participar en varios levantamientos de inspiración marxista en Zaire en las décadas de 1960–70. Más tarde se dedicó al comercio de minerales preciosos y marfil. En la guerra civil de Ruanda, colaboró con PAUL KAGAME en el combate contra los grupos guerrilleros HUTU y las fuerzas gubernamentales de Zaire. En 1997, sus tropas expulsaron a MOBUTU SESE SEKO; Kabila se proclamó presidente, y le cambió el nombre al país. Sus políticas represivas pronto provocaron otra guerra, esta vez de mayor escala, en la que muchos estados africanos enviaron tropas y ayuda a uno u otro bando. Su asesinato fue urdido aparentemente por sus propios oficiales; lo sucedió su hijo Joseph (n. 1971).

Kabir (1440, Benarés, Jaunpur, India–1518, Maghar). Místico y poeta indio. Tejedor que vivía en Benarés, predicó la unidad esencial de todas las religiones y criticó tanto el HINDUISMO como el ISLAM por sus ritos sin sentido y repeticiones insensatas. Del hinduismo aceptó las ideas de la reencarnación y la ley del KARMA, pero rechazó la idolatría, el ascetismo y el sistema de castas. Del Islam aceptó la idea de un único Dios y la igualdad de todos los hombres. Reverenciado por hindúes y musulmanes, es considerado además un precursor del SUISMO y algunos de sus poemas fueron incorporados en el ADI GRANTH. Sus ideas llevaron a la fundación de varias sectas, como Kabir Panth, la cual lo considera su gurú supremo o una divinidad.

kabuki Forma teatral japonesa de alta estilización que combina música, danza y pantomima. La palabra proviene de tres caracteres japoneses: *ka* ("canción"), *bu* ("danza") y *ki* ("habilidad"). El kabuki data de fines del s. XVI, cuando surgió del TEATRO NO, propio de la nobleza, y se convirtió en el teatro del pueblo. En sus comienzos se lo consideró atrevido y las actrices solían ser prostitutas, por lo que se prohibió actuar a mujeres y varones jóvenes; en consecuencia, hoy en día el reparto es exclusivamente masculino. Sus textos, a diferencia del No, son de fácil comprensión para el público. Las obras son reconocidas por su lirismo, pero de veloz ritmo, y por sus movimientos acrobáticos, elaborados vestuarios, llamativos maquillajes en vez de máscaras, y por sus espectaculares puestas en escena que permiten a los actores demostrar una amplia gama de habilidades. El kabuki utiliza dos conjuntos musicales, uno sobre el escenario y el otro fuera de escena, comparte mucho de su repertorio con el BUNRAKU, teatro tradicional de marionetas.

Kabul Ciudad (pob., est. 1993: 700.000 hab.) y capital de AFGANISTÁN. Se encuentra a orillas del río KABUL, en un valle situado estratégicamente entre pasos de montaña. Data hace unos 3.500 años. En el s. XVI se convirtió en la capital de la dinastía MOGOL y permaneció bajo su dominio hasta 1738, año en que fue capturada por el conquistador iraní NĀDIR SHAH. Kabul ha sido la capital de Afganistán desde 1776. En 1979, cuando la Unión Soviética invadió Afganistán, estableció en ella una comandancia militar. Después de la retirada soviética ocurrida en 1989, continuó una lucha intermitente entre facciones guerrilleras afganas que se disputaban el control del país, y la ciudad sufrió una destrucción generalizada. Los TALIBANES capturaron Kabul en 1996 e impusieron una forma austera de gobierno islámico. No fue sino hasta el derrocamiento del gobierno talibán en 2001, cuando la ciudad comenzó a recuperarse de los años de violencia.

Kabul, río Río que cruza el este de Afganistán y el noroeste de Pakistán. Nace al oeste de la ciudad de KABUL y fluye hacia el este para entrar a Pakistán y, después de discurrir 700 km (435 mi) confluye con el río INDO, al noroeste de ISLAMABAD. El valle del Kabul es una ruta natural de tránsito entre Afganistán y Pakistán; ALEJANDRO MAGNO lo utilizó para invadir India en el s. IV AC. En gran parte de su curso, el río se aprovecha como fuente de regadío.

kachin Miembro de un grupo de pueblos tribales que habitan en algunas zonas del nordeste de Myanmar y en zonas adyacentes de India (Arunachal Pradesh y Nagaland) y China (Yunnan). Con una población superior a 700.000 habitantes, hablan diversas lenguas del grupo tibetano-birmano de las lenguas CHINOTIBETANAS. La sociedad kachin tradicional subsistía en gran parte merced al cultivo migratorio del arroz de montaña, complementado con las ganancias obtenidas del bandolerismo y la guerra feudal. La religión tradicional kachin es una forma de culto animista a los ancestros que comprende el sacrificio de animales.

Interior de un teatro kabuki, tríptico xilográfico, de Utagawa Toyokuni, c. 1800.
GENTILEZA DEL DIRECTORIO DEL MUSEO BRITÁNICO

kachina Espíritu ancestral de los indios PUEBLO. Existen más de 500 de estos espíritus, que obran de intermediarios entre los humanos y los dioses. Se cree que cada tribu tiene los suyos, los cuales residen con la tribu durante un semestre todos los años. Pueden ser observados por la comunidad si los hom-

Kachina de la cultura hopi de laqán, o espíritu de la ardilla, c. 1950; Museum of the American Indian, Heye Foundation, Nueva York.
GENTILEZA DEL MUSEUM OF THE AMERICAN INDIAN, HEYE FOUNDATION, NUEVA YORK

bres enmascarados de kachina efectúan correctamente un ritual. Se cree que el espíritu representado en la máscara está en realidad presente en el ejecutante, transformándolo temporalmente. Los kachinas también son representados por pequeñas muñecas de madera, talladas y decoradas por los hombres de la tribu.

Kadafi ver Muammar al-GADAFI

Kádár, János orig. **Czermanik János** (26 may. 1912, Fiume, Hungría–6 jul. 1989, Budapest). Primer ministro de Hungría (1956–58, 1961–65) y primer secretario (1956–88) del Partido Comunista de ese país. Se unió al entonces ilegal Partido Comunista en 1931 e ingresó al Politburó húngaro en 1945. En 1950 entró en conflicto con los estalinistas y fue expulsado del partido y más tarde encarcelado (1951–53). Rehabilitado en 1954, se unió al breve gobierno de IMRE NAGY. Después de que tropas soviéticas tomaran el control del país en 1956, formó un nuevo gobierno con respaldo soviético y reprimió una rebelión popular. Más tarde convenció a la Unión Soviética de que retirara sus tropas y permitiera a Hungría cierto grado de independencia interna.

Kadare, Ismail (n. 28 ene. 1936, Gjirokastër, Albania). Novelista y poeta albanés. Hijo de un empleado de correos, Kadare fue periodista. Insatisfecho con el ambiente político albanés, después de un tiempo se estableció en París. Entre sus obras más conocidas se cuentan las novelas *El general del ejército muerto* (1963), que trata de la Albania de la posguerra, y *El castillo* (1970), que explora el nacionalismo albanés. Los cuentos de *Tres cantos fúnebres por Kosovo* (1999) se basan en una batalla del s. XIV entre líderes balcánicos y el Imperio otomano. Kadare fue el único escritor albanés de resonancia internacional en el s. XX.

Kadesh Antigua ciudad del oeste de Siria. Situada a poca distancia de la actual Homs, fue capturada en el s. XV AC por el faraón egipcio TUTMOSIS III. Permaneció como puesto de avanzada egipcio hasta que pasó a dominio HITITA a mediados del s. XIV AC. El faraón egipcio Seti I la recuperó, y en 1275 AC fue escenario de una batalla entre las fuerzas de RAMSÉS II y del hitita Muwatallis. Después de ser invadida por los hombres del MAR c. 1185 AC, Kadesh desapareció de la historia.

Kadesh-barnea Ciudad de la antigua PALESTINA. Se desconoce su ubicación precisa, pero se encontraba en el país de los amalequitas, al sudoeste del mar MUERTO y en el límite occidental del desierto de Zin. Los israelitas la utilizaron en dos ocasiones como campamento.

Kaduna, río Río en el centro de Nigeria. Es el principal afluente del NÍGER. Nace en la meseta de Jos y fluye primero hacia el noroeste y luego hacia sudoeste, antes de completar un curso de 550 km (340 mi) hasta desembocar en el río Níger en Mureji. El Kaduna (que en HAUSA significa "cocodrilos") es navegable sólo durante una parte del año.

Kael, Pauline (19 jun. 1919, Petaluma, Cal., EE.UU.–3 sep. 2001, Great Barrington, Mass.). Crítica de cine estadounidense. Desde 1955 hasta 1960 administró una sala de cine arte en Berkeley, Cal., y a la vez fue crítica cinematográfica en revistas y en una cadena radial. Se hizo conocida con la publicación de su selección de críticas y ensayos, *Lo perdí en el cine* (1965), y después se trasladó a Nueva York, donde hizo crítica de cine en *The New Yorker* (1968–91). Sus agudas, mordaces, altamente dogmáticas y muy precisas reseñas, de las cuales cinco recopilaciones más fueron publicadas más tarde, la convirtieron, quizás, en la más influyente crítica de cine estadounidense de su época.

Kafka, Franz (3 jul. 1883, Praga, Bohemia, Austria-Hungría–3 jun. 1924, Kierling, cerca de Viena, Austria). Escritor checo en lengua alemana. Nacido en el seno de una familia judía de clase media, obtuvo un doctorado y trabajó desde 1907 con éxito, pero descontento, en una oficina gubernamental de seguros. En 1922 se vio obligado a renunciar a causa de la tuberculosis, enfermedad que le causó la muerte dos años después. Hipersensible y neurótico, en su vida publicó a regañadientes sólo unos pocos trabajos, incluido el relato simbólico *La metamorfosis* (1915), la fantasía alegórica *En la colonia penitenciaria* (1919) y la colección de cuentos *Un médico rural* (1919). Sus novelas inconclusas *El proceso* (1925), *El castillo* (1926) y *América* (1927), publicadas póstumamente y contra su voluntad, expresan las ansiedades y alienación de la humanidad del s. XX. Sus relatos visionarios, con su mezcla inescrutable de lo real y lo fantástico, han provocado un sinfín de interpretaciones. La reputación e influencia póstuma de Kafka han sido inmensas, y se lo considera uno de los grandes escritores europeos del s. XX.

Franz Kafka.
ARCHIV FUR KUNST UND GESCHICHTE, BERLÍN

Kafue, parque nacional Parque nacional de la región centro-sur de Zambia. Ubicado al oeste de LUSAKA, fue instituido como parque en 1950. Ocupa una superficie de 22.400 km² (8.650 mi²) y consiste en una gran meseta situada a lo largo del curso central del río KAFUE. El parque se destaca por su exuberante vegetación y abundante fauna, compuesta, entre otros, por hipopótamos, cebras, elefantes, rinocerontes negros y leones. Los safaris por el parque se hacen a pie.

Kafue, río Río que nace en la frontera entre la República Democrática del Congo y Zambia. Sigue un curso sinuoso hacia el sur para luego continuar al sudeste y unirse con el río ZAMBEZE cerca de Chirundu, en Zimbabwe, tras un recorrido de 960 km (600 mi). El río cruza la meseta de Zambia central, y en su cuenca se halla el parque nacional KAFUE. Es uno de los principales ríos de Zambia; sus aguas se emplean para regadío y generación hidroeléctrica.

Kagame, Paul (n. oct. 1957, Ruanda). Presidente de RUANDA a partir de 2000. Perteneció a la etnia TUTSI, creció en el exilio en Uganda, donde en 1986 contribuyó a derrocar a MILTON OBOTE en favor de Yoweri Museweni. En 1990 ayudó a dirigir un fallido golpe en Ruanda, y después del genocidio de 1994, que dejó casi un millón de ruandeses muertos (la mayoría de ellos tutsi), asumió el control de las fuerzas opositoras conjuntas tutsi-hutu, que al poco tiempo controlaron la totalidad de Ruanda. En julio de 1994 fue designado vicepresidente y ministro de defensa bajo el presidente HUTU Pasteur Bizimungu. Después de que Bizimungu renunció en 2000, se lo nombró presidente. En 1997 contribuyó al derrocamiento de MOBUTU SESE SEKO en la vecina República Democrática del CONGO y a la instalación de LAURENT KABILA como presidente.

Kaganóvich, Lázar (Moiséievich) (22 nov. 1893, Kabana, cerca de Kíev, Ucrania, Imperio ruso–25 jul. 1991, Moscú, Rusia, U.R.S.S.). Líder político soviético. Se unió a los BOLCHEVIQUES en 1911 y se convirtió en jefe del gobierno soviético de Tashkent en 1920. Como jefe de la organización del partido en Moscú (1930–35), puso a este firmemente bajo el control de STALIN y junto a VIACHESLAV MOLÓTOV conformó el núcleo del Politburó de Stalin "pospurga" (ver PURGAS POLÍTICAS). Hasta 1953 fue en gran parte responsable de la industria pesada en la Unión Soviética. Bajo NIKITA JRUSCHOV, ocupó cargos administrativos, pero se opuso a la desestalinización y se unió a un fallido intento de deponer a Jruschov en 1957, por lo que perdió todos sus cargos.

Kagera, río Río del noroeste de Tanzania. Es el más largo de los precursores del NILO y el principal afluente del lago VICTORIA. Nace en Burundi, cerca del extremo septentrional del lago TANGANYIKA, y fluye hacia el norte, marcando la frontera entre Tanzania y Ruanda. Se desvía hacia el este y forma la frontera entre Tanzania y Uganda antes de desaguar en el lago Victoria. Tiene una extensión de 690 km (429 mi).

kagura En la religión sintoísta (ver SINTOÍSMO), estilo tradicional de música y danza usado en las ceremonias religiosas. Las danzas kagura dedicadas a deidades nativas son una nueva representación de la danza propiciatoria que indujo a la diosa solar AMATERASU a salir de su cueva según un antiguo mito. Prácticamente inalteradas durante los últimos 1.500 años, las danzas son ejecutadas con el acompañamiento de cantos, tambores, gongs de bronce y flautas. La música es de dos tipos: una para alabar a los espíritus o buscar su ayuda, la otra para entretener a los dioses.

Kahlo, (y Calderón de Rivera), (Magdalena Carmen) Frida (6 jul. 1907, Coyoacán, México–13 jul. 1954, Coyoacán). Pintora mexicana. Hija de un fotógrafo judeoalemán, de niña tuvo poliomielitis y a los 18 años de edad sufrió un grave accidente de autobús. Como consecuencia se sometió a cerca de 35 operaciones y durante su recuperación aprendió a pintar en forma autodidacta. Destacó por sus intensos autorretratos, muchos de los cuales reflejan su dolorosa experiencia. Al igual que varios de los artistas que trabajaron en el México posrevolucionario, Kahlo recibió la influencia del arte tradicional de su país, como se aprecia en la incorporación de elementos fantásticos, en el audaz uso del color y en las representaciones de sí misma usando vestidos mexicanos en lugar de los de estilo europeo. Su matrimonio con el pintor DIEGO RIVERA (1929) fue tumultuoso, pero artísticamente fecundo. Los surrealistas (ver SURREALISMO) ANDRÉ BRETON y MARCEL DUCHAMP ayudaron a montar exposiciones de su obra en EE.UU. y Europa y, aunque ella lo negó la conexión, la calidad onírica de su obra hace que los historiadores la identifiquen con frecuencia como surrealista. Murió a los 47 años de edad. Su casa en Coyoacán es hoy el museo Frida Kahlo.

"Autorretrato con mono", de Frida Kahlo.
FOTOBANCO

Kahn, Albert (21 mar. 1869, Rhaunen, Westfalia–8 dic. 1942, Detroit, Mich., EE.UU.). Arquitecto industrial estadounidense de origen alemán. En 1904 se le encargó el proyecto para la industria de automóviles Packard Motor Car Co., cuyo diseño con marcos de hormigón armado representaba una innovación con respecto a la albañilería tradicional en edificios industriales. Fue el arquitecto principal para la mayoría de las grandes compañías estadounidenses de automóviles por 30 años. Su empresa diseñó más de mil proyectos para la Ford, entre ellos la planta de fabricación y montaje en River Rouge, Mich., la cual se transformó en uno de los complejos industriales más grandes del mundo. En 1937, su compañía producía el 19% de todos los proyectos de arquitectura industrial estadounidenses, mientras recibía encargos de todos los continentes para fábricas, fundiciones y almacenes. La empresa de Kahn diseñó 521 usinas en la U.R.S.S. y capacitó a más de mil ingenieros soviéticos durante la década de 1930.

Kahn, Herman (15 feb. 1922, Bayonne, N.J., EE.UU.–7 jul. 1983, Chappaqua, N.Y.). Físico y estratega estadounidense. Estudió en el Instituto Tecnológico de California y se incorporó a la Corporación RAND, donde estudió la aplicación a la ESTRATEGIA militar de nuevas técnicas analíticas, como teoría de JUEGOS, INVESTIGACIÓN DE OPERACIONES y análisis de sistemas. Adquirió notoriedad pública con su libro *On Thermonuclear War* [Acerca de la guerra termonuclear] (1960), en el cual sostenía que la guerra termonuclear difiere de la guerra convencional solamente en cuanto al grado, y debería ser analizada y planificada de igual forma. En 1961, estableció el Instituto Hudson para la investigación en materias de seguridad nacional y políticas públicas.

Kahn, Louis I(sadore) (20 feb. 1901, Osel, Estonia, Imperio ruso–17 mar. 1974, Nueva York, N.Y., EE.UU.). Arquitecto estadounidense de origen estonio. Llegó a EE.UU. siendo un niño y se graduó en la Universidad de Pensilvania. Uno de los arquitectos más originales del s. XX, evolucionó del estilo INTERNACIONAL a un elegante BRUTALISMO atemporal, evocador de las ruinas de la antigüedad. En el edificio Richards Medical Research (1960–65), de la Universidad de Pensilvania, aisló los espacios "de servicio" (cajas de escaleras, ascensores, ventilaciones y ductos) en cuatro torres, diferenciándolos de los espacios "servidos" (laboratorios y oficinas). En el edificio de la Asamblea Nacional, que asemeja una fortaleza, en Dhaka, Bangladesh (1962–74), utilizó formas geométricas para permitir que la luz entrara a la cúpula de su mezquita interior. Tal como RICHARD BUCKMINSTER FULLER, Kahn se preocupó por el uso indiscriminado de los recursos naturales; sus bosquejos urbanísticos proponían rascacielos geodésicos y grandes "silos" para automóviles. Fue docente en las universidades de Yale (1947–57) y de Pensilvania (1957–74), donde la admiración por su intelecto lo elevó a una categoría de culto.

Kaibara Ekiken (17 dic. 1630, Fukuoka, Japón–5 oct. 1714, Japón). Filósofo, viajero y botánico pionero japonés. En 1657 abandonó el ejercicio de la medicina para estudiar los escritos neoconfucianos de ZHU XI. Escribió cerca de 100 obras filosóficas, en las que resaltó la naturaleza jerárquica de la sociedad y tradujo la doctrina confuciana en términos comprensibles para los japoneses de todas las clases sociales. Sus escritos incluyen *La gran sabiduría para mujeres*, un opúsculo sobre la obediencia reconocido desde hace tiempo como el texto ético más importante sobre la mujer japonesa. Es considerado el padre de la botánica en Japón.

Kaieteur, cataratas Cataratas del río Potaro, en el centrooeste de Guyana. Después de una caída de 226 m (741 pies), las aguas entran en una garganta de 8 km (5 mi) de largo, que desciende otros 25 m (81 pies). Las cataratas tienen entre 90 y 105 m (300 y 350 pies) de ancho en la parte superior, y constituyen la atracción principal del parque nacional Kaieteur (1930).

Kaifeng *o* **K'ai-fong** Ciudad (pob. est., 1999: 569.300 hab.) del norte de la provincia de HENAN, China. En el s. IV AC se transformó en capital del estado de Wei, período en que se construyó el primero de sus canales. A fines del s. III AC fue destruida por la dinastía QIN, y hasta el s. V DC fue sólo una plaza de mercado local. En el s. VII pasó a ser un centro comercial importante, enriquecida por el tráfico que circulaba por el GRAN CANAL; fue la capital de las CINCO DINASTÍAS y de la dinastía SONG, así como también, sede de la única comunidad judía numerosa en China (s. XII–XV).

Kaikei (c. 1183–1236, Japón). Escultor japonés que ayudó a establecer el modelo tradicional de la escultura budista.

Su técnica, conocida como estilo Anami, destaca por su delicadeza y gracia. Junto a su profesor, Kokei, y a su colega UNKEI, creó estatuas para los templos de Kōfuku y Tōdai en Nara, antigua capital de Japón. Después se hizo monje y adoptó el nombre de Anami Butsu.

La Tríada de Amida, obra escultórica de Kaikei.
FOTOBANCO

Kairuán *árabe* **Al-Qayrawān** Ciudad (pob., 1994: 102.600 hab.) del nordeste de Túnez, un centro religioso del ISLAM. Fundada en 670 por el emir árabe Sidi Uqbah, fue la primera ciudad árabe asentada en el MOGREB. La dinastía AGLABÍ la eligió c. 800 como su capital magrebí. Fue un centro administrativo, comercial, religioso e intelectual durante las dinastías de los FATIMÍES y los ziríes. El surgimiento de la nueva capital, TÚNEZ, condujo a la declinación de Kairuán y a su devastación por los beduinos en el s. XI. En ella se encuentra la Gran Mezquita de Qayrawān, construida en el s. IX, una de las 150 existentes en la ciudad.

Kaiser, Henry J(ohn) (9 may. 1882, Sprout Brook, N.Y., EE.UU.–24 ago. 1967, Honolulu, Hawai). Industrial estadounidense y fundador de más de 100 empresas, entre las que destacan Kaiser Aluminum, Kaiser Steel y Kaiser Cement and Gypsum. Emprendió sus primeros proyectos de obras públicas en 1914; más tarde construyó represas en California, diques en el Mississippi y autopistas en Cuba. Entre 1931 y 1945 organizó distintas asociaciones de empresas del rubro para construir las represas Bonneville, Grand Coulee y HOOVER, además de otras grandes obras civiles. Durante la segunda guerra mundial dirigió siete astilleros, con planta siderúrgica integrada y un sistema de producción en línea de montaje para construir naves en menos de cinco días. Creó la primera organización para la mantención de la salud (ver HMO) para los trabajadores de sus astilleros –el plan Kaiser–, que prestó servicios a más de un millón de personas y se transformó en modelo para posteriores programas federales. En la era de la posguerra obtuvo importantes utilidades en negocios relacionados con aluminio, acero y automóviles.

Kakinomoto Hitomaro *llamado* **Hitomaro** (m. 708, Japón). Poeta japonés. Entró al servicio de la corte imperial y más tarde llegó a ser oficial de provincia. Kakinomoto, la primera gran figura literaria de Japón, vivió cuando este país salía del analfabetismo para convertirse en una sociedad letrada y civilizada. Sus escritos, sobre un amplio espectro de temas, armonizan los sencillos rasgos de las canciones primitivas con inquietudes sofisticadas y técnicas literarias. Los 77 poemas irrefutablemente suyos, y muchos otros que se le atribuyen, figuran en el *Man'yoshu*, la primera y mayor antología japonesa de poesía autóctona.

Kalacuri, dinastía Nombre de varias dinastías de la historia de India. Aparte del nombre dinástico y quizá de la creencia en un ancestro común, poco hay en las fuentes conocidas que permita relacionarlas. La primera familia Kalacuri conocida gobernó c. 550–620 en el centro y oeste de India; su poder terminó al ascender una rama de la dinastía CHALUKYA. El ascenso de otra dinastía Kalacuri (1156–81), centrada en Karnataka, coincidió con el ascenso de la secta hindú LINGAYAT o virashaiva. La familia Kalacuri más conocida, que gobernó en India central, tenía su sede en la antigua ciudad de Tripuri (actual Tewar). Esta se originó en el s. VIII, se expandió en forma considerable en el s. XI y declinó en los s. XII–XIII.

Kalahari, desierto de Región desértica de África meridional. Cubre una superficie de 930.000 km² (360.000 mi²); la mayor parte se ubica en Botswana, aunque también ocupa porciones de Namibia y Sudáfrica. Los exploradores británicos DAVID LIVINGSTONE y William C. Oswell lo cruzaron en 1849. Aparte del río Botletle, la región no cuenta con una fuente permanente de aguas superficiales; sin embargo, crecen árboles, matorrales bajos y pastizales, así como una abundante fauna silvestre. El parque nacional KALAHARI GEMSBOK y el parque nacional GEMSBOK están situados en este desierto.

Kalahari Gemsbok, parque nacional Parque nacional en el desierto de KALAHARI, República de Sudáfrica. Fundado en 1931, está situado entre Namibia y Botswana y colinda con el parque nacional GEMSBOK de Botswana. Tiene una superficie de 9.591 km² (3.703 mi²). Entre la fauna salvaje pueden encontrarse ñúes, leones, chacales, guepardos y avestruces. En 2000, el parque nacional Kalahari Gemsbok se anexó al parque nacional Gemsbok de Botswana para formar el parque transfronterizo Kgalagadi.

kalām Teología islámica especulativa. Surgió durante la dinastía OMEYA debido a las diversas interpretaciones del CORÁN y a los interrogantes que este suscitó, como la predestinación, el libre albedrío y la naturaleza de Dios. La primera escuela más destacada fue la MU'TAZILÍ en el s. VIII, que sostuvo la supremacía de la razón, defendió el libre albedrío y rechazó la caracterización antropomórfica de Dios. La escuela AS'ARIYÁ del s. X hizo que la *kalām* retornara a la fe tradicional, aceptando, por ejemplo, la naturaleza eterna e increada del Corán y su verdad literal. La escuela también representó la feliz adaptación del razonamiento filosófico helenístico a la teología ortodoxa musulmana.

Páramo afromontano cubierto de matorrales y pastizales; parque nacional Kalahari Gemsbok.
CAROLINE WEAVER/ARDEA LONDON

kalanchoe Cualquiera de varias especies de plantas SUCULENTAS que constituyen el género *Kalanchoe* de la familia Crassulaceae, populares por su cultivo fácil en interiores. Las plantas de *K. blossfeldiana* en macetas se comercializan mucho por sus flores invernales color rojo brillante y anaranjado, que pueden permanecer frescas hasta ocho semanas. Como suculentas, las kalanchoe requieren poco cuidado y necesitan únicamente bastante luz solar directa (o al menos luz indirecta luminosa) y riego ocasional. En algunas especies, hay plántulas que crecen en las muescas foliares de las plantas progenitoras para luego caer al suelo y comenzar a echar raíces.

Kalanchoe blossfeldiana.
© SYDNEY KARP: PHOTO/NATS

Kalaupapa, península Promontorio en la ribera norte de la isla Molokai, Hawai, EE.UU. Ocupa una planicie de 26 km² (10 mi²) y se encuentra aislada del resto de la isla por acantilados de 600 m (2.000 pies) de altura. En la aldea Kalawao, hoy abandonada, se situó la primera colonia de leprosos (ver LEPRA) establecida por el rey Kamehameha V en 1866; el padre DAMIÁN se ocupó de los leprosos en 1873–89. En la actualidad toda la península es el leprosario del estado, que es administrado por el Departamento de Salud de Hawai.

Kalevala Epopeya nacional finlandesa. Fue compilada por Elias Lönnrot a partir de canciones y baladas de la tradición oral de Finlandia y publicada en forma completa en 1849. Kalevala, sitio donde viven los principales personajes del poema, es también el nombre poético de Finlandia, que significa "tierra de héroes". La epopeya contiene una historia de la creación y las aventuras de héroes legendarios. El personaje principal es Väinämöinen, músico y vidente de orígenes sobrenaturales. Otros personajes son Ilmarinen, herrero que forjó las tapas del cielo; Lemminkäinen, guerrero-aventurero y seductor de mujeres; y Louhi, gobernante femenina de un territorio en el norte. Aunque el *Kalevala* describe las condiciones imperantes durante la era precristiana, también parece predecir la declinación de las antiguas religiones.

Kalf, Willem *o* **Willem Kalff** (3 nov. 1619, Rotterdam, Países Bajos–31 jul. 1693, Amsterdam). Pintor neerlandés. Es uno de los pintores de naturalezas muertas más conocidos de su país. Sus primeras obras presentan bodegones con elementos como calabazas y cazos desparramados en el piso. Sus pinturas posteriores presentan objetos lujosos, como cristal veneciano y porcelana china, pintados con sobriedad y riqueza de texturas. Aunque sus bodegones se apegaron a una fórmula establecida, Kalf enriqueció mucho el género, gracias al uso de la composición simple, los fondos oscuros y su aguda percepción de la luz; rara vez sus composiciones pictóricas fueron igualadas. Las obras como *Naturaleza muerta con copa nautilus* (c. 1660) lograron popularidad entre la gente adinerada de Amsterdam.

Kali Diosa hindú destructiva y devoradora. Es el aspecto aterrador de DEVI, quien en otras de sus formas aparece pacífica y benevolente. Suele asociarse con la muerte, la violencia, la sexualidad y, paradójicamente, con el amor maternal. Célebre por haber dado muerte al demonio Raktavija, por lo general es representada como una bruja horrible de cara negra,

Diosa Kali, relieve de arenisca, en Bherāghāt, estado de Madhya Pradesh, India, s. X DC.
PRAMOD CHANDRA

manchada con sangre. En sus cuatro manos sostiene una espada, un escudo, la cabeza cortada de un gigante y una cuerda para estrangular, respectivamente. Casi desnuda, usa una guirnalda de cráneos y un cinturón de manos cortadas. A menudo se la representa de pie o danzando sobre su esposo, SHIVA. Hasta el s. XIX los miembros de una secta de asesinos fanáticos de India la adoraron y le ofrecían sus víctimas. A fines del s. XX se convirtió en ciertos círculos en símbolo de la potenciación femenina.

Kalidasa (floreció c. siglo V). Poeta y dramaturgo indio. Aunque se desconoce gran parte de su vida, sus poemas sugieren que fue un brahmán (sacerdote). Se acostumbra atribuirle muchas obras, pero los estudiosos han identificado sólo seis como auténticas y una séptima como probable. El drama sánscrito *El reconocimiento de Sakuntala*, su creación más famosa, tradicionalmente es considerado el esfuerzo literario indio más ambicioso de cualquier período, y Kalidasa, quizás como el más importante de todos los escritores indios.

Kalinga Antiguo reino de India nororiental. Su territorio correspondía a la zona septentrional del actual estado de ANDHRA PRADESH, la mayor parte de ORISSA y una sección de CHATTISGARH. Fue conquistado por Mahapadma, fundador de la dinastía NANDA, en el s. IV AC. A mediados del s. XI DC, la dinastía GANGA, del Oriente, tomó el control del reino. El templo dedicado al dios sol en Konarak fue levantado por Narasimha I en el s. XIII. La dinastía Ganga cayó en 1324, cuando el sultán de Delhi invadió Kalinga desde el sur.

Kalinin, Mijaíl (Ivánovich) (19 nov. 1875, Viérjnaia Troika, Rusia–3 jun. 1946, Moscú, Rusia, U.R.S.S.). Líder comunista y estadista ruso. Uno de los primeros partidarios de los BOLCHEVIQUES, participó en la REVOLUCIÓN RUSA DE 1905 y cofundó el periódico *Pravda*. Después de la REVOLUCIÓN RUSA DE 1917 fue alcalde de Petrogrado (San Petersburgo). En 1919 se convirtió en presidente del presidium del Soviet Supremo de la U.R.S.S. y consecuentemente en jefe nominal del Estado soviético, posición que ocupó hasta su muerte. Desde 1925 fue miembro del Politburó y apoyó a STALIN en votaciones cruciales, manteniendo así su alto cargo en el partido.

Kaliningrado *ant.* **Königsberg** Ciudad (pob., est. 1999: 427.200 hab.) de Rusia occidental, a orillas del río Pregolya. Fundada en 1255 con el nombre de Königsberg, fue la capital de los duques de Prusia y, más tarde, de Prusia Oriental. En 1724 absorbió las ciudades cercanas de Löbenicht y Kneiphof. Virtualmente destruida por las fuerzas soviéticas durante la segunda guerra mundial, pasó a soberanía de la U.R.S.S. y fue reconstruida en 1946 con el nombre de Kaliningrado. Es sede de la Universidad del mismo nombre y lugar de nacimiento de IMMANUEL KANT.

Kalmar, Unión de (1397–1523). Unión escandinava que integró los reinos de Noruega, Suecia y Dinamarca bajo el gobierno de un solo monarca. En 1388, Margarita I se había transformado en regenta de los tres reinos; eligió a su sobrino nieto Erik de Pomerania como rey, quien fue coronado en Kalmar, Suecia, en 1397. Cada reino conservó sus propias leyes, costumbres y administración. Suecia se rebeló y exigió su independencia con GUSTAVO I VASA en 1523 y Noruega se transformó en una provincia danesa en 1536.

Kalojan Asen ver JUAN II KALOJAN ASEN

Kama En la mitología india, el dios del amor. En la era védica, personificaba el deseo cósmico o el impulso creador y fue llamado el primogénito del caos primitivo. Más tarde fue representado a menudo como un hermoso joven atendido por ninfas celestiales, que disparaba flechas floridas enamoradoras con un arco de caña de azúcar. En una ocasión fue muerto por SHIVA, enfurecido por haberle perturbado su meditación en la cumbre de una montaña, pero más tarde el gran dios se aplacó y le devolvió la vida.

Kama, río Río del centro-oeste de Rusia. El más caudaloso de los afluentes del VOLGA, nace en Udmurtiya y recorre 1.805 km (1.122 mi) hasta unirse al Volga aguas abajo de Kazán. Navegable en unos 1.535 km (955 mi), es uno de los ríos más importantes de Rusia: en lo histórico, como ruta hacia los Urales y Siberia; en lo económico, como parte del vasto sistema fluvial del Volga.

Kamakura, período (1192–1333). Período de la historia de Japón marcado por la primera era de gobierno militar. El sogunado Kamakura fue establecido por MINAMOTO YORITOMO después de derrotar al clan rival, los Taira (ver TAIRA KIYOMORI) en 1185. Su capital era Kamakura. Para afirmar su poder, Yoritomo creó los cargos de *jitō* (administradores), encargados de recaudar impuestos en las haciendas particulares (*shōen*) del territorio, y *shugo* (defensores), asignados a una o más provincias para dirigirlas en tiempo de guerra. Más tarde, el clan HŌJŌ, que tomó el control del sogunado a la muerte de Yoritomo, perfeccionó este sistema. La creación del sogunado Kamakura marcó el comienzo de la época medieval o feudal de Japón, caracterizada por una ética guerrera de deber, lealtad y estoicismo. De este período datan muchos elementos de la cultura japonesa que hoy los occidentales asocian con el país, como el budismo ZEN, los SAMURÁI (guerreros), el SEPPUKU (destripamiento ritual) y la ceremonia del TÉ. La secta budista de la Verdadera Tierra Pura y la del BUDISMO NICHIREN, que ponían énfasis en alcanzar la salvación a través de la sola fe, brindaban consuelo a las masas, mientras los relatos de las hazañas guerreras constituían una fuente de entretención. Ver también BUCHIDŌ.

Kamchatka, península de Península del extremo oriental de SIBERIA, Rusia. Situada entre el mar de Ojotsk por el oeste y el océano Pacífico norte y el mar de BERING por el este. Tiene una extensión de 1.200 km (750 mi) y 480 km (300 mi) en su punto más ancho, con una superficie de 370.000 km² (140.000 mi²). Varias cadenas montañosas se extienden a lo largo de ella. De sus 127 volcanes, 22 están activos, entre ellos el Kliuchévskaia (4.750 m [15.584 pies]), el monte siberiano más alto.

Kamehameha I, litografía de D. Veelward, 1822, basada en un grabado de Louis Choris, 1816.
BERNICE PAUAHI BISHOP MUSEUM, HONOLULU, HAWAI, EE.UU.

Kamehameha I *orig.* **Paiea** *llamado* **Kamehameha el Grande** (¿nov. 1758?, distrito de Kohala, isla de Hawai–8 may. 1819, Kailua). Conquistador y rey que unificó todas las islas hawaianas. Nació poco después del paso del cometa Halley (1758), cuya aparición hizo que los videntes profetizaran la llegada de un gran conquistador. En su juventud, luchó contra su primo por el control de la isla de Hawai; en 1795 lo había derrotado y conquistó todas las islas hawaianas, excepto dos, que en 1810 le fueron cedidas. Mantuvo el severo sistema legal tradicional, pero protegió a la gente común de la brutalidad de los jefes poderosos y prohibió el sacrificio humano. Enriqueció su reino por medio del monopolio gubernamental del comercio de sándalo y de los derechos portuarios impuestos a los buques visitantes. Mantuvo la independencia del reino durante todo el difícil período del descubrimiento y la exploración de las islas por los europeos. Fundó el linaje de gobernantes más perdurable y mejor documentado de HAWAI.

Kámenev, Liev (Borísovich) *orig.* **Liev Borísovich Rosenfeld** (18 jul. 1883, Moscú, Rusia–24 ago. 1936, Moscú, Rusia, U.R.S.S.). Líder político ruso. Miembro de los BOLCHEVIQUES desde 1903, trabajó con VLADÍMIR LENIN en Europa (1909–14), y regresó luego a Rusia, donde fue arrestado y enviado a Siberia. Después de la REVOLUCIÓN RUSA DE 1917, fue jefe del soviet de Moscú (1919–25). Cuando Lenin se enfermó gravemente en 1922, se unió a STALIN y a GRIGORI ZINÓVIEV para formar el triunvirato gobernante y atacar a LEÓN TROTSKI. En 1925, Stalin dirigió sus ataques en contra de él y de Zinóviev, y removió a Kámenev como jefe del partido en Moscú. En 1926 fue expulsado del partido después de conspirar con Zinóviev y Trotski en contra de Stalin. En 1936 fue enjuiciado en la primera de las PURGAS POLÍTICAS y confesó cargos inventados, con la esperanza de salvar a su familia. Fue ejecutado y su esposa, hermana de Trotski, murió en el GULAG.

Kamerlingh Onnes, Heike (21 sept. 1853, Groninga, Países Bajos–21 feb. 1926, Leiden). Físico holandés. Profesor en la Universidad de Leiden (1882–1923), en 1884 fundó el Laboratorio criogénico (conocido ahora por su nombre) que erigió a Leiden como el principal centro de investigación de criogenia del mundo. Fue el primero en producir helio líquido (1908) y descubrió la superconductividad. También investigó las ecuaciones que describen los estados de la materia y las propiedades termodinámicas generales de los fluidos en un amplio rango de temperaturas y presiones. Se le otorgó el Premio Nobel de Física en 1913.

kamikaze Cualquiera de los pilotos japoneses de la segunda guerra mundial que en ataques suicidas se estrellaron en forma deliberada contra blancos enemigos, generalmente buques. La palabra significa "viento divino", en referencia a un tifón que dispersó a una flota invasora de mongoles proveniente del oeste, que en 1281 amenazó a Japón. La práctica se hizo más extendida en los últimos años de la guerra. La mayoría de los aviones kamikaze eran AVIONES CAZA corrientes o bombarderos livianos, a menudo cargados con bombas y estanques de gasolina adicionales antes de su ataque en picada suicida. Ataques de ese tipo hundieron 34 buques y dañaron a otros cientos; en Okinawa, los kamikaze infligieron a la armada estadounidense el mayor número de bajas en una sola batalla que haya sufrido a lo largo de su historia, dando muerte a casi 5.000 hombres. Ver también ZERO.

Kammu (737, Nara, Japón–9 abr. 806, Heian-kyō [Kioto]). Emperador de Japón (781–806). Para limitar el poder de los templos budistas ubicados en Nara, trasladó la capital desde Heijō-kyō (Nara) a Nagaoka en 784, y luego a la ciudad de Heian-kyō (Kioto) en 794. El establecimiento de la capital en Heian-kyō marcó el comienzo del período HEIAN.

Kamo Chomei (1155, Japón–24 jul. 1216, Kioto). Poeta y crítico japonés. Muy conocido por *Relato de mi choza* (1212), diario poético en que describe su vida en aislamiento, escrito después de que dejara un puesto en la corte para cumplir los votos budistas y transformarse en ermitaño. Su poesía representa lo mejor de una época, la que produjo varios poetas de primer orden. Su obra *Notas sin nombre* (1208/09) es una colección valiosísima de comentarios críticos, anécdotas y saber popular poético.

Kampala Ciudad (pob., 1998: 1.154.000 hab.), capital de Uganda. Es la ciudad más populosa del país. Se encuentra en el sur de Uganda, al norte del lago VICTORIA. En 1890, el capitán Frederick Lugard la escogió como cuartel general de la Compañía de África Oriental Británica. El fuerte construido por Lugard en el cerro Kampala siguió sirviendo como cen-

Catedral de Rubaga en Kampala.
PICTUREPOINT, LONDRES

tro de la administración colonial de Uganda hasta 1905. En 1962, Kampala se convirtió en la capital de la república independiente de Uganda. Es la sede de la mayoría de las grandes empresas del país, así como de la Universidad de Makerere (1922) y del Museo de Uganda.

kan Históricamente, el gobernante o monarca de una tribu MONGOL. Desde temprano se hizo una distinción entre el título de kan y el de *khākān*, o "gran kan". Más tarde, el término *kan* fue adoptado por las dinastías SELYÚCIDA y JWARIZMSAH como un título para la más alta nobleza. Gradualmente se convirtió en un afijo al nombre de cualquier propietario de bienes musulmán. En la actualidad, se usa con frecuencia como apellido.

Kanawa, Kiri Te ver Dame Kiri (Janette) TE KANAWA

Kanchenjunga, monte Monte de los HIMALAYA. De 8.586 m (28.169 pies), es el tercer pico más alto del mundo. Se encuentra en la frontera entre Nepal y el estado de Sikkim, India, al noroeste de DARJEELING. Rinzin Namgyal, explorador del s. XIX, trazó el primer mapa del monte. Una expedición británica liderada por Charles Evans realizó el primer ascenso exitoso en 1955.

Kandel, Eric (n. 7 nov. 1929, Viena, Austria). Neurobiólogo estadounidense de origen austríaco. Obtuvo un M.D. en la Universidad de Nueva York. Sus investigaciones revelaron el papel de la transmisión sináptica en el aprendizaje y la memoria. Demostró que los estímulos débiles dan origen a ciertos cambios químicos en las sinapsis, que constituyen la base de la memoria a corto plazo, y que los estímulos más fuertes causan cambios sinápticos diferentes, que pueden resultar en una forma de memoria a largo plazo. En 2000, Kandel compartió el Premio Nobel con PAUL GREENGARD y ARVID CARLSSON. Los hallazgos de estos tres hombres condujeron al desarrollo de nuevas drogas contra el PARKINSONISMO y otros trastornos.

Kander, John (n. 18 mar. 1927, Kansas City, Mo., EE.UU.). Letrista estadounidense. Estudió música en el Oberlin College y en la Universidad de Columbia y posteriormente fue arreglista de obras de teatro. Junto a Fred Ebb (n. 1932), un neoyorquino que también estudió en Columbia y redactaba textos para revistas, escribió las partituras para algunos de los musicales más exitosos de Broadway, a saber, *Cabaret* (1966; película, 1972), *Zorba el griego* (1968), *Chicago* (1975; película, 2002) y *El beso de la mujer araña* (1992), y filmes como *Funny Lady* (1975) y *New York, New York* (1977).

Kandinsky, Vasili (Vasílievich) (4 dic. 1866, Moscú, Rusia–13 dic. 1944, Neuilly-sur-Seine, Francia). Pintor ruso, pionero de la abstracción pura en la pintura moderna. Estudió derecho y se le ofreció un cargo como profesor, pero prefirió la pintura y se marchó a Alemania. Después de estudiar arte en Munich, en 1909 inició la búsqueda pictórica que lo acompañaría de por vida: un tipo de pintura en la que los colores, las líneas y las formas, liberadas de la distracción que significaba representar objetos reconocibles, pudieran evolucionar hacia un "lenguaje" visual capaz de expresar ideas generales y evocar profundas emociones. En su libro *De lo espiritual en el arte* (1912), presentó estas ideas, comparando la expresividad de las formas y el color con las cualidades de la música. En 1911, él y FRANZ MARC fundaron un grupo informal de artistas del mismo parecer, llamado Der BLAUE REITER ("El jinete azul"). Desde 1921 hasta 1933 enseñó en la influyente BAUHAUS, en Weimar. Durante este tiempo, Kandinsky siguió evolucionando hacia la abstracción geométrica, pero con dinamismo y gusto por el detalle. Cuando los nazis cerraron la Bauhaus, emigró a París. Durante el período final, su pintura se convirtió en una síntesis, que reunía elementos del carácter orgánico de la etapa de Munich y del carácter geométrico desarrollado en la Bauhaus. El lenguaje visual al que aspiraba desde por lo menos 1910 se transformó en colecciones de signos que parecen mensajes casi descifrables, escritos en pictografías y jeroglíficos. Ejerció una profun-

Arlequín, figura de la *commedia dell'arte* en porcelana de Meissen, modelada por Johann Joachim Kändler, c. 1738; Museo Victoria y Alberto.

GENTILEZA DEL MUSEO VICTORIA Y ALBERTO, LONDRES; FOTOGRAFÍA, EB INC.

da influencia sobre el arte del s. XX y en el arte abstracto en general.

Kändler, Johann Joachim (1706, Fischbach, Sajonia–18 may. 1775, Meissen). Escultor barroco alemán. En 1731 fue contratado por la fábrica de porcelana de MEISSEN para organizar el departamento de modelado. Allí mantuvo el puesto de modelador jefe desde 1733 hasta su muerte. Su genio justifica en gran medida el prestigio mundial alcanzado por la porcelana de Meissen. Entre sus obras más conocidas destacan sus figurillas de la *commedia dell'arte*, creadas en su mayoría entre 1736 y 1744.

Kandy Importante monarquía independiente de Ceilán (Sri Lanka) de fines del s. XV y último reino cingalés en ser sometido por una potencia colonial. Sobrevivió a las depredaciones de los portugueses merced a alianzas con los holandeses, y sobrevivió a estos gracias a la ayuda británica; cuando los británicos tomaron posesión de Ceilán en 1796, permaneció como reino independiente. El primer ataque británico contra Kandy, en 1803, no tuvo éxito; en 1815 algunos jefes kandy invitaron a los británicos a derrocar a un rey tiránico, y en 1818 fue sofocada una rebelión de esos jefes contra los británicos.

Kane, Paul (3 sep. 1810, Mallow, Irlanda–20 feb. 1871, Toronto, Ontario, Canadá). Pintor canadiense de origen irlandés. Su familia emigró a Canadá en 1819. Trabajó principalmente en Toronto, pero recorrió el país hasta la costa del Pacífico pintando paisajes, personajes nativos norteamericanos, mercaderes de pieles y misioneros. Publicó la narración de sus aventuras en *Wanderings of an Artist* (1859). La mitad de sus pinturas son retratos, obras de gran valor histórico, en las que registró el vestuario y adornos de sus personajes con certeros detalles. Destacó en la composición de grandes grupos figurativos en un estilo similar al género pictórico europeo contemporáneo.

Kanem-Bornu Antiguo imperio africano asentado alrededor del lago CHAD. Entre los s. IX–XIX fue gobernado por la dinastía Sef. En distintas épocas, su territorio ha abarcado lo que hoy es el sur de Chad, norte de Camerún, nordeste de Nigeria, este de Níger y sur de Libia. Fundado probablemente a mediados del s. IX, se transformó en un estado islámico a fines del s. XI. Su ubicación hizo de él el núcleo de la actividad comercial entre el norte de África, el valle del Nilo y la región subsahariana. A partir del s. XVI, Kanem-Bornu, llamado a veces sólo Bornu, se extendió y consolidó. La dinastía Sef se extinguió en 1846.

Kang Youwei *o* **K'ang Yeu-wei** (19 mar. 1858, provincia de Guangdong, China–31 mar. 1927, Qingdao, Shandong). Humanista chino, figura clave en el desarrollo intelectual de la China moderna. En 1895 encabezó a un grupo de cientos de estudiantes de provincia para protestar contra los términos humillantes del tratado de China con Japón después de la guerra CHINO-JAPONESA y exigir reformas que fortalecieran a la nación. En 1898, el emperador Qing inició un programa de modernización que contemplaba desburocratizar el gobierno, fortalecer las fuerzas armadas, fomentar la descentralización gubernamental y fundar la Universidad de Beijing. Pero como la emperatriz CI XI anuló estas reformas y mandó ejecutar a seis líderes del movimiento reformista, Kang tuvo que huir del país. Desde el exilio, se opuso a la revolución, y propuso en cambio reconstruir China a través de la ciencia, tecnología e industria. Regresó en 1914 y participó en un intento fallido por restablecer al emperador. Su temor a la división del país lo llevó a oponerse al gobierno de SUN YAT-SEN en el sur de China. También se conoce a Kang por su revaloración de CONFUCIO, a quien consideraba un reformador.

Kangaroo, isla Isla (pob., 1996: 4.118 hab.) de Australia Meridional. Situada en la entrada del golfo de Saint Vincent, al sudoeste de ADELAIDA, la isla tiene una extensión de 145 km (90 mi) y una superficie de 4.350 km² (1.680 mi²). Visitada en 1802 por el explorador inglés MATTHEW FLINDERS, debe su nombre a su gran población de canguros. El primer asentamiento del estado tuvo lugar en la bahía de Nepean, en 1836.

Kangwane *ant.* **Swazi** Antiguo enclave para personas de raza negra ubicado en el este de Transvaal, República de Sudáfrica. Se creó en 1977 bajo el régimen del APARTHEID como bantustán de los SWAZI que no vivían en Swazilandia. La constitución sudafricana de 1994 abolió los enclaves para personas de raza negra creados bajo el régimen del *apartheid*, y actualmente Kangwane forma parte de la provincia de Mpumalanga.

Kangxi, emperador *o* **emperador K'ang-hsi** (4 may. 1654, Beijing, China–20 dic. 1722, Beijing). Segundo emperador de la dinastía QING, cuyo nombre personal era Xuanye. Uno de los gobernantes más capaces de China, Kangxi (r. 1661–1722) sentó las bases de un largo período de estabilidad política y prosperidad. Bajo su reinado se firmó el tratado de NERCHINSK con Rusia y se anexionaron partes de Mongolia Exterior al territorio chino, cuyos dominios se extendieron hasta el Tíbet. En el plano interno, se realizaron grandes obras públicas, como la reparación del GRAN CANAL, para facilitar el transporte de arroz y alimentar a la población del norte, así como el dragado y construcción de diques en el HUANG HE (río Amarillo) para prevenir los daños provocados por las inundaciones. Kangxi redujo los impuestos en varias oportunidades y abrió cuatro puertos para comerciar con buques extranjeros. Aunque fue un fervoroso defensor del NEOCONFUCIANISMO, también acogió a los misioneros jesuitas, cuyos logros hicieron posible la propagación del catolicismo en China. Encargó la edición de numerosos libros, entre ellos el diccionario Kangxi y la historia de la dinastía MING. Ver también GALDAN; MANCHÚ; QIANLONG.

Kaniṣka *o* **Kanishka** (floreció s. I DC). Rey más importante de la dinastía Kushān, que gobernó la parte septentrional del subcontinente indio, Afganistán y posiblemente algunas regiones situadas al norte de Cachemira, en Asia central. Se cree que ascendió al trono entre 78 y 144 DC y que gobernó durante 23 años. Es conocido por haber convocado un concilio budista que marcó el comienzo del budismo MAHAYANA. Fue un monarca tolerante que honró tanto a Buda como a las deidades zoroástricas, griegas y brahmánicas. Durante su reinado, se incrementó en forma significativa el comercio con el Imperio romano, y es posible que el contacto entre Kaniṣka y los chinos de Asia central haya estimulado la propagación del budismo a China.

kannada, lengua *o* **lengua canara** Lengua DRAVÍDICA e idioma oficial del estado indio de KARNATAKA. Cuentan con más de 33 millones de hablantes en Karnataka y es probable que otros 11 millones de indios la empleen como segunda lengua. Los primeros registros de inscripciones en kannada datan del s. VI. En lo que respecta a su origen, la escritura del kannada está estrechamente relacionada con la del TELUGU. Al igual que otras lenguas dravídicas importantes, el kannada tiene varios dialectos regionales y sociales, y marcadas diferencias entre los usos formal e informal.

Kannon ver AVALOKITESVARA

Kano Ciudad (pob., 1991: 2.166.554 hab.) del norte de Nigeria. Según la tradición, su fundador fue Kano, herrero del pueblo gaya que en tiempos remotos llegó al cerro Dalla en busca de hierro. A principios del s. XII se transformó en la capital del estado hausa de Kano. También fue la capital de un emirato en el s. XIX, antes de ser capturada por los británicos en 1903. En la actualidad, Kano constituye un importante centro comercial e industrial. La ciudad antigua está rodeada de una imponente muralla que data del s. XV; su mezquita central es la más grande de Nigeria.

Mezquita central en Kano, Nigeria.
© DIANE RAWSON/PHOTO RESEARCHERS

Kanō, escuela Estilo de pintura japonesa de los s. XV–XIX. Fue practicado por una familia de artistas que sirvieron a los sogunes Ashikaga del período MUROMACHI, también a ODA NOBUNAGA, TOYOTOMI HIDEYOSHI y a los sogunes del período de los TOKUGAWA. Realizaban grandes y audaces dibujos sobre biombos y paneles de papel móviles, utilizados para dividir espacios en los castillos de la época. Combinaron el estilo pictórico en tinta china con la policromática Yamato-e ("pintura japonesa"). Para lograr efectos aún más llamativos, algunos artistas usaban de fondo una lámina de oro.

Kanpur *ant.* **Cawnpore** Ciudad (pob., est. 2001: 2.532.138 hab.) del estado de UTTAR PRADESH, norte de India. Los británicos la tomaron en 1801 e hicieron de ella uno de sus puestos fronterizos. En 1857, durante la rebelión de los CIPAYOS, fue escenario de una masacre de soldados y civiles británicos a manos de fuerzas nativas. Una de las ciudades más grandes de India, en ella convergen rutas viales y ferroviarias, y constituye un importante centro comercial e industrial. Entre sus instituciones de educación superior destacan una universidad y el Instituto Indio de Tecnología.

Kansas Estado (pob. 2000: 2.688.418 hab.) del centro de EE.UU. Limita con los estados de Nebraska al norte, Missouri al este, Oklahoma al sur y Colorado al oeste, con una superficie de 213.110 km² (82.282 mi²); su capital es TOPEKA. Se ubica en las GRANDES LLANURAS y desde sus praderas del este hasta las altas llanuras del oeste se eleva a una altitud superior a los 915 m (3.000 pies). Los indios kansas, OSAGE, PAWNEE y wichita ocuparon la zona antes de la colonización europea. El primer explorador del Viejo Mundo fue FRANCISCO VÁZQUEZ DE CORONADO, quien llegó desde México en 1541 en busca de oro. LA SALLE reclamó la región para Francia en 1682. En 1803, EE.UU. adquirió Kansas como parte de la adquisición de LUISIANA. A principios del s. XIX, el gobierno federal reubicó en Kansas a los indios desplazados desde el este. La ley Kansas-Nebraska de 1854 instituyó el Territorio de Kansas y lo abrió a la colonización de hombres de raza blanca. Fue lugar de conflictos por la esclavitud, entre los que destaca aquel incitado por JOHN BROWN (ver BLEEDING KANSAS). En 1861, el estado se incorporó a la Unión como el 34° estado. Después de la guerra de Secesión, la llegada del ferrocarril promovió el crecimiento económico de las ciudades; los ganaderos de Texas llevaban sus animales hacia WICHITA y ABILENE hasta alcanzar las cabezas de la línea ferroviaria. La agricultura adquirió importancia a medida que se incentivó la explotación de las Grandes Llanuras. Durante y después de la segunda guerra mundial la industria aeronáutica experimentó una expansión y los productos agrícolas siguieron predominando.

Kansas City Ciudad (pob. 2000: 441.545 hab.) en el oeste del estado de Missouri, EE.UU., junto al río MISSOURI. La ciudad se sitúa frente a otra ciudad, también llamada Kansas City (estado de Kansas), las que constituyen una sola conurbación. Los primeros colonizadores fueron franceses dedicados al comercio de pieles que llegaron en 1821. El lugar, llamado Westport Landing, prosperó como puerto fluvial y terminal de la ruta de SANTA FE y la senda de OREGÓN. En 1850 se constituyó como pueblo de Kansas y como ciudad, en 1853; fue rebautizada como Kansas City en 1889 para diferenciarla del territorio del mismo nombre. Constituye la ciudad más grande del estado y es un centro ferroviario con plantas empacadoras, instalaciones de almacenaje de granos y corrales ganaderos. Es sede de la Universidad de Missouri y centro mundial de la Iglesia del Nazareno.

Kansas, río *o* **río Kaw** Río en el nordeste del estado de Kansas, EE.UU. Corre hacia el este y desemboca en el río MISSOURI en KANSAS CITY. Con un recorrido de 272 km (169 mi), drena una superficie de 158.770 km² (61.300 mi²), que comprende el norte de Kansas y parte del sur de Nebraska y del este de Colorado.

Kansas, Universidad de Universidad pública estadounidense fundada en 1866 en Lawrence. Está compuesta por *colleges* (colegios universitarios) de artes liberales y ciencias, además de escuelas que ofrecen estudios en áreas como derecho, ingeniería, administración de empresas, arquitectura y farmacia. El centro médico de la universidad se encuentra en Kansas City. Entre sus instalaciones destinadas a la investigación, cabe destacar los centros para el estudio de las expectativas de vida, la investigación infantil, la salud medioambiental, la recuperación del petróleo y la tecnología espacial.

Kansas City, principal ciudad del estado de Missouri, junto al río homónimo, EE.UU.
ARCHIVO EDIT. SANTIAGO

Kan-su ver GANSU

Kant, Immanuel (22 abr. 1724, Königsberg, Prusia–12 feb. 1804, Königsberg). Filósofo alemán, uno de los más destacados pensadores de la ILUSTRACIÓN. Hijo de un talabartero, estudió en la Universidad de Königsberg, donde enseñó como docente asociado (1755–70) y posteriormente como profesor de lógica y metafísica (1770–97). Llevó una vida proverbialmente sosegada. Su *Crítica de la razón pura* (1781) analiza la naturaleza del conocimiento en matemática y física y demuestra la imposibilidad del conocimiento en metafísica tal como había sido tradicionalmente concebida. Kant sostuvo que las proposiciones de la matemática y la física, pero no las de la metafísica, son "sintéticas a priori", en el sentido de que versan sobre objetos de experiencia posible (sintéticos), pero que son al mismo tiempo cognoscibles antes de la experiencia o independientemente de ella (a priori), lo cual hace que tales proposiciones sean también necesariamente verdaderas, en vez de sólo ser aparentemente verdaderas (ver NECESIDAD). La matemática es sintética y a priori, porque trata del espacio y el tiempo, que son formas de la sensibilidad humana que condicionan todo lo que es aprehendido a través de los sentidos. De modo similar, la física es sintética y a priori, porque en su ordenación de la experiencia utiliza conceptos ("categorías") cuya función es prescribir la forma general que la experiencia sensible debe adoptar. La metafísica en el sentido tradicional, entendida como conocimiento de la existencia de Dios, la libertad de la voluntad y la inmortalidad del alma, es imposible, porque tales cuestiones trascienden toda posible experiencia sensible. Sin embargo, aunque no pueden ser objetos de conocimiento, los conceptos metafísicos se justifican de todos modos como postulados esenciales de una vida moral. La ética de Kant, que desarrolló en la *Crítica de la razón práctica* (1788) y en el escrito anterior *Fundamentación de la metafísica de las costumbres* (1785), se basa en el principio conocido como "imperativo categórico", formulación que plantea: "Actúa sólo de acuerdo con una máxima que puedas al mismo tiempo desear que se convierta en ley universal". Su última gran obra, *La crítica del juicio* (1790), se ocupa de la naturaleza del juicio estético y la existencia de una teleología o finalidad en la naturaleza. El pensamiento de Kant representa un giro en la historia de la filosofía. En sus propias palabras, realizó una revolución copernicana: tal como NICOLÁS COPÉRNICO, fundador de la astronomía moderna, había explicado los movimientos aparentes de las estrellas al adscribirlos parcialmente al movimiento de los observadores, Kant dio cuenta de la existencia de un conocimiento sintético a priori al demostrar que al conocer, no es la mente la que se conforma a las cosas sino a la inversa, son las cosas las que se conforman a la mente. Ver también DISTINCIÓN ANALÍTICO-SINTÉTICA; ÉTICA DEONTOLÓGICA; IDEALISMO; KANTISMO.

Immanuel Kant, c. 1792.
FOTOBANCO

kantismo Sistema de filosofía crítica creado por IMMANUEL KANT y las filosofías surgidas del estudio de sus escritos. El kantismo comprende diversas filosofías que comparten el interés de Kant de explorar la naturaleza y los límites del conocimiento humano con la esperanza de elevar la filosofía al rango de ciencia. Cada uno de los submovimientos del kantismo ha tendido a concentrarse en su propia selección e interpretación de los numerosos campos de interés de Kant. En la década de 1790 emergieron en Alemania los llamados semikantianos, que modificaron ciertas características del sistema de Kant que consideraban inadecuadas, oscuras o incluso erróneas; entre sus miembros se cuentan FRIEDRICH SCHILLER, Friedrich Bouterwek (n. 1766–m. 1828) y Jakob Friedrich Fries (n. 1773–m. 1843). El período 1790–1835 fue la época de los idealistas poskantianos (ver IDEALISMO). Un gran renacimiento del interés en la filosofía kantiana comenzó c. 1860. Ver también JOHNN GOTTLIEB FICHTE; G.W.F. HEGEL; NEOKANTISMO; FRIEDRICH WILHELM JOSEPH VON SCHELLING.

Kantórovich, Leonid (Vitaliévich) (19 ene. 1912, San Petersburgo, Rusia–7 abr. 1986, Moscú, U.R.S.S.). Matemático y economista soviético. Profesor de la Universidad estatal de Leningrado (1934–60), desarrolló el modelo de PROGRAMACIÓN LINEAL como herramienta de planificación económica. Utilizó técnicas matemáticas para demostrar en qué forma la descentralización de la toma de decisiones en una economía planificada depende finalmente de un sistema en que los precios se basan en la escasez relativa de recursos. Sus análisis críticos no dogmáticos sobre la política económica soviética a menudo se contraponían con el parecer de sus colegas marxistas ortodoxos. Su obra más destacada es *La asignación óptima de recursos* (1959). En 1975 compartió con Tjalling Koopmans (n. 1910–m. 1985) el Premio Nobel de economía por su trabajo sobre asignación óptima de recursos escasos.

kanuri Pueblo del nordeste de Nigeria y el sudeste de Níger, con poblaciones menos numerosas en Chad, Camerún y Sudán. Suman cerca de cuatro millones de personas. Hablan kanuri, una de las lenguas NILOSAHARIANAS. Los kanuri desarrollaron el poderoso imperio de KANEM-BORNU, que alcanzó su apogeo en el s. XVI. Han profesado la fe musulmana desde el s. XI. Su economía está basada en el cultivo del mijo y en el comercio con los pastores FULANI y árabes.

Kanze Motokiyo ver ZEAMI

Kao-tsu ver GAOZU

Kapila (c. ¿550 AC?). Fundador de la escuela SAMKHYA de filosofía védica en India. La leyenda dice que era descendiente de MANU, el primer ser humano, y nieto del dios creador, BRAHMA. También se pensaba que era una encarnación de VISNÚ. En las fuentes budistas aparece como un filósofo conocido, cuyos discípulos construyeron Kapilavastu, el lugar de nacimiento de Gautama BUDA. Vivió como ermitaño y se decía que su régimen ascético le había dado una reserva interior de calor tan intenso que fue capaz de reducir a cenizas a 60.000 hombres.

Kapoor, Raj (14 dic. 1924, Peshawar, India–2 jun. 1988, Nueva Delhi). Actor y director de cine indio. En la década de 1930 trabajó como claquetero en Bombay Talkies y como actor en los teatros Prithvi, dos compañías de propiedad de su padre. Su primer rol importante fue en *Aag* (1948; "Fuego"), película que también produjo y dirigió. En 1950 formó RK, su propio estudio en Bombay (ahora Mumbai), y al año siguiente se consagró como estrella romántica en *Awara* (1951; "El vagabundo"). Escribió, produjo, dirigió y actuó en muchas películas exitosas. Si bien protagonizó roles románticos en sus primeros filmes, fue más conocido por sus interpretaciones basadas en el personaje del vagabundo de CHARLIE CHAPLIN. Su uso de imágenes eróticas a menudo desafió los tradicionalmente estrictos criterios del cine indio. También muchas de las canciones de sus películas fueron éxitos musicales.

Kaposi, sarcoma de CÁNCER, habitualmente letal, que se manifiesta como manchas de color rojo púrpura o azul pardo en la piel y otros órganos. Se ha asociado a uno de los virus del herpes, y existe un gran debate sobre cómo debe ser clasificado. Cuando Moritz Kaposi lo describió en 1872, era extremadamente raro, confinado a determinadas poblaciones del Mediterráneo y África. Desde c. 1980 se ha hecho común en pacientes con SIDA. Es más frecuente en varones homosexuales con VIH que en pacientes heterosexuales con VIH que usan drogas endovenosas. Se han presentado remisiones, pero no existe cura conocida.

Kapp, putsch de (1920). En Alemania, golpe de Estado que intentó derrocar a la incipiente República de WEIMAR. Su causa inmediata fue el intento del gobierno de desmovilizar a dos brigadas de FREIKORPS. Una de las brigadas tomó Berlín, con la cooperación del comandante del ejército en el distrito de Berlín. Wolfgang Kapp (n. 1858–m. 1922), miembro reaccionario del Reichstag, formó un gobierno con ERICH LUDENDORFF, y el régimen republicano legítimo huyó al sur de Alemania. En el transcurso de cuatro días, una huelga general de sindicatos y la negativa de los empleados públicos a seguir las órdenes de Kapp llevaron al fracaso del golpe de Estado.

Karabaj, Alto *ruso* **Nagorno-Karabaj** Región (pob., est. 2002: 144.300 hab.) del sudoeste de AZERBAIYÁN. Ocupa 4.400 km² (1.700 mi²) aprox. de superficie en el lado nororiental de la cordillera de Karabaj. Antiguamente, la región formaba parte de Irán, pero Rusia la anexó en 1813. En 1923 se convirtió en provincia autónoma de la República Socialista Soviética de Azerbaiyán. En 1988, la mayoría armenia de la región realizó protestas contra el gobierno azerbaiyano y en 1991, tras el colapso de la Unión Soviética, estalló una guerra entre ambos grupos étnicos. Desde 1994 la controlan los armenios, aunque oficialmente pertenece a Azerbaiyán.

Karachi Ciudad (pob., 1998: 9.269.265 hab.) en el sur de Pakistán. Está situada en la costa del mar de Arabia, al noroeste de la desembocadura del río INDO; a la llegada de mercaderes a inicios del s. XVIII, no era más que una pequeña aldea pesquera. Los británicos la capturaron en 1839, y en 1914 era un importante puerto del Imperio británico. Ha sido la capital provincial de Sind desde 1936, y fue también la primera capital de la República independiente de Pakistán (1947–59). Es el puerto principal paquistaní, un importante centro industrial y comercial, y una de las ciudades más populosas del mundo. Alberga la sede de la Universidad de Karachi y la estación terminal del sistema ferroviario de Pakistán.

Karadžić, Radovan (n. 19 jun. 1945, Petnijca, Yugoslavia). Político serbobosnio. Estudió psiquiatría y también escribió poesía y libros infantiles. En 1990 ayudó a fundar el Partido Demócrata Serbio de Bosnia y Herzegovina. En 1992, cuando los serbobosnios declararon un estado independiente, se convirtió en su presidente. Con el apoyo del pdte. yugoslavo SLOBODAN MILOŠEVIĆ y junto al líder militar serbobosnio, gral. Ratko Mladic, emprendió una campaña de LIMPIEZA ÉTNICA en Bosnia para purgarla de los no serbios. En 1995 fue acusado de crímenes de guerra por un tribunal de la ONU. Fue presionado para que firmara los acuerdos de paz de Dayton y obligado a renunciar como presidente del Estado y jefe del partido en 1996. Sin embargo, continuó ejerciendo influencia sobre la parte de Bosnia y Herzegovina controlada por los serbios desde un escondite montañoso en las afueras de Sarajevo. A pesar de los intentos para arrestarlo, logró evadir su captura durante la década de 1990 y hasta principios del s. XXI.

Karadžić, Vuk Stefanović (6 nov. 1787, Tržić, Serbia, Imperio otomano–6 feb. 1864, Viena). Folclorista y erudito de la lengua serbia. En gran medida fue un escritor autodidacta. Después de una fracasada revuelta serbia contra la dominación turca, partió a Viena (1813), donde el eslavista Jernej Kopitar lo introdujo en el ámbito del estudio serio y metódico. En 1814 publicó una gramática del serbio (ver SERBOCROATA) y en 1818, un diccionario; ambos promulgaron un alfabeto CIRÍLICO reformado y una nueva lengua literaria basada en el serbio coloquial más que en la lengua literaria imperante, que combinaba el serbio arcaico con el eslavo eclesiástico ruso (ver ESLAVO ECLESIÁSTICO ANTIGUO). Después de decenios de resistencia y polémica, el renaciente estado serbio aceptó sus reformas en 1868.

Karagandá Ciudad (pob., 1999: 436.900 hab.) del centro de Kazajstán. El primer asentamiento data de 1856, y al año siguiente comenzaron operaciones de extracción de carbón en pequeña escala. La minería tuvo una rápida expansión durante la década de 1930, y la aldea se transformó en ciudad en 1934. La segunda ciudad más populosa de Kazajstán, está compuesta de la ciudad antigua, que creció al azar alrededor de más de 20 campamentos mineros, y la ciudad nueva, que constituye el centro cultural y administrativo de la región, con una universidad e institutos politécnicos y de medicina.

Karagjorgjević, dinastía Gobernantes descendientes del líder rebelde serbio Karagjorgje (n. 1762–m. 1817). Rivalizó con la dinastía OBRENOVIĆ por el control de Serbia durante el s. XIX y gobernó ese país y el Estado que lo sucedió: el Reino de los SERBIOS, CROATAS Y ESLOVENOS (luego Yugoslavia), en 1842–58 y 1903–45. Ver también ALEJANDRO I; PEDRO I; PEDRO II.

Karajan, Herbert von (5 abr. 1908, Salzburgo, Austria–16 jul. 1989, Anif, cerca de Salzburgo). Director de orquesta austríaco. Niño prodigio del piano, asistió al Mozarteum de Salzburgo. En 1929 obtuvo su primer puesto como director en

Ulm. En 1933 se afilió al Partido Nazi, y bajo el Tercer Reich su reputación creció rápidamente. Después de la segunda guerra mundial, al comienzo no se le permitió dirigir, pero en 1947 comenzó a grabar con la orquesta filarmónica de Viena, el principio de un legado de unas 800 grabaciones. Su debut en EE.UU. en 1955, se produjo en medio de la controversia que provocaron sus actividades en el período nazi. Ese mismo año se convirtió en el sucesor de WILHELM FURTWÄNGLER en la orquesta filarmónica de Berlín y encabezó el festival de Salzburgo desde 1964 hasta su muerte.

Karak ver KAYA

Karakoram Antigua capital del Imperio MONGOL. Sus ruinas se encuentran a orillas del curso superior del río Orjon Gol, en el centro-norte de Mongolia. Ha estado habitada desde c. 750; GENGIS KAN la hizo su capital en 1220. En 1235, su hijo y sucesor, Ogodai, construyó murallas alrededor de la ciudad, además de un palacio que fue visitado por MARCO POLO c. 1275. Fuerzas chinas invadieron Mongolia y destruyeron Karakoram en 1388. Más tarde se reconstruyó parcialmente, pero en el s. XVI ya había sido abandonada en forma definitiva.

Tortuga de piedra antigua frente al monasterio de Erdeni Dzu, Karakoram, Mongolia.
GEORGE HOLTON—PHOTO RESEARCHERS

Karakoram, cordillera Sistema montañoso en el centro-sur de Asia. Se extiende a lo largo de 480 km (300 mi) desde el este de Afganistán hasta la región de CACHEMIRA, y constituye uno de los sistemas montañosos más altos del mundo; su cumbre más elevada, el K2, de 8.611 m (28.251 pies), es el segundo pico más alto del mundo. Rodeados de otros cordones montañosos muy escarpados, los Karakoram son virtualmente inaccesibles, aun cuando la construcción de la carretera Karakoram en 1978 mejoró las condiciones de transporte de la zona. Debido a su ambiente inhóspito, la región está escasamente poblada.

Karakoyunlu *o* **Qara Qoyunlu** (turco: "carnero negro"). Confederación de tribus turcas que gobernó Azerbaiyán e Irak (c. 1375–1468). Su segundo líder, Kara Yūsuf (r. 1390–1400, 1406–20), aseguró su independencia mediante la toma de Tabrīz, capital de la dinastía jalayiridí. Aunque más tarde fue derrotado por los ejércitos de TAMERLÁN, recuperó Tabrīz en 1406 y capturó Bagdad en 1410. Su sucesor, Yihān sha, murió durante una batalla contra una confederación rival, la Ak Koyunlu, en 1466, y el imperio cayó en 1468.

Karakum Región desértica de Asia central. Ubicada en TURKMENISTÁN, limita al este con el valle del AMU DARYÁ. Puede dividirse en tres regiones principales: por el norte, la región alta y erosionada por el viento de Trans-Unguz; la llanura central de tierras bajas, y los saladares del sudeste. Está poblada por tribus turcomanas otrora nómadas, que viven de la pesca en el mar CASPIO o de la crianza de ganado.

Karamanlís, Konstandínos (8 mar. 1907, Proti, cerca de Serrai, Macedonia, Imperio otomano–23 abr. 1998, Atenas, Grecia). Primer ministro (1955–63, 1974–80) y presidente (1980–85, 1990–95) de Grecia. Ocupó varios cargos ministeriales después de la segunda guerra mundial (1946–55), desde donde ayudó a reconstruir la quebrantada economía griega a causa de la guerra. Elegido primer ministro en 1955, formó un gobierno y un nuevo partido conservador, la Unión Radical Nacional. En 1960 estableció una república independiente en Chipre para disminuir las tensiones con Gran Bretaña y Turquía a causa de la isla. Renunció en 1963 y vivió en el exilio en París hasta 1974. Llamado de vuelta como primer ministro, subordinó a los militares a la autoridad civil para restaurar la democracia, impidió una guerra con Turquía a causa de Chipre y supervisó la adopción de una nueva constitución que fortaleció la presidencia. En 1975 celebró un referéndum en el que se aprobó la abolición de la monarquía. En 1980 renunció como primer ministro y fue elegido presidente. Ayudó a lograr el ingreso de Grecia a la Comunidad Europea en 1981. Renunció en 1985, y fue reelegido presidente en 1990.

karaoke (japonés: "orquesta vacía"). Uso de un dispositivo que toca los acompañamientos instrumentales de canciones con las pistas vocales suprimidas, lo que permite al usuario cantar el tema principal. Al parecer, el karaoke nació en el barrio de atracciones de Kōbe, Japón, donde se popularizó entre los hombres de negocios a fines de la década de 1970. A fines de la década siguiente alcanzó gran popularidad en EE.UU. Por lo general, se usa en los bares, donde los clientes pueden actuar en un escenario y cantar éxitos populares leyendo las letras presentadas electrónicamente en un monitor. A menudo la música va acompañada de un vídeo.

karate ARTE MARCIAL que consiste en poner fuera de combate al rival con golpes violentísimos de puños y pies, tratando de concentrar la mayor cantidad de energía corporal posible en el instante y el lugar del impacto. Los golpes se aplican con la mano (particularmente los nudillos y el borde exterior de la mano), el empeine, el talón, el antebrazo, la rodilla y el codo. En los combates deportivos, que generalmente duran tres minutos, y en los entrenamientos, los golpes se detienen a pocos centímetros del adversario. Un panel de jueces puntúa el desempeño. El karate evolucionó en Asia oriental a lo largo de varios siglos, y comenzó a sistematizarse en el s. XVII en Okinawa, probablemente gracias a personas que tenían prohibido el porte de armas. Fue llevado a Japón en la década de 1920, y desde ahí se extendió a otros países. Ver también TAEKWONDO.

Karbalā', batalla de (10 oct. 680). Breve enfrentamiento en que un ejército omeya, enviado por YAZĪD I, asesinó a AL-ḤUSAYN IBN 'ALĪ y a un pequeño grupo de familiares y seguidores. Al-Ḥusayn, nieto del profeta Mahoma, viajaba hacia Kūfah a fin de reclamar su derecho al califato, cuando él y sus acompañantes fueron atacados y asesinados cerca del pueblo de Karbalā', en Irak. La mayoría de los chiitas conmemoran el aniversario de la masacre con un día santo de duelo, durante el cual representan en forma ritual la muerte de al-Ḥusayn. Su tumba en Karbalā' también es considerada un lugar santo. Ver también 'ALĪ; FITNA; MU'ĀWIYAH I.

Kardelj, Edvard (27 ene. 1910, Ljubljana, Eslovenia, Austria-Hungría–10 feb. 1979, Ljubljana). Revolucionario y administrador yugoslavo. Se unió al proscrito Partido Comunista en 1926, fue encarcelado de 1930 a 1932 y huyó a la Unión Soviética en 1934. De regreso a Yugoslavia en 1937, ayudó a organizar la resistencia a la ocupación alemana durante la segunda guerra mundial y se unió a TITO en gran parte de la lucha de los partisanos. En 1946 redactó una constitución de inspiración soviética después de que Tito se convirtió en primer ministro y dirigió la elaboración de todas las constituciones posteriores. Fue el principal artífice de la autoadministración socialista, que diferenció el sistema político y económico yugoslavo del sistema soviético. En asuntos exteriores, fue pionero en el concepto de la no alineación de Yugoslavia.

karen Miembro de diversos pueblos tribales del sur de Myanmar (Birmania). Constituyen la segunda minoría de importancia en dicho país. No constituyen un grupo unitario en sentido étnico, pues hay entre ellos diferencias lingüísticas, religiosas y económicas. Se han definido más bien en función de su común recelo hacia la dominación política ejercida por Myanmar, que ha persistido desde que el país se independizó en 1948.

Karen Danielsen ver Karen HORNEY

Karisimbi, monte Pico de los montes VIRUNGA, en el centroeste de África. Es la cumbre más alta de los Virunga, con una altura de 4.507 m (14.787 pies). Se encuentra en la frontera entre Ruanda y el Congo (Kinshasa), en el parque nacional VIRUNGA. Hábitat de gorilas, es conocido por sus plantas exóticas.

Karkar *o* **Qarqar** Antigua fortaleza a orillas del río ORONTES, en el oeste de Siria. Constituía un puesto de avanzada estratégico. En 853 AC, ante un ataque asirio, fue defendida por los ARAMEOS, al mando de Ben-Hadad I de Damasco, y por sus aliados, entre ellos el rey ACAB de Israel. En 720 AC fue escenario de una batalla como resultado de la cual SARGÓN II de Asiria la capturó e incendió.

Karl-Marx-Stadt ver CHEMNITZ

Karlfeldt, Erik Axel (20 jul. 1864, Folkärna, Suecia–8 abr. 1931, Estocolmo). Poeta sueco. Sus fuertes lazos con la cultura campesina de su tierra natal constituyeron siempre una influencia dominante en su escritura. Sus poemas, de carácter esencialmente regional y anclados en la tradición, algunos de los cuales fueron publicados en español con el título *Flora y pomona y otros poemas*, alcanzaron gran popularidad. Fue elegido miembro de la Academia Sueca en 1904 y designado su secretario permanente en 1912. En 1918 rechazó el Premio Nobel de Literatura, pero en 1931 se le otorgó póstumamente.

Karloff, Boris *orig.* **William Henry Pratt** (23 nov. 1887, Londres, Inglaterra–2 feb. 1969, Midhurst, West Sussex). Actor estadounidense de origen británico. En 1909 emigró a Canadá desde Inglaterra, y actuó en compañías itinerantes. Posteriormente se mudó a Hollywood, y en 1919 comenzó a interpretar roles menores en el cine. Su sensible y compasiva actuación en la primera gran película de monstruos de Hollywood, *Frankenstein* (1931) de James Whale, recibió enormes elogios de la crítica, lo que lo convirtió en una estrella de la noche a la mañana. Actuó en más de 100 películas, y se especializó en filmes de terror como *La momia* (1932), *La máscara de Fu Manchú* (1932), *La novia de Frankenstein* (1935) y *El hijo de Frankenstein* (1939), y su nombre se identificó con el género. Regresó al teatro y fue muy elogiado por sus actuaciones en Broadway en *Arsénico por compasión* (1941) y como el capitán Garfio en *Peter Pan* (1950). Su más famosa actuación televisiva la realizó en el programa especial de animación *How the Grinch Stole Christmas* (1966), en la que fue el narrador y voz del personaje Grinch.

Karlovy Vary *alemán* **Karlsbad** *o* **Carlsbad** Ciudad (pob., est. 2001: 53.857 hab.) en el oeste de la República Checa. Lugar de descanso con termas de aguas minerales, fue fundado

en 1358 por CARLOS IV, emperador del Sacro Imperio romano. En esta ciudad se redactaron en 1819 los decretos de CARLSBAD.

karma En la filosofía india, la influencia de las acciones pasadas de un individuo en sus vidas futuras o REENCARNACIONES. Se basa en la convicción de que la vida presente es sólo un eslabón de una cadena de vidas (ver SAMSARA). La energía moral acumulada en la vida de una persona determina su carácter, estatus social y disposición en la vida siguiente. El proceso es automático y ajeno a la intervención divina. En el curso de una cadena de vidas, las personas pueden perfeccionarse y alcanzar el nivel de BRAHMA, o pueden degradarse al punto de regresar a la vida como animales. El concepto de karma, básico en el hinduismo, también fue incorporado en el budismo y el jainismo.

Karman, Theodor von (11 may. 1881, Budapest–6 may. 1963, Aquisgrán, Alemania Occidental). Ingeniero estadounidense de origen húngaro. Luego de dirigir el Instituto aeronáutico en Aquisgrán, Alemania (1912–30), emigró a EE.UU., donde enseñó en el Instituto Tecnológico de California (1930–44) y posteriormente encabezó el grupo asesor para la investigación aeronáutica de la OTAN (1951–63). Sus trabajos experimentales en aeronáutica y astronáutica contribuyeron en la mecánica de fluidos, la teoría de la turbulencia, el vuelo supersónico, la ingeniería matemática y en las estructuras de aeronaves. Su COHETE, con impulsores de chorro para el despegue (JATO), constituyó el prototipo del motor usado hoy en los misiles de largo alcance. Contribuyó al primer despegue de un avión estadounidense asistido por cohetes con combustible sólido y líquido, al vuelo de aviones sólo con propulsión por cohetes, y al desarrollo de combustibles líquidos con ignición espontánea (usados posteriormente en los módulos del programa APOLLO). En 1963 fue galardonado con la primera Medalla nacional de ciencia de EE.UU.

Karnak Pueblo en el Alto Egipto, que ha dado su nombre a la mitad septentrional de las ruinas de TEBAS (c. 3200 AC), en la ribera oriental del Nilo. Entre sus muchos edificios religiosos se encontraba el más grande de los templos egipcios, el Templo de AMÓN. En sí un complejo de templos, ampliado y modificado muchas veces, refleja las fortunas fluctuantes del Imperio egip-

Afiche fílmico de *El hijo de Frankenstein* y *La novia de Frankenstein*, que protagonizó Boris Karloff junto a Bela Lugosi.
FOTOBANCO

cio. Hay al menos diez PILONES, separados por patios y salones. Su rasgo más sorprendente es la amplísima sala HIPÓSTILA construida por Ramsés I (s. XIV AC), con una superficie de 4.850 m² (52.000 pies²). Las losas de la techumbre del pasillo central descansaban sobre 14 enormes columnas de 24 m (78 pies) de altura, que daban origen a un TRIFORIO.

Karnataka *ant.* **Mysore** Estado (pob., est. 2001: 52.733.958 hab.) del sudoeste de India. Se ubica en las costas del mar de ARABIA y limita con los estados de GOA, MAHARASHTRA, ANDHRA PRADESH, TAMIL NADU y KERALA. Tiene una superficie de 191.791 km² (74.051 mi²); su capital es BANGALORE. Ocupa la zona meridional de la meseta del DECÁN y la región montañosa de los GHATES occidentales. La región fue gobernada por una serie de dinastías hindúes antes de pasar a control británico en 1831. Mysore volvió a tener un gobierno hindú en 1881, esta vez como principado. En 1973 pasó a llamarse Karnataka ("tierra elevada"). Cerca del 80% de la población trabaja en la agricultura. En la llanura costera se cultivan arroz y caña de azúcar; en la región montañosa, café y té. La mayoría de la población es de origen drávida y predomina la lengua KANNADA.

Károlyi, Mihály, conde (4 mar. 1875, Fót, Hungría, Austria-Hungría–20 mar. 1955, Vence, Francia). Estadista húngaro. Miembro de una de las familias más acaudaladas de la aristocracia húngara, ingresó al parlamento en 1910 e intentó promover ideas radicales en un estado conservador, abogando por el sufragio universal, las concesiones a los súbditos no magiares de Hungría y una política amistosa con otros estados además de Alemania. Después de la primera guerra mundial fue primer ministro en 1918–19 e intentó infructuosamente obtener un acuerdo de paz favorable con los aliados. Después de dos meses como presidente de la efímera república húngara, en 1919 renunció y fue reemplazado por BÉLA KUN. Abandonó el país, pero regresó a Hungría en 1946 y fue embajador en Francia (1947–49).

Kárpov, Anatoli (Ievguenievich) (n. 23 may. 1951, Zlatoust, U.R.S.S.). Gran maestro ruso de ajedrez. Su primera gran victoria la obtuvo al adjudicarse el Mundial Juvenil de 1969 para menores de 20 años. Fue declarado campeón mundial en 1975, cuando el campeón reinante, BOBBY FISCHER, y la Federación Internacional de Ajedrez (FIDE) no lograron ponerse de acuerdo sobre las condiciones del enfrentamiento entre ambos jugadores por el título. Kárpov defendió en numerosas oportunidades el título de la FIDE antes de perderlo, en 1985, a manos de GARRI KASPÁROV. No obstante, lo recuperó en 1993, cuando despojó a Kaspárov de su corona. En 1999, Kárpov se rehusó a defender su título, que quedó en manos del también ruso Alexander Jalifman.

Karsavina, Tamara (Platonovna) (9/10 mar. 1885, San Petersburgo, Rusia–26 may. 1978, Beaconsfield, Buckinghamshire, Inglaterra). Bailarina británica de origen ruso. Estudió en la Escuela de ballet del Teatro Imperial de San Petersburgo y se incorporó a la compañía del Teatro MARÍINSKI en 1902. Se unió a los BALLETS RUSOS al momento de su formación en 1909, y bailó junto con VASLAV NIJINSKI hasta 1913. Interpretó la mayoría de los papeles principales del repertorio neorromántico de MICHEL FOKINE, como *Las sílfides*, *Carnaval*, *El espectro de la rosa* y *El pájaro de fuego*. Se estableció en Londres, donde contribuyó a la formación de la Royal Academy of Dancing en 1920 y de la Camargo Society en 1930. Más tarde, preparó a MARGOT FONTEYN.

Karsh, Yousuf (23 dic. 1908, Mardin, Turquía–13 jul. 2002, Boston, Mass., EE.UU.). Fotógrafo canadiense de origen turco. En su calidad de armenio en Turquía, sufrió la persecución antes de emigrar a Canadá a los 16 años de edad, donde se reunió con su tío fotógrafo. Trabajó para un fotógrafo retratista en Boston, EE.UU. (1928–31), y luego regresó a Canadá y abrió muy pronto su propio estudio en Ottawa. En 1935 fue nombrado fotógrafo retratista oficial del gobierno canadiense. Su retrato de WINSTON CHURCHILL (1941) le dio fama internacional. "Karsh de Ottawa" siguió fotografiando a cientos de las personalidades más importantes del mundo, entre ellos la realeza, gobernantes, artistas y escritores, utilizando notables técnicas de iluminación para lograr retratos idealizados.

Karter *o* **Kartir** (c. siglo III DC, Irán). Sumo sacerdote persa del ZOROASTRISMO. Bajo la protección de una serie de reyes persas restableció la pureza del zoroastrismo e intentó depurar el reino de todas las demás religiones. Su rival principal fue el profeta MANI, fundador del MANIQUEÍSMO. Logró que fuera puesto en prisión, donde finalmente murió. Luego del fallecimiento de Karter, se restableció en Persia un cierto grado de tolerancia religiosa.

karting Deporte que consiste en conducir autos pequeños, con chasis mínimo y motor trasero, llamados *karts* o *gokarts*. Este deporte surgió en EE.UU. en la década de 1950, época en que se construyó el primer *kart*, con partes en desuso de cortadoras de césped. Más tarde se convirtió en un deporte internacional en Europa. Generalmente los *karts* alcanzan velocidades de 160 km/h (100 mi/h).

Kārūn, río Río del sudoeste de Irán. Afluente del SHATT AL-ARAB, nace en los montes Zagros y discurre a través de montañas a lo largo de 829 km (515 mi). El canal Ḥaffār, excavado en 986, cambió el curso del río, lo que dio origen a disputas fronterizas entre Irán y el Imperio otomano. Irán ganó

Represa en el río Kārūn, sudoeste de Irán.
DENNIS BRISKIN—TOM STACK & ASSOCIATES

los derechos sobre la vía fluvial en virtud de un tratado suscrito en 1847.

Kasai, río Río de África central. Es el principal afluente desde el sur del río CONGO, con una extensión de 2.153 km (1.138 mi) desde su fuente en Angola hasta su confluencia con el Congo. En los primeros 400 km (250 mi) fluye hacia el este y luego se desvía hacia al norte hasta formar la frontera entre Angola y la República Democrática del Congo (Zaire). No es navegable en el norte, pero el tráfico fluvial es intenso desde KINSHASA hasta Ilebo. Después de la confluencia del Kwango con el Kasai, el río toma el nombre de Kwa.

Kasanje Reino histórico de África asentado a orillas del río Kwango superior, en la actual Angola. Fundado en 1620 por un grupo proveniente de Lunda, sus habitantes fueron conocidos como imbangalas. A mediados del s. XVII tenía un comercio pujante con los estados del interior y con mercaderes portugueses. Su monopolio del comercio portugués-africano en el interior se mantuvo hasta 1850, cuando los OVIMBUNDU abrieron rutas y mercados alternativos. Ocupado por los portugueses, Kasanje fue anexado a la Angola portuguesa en 1910–11.

Kasavubu, Joseph (¿1910?, Tsehla, Congo Belga–24 mar. 1969, Boma, República del Congo). Primer presidente (1960–65) del Congo independiente (Kinshasa). Ocupó diversos cargos administrativos antes de aceptar ser presidente en el gobierno de PATRICE LUMUMBA. Cuando la provincia de Katanga bajo el régimen de MOÏSE TSHOMBÉ se separó pocos días después de la independencia, apoyó a Tshombé y, junto con el coronel J. Mobutu (ver MOBUTU SESE SEKO), expulsó a Lumumba. Cuatro años más tarde, la división entre él y Tshombé permitió a Mobutu asumir el control.

kashruth En el JUDAÍSMO, reglas que prohíben comer ciertos alimentos y que exigen que otros sean preparados de una forma específica. Estas reglas determinan qué alimentos pueden ser llamados *kosher* (genuino). El grueso de

Joseph Kasavubu.
AP/WIDE WORLD PHOTOS

la información concerniente al *kashruth* se encuentra en la Biblia hebrea, en los libros Levítico, Deuteronomio, Génesis y Éxodo. Los judíos que lo observan pueden comer únicamente pescados con escamas y aletas y animales rumiantes con las patas hendidas; en consecuencia, los mariscos y los cerdos están prohibidos. Los animales y aves deben ser sacrificados de acuerdo a un ritual y pronunciando una oración. La carne y los productos lácteos deben estar separados estrictamente;

no pueden ser consumidos en la misma comida o en el mismo juego de platos. El consumo de frutas y vegetales es irrestricto. Durante la PASCUA JUDÍA, el pan y otros productos horneados deben elaborarse sin levadura.

Kaskaskia, río Río del estado de Illinois, EE.UU. Nace cerca de Urbana y corre en dirección sudoeste hasta desembocar en el río MISSISSIPPI después de un curso de 515 km (320 mi). El poblado de Kaskaskia, ubicado cerca de la confluencia con el Mississippi, se encuentra cerca del lugar donde los misioneros JESUITAS fundaron un poblado en 1703. Kaskaskia fue capital del Territorio de Illinois (1809) y del estado (1818–20). En diversas oportunidades las inundaciones han provocado graves daños.

Kaspárov, Garri (n. 13 abr. 1963, Bakú, Azerbaiyán, U.R.S.S.). Gran maestro ruso de ajedrez. Alcanzó este título internacional al ganar, en 1980, el campeonato mundial juvenil (para menores de 20 años). En 1984–85 se enfrentó al campeón mundial ANATOLI KÁRPOV en un partido que quedó inconcluso tras cinco meses de juego. A fines de 1985, Kaspárov ganó por 13–11 un partido de revancha a 24 juegos. La Federación Internacional de Ajedrez (FIDE) lo despojó de la corona, en 1993, debido a un conflicto por el lugar donde se disputaría el título mundial, pero el resto del mundo del ajedrez siguió reconociéndolo como campeón. En 1996, Kaspárov derrotó a Deep Blue, una computadora ajedrecista especialmente diseñada por la IBM, en un desafío que acaparó la atención mundial. En la revancha, disputada en 1997, una versión mejorada de Deep Blue lo venció. En 2000, Kaspárov perdió el *match* a 16 partidos por el título mundial contra el ruso VLADÍMIR KRÁMNIK.

Katagum Emirato tradicional del norte de Nigeria. Bajo dominio británico, fue incorporado en 1903 a la provincia de Katagum. Su sede de gobierno, también llamada Katagum, se transfirió a Azare en 1916. El emirato pasó a formar parte del estado de Bauchi en 1926.

Kathiawar, península de Península del sudoeste del estado de GUJARAT, en el centro-oeste de India. Cubre una superficie de 60.000 km² (23.000 mi²), y el mar de Arabia la rodea por el sudoeste. Ha estado habitada desde tiempos prehistóricos; en los milenios III–II AC diversos pueblos harappa se asentaron en ella. Fue gobernada por grandes dinastías, siendo la primera, el Imperio MAURYA en el s. III AC. La región quedó bajo dominio musulmán en el s. XIII, y pasó a formar parte del Imperio MOGOL en el s. XVI. Muchos de sus pequeños principados quedaron bajo protección británica a partir de 1820. En 1960 pasó a formar parte del estado de Gujarat. En la península hay un parque nacional que conserva los últimos ejemplares de leones asiáticos en estado salvaje de India.

Katin, matanza de Masivo asesinato de oficiales militares polacos encabezado por la Unión Soviética en la segunda GUERRA MUNDIAL. Después del Pacto de NO AGRESIÓN GERMANO-SOVIÉTICO (1939) y la victoria alemana sobre Polonia, las fuerzas soviéticas ocuparon el este del país y recluyeron a miles de militares polacos. Después de la invasión alemana de la Unión Soviética (1941), el gobierno de Polonia en el exilio acordó cooperar con los soviéticos en contra de Alemania y el general polaco que estaba organizando el nuevo ejército pidió que los prisioneros polacos fueran puestos bajo su mando, pero el gobierno soviético le informó en diciembre de 1941 que la mayor parte de esos prisioneros habían escapado a Manchuria y no podían ser localizados. En 1943, los alemanes descubrieron fosas comunes en el bosque de Katin en el oeste de Rusia. Un total de 4.443 cadáveres fueron recuperados; las víctimas habían sido aparentemente baleadas por detrás y luego apiladas y enterradas. El gobierno soviético sostuvo que el ejército alemán invasor los había asesinado, pero rehusó acceder a la demanda polaca de que la Cruz Roja internacional investigara. En 1992, el gobierno ruso liberó documentos que demostraban que la policía secreta soviética era responsable de las ejecuciones y el encubrimiento.

Katmai, parque nacional y reserva Parque nacional en el sudoeste del estado de Alaska, EE.UU., en la punta de la península de ALASKA. Ocupa una superficie de 1.655.000 ha (4.090.000 acres) y fue declarado monumento nacional en 1918, después de la erupción del Novarupta en 1912. El lugar se convirtió en un páramo llamado Valley of Ten Thousand Smokes, tras la erupción; posteriormente, el cráter volcánico se transformó en lago. El parque tiene abundante vida silvestre, y es hábitat de osos pardos y grises.

Katmandú Ciudad (pob., est. 2000: 701.499 hab.), capital de Nepal. Situada cerca de la confluencia de los ríos Baghmati y

Campana Taleju y templo de Krishna Mandir, Katmandú.
STOCKXPERT

Vishnumati, a una altitud de 1.324 m (4.344 pies), fue fundada en 723. Su nombre alude a un templo (*kath*, "madera"; *mandir*, "templo") que, según se dice, se construyó en 1596 con la madera de un solo árbol. Desde 1768 es lugar de residencia de la familia gobernante Shah del pueblo gurka. Es el centro comercial y de negocios más importante de Nepal y en ella está ubicada la Universidad de Tribhuvan.

Katowice Ciudad (pob., est. 2000: 340.539 hab.) en el centro-sur de Polonia. Situada en medio de los yacimientos carboníferos de la Alta Silesia, fue fundada en 1598. Adquirió categoría de ciudad en 1865, cuando se inició la extracción de carbón en la zona. En 1922 pasó a formar parte de Polonia y desde entonces ha ido incorporando a las localidades adyacentes. Es un centro minero y de industria pesada, y un importante nudo ferroviario.

Katsina Ciudad (pob., 1991: 259.315 hab.) del norte de Nigeria. Fundada probablemente c. 1100, fue la capital del reino de Katsina, uno de los primeros estados HAUSA y antiguo centro cultural. Los emires fulani de la ciudad siguen ejerciendo funciones tradicionales y consultivas. Es un mercado para los productos agrícolas de la localidad y, asimismo, un centro de artesanía e industria tradicionales.

Katsura, villa imperial de Villa construida entre 1620 y 1624 en el extremo sur-oeste de Kioto, Japón. Fue un intento notable por integrar los estilos del período HEIAN con las innovaciones arquitectónicas impulsadas por el desarrollo de la ceremonia del TÉ. Los jardines, colmados de pequeños pabellones y cobertizos para el ritual del té, que ofrecen singulares vistas, están cruzados por senderos serpenteantes cuidadosamente planificados que se dirigen hacia las estructuras centrales. Los edificios principales, insertos en un paisaje creado para ellos, comprenden tres estructuras adosadas en el típico estilo SHOIN-ZUKURI.

"Autorretrato", pintura sobre tela de Angelika Kauffmann.
GENTILEZA DEL STAATLICHE MUSEEN PREUSSISCHER KULTURBESITZ GEMALDEGALERIE, BERLIN—ART RESOURCE

Kauffmann, (Maria Anna) Angelika (Catharina) (30 oct. 1741, Chur, Suiza–5 nov. 1807, Roma, Estados Pontificios). Pintora italiana de origen suizo. De niña comenzó a estudiar arte en Italia, demostrando gran precocidad. En 1766 su amigo JOSHUA REYNOLDS la llevó a Londres. Allí se hizo conocida por el trabajo decorativo realizado para arquitectos como ROBERT ADAM. Sus composiciones pastoriles incorporan delicadas y agraciadas representaciones de dioses y diosas. Aunque las pinturas que realizó son más bien ROCOCÓ, en tono y enfoque, sus figuras son neoclásicas (ver CLASICISMO Y NEOCLASICISMO). Los retratos de modelos femeninos destacan entre sus obras más notables. Después de contraer matrimonio con el pintor Antonio Zucchi (n. 1726–m. 1795), regresó a Italia en 1781.

Kaufman, George S(imon) (16 nov. 1889, Pittsburgh, Pa., EE.UU.–2 jun. 1961, Nueva York, N.Y.). Dramaturgo y director teatral estadounidense. Fue crítico de teatro del *The New York Times* (1917–30). Escribió numerosas obras en colaboración con otros escritores como MARC CONNELLY, Morrie Ryskind (n. 1895–m. 1985) y EDNA FERBER y fue conocido por el mordaz ingenio y talento de sus geniales sátiras. Sus obras más notables fueron coescritas con MOSS HART, como *Once in a Lifetime* (1930), *Vive como quieras* (1936, Premio Pulitzer) y *El hombre que vino a cenar* (1939).

Kaunas *ruso* **Kovno** Ciudad (pob., 2001: 378.943 hab.) en el sur de Lituania. Fundada en 1030 como fortaleza, quedó integrada a Rusia en 1795, luego de la tercera partición de POLONIA. Fue capital de la Lituania independiente (1920–40) y más tarde anexionada a la U.R.S.S. En la ciudad antigua se conservan muchos edificios históricos. Además de importante núcleo industrial, es un centro educacional y cultural que cuenta con institutos politécnicos, médicos y agrícolas.

Kenneth Kaunda.
CAMERA PRESS

Kaunda, Kenneth (David) (n. 28 abr. 1924, Lubwe, cerca de Chinsali, Rhodesia del Norte). Líder político y primer presidente (1961–91) de Zambia. Comenzó a destacarse en 1959–60 en el movimiento encaminado a impedir que Gran Bretaña estableciera una federación entre Rhodesia del Norte, Rhodesia del Sur y Nyasalandia. Como primer pdte. de Zambia independiente, contribuyó a impedir una guerra civil a fines de la década de 1960, pero acabó imponiendo un régimen unipartidista. A partir de la década de 1970, llevó a otras naciones de África del sur a hacer frente a los gobiernos de minoría blanca de Rhodesia y Sudáfrica. Incrementó la dependencia de Zambia de la exportación de cobre y de la ayuda externa, en desmedro de la agricultura, educación y servicios sociales, al tiempo que aumentó la pobreza y el desempleo. Varios intentos de golpe de Estado a principios de la década de 1980 fueron aplastados; en 1990 se vio obligado a legalizar los partidos de oposición, y en las elecciones de 1991 perdió la presidencia.

Kautsky, Karl (16 oct. 1854, Praga, Bohemia–17 oct. 1938, Amsterdam, Países Bajos). Líder y teórico marxista alemán. Fue autor del programa Erfurt, adoptado por el PARTIDO SOCIALDEMÓCRATA DE ALEMANIA (SPD) en 1891, que comprometió al partido con una forma evolutiva de marxismo que rechazó tanto el radicalismo de ROSA LUXEMBURGO como el socialismo evolutivo de EDUARD BERNSTEIN. Fundó la revista marxista *Neue Zeit* en 1883, la que editó en varias ciudades europeas hasta 1917, y escribió varios libros acerca de las doctrinas de Marx y sobre santo TOMÁS MORO. Se unió a los socialdemócratas independientes en su oposición a la primera guerra mundial.

kava Bebida no alcohólica, amarillo verdosa y algo amarga hecha de la raíz de un pimentero, especialmente *Piper methysticum*, en la mayoría de las islas del Pacífico sur. Se consume tradicionalmente en la ceremonia kava, que comprende la

preparación y libación rituales y un festín ceremonial. Se toma para aliviar el estrés y la ansiedad, y como euforizante.

Kavaratti, isla Isla perteneciente al archipiélago de las Laquedivas. Ubicada en el mar de Arabia, frente a la costa de Kerala en el sur de India; tiene una extensión de 5,6 km (3,5 mi) y una anchura máxima de 1,2 km (0,75 mi). Su única localidad, Kavaratti (pob., est. 2001: 10.113 hab.), es el centro administrativo del territorio asociado indio de LAKSHADWEEP, conocida por los recargados tallados que adornan los pilares y techumbres de sus mezquitas.

Kaveri, río Río del sur de India. Nace en el norte del estado de KERALA y fluye hacia el sudeste a lo largo de 764 km (475 mi) hasta desembocar en el golfo de BENGALA. En la frontera con KARNATAKA, forma la isla de Sivasamudram, donde a ambos lados se ubican los saltos del Kaveri, que caen a unos 97 m (320 pies) de altura. El río es la fuente de un extenso sistema de regadío. Es considerado uno de los ríos sagrados de India.

Kaw, río ver río KANSAS

Kawabata Yasunari (11 jun. 1899, Osaka, Japón–16 abr. 1972, Zushi). Novelista japonés. En sus escritos resuenan antiguas formas de la prosa japonesa, influenciadas por corrientes literarias francesas posteriores a la primera guerra mundial, como el DADAÍSMO y el EXPRESIONISMO. Su novela más conocida, *País de nieve* (1948), relata la historia de una geisha desamparada. Otras obras destacadas (publicadas en conjunto en 1952) son *Mil grullas* y *El clamor de la montaña*. La soledad y preocupación por la muerte, presente en varias de sus obras maduras, puede obedecer a que perdió casi todos sus parientes cercanos cuando era muy joven. En 1968 fue galardonado con el Premio Nobel de Literatura. Se suicidó poco después que su amigo MISHIMA YUKIO.

Kawasaki Ciudad portuaria (pob., est. 2000: 1.249.851 hab.) de Honshu, Japón. Está situada en la bahía de Tokio, entre TOKIO y YOKOHAMA. Fue casi completamente destruida durante la segunda guerra mundial y luego reconstruida. Es un importante centro industrial de fabricación de maquinaria y productos químicos, y posee grandes astilleros. En ella se encuentra un templo budista del s. XII.

Kawatake Mokuami *orig.* **Yoshimura Yoshisaburō** (1 mar. 1816, Edo, Japón– 22 ene. 1893, Tokio). Dra-

Templo Heigen dedicado a Kūkai, fundador de la secta budista Shingon, Kawasaki, Japón.
PHOTOS PACK

maturgo japonés. Aprendiz del dramaturgo de KABUKI Tsuruya Namboku V, en 1843 asumió como dramaturgo en jefe del teatro Kawarasaki. Fue reconocido por sus obras localistas, cuyos personajes eran aldeanos, y por sus piezas picarescas en las que retrataba las vidas de ladrones. Posterior a 1868 comenzó a escribir obras de gran precisión histórica y fue precursor en la producción de obras japonesas que retrataban la modernización y occidentalización de la sociedad nipona en los inicios del período MEIJI. Se retiró en 1881, pero continuó escribiendo espectáculos de danza. Entre su legado de más de 360 obras, la mitad de estas forma parte del repertorio actual del teatro kabuki.

Kay, Alan (n. 1940, Springfield, Mass., EE.UU.). Científico de informática estadounidense. Obtuvo un Ph.D. en la Universidad de Utah. En 1972 se unió al Centro de investigación de Palo Alto de Xerox y continuó trabajando en el primer lenguaje de PROGRAMACIÓN ORIENTADA A OBJETOS (*Smalltalk*) para aplicaciones educacionales. Contribuyó al desarrollo de la ETHERNET, la impresión láser y la arquitectura CLIENTE-SERVIDOR.

Dejó la compañía Xerox en 1983 y pasó a ser colaborador en Apple Computer en 1984. Su diseño de una INTERFAZ GRÁFICA DE USUARIO se incorporó en el Macintosh de Apple, y posteriormente en el sistema operativo Windows de Microsoft. Fue colaborador en Walt Disney Co. (1996–2001) y en Hewlett-Packard Co. (desde 2002).

Kay, John (16 jul. 1704 cerca de Bury, Lancashire, Inglaterra–¿1764?, Francia). Ingeniero y mecánico británico. En 1733 se le otorgó una patente por un "nuevo aparato o máquina para esparcir y tejer lana" que incorporó a su LANZADERA VOLANTE, un paso importante hacia la TEJEDURA automatizada. La invención de Kay aumentó tanto el consumo de hilo que a su vez impulsó la invención de las máquinas hiladoras rotatorias (como la HILADORA MECÁNICA y la HILADORA DE ALGODÓN), pero la verdadera importancia radicó en su adaptación a los TELARES mecánicos.

Kay, Ulysses (Simpson) (7 ene. 1917, Tucson, Ariz., EE.UU.–20 may. 1995, Englewood, N.J.). Compositor estadounidense. Sobrino del corneta de jazz KING OLIVER, fue un músico íntegro desde su infancia. Después de egresar de la Universidad de Arizona, estudió en la Eastman School y con el compositor PAUL HINDEMITH en Yale. Enseñó principalmente en la CUNY, Universidad de la ciudad de Nueva York, consagrándose como profesor distinguido. Su música, de estilo neoclásico pero caracterizada por su inspiración y calidez, recibió muchos premios; en su mayor parte orquestal o coral, comprende cinco óperas y varias partituras para cine y televisión.

Kaya o Karak *japonés* **Mimana** Liga tribal formada poco antes del s. III DC en el sur de la península de Corea y que perduró hasta el s. VI, cuando fue conquistada por el reino de SILLA. Se cree que su gente estaba estrechamente relacionada con los grupos que habían cruzado de Corea a Japón uno o dos siglos antes. La liga de Kaya a menudo consiguió el apoyo de Japón en sus conflictos con los vecinos reinos de Silla y PAEKCHE. El pueblo kaya inventó una singular cítara de 12 cuerdas, el *kayagum*.

kayak Tipo de CANOA provista de una cubierta en toda su longitud, excepto por una abertura a través de la cual se instala el remero. Tiene la popa y la proa en punta, y no posee quilla; el remero se sienta hacia adelante, tomando en sus manos un remo de dos palas, el que hunde alternativamente a cada lado. Por lo general, es construido para un ocupante (monoplaza), pero puede ser diseñado para dos o tres. Tradicionalmente los kayaks eran usados para pescar y cazar por los ESQUIMALES, quienes extendían pieles de foca o de otros animales en armazones de madera de deriva o

Competidor de kayak deportivo.
FOTOBANCO

zones de madera de deriva o de huesos de ballena y frotaban las pieles con grasa animal para impermeabilizarlas. El remero se protege con parte de estas pieles, apretándolas a su tronco para permitir que el kayak volviera a su posición, sin hacer agua, luego de haberse volcado. Los kayaks actuales, frecuentemente hechos de plástico o de fibra de vidrio moldeados, son muy usados en actividades recreativas.

Kaye, Danny *orig.* **David Daniel Kaminski** (18 ene. 1913, Nueva York, N.Y., EE.UU.–3 mar. 1987, Los Ángeles, Cal.). Actor y comediante estadounidense. Debutó a la edad de trece años en los centros vacacionales de la región de Catskills, N.Y. Posteriormente actuó en vodeviles y clubes nocturnos, donde desarrolló sus clásicas pantomimas, canciones disparatadas de humor ininterrumpido y sus bufonadas físicas. Arribó a Broad-

way y fue un éxito con *The Straw Hat Revue* (1939) y *Lady in the Dark* (1940), en la cual se robó la escena al interpretar a la legendaria GERTRUDE LAWRENCE. A su primera película *Rumbo al Oriente* (1944) le siguieron roles protagónicos en *La vida secreta de Walter Mitty* (1947), *El inspector general* (1949), *El fabuloso Andersen* (1952) y *Navidades blancas* (1954). También protagonizó en televisión *El show de Danny Kaye* (1963–67). Gran parte de su material de comedia fue escrito por su esposa, Sylvia Fine. Kaye obtuvo un premio de la Academia por su trayectoria en 1955. Su prolongado compromiso con la UNICEF comenzó en 1953 y recorrió miles de kilómetros (a menudo piloteando su propio avión) en obras de beneficencia para la organización. Obtuvo el premio humanitario Jean Hersholt en 1982 y fue nombrado miembro de la Legión de Honor francesa en 1986.

Kaysone Phomvihane (13 dic. 1920, Na Seng, Laos–21 nov. 1992, Vientiane). Revolucionario laosiano, primer ministro (1975–91) y presidente (1991–92). Hijo de madre laosiana y de padre vietnamita, conoció a HO CHI MINH cuando estudiaba derecho en Hanoi; luego regresó a Laos para convertirse en el líder del Pathet Lao, movimiento revolucionario antifrancés. En 1975, el Pathet Lao derrocó a la monarquía de Laos, de 600 años de antigüedad, y Kaysone se convirtió en primer ministro de la República Democrática Popular de Laos. Mantuvo al país en estrecha alianza con Vietnam y aislado de la influencia occidental hasta el fin de la guerra fría, cuando buscó por primera vez ayuda financiera de Francia y Japón. Como presidente, aminoró algunos controles gubernamentales y liberó a la mayoría de los prisioneros políticos.

KAZAJSTÁN

▸ **Superficie:** 2.724.900 km² (1.052.090 mi²)

▸ **Población:** 15.186.000 hab. (est. 2005)

▸ **Capital:** ASTANA

▸ **Moneda:** tenge

Kazajstán *ofic.* **República de Kazajstán** País de Asia central. Los kazakos, pueblo de lengua turca que constituye la población autóctona de la región, representan menos del 50% de los habitantes; los rusos representan la misma proporción y hay también pequeñas minorías de alemanes y ucranianos. Idiomas: kazako (oficial) y ruso. Religión: Islam (sunní). Desde las tierras desérticas y esteparias del centro-oeste de Kazajstán, el relieve se eleva hacia las altas montañas del sudeste a lo largo de la frontera con Kirguizistán y China. El punto más elevado es el pico Hantengri, de 6.995 m (22.949 pies) de altitud. El país tiene una agricultura desarrollada en forma intensiva, pero la mayor parte del territorio se destina al pastoreo, especialmente de ganado caprino y ovino. En la industria manufacturera se produce hierro fundido y acero laminado; también son importantes la minería y la extracción de petróleo. Es una república bicameral; el jefe de Estado y de Gobierno es el presidente, asistido por el primer ministro. La zona cayó bajo control de los mongoles en el s. XIII. Los kazakos consolidaron un imperio nómada en los s. XV–XVI. A mediados del s. XIX cayó bajo dominio ruso, y luego pasó a formar parte de la República Autónoma de los Kirguizes (denominación que se daba a los kazakos), instaurada por los soviéticos en 1920; en 1925 su nombre oficial fue República Socialista Soviética Autónoma de los Kazakos. El país obtuvo su independencia de la Unión Soviética en 1991, y después ha debido enfrentar diversos problemas económicos.

La nave Soyuz TMA-4 en el famoso cosmódromo de Baikonur, Kazajstán.
FOTOBANCO

Kazán Ciudad (pob., est. 2001: 1.090.200 hab.) y capital de la República de los Tártaros (Tatarstán), Rusia occidental. Situada en la confluencia de los ríos VOLGA y Kazanka, fue fundada en el s. XIII por los mongoles de la HORDA DE ORO. En el s. XV Kazán se convirtió en capital de un kanato independiente, y en 1552 IVÁN IV (el Terrible) capturó la ciudad y subyugó al kanato. La ciudad se incendió en el curso de una rebelión (1773–74), pero aumentó en importancia como centro comercial después de su reconstrucción; a inicios del s. XX era ya una de las principales ciudades manufactureras de Rusia.

Kazan, Elia *orig.* **Elia Kazanjoglous** (7 sep. 1909, Constantinopla, Imperio otomano–28 sep. 2003, Nueva York, N.Y.). Director de cine y teatro estadounidense. A la edad de cuatro años emigró a EE.UU. junto a su familia. Fue actor en el GROUP THEATRE (1932–39) y se estableció como un conocido director de Broadway con obras como *La piel de nuestros dientes* (1942), *Un tranvía llamado deseo* (1947; película, 1951), *La muerte de un viajante* (1949), *J.B.* (1958, premio Tony) y *Dulce pájaro de juventud* (1959). En 1947 cofundó el ACTOR'S STUDIO, y fue elogiado por su estilo naturalista en películas como *Lazos humanos* (1945), *La barrera invisible* (1947, premio de la Academia), *Nido de ratas* (1954, premio de la Academia) y *Al este del Edén* (1955). Aunque fue intensamente criticado por su colaboración con el Comité de Actividades Antinorteamericanas a comienzos de la década de 1950, recibió un premio de la Academia por su trayectoria en 1999.

Kazantzákis, Níkos (2 dic. 1885, Heraclio, Creta, Imperio otomano–26 oct. 1957, Friburgo de Brisgovia, República Federal de Alemania). Escritor griego. Estudió derecho y filosofía, viajó mucho y se instaló finalmente en la isla de Aegina, antes de la segunda guerra mundial. Es famoso por sus novelas, traducidas a muchos idiomas, entre las que se cuentan *Zorba el griego* (1946; película, 1964), *Cristo de nuevo crucificado* (1954) y *La última tentación de Cristo* (1955; película, 1988). Sus obras incluyen también ensayos, libros de viajes, tragedias y traducciones de clásicos como la *Divina Comedia* de DANTE y *Fausto* de JOHANN WOLFGANG VON GOETHE.

Kazembe Reino más grande y mejor organizado del Imperio lunda (ver estados LUBA-LUNDA) de África central. En el apogeo de su poderío (c. 1800), Kazembe ocupaba el territorio que hoy forma parte de la región de Shaba de la República Democrática del Congo y del norte de Zambia. Fundado c. 1740 por exploradores provenientes del oeste de Lunda, se fortaleció con la anexión de estados vecinos y se transformó en un importante centro del comercio entre el interior de África y los portugueses y árabes de la costa occidental. En 1850 se desató una guerra civil, y el reino fue destruido c. 1890.

Kazin, Alfred (5 jun. 1915, Brooklyn, N.Y., EE.UU.–5 jun. 1998, Nueva York, N.Y.). Crítico literario estadounidense. Su acabado estudio histórico de la literatura estadounidense moderna, *En tierra nativa* (1942), le granjeó una aceptación inmediata. Gran parte de sus críticas aparecieron en revistas y diarios como *Partisan Review*, *The New Republic* y *The New Yorker*. Sus libros incluyen *Starting Out in the Thirties* [Comenzando en los treinta] (1965), *New York Jew* [Judío de Nueva York] (1978), *A Writer's America* [La Norteamérica de un escritor] (1988) y *God and the American Writer* [Dios y el escritor norteamericano] (1997).

Kazvin ver QAZVIN

kea LORO (*Nestor notabilis*, subfamilia Nestorinae) grande y rechoncho de Nueva Zelanda. Vive en hábitats montañosos y es conocido por su carácter curioso y lúdico. Sin embargo, ocasionalmente, el kea desgarra los cadáveres de ovejas en busca de la grasa que rodea los riñones; a veces ataca ovejas vivas.

Kean, Edmund (¿17? mar. 1789, Londres, Inglaterra–15 may. 1833, Londres). Actor británico. En 1805 comenzó a actuar en una compañía teatral itinerante y en 1814 fue aclamado en Londres por su novedosa interpretación de Shylock en *El mercader de Venecia*. Perseveró con otros villanos de Shakespeare como Ricardo III, Yago y Macbeth. También se destacó por sus interpretaciones de Otelo, Hamlet y Barrabás en *El judío de Malta* de CHRISTOPHER MARLOWE. Aunque fue elogiado por sus apasionadas y sensacionales actuaciones, fue aborrecido por su inmanejable conducta fuera de escena, y estigmatizado por su excesiva ingesta de alcohol, junto con un escandaloso proceso por adulterio (1825). Su hijo Charles (n. 1811– m. 1868) fue un actor-empresario que obtuvo notoriedad por sus reestrenos de Shakespeare.

Kearny, Stephen Watts (30 ago. 1794, Newark, N.J., EE.UU.–31 oct. 1848, St. Louis, Mo.). Oficial de ejército estadounidense. Prestó servicios en la guerra ANGLO-ESTADOUNIDENSE y más adelante en la frontera del oeste. Al iniciarse la guerra MEXI-

Edmund Kean, detalle de un dibujo a lápiz de Samuel Cousins, 1814.
GENTILEZA DE LA NATIONAL PORTRAIT GALLERY, LONDRES

CANO-ESTADOUNIDENSE, recibió la orden de capturar Nuevo México y California. Usó la diplomacia para convencer a las tropas mexicanas de retirarse y se marchó sin oposición a Santa Fe, donde, en 1846, proclamó un gobierno civil para la provincia. Cuando se dirigía a California, supo que ROBERT F. STOCKTON y JOHN C. FRÉMONT ya la habían conquistado. Al llegar allá, descubrió que los rebeldes mexicanos habían recuperado casi toda la provincia. Unió sus fuerzas con las de Stockton y en 1847 derrotó a los rebeldes. A pesar de la oposición inicial de Frémont, quien había convencido a Stockton para que lo nombrara gobernador, pacificó el resto de California y estableció un gobierno civil estable. Luego fue enviado a México, donde murió de fiebre amarilla.

Keaton, Buster *orig.* **Joseph Francis Keaton IV** (4 oct. 1895, Piqua, Kan., EE.UU.–1 feb. 1966, Woodland Hills, Cal.). Actor y director de cine estadounidense. Actuó con sus padres en vodeviles (1899–1917), con quienes desarrolló su maestría para las caídas cómicas, el manejo sutil del ritmo y su inmutable expresión. Su debut en el cine fue en *Fatty, asesino* (1917) de Fatty Arbuckle, a la que siguieron diversos cortometrajes (1917– 19). Encabezó su propia compañía (1920–28), con la dirección y producción de películas mudas clásicas como *El navegante* (1924), *El moderno Sherlock Holmes* (1924), *El maquinista de la "general"* (1927) y *El héroe del río* (1928). Con la compañía MGM realizó *El cameraman* (1928), pero le fue negado el control artístico de sus películas y su carrera comenzó a declinar. Más tarde apareció en *El crepúsculo de los dioses* (1950) y *Candilejas* (1952). Desde fines de la década de 1940 sus comedias fueron paulatinamente reestrenadas y hoy es considerada una de las más grandes estrellas de la comedia muda.

Keaton, Diane *orig.* **Diane Hall** (n. 5 ene. 1946, Los Ángeles, Cal., EE.UU.). Actriz de cine estadounidense. Actuó en Broadway en *Hair* (1968) y con WOODY ALLEN en *Sueños de un seductor* (1969), papel que recreó en la versión cinematográfica de 1972. Desempeñó un rol secundario en *El padrino* (1972) y sus continuaciones, y protagonizó varias películas de Allen como *El dormilón* (1973), *Annie Hall* (1977, premio de la Academia), *Interiores* (1978) y *Manhattan* (1979). Entre sus otros largometrajes se cuentan *Buscando al Sr. Goodbar* (1977), *Reds* (1981), *Mrs. Soffel* (1984), *El club de las divorciadas* (1996) y *La otra hermana* (1999). En un principio fue conocida por sus extravagantes papeles cómicos, pero logró convertirse en una de las más respetadas actrices dramáticas de Hollywood.

John Keats, detalle de una pintura al óleo de Joseph Severn, 1821.
GENTILEZA DE LA NATIONAL PORTRAIT GALLERY, LONDRES

Keats, John (31 oct. 1795, Londres, Inglaterra–23 feb. 1821, Roma, Estados Pontificios). Poeta romántico inglés. Hijo del encargado de una caballeriza, Keats recibió poca instrucción formal. Trabajó como aprendiz y asistente de cirujano por varios años antes de dedicarse por entero a la poesía a la edad de 21 años. Su primer escrito maduro fue el soneto "Al examinar por primera vez la traducción de Homero hecha por Chapman" (1816). Su largo poema *Endimión* (1818) apareció junto con los primeros síntomas de la tuberculosis, que lo llevaría a la muerte a la edad de 25 años. En 1818 durante unos pocos meses de febril actividad produjo gran parte de sus mejores obras: varias odas magníficas (como "Oda a una urna griega", "Oda a un ruiseñor" y "Oda al otoño"), dos versiones inconclusas de la historia del titán Hiperión, y "La bella dama desdeñosa". La mayoría fueron publicadas en la paradigmática colección *Lamia, Isabella, la víspera de santa Inés y otros poemas* (1820). Caracterizadas por una fantasía vívida, un gran atractivo sensual y una añoranza de las glorias perdidas del mundo clásico, sus mejores obras se cuentan entre las más grandes de la tradición inglesa. Sus cartas son también de las mejores escritas por un poeta inglés.

Kediri Ciudad (pob., est. 1995: 253.760 hab.) del este de JAVA, Indonesia. Está situada en el valle del río Brantas, al sudoeste de SURABAYA. Entre los s. XI–XIII fue el corazón de un poderoso reino hindú, también llamado Kediri; a partir de 1830 fue su capital y sede oficial de la administración holandesa. La ciudad actual sirve de mercado a los productos agrícolas locales, entre ellos, azúcar, café y arroz.

Keeling, islas ver islas COCOS

Keen, William (Williams) (19 ene. 1837, Filadelfia, Pa., EE.UU.–7 jun. 1932, Filadelfia). Primer neurocirujano estadounidense. Obtuvo su título de médico en el Jefferson Medical College. Fue uno de los primeros en extraer con éxito un tumor cerebral (1888) y ayudó en la extirpación del maxilar superior izquierdo del presidente GROVER CLEVELAND (1893), invadido por un tumor maligno. Además de su trabajo en medicina y docencia, editó *Surgery: Its Principles and Practice* [Cirugía: sus principios y práctica] (8 vol., 1906–13).

Kegon Filosofía budista de origen chino introducida en Japón en el s. VIII. El nombre Kegon (que significa "adorno floral") es una traducción del *avatamsaka* sánscrito, tomado del texto principal de la escuela, el AVATAMSAKA-SUTRA, que trata del buda VAIROCANA. La escuela fue fundada en China con el nombre de Huayan a fines del s. VI y llegó a Japón c. 740. Enseñaba que todas las cosas vivas son interdependientes y que el universo es autogenerativo, con Vairocana como su centro. Aunque esta escuela ya no es una fe activa que enseña una doctrina particular, sigue a cargo del famoso monasterio del templo TODAI en Nara.

Keino, Kip *orig.* **Hezekiah Kipchoge Keino** (n. 17 ene. 1940, Nandi Hills, Kenia). Mediofondista keniano. Entrenaba corriendo largas distancias en las colinas de su país cuando se dedicaba al pastoreo de cabras. En los Juegos Olímpicos de 1968, realizados en Ciudad de México, ganó la medalla de plata en los 5.000 m y, en una de las más grandes sorpresas de las carreras de atletismo, obtuvo la medalla de oro en los 1.500 m al derrotar al estadounidense Jim Ryun. En los Juegos de 1972 ganó la medalla de plata en los 1.500 m y la de oro en los 3.000 m con obstáculos.

Keita, Modibo (4 jun. 1915, Bamako, Sudán Francés–16 may. 1977, Bamako, Malí). Primer presidente de Malí (1960–68). Contribuyó a obtener la independencia de su país (entonces llamado Sudán Francés) del dominio de Francia (1960). Como presidente, nacionalizó sectores clave de la economía y estableció estrechos vínculos con países comunistas. Durante una crisis económica ocurrida en 1967, lanzó una impopular revolución cultural de inspiración maoísta, y en 1968 fue derrocado y condenado a cadena perpetua.

Keitel, Harvey (n. 13 may. 1939/41, Brooklyn, N.Y., EE.UU.). Actor de cine estadounidense. Prestó servicio como infante de marina de EE.UU. y luego estudió en el Actors' Studio. Debutó en el cine con *Who's That Knocking at My Door?* (1968) bajo la dirección de MARTIN SCORSESE, con quien trabajó en otras películas. Es conocido por su dejo característico y su fuerza interpretativa. Encarnó roles secundarios y protagónicos en *Malas calles* (1973), *Taxi Driver* (1976), *Contratiempo* (1980), *Thelma y Louise* (1991), *Perros de la calle* (1991), *La lección de piano* (1993) y *El dragón rojo* (2002).

Keitel, Wilhelm (22 sep. 1882, Helmscherode, Alemania–16 oct. 1946, Nuremberg). Mariscal de campo alemán. Después de participar en la primera guerra mundial, ocupó cargos administrativos en 1918–33, tras lo cual se convirtió en ministro de guerra (1935) y jefe del alto mando de las fuerzas armadas alemanas (1938). Aunque fue uno de los más fieles lugartenientes de ADOLF HITLER, por lo general se lo consideraba un oficial débil y actuó principalmente como su lacayo. Firmó el acta de rendición militar de Alemania en 1945. Después de la guerra fue condenado en los juicios de NUREMBERG y ejecutado como criminal de guerra.

Kekulé von Stradonitz, (Friedrich) August *orig.* **(Friedrich) August Kekulé** (7 sep. 1829, Darmstadt, Hesse–13 jul. 1896, Bonn). Químico alemán que sentó las bases para la teoría estructural moderna de la química orgánica. Su preparación previa en arquitectura puede haberle ayudado a concebir sus teorías. En 1858 demostró que el CARBONO tenía VALENCIA cuatro y que sus átomos podían unirse entre sí para formar cadenas largas. Se dice que soñó en 1865 que una molécula de BENCENO era como una serpiente mordiendo su propia cola, conceptualizando de esa manera el anillo benceno de

Helen Keller.
GENTILEZA DE LA AMERICAN FOUNDATION FOR THE BLIND, EE.UU.

seis átomos de carbono; como consecuencia, los conocimientos aislados sobre química orgánica acumulados hasta ese momento adquirieron un ordenamiento lógico. También hizo un trabajo valioso sobre compuestos de mercurio, ácidos no saturados y tioácidos, y escribió un libro de texto en cuatro volúmenes.

Keller, Helen (Adams) (27 jun. 1880, Tuscumbia, Ala., EE.UU.–1 jun. 1968, Westport, Conn.). Autora y educadora estadounidense. A causa de una enfermedad perdió la vista y la audición a la edad de 19 meses, y posteriormente, también el habla. Cinco años después empezó a recibir instrucción de Anne Sullivan (n. 1866–m. 1936), quien le enseñó el lenguaje de los sordomudos por el tacto. Con el tiempo, Keller aprendió a leer y escribir en sistema BRAILLE. Escribió numerosos libros, entre ellos, *Historia de mi vida* (1902). Su infancia fue representada en la obra de William Gibson titulada *El milagro de Anne Sullivan* (1959; película 1962).

Kellogg, Frank B(illings) (22 dic. 1856, Potsdam, N.Y., EE.UU.–21 dic. 1937, St. Paul, Minn.). Abogado y diplomático estadounidense. Representó al gobierno de EE.UU. en juicios antimonopolio antes de desempeñarse en el Senado (1917–23) y como embajador en Gran Bretaña (1923–25). Nombrado secretario de Estado (1925–29) por el pdte. CALVIN COOLIDGE, negoció el multinacional pacto KELLOGG-BRIAND, por el cual recibió el Premio Nobel de la Paz en 1929. Más tarde ocupó un cargo en la Corte Permanente de Justicia Internacional (1930–35).

Kellogg, John Harvey y W(ill) K(eith) (26 feb. 1852, Tyrone, Mich., EE.UU.–14 dic. 1943, Battle Creek) (7 abr. 1860, Battle Creek–6 oct. 1951, Battle Creek). Fabricantes estadounidenses de cereales para el desayuno. John era un médico vegetariano, que en 1876 ayudó a fundar el sanatorio de los Adventistas del Séptimo Día en Battle Creek. Ahí desarrolló diversos productos a base de nueces y alimentos vegetales, como un CEREAL en copos hecho de trigo, para alimentar a los pacientes. El hermano menor de John, Will Keith, fundó la W.K. Kellogg Co. en 1906 para elaborar cereales secos para desayuno, siendo los copos de maíz su único producto en los primeros años. La compañía pronto se convirtió en el principal productor estadounidense de cereales y de otros alimentos instantáneos; en la actualidad sus ventas anuales exceden los nueve mil millones de dólares. La Fundación W.K. Kellogg es una de las más grandes instituciones filantrópicas de EE.UU.

Kellogg-Briand, pacto *o* **pacto de París** (1928) Acuerdo internacional que tenía como objetivo la renuncia a la guerra como instrumento de política exterior. Fue concebido por el ministro francés ARISTIDE BRIAND, quien esperaba incorporar a EE.UU. en un sistema de alianzas defensivas para protegerse de la agresión de una Alemania que resurgía. El secretario de estado de EE.UU., FRANK B. KELLOGG, propuso un tratado multilateral general y los franceses estuvieron de acuerdo. La mayoría de los estados firmaron el tratado, pero la carencia de la facultad para hacer cumplir sus disposiciones y las excepciones a sus compromisos pacifistas lo hicieron inútil. Ver también pacto de LOCARNO.

Kells, libro de Copia de los cuatro Evangelios en forma de MANUSCRITO ILUMINADO realizado c. fines del s. VIII y principios del s. IX. Constituye una obra maestra del elaborado estilo HIBERNO-SAJÓN, con diseños geométricos (en lugar de representaciones naturalistas), áreas planas de color y complejos patrones entrelazados. Es probable que la iluminación se haya iniciado en el monasterio irlandés de la isla escocesa de Iona. Según parece, el libro fue llevado al monasterio de Kells en el condado de

San Mateo del libro de Kells, detalle.
FOTOBANCO

Meath, Irlanda, luego de una invasión vikinga, y puede haber sido terminado allí. Ver también evangelios de LINDISFARNE.

Kelly, Ellsworth (n. 31 may. 1923, Newburgh, N.Y., EE.UU.). Pintor y escultor estadounidense. En 1948, una beca del ejército de EE.UU. le permitió viajar a París, donde tomó contacto con diversas tendencias de vanguardia. En 1949 ya había realizado su primera pintura totalmente abstracta, y continuaría creando obras en este estilo a lo largo de toda su carrera. Kelly volvió a mudarse a EE.UU. en 1954. A fines de la década se había convertido en exponente líder de la pintura *hard-edge*, en la cual los contornos abstractos y las grandes áreas de color opaco se definen con trazos precisos. Influenciado por las abstracciones biomorfas de JEAN ARP y los recortes de papel de HENRI MATISSE, utilizó las depuradas líneas geométricas de sus pinturas en esculturas hechas de láminas de metal recortadas y pintadas. Kelly refinó su búsqueda de un estilo puro hasta fines del s. XX y con el tiempo se dedicó también al grabado y a la escultura pública a gran escala.

Kelly, Gene *orig.* **Eugene Curran Kelly** (23 ago. 1912, Pittsburgh, Pa., EE.UU.–2 feb. 1996, Beverly Hills, Cal.). Bailarín, coreógrafo, actor y director de cine estadounidense. Después de estudiar en la escuela de danza de su madre en Pittsburgh, se trasladó a Nueva York en 1938 y bailó en musicales de Broadway. En 1940 interpretó el papel principal de *Pal Joey*. A partir de 1942, el estilo atlético y alegre propio de sus actuaciones –demostrado en las populares *Levando anclas* (1945), *Un día en Nueva York* (1949), *Un americano en París* (1951) y *Cantando bajo la lluvia* (1952), donde contribuyó también en la coreografía y la dirección– se convirtió en el sello característico de los musicales. Sus éxitos lo hicieron acreedor de un premio especial de la Academia en 1951. Más tarde compuso coreografías y dirigió numerosas películas, y creó un ballet para la Ópera de París (1960).

Kelly, Grace *post.* **princesa Grace de Mónaco** (12 nov. 1929, Filadelfia, Pa., EE.UU.–14 sep. 1982, Montecarlo, Mónaco). Actriz de cine estadounidense. Estudió actuación y en 1949 debutó en Broadway. Su incursión cinematográfica comenzó con *Fourteen Hours* (1951) y obtuvo los elogios de la crítica y el público por sus posteriores actuaciones en *Solo ante el peligro* (1952), *Mogambo* (1953) y *Angustia de vivir* (1954, premio de la Academia). ALFRED HITCHCOCK percibió su "elegancia sensual" y la incorporó en tres de sus películas, *Crimen perfecto* (1954), *La ventana indiscreta* (1954) y *Atrapa a un ladrón* (1955). Su última película antes de casarse con el príncipe Rainiero III de Mónaco fue *Alta sociedad* (1956). Falleció en un accidente automovilístico en un camino sinuoso de la Costa Azul.

Kelly, Walt(er Crawford) (25 ago. 1913, Filadelfia, Pa., EE.UU.–18 oct. 1973, Los Ángeles, Cal.). Caricaturista estadounidense. A partir de 1935 realizó dibujos de animación para Walt Disney Productions. En la década de 1940 trabajó como artista comercial en Nueva York. Su personaje más conocido, la zarigüeya Pogo, apareció por primera vez en una revista de tiras cómicas c. 1943. En 1948, *Pogo* comenzó a ser publicado como tira cómica diaria en el *New York Star*, y muy pronto estuvo en muchos otros periódicos. Dibujado con destreza y con un texto ingenioso y culto, Pogo y sus simpáticos amigos animales, que habitaban en el pantano de Okefenokee, eran personajes que Kelly solía utilizar para satirizar a figuras políticas importantes.

Kelvin (of Largs), William Thomson, barón *llamado* **lord Kelvin** (26 jun. 1824, Belfast, County Antrim, Irlanda–17 dic. 1907, Netherhall, Ayrshire, Escocia). Físico británico. Ingresó a la Universidad de Glasgow a la edad de diez años. Antes de los 17 había publicado dos artículos científicos y se graduó en la Universidad de Cambridge a los 21. Al año siguiente fue designado en la cátedra de filosofía natural de la Universidad de Glasgow, la que conservó hasta su retiro en 1899. Contribuyó a desarrollar la segunda ley de la TERMODINÁMICA y en 1848 inventó la escala de temperatura absoluta, que recibió su nombre (ver CERO ABSOLUTO). Fue el principal asesor para el tendido del primer cable telegráfico a través del Atlántico (1857–58). Su patente de un galvanómetro de imán móvil y el sifón registrador (1858) le trajo gran fortuna. Su trabajo en electricidad y magnetismo condujo finalmente a la teoría del electromagnetismo de JAMES MAXWELL. También contribuyó a la determinación de la edad de la Tierra y al estudio de la hidrodinámica. Su título nobiliario le fue conferido en 1892. Publicó más de 600 artículos científicos y recibió decenas de grados honoríficos.

Kemal, Yasar *orig.* **Kemal Sadik Gogçeli** (n. 1922, Hemite, Turquía). Novelista turco de origen KURDO. A los cinco años de edad presenció el asesinato de su padre en una mezquita y en el mismo incidente perdió un ojo. Fue detenido en varias ocasiones por su activismo político. Es conocido principalmente por las historias en que retrata la vida aldeana y por su franca defensa en favor de los desposeídos. Su novela *El halcón* fue traducida a 20 idiomas y filmada en 1984. Entre sus otras obras se cuentan *The Wind from the Plain* [El viento de la llanura] (1960), *The Undying Grass* [La hierba perpetua] (1968) y *Si aplastaran la serpiente* (1976).

Kemeny, John George (31 may. 1926, Budapest, Hungría–26 dic. 1992, Hanover, N.H., EE.UU.). Matemático y científico en informática estadounidense de origen húngaro. Emigró a EE.UU. con su familia a los 14 años de edad. Dejó sus estudios de pregrado en la Universidad de Princeton por un año para trabajar en el proyecto MANHATTAN y posteriormente fue asistente de investigación de ALBERT EINSTEIN. Recibió un Ph.D. en 1949 y se unió al cuerpo docente del Dartmouth College en 1953, donde trabajó para desarrollar el departamento de matemática. A mediados de la década de 1960, junto a Thomas E. Kurtz (n. 1928), desarrolló el lenguaje de programación de computadoras BASIC. Fue pionero en la promoción de la "new math" y el uso de la computadora en la educación. Prestó sus servicios como presidente de Dartmouth College (1970–81).

Kempe, Margery (c. 1373–c. 1440). Mística inglesa. Tuvo 14 hijos antes de comenzar en 1414 una serie de peregrinajes a Jerusalén, Roma, Alemania y España. Aparentemente analfabeta, Kempe dictó su autobiografía, *Book of Margery Kempe*, en la cual describe sus viajes y sus éxtasis religiosos en un estilo sin pretensiones (c. 1432–36). El libro constituye una de las primeras autobiografías de la literatura inglesa.

kendo Arte marcial de origen japonés, similar a la esgrima en que los combatientes se baten con sables de bambú. Derivado de los métodos de combate de los antiguos SAMURAIS, surgió en el s. XVIII. Los contrincantes llevan trajes protectores tradicionales y el sable (*shinai*) se sostiene con ambas manos. Se conceden puntos por golpes dados en distintas partes de la zona superior del cuerpo. Gana el combatiente que obtiene primero dos puntos.

Kendrew, Sir John Cowdery (24 mar. 1917, Oxford, Oxfordshire, Inglaterra–23 ago. 1997, Cambridge, Cambridgeshire). Bioquímico británico. Obtuvo un Ph.D. en la Universidad de Cambridge y como miembro de ella (1947–75) se dedicó a estudiar la estructura de las proteínas. Determinó la estructura de la mioglobina, proteína muscular, que almacena oxígeno para ser usada por los músculos. Mediante el uso de técnicas de difracción de rayos X y computadoras, diseñó un modelo tridimensional de la disposición de las unidades de aminoácidos en la molécula de mioglobina, logro por el cual en 1962 compartió el Premio Nobel con MAX FERDINAND PERUTZ.

KENIA

▶ **Superficie:** 582.646 km² (224.961 mi²)

▶ **Población:** 33.830.000 hab. (est. 2005)

▶ **Capital:** NAIROBI

▶ **Moneda:** chelín keniano

Kenia *o* **Kenya** *ofic.* **República de Kenia** País de África oriental. Limita con Etiopía, Sudán, Somalia, el océano Índico, Tanzania y Uganda. La población comprende entre 30 y 40 grupos étnicos, entre ellos los KIKUYU, luhya, luo, kamba, kalenjin y MASAI, además de un pequeño grupo de descendientes de colonos europeos. Idiomas: swahili, inglés (ambos oficiales), kikuyu y masai, entre otros. Religiones: cristianismo, religiones tradicionales, Islam e hinduismo. El país puede dividirse en cinco regiones: la cuenca del lago VICTORIA, en el extremo sudoccidental; la gran meseta de Kenia oriental; la franja costera a lo largo del océano Índico, de 400 km (250 mi); las tierras altas del escarpe de Mau al oeste del valle del RIFT, en Kenia occidental; y las tierras altas y las montañas Aberdare, entre ellas el monte KENIA al este del valle del Rift. El país se destaca por su fauna salvaje, compuesta, entre otras especies, por leones, leopardos, elefantes, búfalos, rinocerontes, cebras, hipopótamos y cocodrilos. Sólo una pequeña fracción del territorio es cultivable, y menos del 10% se dedica al pastoreo de ovejas, cabras y ganado vacuno. La agricultura ocupa 80% de la mano de obra, y el té y café son los principales productos de exportación. Kenia es una república unicameral; el jefe de Estado y de Gobierno es el presidente. La región costera estuvo dominada por los árabes hasta el s. XVI, época en que fue conquistada por los portugueses. El pueblo masai fue preponderante en el norte y se trasladó hacia la región central del país en el s. XVIII, en tanto que los kikuyu se expandieron desde su región de origen, en el centro-sur del territorio. El interior fue explorado por misioneros europeos en el s. XIX. Después de que los británicos tomaran el control, pasó a ser uno de sus protectorados (1890) y luego una colonia de la corona (1920). En la década de 1950, los MAU MAU se rebelaron contra el colonialismo europeo. En 1963, Kenia logró la independencia total, y un año después fue elegido un gobierno republicano encabezado por JOMO KENYATTA. En 1992, el presidente DANIEL ARAP MOI permitió la realización de las primeras elecciones pluripartidistas en 30 años, pero estas se vieron empañadas por la violencia y el fraude.

Vista del parque nacional Lago Nakuru, en las tierras altas del oeste de Kenia.

Kenia, monte *swahili* **Kirinyaga** Volcán extinto de Kenia central. Próximo a la línea ecuatorial y con una altura de 5.199 m (17.058 pies) es el monte más alto de Kenia. Johann Ludwig Krapf fue el primer europeo que lo avistó (1849). El parque nacional del monte Kenia, de 718 km² (277 mi²), contiene una variedad de animales de gran tamaño, entre ellos, elefantes y búfalos. Al pie del sector noroeste de la montaña se encuentra el poblado de Nanyuki, que es la base principal para los ascensos.

Kennan, George F(rost) (16 feb. 1904, Milwaukee, Wis., EE.UU.–17 mar. 2005 Princeton, N.J.). Diplomático e historiador estadounidense. Tras graduarse de la Universidad de Princeton en 1925, entró al servicio exterior estadounidense, estudió el ruso y su cultura en la Universidad de Berlín (1929–31), y fue destinado a la embajada de EE.UU. en Moscú (1933–35). Se desempeñó en Viena, Praga, Berlín y Lisboa, y volvió a Moscú durante y después de la segunda guerra mundial. Su concepto de la CONTENCIÓN apareció en un artículo de mucha influencia, firmado "X", que publicó en la revista *Foreign Affairs* en julio de 1947. Puso en duda la prudencia de la política conciliadora de EE.UU. frente a la Unión Soviética, que veía como apaciguamiento, y abogó por la contrapresión estadounidense dondequiera que los soviéticos amenazaran expandirse; este punto de vista constituyó la base de la política de EE.UU. hacia la Unión Soviética durante las primeras décadas de la GUERRA FRÍA. Luego de un corto lapso como asesor del Departamento de Estado, se incorporó al Instituto de Estudios Avanzados de Princeton, en calidad de profesor de estudios históricos (1956–74); su cátedra se vio interrumpida por un período como embajador de EE.UU. en Yugoslavia (1961–63). Ganó simultáneamente el Premio Pulitzer y el *National Book Award* por sus libros *Russia Leaves the War* [Rusia abandona la guerra] (1956) y *Memoirs, 1925–50* (1967).

Kennebec, río Río en el centro-oeste del estado de Maine, EE.UU. Nace en el lago Moosehead y corre hacia el sur por aprox. 240 km (150 mi) en dirección al océano Atlántico. SAMUEL DE CHAMPLAIN lo exploró en 1604–05. Junto a su tributario principal, el río Androscoggin, forma la bahía Merrymeeting, y se extiende por 26 km (16 mi) más hasta desembocar en el océano Atlántico.

Kennedy Center for the Performing Arts Gran complejo cultural diseñado por EDWARD DURELL STONE en Washington, D.C. (inaugurado en 1971). El conjunto integrado por seis escenarios está revestido de mármol, cuyo elemento característico son las pantallas ornamentadas por las cuales el arquitecto se hizo conocido. Se accede a los tres teatros principales por el Grand Foyer, el cual enfrenta al río Potomac. El Concert Hall, el auditórium más grande, fue designado monumento nacional; su acústica es considerada excepcional, y son muy admirados su cielo repujado y los candelabros de cristal.

Kennedy, Edward M(oore) *llamado* **Ted Kennedy** (n. 22 feb. 1932, Brookline, Mass., EE.UU.). Senador estadounidense. Hijo menor de JOSEPH P. KENNEDY y hermano de JOHN F. KENNEDY y ROBERT F. KENNEDY. Egresó de la Universidad de Harvard en 1956 y en 1959 recibió el título de abogado de la Universidad de Virginia. En 1962 fue elegido senador y ocupó el escaño de su hermano John, quien asumió como presidente en 1960. En 1969 fue elegido coordinador de la mayoría demócrata y se lo consideraba el favorito para el nombramiento como candidato demócrata a la presidencia en 1972 . En 1969 sufrió un accidente de tránsito en la isla Chappaquiddick, cerca de Martha's Vineyard, Mass., donde se ahogó la pasajera que iba en el automóvil. Fue declarado culpable de haber abandonado el lugar del accidente. Aun cuando fue reelegido senador ese año, en 1972 decidió no presentarse como candidato a la presidencia. En 1976 ganó la elección senatorial por un tercer período completo y volvió a ser un serio aspirante a la candidatura presidencial demócrata de 1980, pero se retiró durante la convención. En los años siguientes sus perspectivas se vieron opacadas por el recuerdo del incidente de Chappaquiddick y por su vida personal descuidada y poco convencional. En las décadas de 1980–90 siguió representando a Massachusetts en el Senado, donde se mostró como un vocero enérgico de las causas liberales, como los derechos civiles, la protección de los consumidores y el seguro nacional de salud.

Kennedy, John F(itzgerald) (29 may. 1917, Brookline, Mass., EE.UU.–22 nov. 1963, Dallas, Texas). Trigésimo quinto presidente de EE.UU. (1961–63). Hijo de JOSEPH P. KENNEDY, egresó de la Universidad de Harvard en 1940 y entró a la marina al año siguiente. Fue comandante de una patrullera torpedera (PT) en la segunda guerra mundial y recibió una herida grave durante el ataque de un destructor japonés; más adelante recibió una condecoración por heroísmo. Se incorporó a la Cámara de Representantes en 1946 y al Senado en 1952; apoyó las leyes de bienestar social y se comprometió cada vez más con los derechos civiles; en asuntos exteriores respaldó las políticas de la GUERRA FRÍA del gobierno de Truman. En 1960 ganó la candidatura presidencial demócrata superando a LYNDON B. JOHNSON, quien se convirtió en su compañero de fórmula. En su discurso de aceptación, declaró: "Estamos al borde de una Nueva Frontera"; en adelante, las palabras "Nueva Frontera" quedaron relacionadas con sus programas. Después de una campaña enérgica, dirigida por su hermano ROBERT F. KENNEDY y con el apoyo financiero de su padre, derrotó por un estrecho margen al candidato republicano, RICHARD NIXON. Fue el presidente más joven de la historia del país y el primero de religión católica.

John F. Kennedy.
FOTOBANCO

En su discurso de apertura apeló a los estadounidenses con una frase famosa: "No preguntes qué puede hacer tu país por ti, pregunta qué puedes hacer tú por tu país". Su programa legislativo, con fuertes reducciones de los impuestos sobre la renta y medidas radicales a favor de los derechos civiles, recibió escaso apoyo del congreso, aunque logró la aprobación del CUERPO DE PAZ y de la ALIANZA PARA EL PROGRESO. En 1961 comprometió a EE.UU. a llevar un hombre a la Luna a fines de la década. En asuntos exteriores aprobó un plan preparado durante el gobierno de Eisenhower, dirigido a invadir Cuba con una fuerza compuesta de exiliados cubanos, pero la invasión de bahía de COCHINOS (1961) fue un fracaso. Resuelto a combatir la expansión del comunismo en Asia, envió asesores militares y asistencia de diversos tipos a Vietnam del Sur. Durante la crisis de los MISILES (1962) impuso un bloqueo naval a Cuba y exigió que la Unión Soviética retirara de la isla sus misiles nucleares. En 1963 llevó a feliz término el TRATADO DE PROHIBICIÓN COMPLETA DE LOS ENSAYOS NUCLEARES con el Reino Unido y la Unión Soviética. En noviembre de 1963, mientras recorría la ciudad de Dallas en una caravana de automóviles, un francotirador, supuestamente LEE HARVEY OSWALD, lo asesinó. Este crimen es considerado por los estadounidenses como el asesinato político de más triste fama del s. XX. La juventud de Kennedy, su energía y su encantadora familia atrajeron la atención mundial y suscitaron el idealismo de toda una generación, la que apodó a la Casa Blanca de Kennedy como "Camelot". En años posteriores, las revelaciones acerca de su poderosa familia y de su vida personal, en especial sus amoríos extramaritales, opacaron su imagen. Ver también JACKIE KENNEDY ONASSIS.

Kennedy, Joseph P(atrick) (6 sep. 1888, Boston, Mass., EE.UU.–18 nov. 1969, Hyannis Port, Mass.). Hombre de negocios y financista estadounidense. Egresó de la Universidad de Harvard en 1912. A los 25 años de edad era presidente de un banco y a los 30, millonario. Fue armador, magnate cinematográfico y gran contribuyente del Partido Demócrata. Durante la década de 1920 acumuló una gran fortuna con especulaciones en la bolsa de valores; se dice que también hizo contrabando de licores durante la PROHIBICIÓN. Más adelante, en calidad de presidente de la Comisión de valores y cambios (1934–35), proscribió las prácticas especulativas, como las transacciones basadas en información interna y la manipulación de acciones, que lo enriquecieron. Fue el primer estadounidense de origen irlandés que se desempeñó como embajador en Gran Bretaña (1937–40). Junto con su mujer, Rose, estimuló la competitividad académica y atlética entre sus hijos y esperaba que los varones de la familia, JOHN F. KENNEDY, ROBERT F. KENNEDY y EDWARD KENNEDY siguieran carreras de servicio público. El papel que tuvo en el ajustado triunfo de John Kennedy frente a RICHARD NIXON en la elección presidencial de 1960 ha sido motivo de controversia por largo tiempo.

Kennedy, Robert F(rancis) (20 nov. 1925, Brookline, Mass., EE.UU.–6 jun. 1968, Los Ángeles, Cal.). Político estadounidense. Hijo de JOSEPH P. KENNEDY, interrumpió sus estudios en la Universidad de Harvard para servir en la segunda guerra mundial; egresó de Harvard en 1948 y en 1951 recibió el título de abogado de la Universidad de Virginia. En 1952 dirigió la campaña senatorial de su hermano JOHN F. KENNEDY. En 1957 fue abogado jefe del comité del Senado que investigaba la intimidación y extorsión en el campo laboral; renunció al cargo en 1960 para dirigir la campaña presidencial de su hermano. Como fiscal general (ministro de justicia) (1961–64), dirigió una campaña contra el crimen organizado que condujo al enjuiciamiento del dirigente laboral Jimmy Hoffa. En 1964 fue elegido senador por Nueva York. Se convirtió en portavoz de los demócratas liberales y crítico de la política de LYNDON B. JOHNSON en Vietnam. En 1968, en Los Ángeles, fue asesinado en medio de su campaña por la candidatura presidencial demócrata, por Sirhan Sirhan, inmigrante palestino.

Kennedy, William (n. 16 ene. 1928, Albany, N.Y., EE.UU.). Novelista y periodista estadounidense. Ejerció el periodismo en Nueva York y Puerto Rico antes de retornar, en 1963, a su pueblo natal, Albany, N.Y., al cual consideraba su fuente de inspiración literaria. Sus novelas, ambientadas en Albany, integran elementos de la historia local y de lo sobrenatural, como *El camión de la tinta* (1969), *Legs Diamond* (1975), *La jugada más grande* (1978) y *Tallo de hierro* (1983, Premio Pulitzer; película, 1987).

Kenneth I *o* **Kenneth MacAlpin** (m. circa 858, Forteviot, Escocia). Primer rey de Escocia. Unificó a los escoceses de Dalriada y a los PICTOS; heredó (¿834?) el reino escocés de Dalriada de su padre, Alpin, quien, según se cree, fue asesinado por los pictos. También se apoderó de Pictavia y a partir de 843 los dos reinos se anexaron gradualmente, lo que representó un paso importante en la constitución de una ESCOCIA unificada. Este proceso probablemente se llevó a cabo tanto por matrimonio como por conquista.

Kent Condado administrativo (pob., 2001: 1.329.653 hab.), geográfico e histórico en el sudeste de Inglaterra, situado a orillas del canal de la MANCHA. Los romanos dominaron esta zona a partir de 43 DC, y CANTERBURY era su centro administrativo. En el s. V fue invadido por jutos y sajones y se convirtió en uno de los reinos de la Gran Bretaña anglosajona. El rey de Kent acogió la misión cristiana de san AGUSTÍN en 597. Santo TOMÁS BECKET fue asesinado en la catedral de Canterbury en 1170. En este condado largamente conocido como "el jardín de Inglaterra", se cultivan productos como manzanas, cerezas, cebada y trigo.

Kent, James (31 jul. 1763, Fredericksburgh, cond. de Putnam, N.Y.–12 dic. 1847, Nueva York, N.Y., EE.UU.). Jurista estadounidense que ayudó a conformar el COMMON LAW en EE.UU. Abogado en Poughkeepsie, N.Y., a contar de 1785, y legislador del estado de Nueva York a contar de 1790, enseñó derecho en la Universidad de Columbia (1793–98, 1823–26) y más tarde se desempeñó como presidente de la Corte Suprema del estado de Nueva York (1804–14) y *chancellor* del tribunal de cancillería (1814–23), en esa época, la más alta autoridad judicial del estado. Se dice que hizo efectiva por primera vez la JURISPRUDENCIA de equidad en EE.UU. Sus *Commentaries on American Law* [Comentarios acerca del derecho estadounidense] (1826–30) tuvieron influencia tanto en EE.UU. como en Inglaterra.

Kent, Rockwell (21 jun. 1882, Tarrytown Heights, N.Y., EE.UU.–13 mar. 1971, Plattsburgh, N.Y.). Pintor e ilustrador estadounidense. Estudió arquitectura en la Universidad de Columbia, pero más tarde prefirió estudiar pintura con WILLIAM MERRITT CHASE y ROBERT HENRI. Trabajó como dibujante arquitectónico, pescador de langostas y carpintero de barcos en Maine. Luego viajó por Tierra del Fuego, Alaska, Terranova y Groenlandia, recopilando material para

"The Road Roller", óleo sobre tela de Rockwell Kent, 1909.
GENTILEZA DE LA PHILLIPS COLLECTION, WASHINGTON, D.C.

sus pinturas y libros de viaje. Sus notables dibujos a pluma, muy parecidos a la xilografía, aparecieron en muchos libros de escritores contemporáneos y clásicos, convirtiéndolo en uno de los artistas más populares de EE.UU., a pesar del acoso al que se vio sometido por su postura política radicalmente izquierdista.

Kenton, Stan(ley Newcombe) (19 feb. 1912, Wichita, Kan., EE.UU.–25 ago. 1979, Los Ángeles, Cal.). Pianista, compositor, arreglista y director estadounidense de una de las orquestas más populares y controvertidas de JAZZ. Kenton formó su primera orquesta en 1941. El grupo exhibía la influencia del bronce preciso de JIMMIE LUNCEFORD y ganó reputación por su enfoque orquestal altisonante. Entre sus intérpretes estuvieron el saxofonista Art Pepper (n. 1925–m. 1982), el trompetista MAYNARD FERGUSON, el baterista Shelly Manne (n. 1920 m. 1984) y las cantantes Anita O'Day (n. 1919) y June Christy (n. 1925–m. 1990). Sus esfuerzos por organizar la formación de músicos estudiantes de jazz representan una de las primeras instancias de impartir la educación formal en este ámbito.

Kentucky *ofic.* **Commonwealth of Kentucky** Estado (pob., 2000: 4.041.769 hab.) en el centro-sur de EE.UU. Limita con los estados de Ohio, Virginia Occidental, Virginia, Tennessee, Missouri, Illinois e Indiana y ocupa una superficie de 104.664 km² (40.411 mi²); su capital es Frankfort. Las principales características de su relieve son los montes APALACHES en el este, las mesetas bajas del interior, como la región del BLUEGRASS, y las ricas llanuras a lo largo del río MISSISSIPPI. Antes de la llegada de los colonizadores de raza blanca, la región constituía un área de caza de las tribus de los SHAWNEES, IROQUESES y CHEROKEES. DANIEL BOONE, quien se encontraba entre los primeros colonizadores, llegó en 1769, y una oleada de inmigrantes arribó después de la guerra de independencia de los ESTADOS UNIDOS DE AMÉRICA. Los primeros asentamientos formaban parte del distrito de Virginia, pero en 1792 Kentucky ingresó a la Unión como el 15° estado. Durante la guerra de SECESIÓN fue un estado limítrofe de la Unión que proporcionaba tropas a ambos bandos. La apertura de las líneas de ferrocarril en dirección a los yacimientos de carbón del este y la introducción de una economía basada en el tabaco fomentaron el crecimiento a fines del s. XIX. En la década de 1970, la escasez de energía a nivel nacional produjo una gran demanda de carbón, a partir de lo cual Kentucky prosperó, aunque dicha demanda disminuyó en la década siguiente y se perdieron muchos puestos de trabajo. El sector industrial es la principal fuente de ingresos, mientras que el tabaco es el cultivo más importante. Kentucky es conocido por su whisky *bourbon* y los caballos pura sangre. Una vez al año se corre el Derby de KENTUCKY en Churchill Downs.

Kentucky, Derby de Una de las carreras clásicas de caballos purasangre de EE.UU. Instaurada en 1875, se corre anualmente el primer sábado de mayo en la pista de Churchill Downs, en Louisville, Ky. Junto con las carreras de PREAKNESS STAKES y BELMONT STAKES, constituye la codiciada TRIPLE CORONA de la hípica estadounidense. Esta competencia está limitada a caballos de tres años de edad. La pista es de 2.000 m (1,25 mi).

Kentucky, lago Embalse en el oeste de los estados de Kentucky y Tennessee, EE.UU. Es uno de los lagos artificiales más grandes del mundo; tiene una extensión de 296 km (184 mi) y un contorno de más de 3.700 km (2.300 mi). Se construyó en 1944 junto con la represa Kentucky en el río TENNESSEE, siendo la más grande del sistema de TENNESSEE VALLEY AUTHORITY y que regula el caudal del río Tennessee que corre hacia el río OHIO.

Kentucky, río Afluente del río OHIO en el centro-norte del estado de Kentucky, EE.UU. Está formado por la confluencia de las corrientes North, Middle y South que nacen en las montañas de Cumberland. Es navegable en toda su extensión (417 km [259 mi]), gracias a un sistema de esclusas. Desemboca en el río Ohio en Carrollton.

Kentucky, Universidad de Universidad pública estadounidense con sede en Lexington, creada en 1865 como institución del tipo *land-grant* (fundada al amparo de la ley de concesiones de terrenos para universidades públicas). Es el campus principal del sistema universitario de Kentucky, que comprende un centro médico y 14 *junior colleges* (colegios universitarios de dos años de estudio). Sus *colleges* (colegios universitarios) abarcan disciplinas como agronomía, administración de empresas y economía, ingeniería y derecho. Entre sus instalaciones de investigación se cuentan un centro de robótica, otro de investigación equina y un acelerador de partículas.

Kenya ver KENIA

Kenyatta, Jomo (c. 1894, Ichaweri, África Oriental Británica– 22 ago. 1978, Mombasa, Kenia). Primer ministro (1963–64) y luego presidente (1964–78) de la República de Kenia. De origen KIKUYU, abandonó las tierras altas de su país c. 1920 para convertirse en funcionario público y activista político en Nairobi. Se opuso a la unificación de los territorios coloniales británicos de Kenia, Uganda y Tanganyika (o Tanganica). En 1945 contribuyó a organizar el sexto Congreso panafricano, al que asistieron figuras

Jomo Kenyatta.
JOHN MOSS–BLACK STAR

como W.E.B. DU BOIS y KWAME NKRUMAH (ver movimiento PANAFRICANO). En 1953 fue sentenciado a siete años de prisión por encabezar la rebelión de los MAU-MAU, aunque negó los cargos. En 1962 negoció los términos constitucionales que llevaron a la independencia de Kenia. En calidad de líder del país, encabezó un gobierno central fuerte, rechazó los llamados a nacionalizar la propiedad y convirtió al país en uno de los estados africanos más estables y de economía más dinámica. Los críticos se quejaron del dominio de su partido, la Unión Nacional Africana de Kenia (KANU), y de la creación de una elite política y económica. Su sucesor, DANIEL ARAP MOI, continuó muchas de sus políticas.

Kepler, Johannes (27 dic. 1571, Weil der Stadt, Württemberg– 15 nov. 1630, Ratisbona). Astrónomo alemán. Nacido en el seno de una familia humilde, recibió una beca para estudiar en la Universidad de Tubinga. Obtuvo su maestría en 1594, después de lo cual se convirtió en profesor de matemática en Austria. Desarrolló una teoría mística, la cual sostenía que el cosmos estaba construido a partir de los cinco poliedros regulares contenidos en una esfera, con un planeta entre cada par de poliedros. Envió su trabajo sobre el tema a TYCHO BRAHE, quien lo invitó a formar parte de su equipo de investigación. Tratando de comprender la refracción atmosférica de la luz, fue el primero en explicar correctamente cómo se comporta la luz dentro del ojo, cómo los anteojos mejoran la visión y qué sucede con la luz en un telescopio. En 1609 publicó su descubrimiento, que mostraba que la órbita de Marte era una elipse y no el círculo perfecto como hasta entonces

Johannes Kepler explica su descubrimiento acerca del movimiento planetario al emperador Rodolfo II.
FOTOBANCO

se presumía era la de todos los cuerpos celestes. Este hecho sirvió de base para la primera de las tres leyes de Kepler sobre el movimiento planetario. También determinó que los planetas se mueven más rápido a medida que se acercan al Sol (segunda ley) y en 1619 demostró que una fórmula matemática simple relacionaba los períodos orbitales de los planetas con sus distancias al Sol (tercera ley). En 1620 defendió a su madre de acusaciones de brujería, protegiendo también de ese modo su propia reputación.

Kerala Estado (pob., est. 2001: 31.838.619 hab.) del sudoeste de India. Situado en las costas del mar de ARABIA, limita con los estados de KARNATAKA y TAMIL NADU, y rodea el enclave costero de Mahe (parte del territorio asociado de PONDICHERRY). Cubre una superficie de 38.863 km² (15.005 mi²), y su capital es TRIVANDRUM. Durante el s. III AC fue un reino drávida independiente, conocido como Keralaputra. La región estuvo gobernada por la dinastía Kulasekhara en los s. IX–XII, período en que afianzó el MALAYALAM como lengua regional, dominante hoy en día. La intervención portuguesa a partir de 1498 fue seguida por el dominio holandés en el s. XVII. En 1741, los holandeses fueron expulsados por el principado de Travancore, que a su vez quedó sometido a la condición de protectorado británico en la década de 1790. Kerala recibió su nombre actual en 1956. Es uno de los estados de mayor densidad demográfica de India.

Kerenski, Alexandr (Fiódorovich) (2 may. 1881, Simbirsk, Rusia–11 jun. 1970, Nueva York, N.Y., EE.UU.). Líder político ruso. Prominente abogado, se unió al PARTIDO SOCIALISTA REVOLUCIONARIO y fue elegido a la cuarta Duma (1912), donde se convirtió en un conocido orador. Después de iniciada la REVOLUCIÓN RUSA DE 1917, ocupó cargos tanto en el soviet de Petrogrado como en el gobierno provisional, y se convirtió en una figura popular. En 1917 fue nombrado ministro de guerra, en mayo, y primer ministro, en julio. Socialista moderado, buscó unificar las facciones, pero perdió el apoyo de los moderados y los oficiales por destituir al comandante en jefe del ejército, LAVR KORNÍLOV, y de la izquierda, por rehusar poner en práctica sus programas radicales. Cuando los BOLCHEVIQUES tomaron el poder en octubre, fue incapaz de reunir fuerzas para defender su gobierno. Se ocultó y emigró luego a Europa occidental en 1918. En 1940 se trasladó a EE.UU., donde dio conferencias en universidades y escribió libros sobre la revolución.

Kerguelen, islas Archipiélago del océano Índico sur. Está compuesto por la isla Kerguelen (llamada también isla Desolación) y cerca de 300 islotes, que en conjunto cubren unos 6.200 km² (2.400 mi²). La isla Kerguelen, de unos 160 km (100 mi) de largo, tiene glaciares activos y montes que llegan a 1.965 m (6.445 pies) de altura. Descubierto en 1772 por el navegante francés Yves-Joseph de Kerguélen-Trémarec, el archipiélago fue anexado por Francia en 1893. En 1955 pasó a formar parte de las Tierras Australes y Antárticas Francesas. En la isla principal hay una base científica llamada Port-au-Français.

kerigma y catequesis En la teología cristiana, literalmente, predicación y enseñanza. Kerigma significa la proclamación del EVANGELIO, especialmente por los APÓSTOLES como consta en el NUEVO TESTAMENTO. En la Iglesia primitiva, la catequesis se refería a la instrucción oral (dado el analfabetismo generalizado), impartida antes del BAUTISMO a quienes habían aceptado el mensaje de salvación. Cuando la práctica de bautizar criaturas se extendió, se optó por adoctrinar al ya bautizado y prepararlo para contar después con un adulto plenamente integrado; para ello las iglesias elaboraron un cuadernillo de doctrina elemental llamado CATECISMO.

Kermadec, islas Grupo de islas volcánicas del océano Pacífico sur. Situadas al nordeste de AUCKLAND en Nueva Zelanda, comprenden las islas Raoul, Macauley y Curtis, y Esperance Rock; cubren una superficie total de 34 km² (13 mi²) en tierra firme. A fines del s. XVIII, británicos y franceses exploraron las islas y en 1887 fueron anexadas a Nueva Zelanda. En Raoul, la mayor de ellas, se construyó en 1937 una estación meteorológica y de comunicaciones.

Kern, Jerome (David) (27 ene. 1885, Nueva York, N.Y., EE.UU.–11 nov. 1945, Nueva York). Compositor estadounidense, uno de los principales creadores del género MUSICAL de su país. Estudió música en su Nueva York natal y en Heidelberg, Alemania, y posteriormente adquirió experiencia teatral en Londres. Al volver a Nueva York fue pianista y vendedor para editores de música y escribió números nuevos para operetas europeas. En 1912 compuso *The Red Petticoat*, el primer musical con partitura exclusivamente suya, cuyo éxito fue sobrepasado por *Muy bien, Eddie* (1915). Entre sus musicales posteriores figuran *Oh, Boy!* (1917) y *Sally* (1920). En 1927 su *Show Boat*, basado en la novela de EDNA FERBER y con textos de OSCAR HAMMERSTEIN, fue el primer musical estadounidense con un argumento serio extraído de una fuente literaria y representa un hito en la historia del teatro musical. Le siguieron *El gato y el violín* (1931), *Music in the Air* (1932) y *Roberta* (1933). Después de 1933 compuso para Hollywood. Entre las canciones clásicas de Kern se cuentan "The Song Is You", "All the Things You Are", "Smoke Gets in Your Eyes" y "Ol' Man River".

kerogeno Mezcla compleja de compuestos con moléculas grandes que contienen principalmente hidrógeno y carbono, pero también oxígeno, nitrógeno y azufre. El kerogeno es un precursor del PETRÓLEO y constituye el componente orgánico de los ESQUISTOS BITUMINOSOS. De consistencia cerosa e inso-

luble en agua, al calentarse se separa en sustancias gaseosas y líquidas recuperables parecidas al petróleo. Está formado por material orgánico compactado, como algas y otras formas inferiores de plantas, polen, esporas y sacos esporales, e insectos.

keroseno ver QUEROSENO

Kerouac, Jack *orig.* **Jean-Louis Lebris de Kerouac** (12 mar. 1922, Lowell, Mass., EE.UU.–21 oct. 1969, St. Petersburg, Fla.). Poeta y novelista estadounidense. Hijo de una familia francocanadiense, estudió en la Universidad de Columbia. Fue marino mercante y recorrió EE.UU. y México antes de que apareciera su primer libro. En Columbia conoció a ALLEN GINSBERG y otros espíritus afines, y se transformó en el vocero de lo que sería denominado movimiento BEAT (término que él acuñó). Elogió un modo de vida de pobreza y libertad en *En el camino* (1957); esta, su novela más conocida, la primera escrita en el estilo sin pausas ni correcciones que preconizase, obtuvo un extraordinario éxito entre los jóvenes, para quienes Kerouac devino en un héroe romántico. Todas sus novelas, entre ellas, *Los vagabundos del dharma* (1958), *El ángel subterráneo* (1958) y *Ángeles de desolación* (1965), son autobiográficas. Su muerte, a los 47 años, fue causada por el alcoholismo.

Kerr, Deborah *orig.* **Deborah Jane Kerr-Trimmer** (30 sep. 1921, Helensburgh, Dunbartonshire, Escocia). Actriz escocesa. Después de actuar en películas británicas como *Major Barbara* (1940) y *Narciso negro* (1947), se trasladó a Hollywood, donde a menudo era escogida para interpretar personajes recatados, pero con su papel en *De aquí a la eternidad* (1953) se desligó de su imagen de fina dama. Fue conocida por el aplomo y serenidad que exhibía al retratar personajes complejos. Películas posteriores en las que trabajó son *El rey y yo* (1956), *Té y simpatía* (1956), *Sólo Dios lo sabe* (1957), *Mesas separadas* (1958), *Tres vidas errantes* (1960) y *La noche de la iguana* (1964). En 1969 se retiró del cine y en 1994 obtuvo un premio especial de la Academia.

Kersebleptes *o* **Cersebleptes** (m. 342 AC). Rey de TRACIA (360–342). Heredó una guerra con ATENAS y fue desafiado internamente por dos pretendientes al trono. A la ciudad de Atenas le cedió el QUERSONESO tracio (357) y a los pretendientes les entregó Tracia occidental. Forjó una alianza con Atenas en contra de MACEDONIA, pero más tarde fue excluido de la paz de 346 por FILIPO II.

Kertanagara (floreció s. XIII, Java). Último rey (1268–92) de Tumapel (Singasari), en Java. Su nacimiento reunificó las dos mitades del reino javanés; su nombre significa "Orden en el reino". Para reforzar su reino contra KUBLAI KAN, decidió expandirlo, para lo cual se casó con una princesa de Champa (Vietnam central), envió emisarios a Sumatra y conquistó Bali. Rehusó rendir pleitesía a Kublai Kan, pero fue muerto por un vasallo antes de que las fuerzas armadas de Kublai llegaran para castigarlo. Dos crónicas antiguas javanesas ofrecen retratos contradictorios del rey: una lo describe como ebrio e incompetente; la otra, como un rey sabio y fervoroso

Escultura de piedra que se cree representa a Kertanagara, c. principios del s. XIV; adquirida por el Museum für Völker Kunde, Berlín, en 1865.

adherente al budismo tántrico. Todavía se lo venera como uno de los gobernantes más importantes de Java.

Kertész, André (2 jul. 1894, Budapest, Austria-Hungría 27 sep. 1985, Nueva York, N.Y., EE.UU.). Fotógrafo y reportero gráfico estadounidense de origen húngaro. Se mudó de Budapest a París en 1925 en busca de oportunidades, y llegó a convertirse en un importante colaborador de periódicos ilustrados europeos. Trabó amistad con muchos artistas influyentes, entre ellos, MARC CHAGALL y PIET MONDRIAN. Su contacto con figuras como estas le permitió crear una imagen definitiva del ambiente cultural parisiense de la época. En 1928 compró una cámara portátil, Leica, pequeña y ligera que le permitió recorrer libremente las calles de París y captar momentos espontáneos de la vida urbana, tema que lo fascinaría a lo largo de su carrera. Llegó a Nueva York en 1936, con intenciones de trabajar en un estudio comercial por un año, pero permaneció allí tomando muchas fotografías de modas para importantes revistas estadounidenses. Retomó su interés por la vida urbana c. 1962. En 1964, el Museo de Arte Moderno expuso sus obras. Sus fotografías, espontáneas y naturales, ejercieron gran influencia sobre la fotografía de revistas.

Kesey, Ken (Elton) (17 sep. 1935, La Junta, Col., EE.UU.–10 nov. 2001, Eugene, Ore.). Escritor estadounidense. Asistió a la Universidad de Stanford y más tarde fue voluntario y auxiliar en un hospital, experiencia que motivó su novela *Alguien voló sobre el nido del cuco* (1962; película, *Atrapado sin salida*, 1975), la cual se transformó en uno de los libros más leídos en EE.UU. en la década de 1960. Fue seguida por *Sometimes a Great Notion* [Algunas veces una gran idea] (1964) y muchas otras obras de no ficción que describieron su transformación de novelista a gurú de la generación *hippie*. En estas se recogen los viajes psicodélicos y despreocupados que hizo en un bus pintado de colores brillantes con un grupo de amigos, parientes y seguidores, que se autodenominaban "Merry Pranksters" (los alegres bromistas). Su historia se relata en la obra de TOM WOLFE *Gaseosa de ácido eléctrico* (1968), en sí misma un pequeño clásico de la época.

Kesselring, Albert (20 nov. 1885, Marktstedt, Baviera, Alemania–16 jul. 1960, Bad Nauheim, Alemania Occidental). Mariscal de campo alemán. Se convirtió en jefe del estado mayor de la fuerza aérea alemana en 1936 y dirigió los primeros ataques aéreos sobre Polonia, Francia, Gran Bretaña y la Unión Soviética. En 1941 fue nombrado comandante en jefe en el frente meridional para reforzar las operaciones italianas en África del norte y en contra de Malta. Codirigió la campaña del Eje en la zona junto con ERWIN ROMMEL. Después de las invasiones aliadas de Sicilia e Italia en 1943, realizó una eficaz acción defensiva que impidió una victoria aliada en ese escenario de operaciones hasta 1944. Nombrado comandante en jefe en el frente occidental en 1945, no logró detener la invasión aliada en Alemania y se rindió en mayo de 1945. Fue encarcelado por crímenes de guerra (1947–52).

ket ver SIBERIANO

Kettering, Charles F(ranklin) (29 ago. 1876, Loudonville, Ohio, EE.UU.–25 nov. 1958, Dayton, Ohio). Ingeniero estadounidense. En 1904 desarrolló la primera máquina registradora eléctrica. Junto con Edward Deeds fundó la empresa Delco c. 1910; en 1916 esta se convirtió en una subsidiaria de la General Motors Corp., y Kettering asumió el cargo de vicepresidente y director de investigación de la GM (1920–47). Muchas de sus invenciones fueron determinantes en la evolución del automóvil moderno, como el primer motor de partida eléctrico (1912), los combustibles antidetonantes, la gasolina con plomo, las terminaciones con barnices de secado rápido (junto con THOMAS MIDGLEY, JR.), el motor diésel de dos tiempos de alta velocidad y un revolucionario motor de alta compre-

sión (1951). Fue cofundador del Sloan-Kettering Institute for Cancer Research de Nueva York.

Kevlar Nombre comercial del poliparafenileno tereftalamida, POLÍMERO similar al nailon producido por primera vez por Du Pont en 1971. Las fibras de Kevlar son fuertes, tenaces y rígidas, tienen una alta temperatura de fusión y son hasta cinco veces más resistentes por unidad de peso que el acero. El Kevlar se usa en: neumáticos radiales, telas resistentes al calor y al fuego, chalecos antibalas y materiales compuestos y reforzados con fibra para paneles de avión, cascos de barcos, varillas para palos de golf y bicicletas livianas.

Kevorkian, Jack (n. 26 may. 1928, Pontiac, Mich., EE.UU.). Patólogo estadounidense, defensor y practicante del suicidio asistido por médicos. Desde temprano mostró interés en la experimentación con presos condenados a muerte que habían quedado inconscientes en lugar de ser ejecutados; sus ideas perjudicaron su carrera médica. En la década de 1980 diseñó su "máquina de suicidio", con la cual una persona podía suicidarse oprimiendo simplemente un botón, y en la década de 1990 asistió en las muertes de más de 100 pacientes terminales. Sus acciones provocaron controversias furiosas e impulsaron legislaciones y consultas populares; fue juzgado, declarado reo en dos oportunidades y encarcelado, y se le revocó su licencia médica. En 1998 fue declarado reo por asesinato, al administrar él mismo una inyección letal, y fue sentenciado de diez a 25 años de cárcel.

Kew Gardens y sus invernaderos (Temperate House), prestigiosa institución científica mundial en botánica, Londres.
HEATHER ANGEL

Kew Gardens *ofic.* **Royal Botanic Gardens, Kew** Jardín botánico ubicado en Kew, otrora lugar de una propiedad real en el distrito londinense de Richmond upon Thames. En 1759, Augusta, princesa de Gales y madre de Jorge III, destinó una parte de su patrimonio a este jardín botánico. Se convirtió en una institución científica eminente bajo la dirección oficiosa de JOSEPH BANKS. En 1840, los jardines se donaron a la nación. Dirigidos por Sir William Jackson Hooker (n. 1785–m. 1865), pasaron a ser la primera institución botánica del mundo. Hoy día alberga unas 50.000 especies diferentes, un HERBARIO de más de cinco millones de plantas secas y una biblioteca de más de 130.000 volúmenes. Los tres museos de Kew se destinan, en gran parte, a productos vegetales de relieve económico y a un laboratorio de genética y clasificación de plantas.

Key, Francis Scott (1 ago. 1779, cond. de Frederick, Md., EE.UU.–11 ene., 1843, Baltimore, Md.). Abogado estadounidense, autor del himno nacional de EE.UU. "The Star Spangled Banner" (La bandera estrellada). Después de la quema de Washington, D.C., durante la guerra ANGLO-ESTADOUNIDENSE, fue enviado a conseguir la liberación de un amigo que estaba cautivo en un buque británico en la bahía de Chesapeake. Fue testigo del ataque al Fort McHenry por los británicos, la noche del 13–14 sep. de 1814. A la mañana siguiente, cuando vio que la bandera estadounidense seguía flameando, escribió el poema *Defense of Fort M'Henry* [Defensa del fuerte M'Henry], que se publicó en el *Baltimore Patriot* y al que luego se adaptó la música de una antigua canción inglesa de parranda, "To Anacreon in Heaven" (A Anacreonte en el cielo). En 1931 se adoptó la canción como himno nacional de EE.UU.

Key West *español* **Cayo Hueso** Ciudad (pob., 2000: 25.478 hab.) en el sudoeste del estado de Florida, EE.UU. Constituye el punto más meridional de EE.UU. continental y se encuentra en una isla de 6,5 km (4 mi) aprox. de largo por 2,4 km (1,5 mi) de ancho en la parte occidental de los cayos de Florida. El nombre corresponde a una deformación en inglés de Cayo Hueso (en inglés "Bone Islet"), nombre que recibió de los exploradores españoles que encontraron osamentas humanas allí. En 1822 en Key West se instaló un depósito naval como base de operaciones contra los piratas. En la actualidad es un centro vacacional de invierno y también destino turístico. Muchos escritores y artistas han vivido aquí; se conservan las casas de ERNEST HEMINGWAY y JOHN JAMES AUDUBON.

Keynes, John Maynard, barón Keynes de Tilton (5 jun. 1883, Cambridge, Cambridgeshire, Inglaterra–21 abr. 1946, Firle, Sussex). Economista británico, conocido por sus revolucionarias teorías sobre las causas del desempleo prolongado. Hijo del distinguido economista John Neville Keynes (n. 1852–m. 1949), trabajó en el Tesoro británico durante la primera guerra mundial y participó en la conferencia de paz de París. Renunció a su cargo en protesta al tratado de VERSALLES y criticó sus disposiciones en su libro

Las consecuencias económicas de la paz (1919). Se reincorporó a la docencia como profesor de la Universidad de Cambridge. La crisis económica internacional de las décadas de 1920–30 lo indujo a escribir su obra *Teoría general de la ocupación, el interés y el dinero* (1935–36), el tratado económico más influyente del s. XX. El libro refutaba las teorías económicas del *laissez-faire* y argumentaba que para superar la DEPRESIÓN eco-

John Maynard Keynes, detalle de una acuarela de Gwen Raverat; National Portrait Gallery, Londres.

GENTILEZA DE LA NATIONAL PORTRAIT GALLERY, LONDRES

nómica se debía aumentar la inversión privada o bien crear sustitutos públicos de la misma. Keynes sostenía que en recesiones económicas leves se puede estimular la inversión mediante políticas MONETARIAS que permitan un fácil acceso al CRÉDITO y tasas de interés más bajas. En crisis más graves se requiere del déficit público deliberado (ver financiamiento del DÉFICIT), ya sea en forma de obras públicas o de subsidios para los pobres y los desempleados. Las teorías de Keynes fueron puestas en práctica por muchas democracias occidentales, en especial por EE.UU. en el NEW DEAL. Su interés en el diseño de nuevas instituciones financieras internacionales al final de la segunda guerra mundial lo llevó a participar activamente en la Conferencia de BRETTON WOODS en 1944.

KGB *ruso* **Komitet Gosudarstvennoy Bezopasnosti** (ruso: "Comité de seguridad del Estado"). Organismo soviético responsable de las funciones de inteligencia, contrainteligencia y seguridad interna. Tiene su origen en organismos anteriores. La Cheka fue fundada en 1917 para investigar la contrarrevolución y el sabotaje. Su sucesora, la GPU (más tarde OGPU), fue la primera policía secreta de la nueva Unión Soviética (1923); también administraba los campos de trabajo correctivo y supervisaba la colectivización forzosa del campo ruso. En 1931 tenía su propio ejército y

sus espías e informantes eran ubicuos. En 1934 fue absorbida por la NKVD, que llevó a cabo extensas purgas. En 1941, las funciones de seguridad del Estado y espionaje fueron combinadas en la MGB. En 1954 fue creado el KGB. En su punto culminante fue la policía secreta y la organización de espionaje más grande del mundo. Perdió poder bajo MIJAÍL GORBACHOV, especialmente después de encabezar un fallido golpe de Estado (1991). Se le dio otro nombre después de la disolución de la Unión Soviética y sus funciones de seguridad interna fueron separadas de sus operaciones de espionaje y contraespionaje.

Khama III (c. 1837, Mushu, Bechuanalandia–21 feb. 1923, Serowe). Jefe sudafricano. En 1885 hizo que Bechuanalandia (actual Botswana) fuese declarada protectorado del Imperio británico. Prestó refuerzos a la expedición británica que derrotó a LOBENGULA en 1893. Su nieto, Sir Seretse Khama (n. 1921–m. 1980), fue el primer presidente de Botswana independiente (1966–80).

khanty ver SIBERIANO

Khātamī, Muḥammad ver Mohamed JATAMI

Khayr al-Dīn ver BARBARROJA

Khayyam, Omar ver Omar JAYYAM

khmer ver JMER

Khmer Rojo ver JMER ROJO

khoikhoi *ant.* **hotentote (peyorativo)** Grupo de pueblos que hablan lenguas KHOISAN, uno de los primeros grupos africanos meridionales autóctonos que establecieron contacto con los europeos. Antes de ese encuentro, eran pastores que cuidaban grandes rebaños de ganado vacuno y lanar. En 1800, las comunidades khoikhoi que vivían al sur del río Orange, en la Colonia de El Cabo, habían sido en gran parte destruidas por las enfermedades y la guerra, mientras que los restantes trabajaban en forma forzada para los granjeros blancos o se mezclaban en comunidades fronterizas de ascendencia mixta, como los GRIQUA. Al norte del río Orange, en Namibia, los nama son el grupo étnico khoikhoi más numeroso, con una población cercana a 230.000 personas.

khoisan, lenguas Grupo de más de 20 lenguas habladas actualmente por varios cientos de miles de personas de los pueblos KHOIKHOI y SAN en el sur de África. Varias lenguas khoisan se han extinguido o las hablan muy pocas personas. Su característica lingüística más distintiva es el uso original y amplio de las consonantes CLICS. Todavía se discute la unidad genética de las lenguas khoisan.

Khorana, Har Gobind (n. 9 ene. 1922, Raipur, India). Bioquímico estadounidense de origen indio. Obtuvo un Ph.D. en la Universidad de Liverpool. Más tarde fue docente en Canadá y EE.UU., y desde 1970 en el Instituto Tecnológico de Massachusetts. En 1968 compartió el Premio Nobel con MARSHALL WARREN NIRENBERG y ROBERT WILLIAM HOLLEY por las investigaciones que contribuyeron a demostrar cómo los componentes genéticos del núcleo celular controlan la síntesis de proteínas. Su aporte consistió en sintetizar pequeñas moléculas de ácido nucleico, cuya estructura exacta era conocida. Sus ácidos nucleicos sintéticos, al combinarlos con los materiales apropiados, causaron la síntesis de proteínas, tal como en la célula; la comparación de estas proteínas con el ácido nucleico reveló qué porciones del ácido nucleico eran los códigos para cada parte de la proteína. En 1970 preparó el primer clon de un gen de levadura.

Khuddaka Nikaya (pali: "Colección breve"). Colección de textos budistas. Constituye la quinta y última sección del SUTTA PITAKA, escrito en lengua pali y uno de los textos sagrados del budismo THERAVADA. Escrito entre 500 AC y el s. I DC, su contenido incluye sermones y discursos doctrinarios y éticos atribuidos a BUDA. También contiene todas las grandes obras poéticas del canon pali (ver TRIPITAKA).

Kiang-si ver JIANGXI

Kiangsu ver JIANGSU

Kiarostami, Abbas (n. 22 jun. 1940, Teherán, Irán). Director de cine iraní. En 1969 comenzó a trabajar en el Instituto para el desarrollo intelectual de niños y adolescentes, con la finalidad de crear un departamento de cine. El instituto produjo la primera película de Kiarostami como director, el cortometraje lírico *El pan y el callejón* (1970), que utilizó técnicas que definieron su trabajo: escenas improvisadas, una estructura de documental y tiempos reales. *El viajero* (1974), primer largometraje, es el retrato de un adolescente atormentado. *¿Dónde está la casa de mi amigo?* (1987) fue aclamada mundialmente y continuó con otras películas magistrales como *Primer plano* (1990), *A través de los olivos* (1994), *El sabor de la cereza* (1997) y *El viento nos llevará* (1999). En la década de 1980 Kiarostami creó documentales que exhibieron la vida de los escolares iraníes, y su película *ABC Africa* (2001) registró la desgracia de los huérfanos del África devastada por el sida.

kibutz Asentamiento comunitario israelí en que los bienes son de propiedad compartida y las utilidades se reinvierten en el propio kibutz. El primero se fundó en Palestina, en 1909; desde entonces, la mayoría se ha dedicado a la agricultura. Los adultos habitan en viviendas privadas, pero los niños generalmente alojan y reciben cuidados en forma colectiva. Las comidas se preparan y consumen en grupo. Los integrantes del kibutz se reúnen periódicamente para analizar las actividades a realizar y para votar cuando se requiere tomar decisiones. Las tareas se asignan en forma rotativa, por elección o de acuerdo con las especialidades. Los kibutz se redujeron marcadamente a fines del s. XX. Sin embargo, continuaron desempeñando una función importante en la industria turística israelí, captando a estudiantes y otros residentes de paso, en su mayoría judíos de otros países que buscan establecer un vínculo con el pasado. Ver también MOSHAV.

kickapoo Pueblo indígena de América del Norte, relacionado con los SAUKS y los FOX, que vive en Oklahoma y Texas, EE.UU., así como en el norte de México. El nombre es una variante de la palabra algonquina *kiwegapawa*, que significa "el que está parado" o "el que va de un lado a otro". Hablan una de las lenguas ALGONQUINAS, y antes habitaban lo que hoy es el centro-sur de Wisconsin, EE.UU. Eran extraordinarios guerreros, cuyas incursiones los llevaron a los extremos sur y nordeste de EE.UU. Hacia 1765, después de expulsar a los indígenas de Illinois, se establecieron cerca de Peoria, Ill., y luego, debido a la presión ejercida por los blancos, se desplazaron a Missouri, Kansas, Oklahoma, Texas y México. En el s. XIX, la autoridad tribal central se había fragmentado y los jefes de las diferentes bandas se habían vuelto autónomos. Se resistieron a la aculturación e intentaron preservar sus tradiciones. Unas 3.500 personas declararon tener ascendencia exclusivamente kickapoo en el censo estadounidense de 2000; esta cifra no incluye a quienes viven en México.

Kidd, Michael *orig.* **Milton Gruenwald** (n. 12 ago. 1919, Brooklyn, N.Y., EE.UU.). Bailarín y coreógrafo estadounidense. Estudió en el School of American Ballet, y en 1937 fue bailarín profesional de su compañía y más tarde bailó con el American Ballet Theatre, para el cual creó la coreografía de *On Stage I* (1945). Compuso las coreografías de numerosas comedias musicales de Broadway, entre las que se cuentan *Guys and Dolls* (1951), *Can-Can* (1953), *Li'l Abner* (1956) y *Destry Rides Again* (1959), con las que obtuvo cuatro premios Tony consecutivos. Algunos de sus trabajos en el cine fueron *Melodías de Broadway 1955* (1953), *Siete novias para siete hermanos* (1954) y *Hello, Dolly!* (1969).

Kidd, William *llamado* **Capitán Kidd** (c. 1645, Greenock, Renfrew, Escocia–23 may. 1701, Londres, Inglaterra). Corsario y pirata británico. Navegaba con patente de corso para Gran Bretaña cuando se le encomendó en 1695 capturar a los piratas que acosaban las naves de la Compañía Inglesa de las Indias Orientales. Él mismo se convirtió en pirata durante el viaje, capturó varias embarcaciones e hirió mortalmente a su artilllero, William Moore. Se rindió en Nueva York en 1699, al prometérsele el perdón. Enviado a Inglaterra para su juicio, fue encontrado culpable del asesinato de Moore y de cinco cargos de piratería, por lo que fue ahorcado. Parte de su tesoro fue recuperada en la isla Gardiners (frente a Long Island), pero aparentemente una gran parte jamás se ha encontrado. Después de su muerte se convirtió en un personaje legendario y fue idealizado como un gallardo espadachín.

Kidder, Alfred V(incent) (29 oct. 1885, Marquette, Mich., EE.UU.–11 jun. 1963, Cambridge, Mass.). Arqueólogo estadounidense. Obtuvo un Ph.D. en la Universidad de Harvard (1914) por haber elaborado la primera tipología certera de la cerámica asociada a la prehistoria del sudoeste de EE.UU. Posteriormente amplió esos intereses con la publicación de un estudio clásico (1924) acerca del desarrollo de la cultura de los indios PUEBLO y, en 1927, ideó un sistema de clasificación arqueológica muy utilizado, el sistema Pecos, para el área del sudoeste de EE.UU. En 1929 organizó, asimismo, un programa interdisciplinario que dio origen a un estudio de gran alcance sobre la historia cultural de los Imperios antiguo y nuevo de los mayas de México y América Central. Fue docente en la Phillips Andover Academy (1915–35) y en la Universidad de Harvard (1939–50) y supervisó diversos programas en la Carnegie Institution (1927–50). Fue considerado el arqueólogo más importante de su generación en el estudio del sudoeste de EE.UU. y Mesoamérica.

Kiderlen-Wächter, Alfred von (10 jul. 1852, Stuttgart, Württemberg–30 dic. 1912, Stuttgart). Diplomático alemán. Funcionario de carrera, se convirtió en ministro de asuntos exteriores en 1910 y llevó a cabo una política exterior beligerante, en un afán de establecer a Alemania como la principal potencia de Europa a través de la TRIPLE ALIANZA. En la segunda crisis MARROQUÍ (1911) rechazó las ofertas conciliadoras del gobierno francés y excluyó a Gran Bretaña de las negociaciones. Aunque los expansionistas alemanes denunciaron el tratado de paz como demasiado indulgente, su ruda y vigorosa postura durante la crisis agravó considerablemente las tensiones internacionales que llevaron a la primera guerra mundial.

Kido Takayoshi *o* **Kido Kōin** (11 ago. 1833, Chōshū, provincia de Nagato, Japón–26 may. 1877, Tokio). Uno de los tres gigantes de la restauración MEIJI de 1868 junto a SAIGŌ TAKAMORI y ŌKUBO TOSHIMICHI. Se convirtió en jefe de Gobierno del *han* (feudo) de Chōshū y desde ese cargo conspiró con Saigō y Ōkubo de Satsuma para derrocar al sogunado Tokugawa. En el nuevo gobierno, Kido fue el responsable de trasladar la capital desde Kioto a Edo (cuyo nombre fue cambiado a Tokio) y de convencer a los jefes de los principales *han* para que devolvieran sus propiedades al emperador. Visitó Europa en 1871 y a su regreso contribuyó a frenar un plan para invadir Corea. A fines de la década de 1870 dedicó sus esfuerzos para establecer una constitución de corte occidental.

Kiefer, Anselm (n. 8 mar. 1945, Donaueschingen, Alemania). Pintor alemán. En 1970 fue alumno del artista conceptual JOSEPH BEUYS. En pinturas a gran escala, como *Héroes espirituales de Alemania* (1973), utilizó símbolos visuales, colores oscuros y dibujos *naíf*, para comentar con ironía y sarcasmo el trágico pasado de Alemania. En la década de 1980 sus colosales pinturas adquirieron una intensa presencia física por medio de artificios de perspectiva y texturas inusuales. Es una de las figuras más importantes del NEOEXPRESIONISMO de fines del s. XX.

El canal de Kiel, que se prolonga desde la desembocadura del río Elba hasta el mar Báltico, en Kiel, Alemania.

A.G.E. FOTOSTOCK

Kiel Ciudad (pob., est. 2002: 232.242 hab.) del norte de Alemania, capital del estado de SCHLESWIG-HOLSTEIN. Es un puerto situado en el extremo oriental del canal de Kiel; la ciudad fue fundada en 1242. Ingresó a la Liga HANSEÁTICA en 1284; en 1773 pasó a formar parte de Dinamarca. Después, Schleswig-Holstein quedó bajo dominio de Prusia en 1866, y Kiel se convirtió en su capital (1917). Siendo una importante base naval, fue blanco de los bombardeos aliados durante la segunda guerra mundial. Entre sus sitios de interés se cuentan la iglesia de San Nicolás (c. 1240), un palacio ducal (c. 1280) y la Universidad Christian-Albrecht de Kiel (fundada en 1665).

Kienholz, Edward (23 oct. 1927, Fairfield, Wash., EE.UU.– 10 jun. 1994, Hope, Idaho). Escultor estadounidense. Se dedicó a la pintura hasta que se mudó a Los Ángeles y comenzó a realizar grandes relieves en madera para muros (1954). Sus controvertidas esculturas ambientales (*land art*), iniciadas a fines de la década de 1950, presentaban elaborados diseños con ensamblajes tridimensionales, en los que criticaba duramente a la sociedad estadounidense. Su más famoso ambiente a escala real es *Roxy's*, la réplica de un burdel de Los Ángeles de 1943, y *The Beanery*, la reproducción de un decrépito bar con 17 figuras, olores incorporados por cañerías, rocolas y conversaciones de fondo. Los críticos calificaron algunas de sus imágenes de repulsivas y pornográficas.

Kierkegaard, Søren (Aabye) (5 may. 1813, Copenhague, Dinamarca–11 nov. 1855, Copenhague). Filósofo danés, considerado el fundador del EXISTENCIALISMO. Estudió teología en la Universidad de Copenhague. Es recordado por su crítica de la filosofía racional sistemática, particularmente del hegelianismo; sostenía que la vida real no puede quedar contenida dentro de un sistema conceptual abstracto. Desde esta posición intentó una consideración adecuada de la fe y, por consiguiente, de la religión, específicamente del cristianismo. Sus obras comprenden *O lo uno o lo otro* (1843), *Temor y temblor* (1843) y *La enfermedad mortal* (1849). En sus últimos años atacó insistentemente a la Iglesia organizada; agotado por el esfuerzo, murió a los 42 años. Su obra influyó enormemente en filósofos y teólogos continentales del s. XX, entre ellos KARL BARTH, KARL JASPERS, MARTIN HEIDEGGER y MARTIN BUBER.

Søren Kierkegaard, dibujo de Christian Kierkegaard, c.1840; colección privada.

GENTILEZA DEL MINISTERIO DE RELACIONES EXTERIORES DE DINAMARCA

kieselgur ver TIERRA DIATOMÁCEA

Kiev *ucraniano* **Kyyiv** Ciudad (pob., 2001: 2.611.000 hab.) y capital de UCRANIA. Situada a orillas del río DNIÉPER, se fundó en el s. VIII y a fines del s. IX sus príncipes habían ampliado el territorio para crear el estado de RUS DE KÍEV. En 1240 fue destruida por los tártaros de la HORDA DE ORO; después de su reconstrucción la ocuparon sucesivamente lituanos, polacos y cosacos. En 1793 fue incorporada a Rusia y en 1934 se transformó en capital de la República Socialista de Ucrania. Tras la independencia del país en 1991, pasó a ser la capital nacional de Ucrania. Kíev es una importante ciudad industrial y también un centro educacional y cultural. Es la sede de una universidad estatal y de la Academia de Ciencias de Ucrania.

Kigali Ciudad (pob., est. 1996: 356.000 hab.) y capital de RUANDA. Ubicada en el centro del país, fue el núcleo de la actividad comercial durante la administración colonial alemana (después de 1895) y un centro regional durante el período colonial belga (1919–62). Desde 1962 ha sido la capital de la República de Ruanda. Kigali, que ha registrado un rápido crecimiento, se vio afectada negativamente por los disturbios políticos que asolaron el país durante los años noventa.

kikuyu Pueblo de habla bantú que vive en las mesetas del centro-sur de Kenia, cerca del monte Kenia. Con una población cercana a seis millones de personas, constituyen el grupo étnico más numeroso del país. Tradicionalmente vivían en casas familiares separadas, pero durante la rebelión MAU-MAU el gobierno colonial británico los trasladó a aldeas por razones de seguridad, y esta redistribución se hizo permanente. Su economía tradicional se basaba en el cultivo intensivo con azadones del mijo y otras cosechas; en la actualidad, los principales productos agrícolas comerciales son el café, maíz, frutas y hortalizas. Muchos kikuyu trabajan en cargos gubernamentales.

Kilauea Cráter de la ladera oriental del MAUNA LOA, en el parque nacional HAWAII VOLCANOES, EE.UU. Es el cráter volcánico activo más grande del mundo y mide 5 km (3 mi) aprox. de largo por 3,2 km (2 mi) de ancho y 150 m (500 pies) de profundidad, a una altitud de 1.250 m (4.090 pies). En el fondo se encuentra una cavidad, llamada Halemaumau Pit, hogar de la legendaria diosa del fuego Pele. Sus erupciones frecuentes generalmente se mantienen dentro del cráter en forma de lago de lava en estado de fusión, pero de vez en cuando sale al exterior. Desde 1983 se han producido erupciones en las que la lava ha llegado hasta el mar, a 48 km (30 mi) de distancia.

Kilburn, Tom (11 ago. 1921, Dewsbury, Yorkshire, Inglaterra–17 ene. 2001, Manchester). Científico en informática británico. Su libro *A Storage System for Use with Binary Digital Computing Machines* [Sistema de almacenamiento para el uso de máquinas computacionales digitales binarias] (1947) influyó para que varias organizaciones de EE.UU. y Rusia adoptaran sus técnicas. Con Frederic C. Williams (n. 1911–m. 1977) diseñó y construyó el Manchester Mark I (1949), la primera computadora de programa almacenado, la cual condujo a la primera computadora comercial, el Ferranti Mark I (1949). En 1964 formó el primer departamento de ciencia de la informática universitario del Reino Unido y llegó a ser su primer profesor. Ver también concepto de PROGRAMA ALMACENADO.

Kilby, Jack (St. Clair) (8 nov. 1923, Jefferson City, Mo., EE.UU.–20 jun. 2005, Dallas). Inventor estadounidense. Estudió en la Universidad de Wisconsin. En 1958 se unió a la Texas Instruments; allí construyó el primer CIRCUITO INTEGRADO, un dispositivo en el cual todos los componentes del circuito están integrados en una sola superficie semiconductora. También coinventó una calculadora portátil con una impresora térmica que se utiliza en terminales de datos portátiles. Dueño de más de 60 patentes, recibió la Medalla nacional de ciencias (1970), el Premio Kioto (1993), y compartió el Premio Nobel de Física (2000) con Herbert Kroemer (n. 1928) y Zhores Alferov (n. 1930).

kilim Alfombra, lisa y tejida a mano, con técnicas de TAPIZ, realizadas en Anatolia, los Balcanes y algunas regiones de Irán. Se da el mismo nombre a una variedad de otras alfombras y bolsos de tejidos lisos, recamados, bordados y de textura desigual. Una característica común la constituye la hendidura que se produce al encontrarse dos colores en una línea vertical del diseño. Los ejemplos más notables son las piezas de seda de los s. XVI–XVII de Kāshān, Irán. Los kilim más grandes se fabrican en Turquía, así como también ejemplares más pequeños y de oración. Los tejedores turcos suelen usar algodón para las áreas blancas a las que se les pueden añadir pequeños detalles recamados. Los kilim del sur de los Balcanes, que originalmente fueron copias de los turcos, desarrollaron en forma gradual su estilo individual. Los kilim se tornan progresivamente menos asiáticos en su color y diseño a medida que sus lugares de fabricación se alejan de Turquía.

El Kilimanjaro, borde del cráter.
GERALD CUBITT

Kilimanjaro *o* **Uhuru** Montaña volcánica del nordeste de Tanzania. Situada en el parque nacional Kilimanjaro (fundado en 1973), comprende las cumbres de tres volcanes extinguidos: Kibo, Mawensi y Shira. La cumbre más alta es el Kibo, de 5.895 m (19.340 pies) de altura, que es además el punto más alto de África. Los primeros europeos en avistar el Kilimanjaro fueron misioneros alemanes (1848). El Kibo fue escalado por primera vez en 1889, y el Mawensi (5.150 m [16.896 pies]) en 1912.

Ki-lin ver JILIN

Killy, Jean-Claude (n. 30 ago. 1943, Saint-Cloud, cerca de París, Francia). Esquiador francés. Criado en un centro invernal alpino, se convirtió en campeón europeo en 1965 y, al año siguiente, ganó el título mundial de descenso combinado (descenso, SLALOM y slalom gigante). En 1967 obtuvo la primera Copa del Mundo masculina, triunfo que repitió en 1968. En los Juegos Olímpicos de Invierno de ese año fue el segundo esquiador de la historia en ganar todas las pruebas de la modalidad alpina, hazaña que el austríaco Toni Sailer había realizado en 1956. Se retiró en 1968, pero volvió en 1972 para competir profesionalmente.

kilt Prenda de vestir, tipo falda hasta la altura de las rodillas, usada por los hombres de las Highlands (Tierras Altas) de Escocia, como parte del atuendo tradicional. Se fabrica con lana permanentemente plisada y se envuelve alrededor de la cintura, de modo que los pliegues queden en la parte de atrás y las terminaciones planas se superpongan al frente. Generalmente se usa con un *plaid*, un trozo de tela rectangular que cuelga sobre el hombro izquierdo. Tanto el *kilt* como el *plaid* son tejidos con diseño TARTÁN (escocés). El conjunto, que se desarrolló en el s. XVII, se lleva tanto para uso diario como para ocasiones especiales. El traje de las Highlands es el uniforme de los regimientos escoceses del ejército de Gran Bretaña. Los *kilts* fueron usados en batalla en fechas tan recientes como la segunda guerra mundial.

Kilwa (Kisiwani) Antigua ciudad-estado islámica localizada en una isla cercana a la costa de lo que hoy corresponde al sur de Tanzania. En 1100 llegó a ser uno de los centros de comercio más activos de la costa oriental de África, donde incluso se acuñaban monedas de oro. Después de ser dominada brevemente por los portugueses durante el s. XVI, declinó en importancia y fue abandonada. Aún quedan extensas ruinas, de mezquitas, un fuerte portugués y de un palacio que data de los s. XIII–XIV. El pueblo de Kilwa, situado en la costa de Tanzania, fue uno de los principales centros de exportación de esclavos durante el s. XIX.

Kim Dae Jung (n. 6 ene. 1924, isla de Haui, provincia de Cholla, Corea). Político sudcoreano y primer líder de la oposición en alcanzar la presidencia del país. En 1954 incursionó por primera vez en política, como opositor a las políticas de SYNGMAN RHEE, aunque no obtuvo un puesto en el gobierno hasta 1961. Después de ser arrestado varias veces en la década de 1970, fue condenado a muerte por cargos de sedición y conspiración, sentencia que le fue conmutada por 20 años de prisión. En 1985, tras un breve período de exilio en EE.UU., reasumió su papel de líder de la oposición política. En 1997 fue elegido presidente de Corea del Sur, cargo que ocupó de 1998 a 2003. En 2000 recibió el Premio Nobel de la Paz.

Kim Il Sung (15 abr. 1912, Man'gyŏndae, Corea–8 jul. 1994, P'yŏngyang). Líder comunista de Corea del Norte desde 1948 hasta su muerte. A fines de la segunda guerra mundial, cuando el país se dividió entre una Corea del Norte ocupada por las fuerzas soviéticas y una Corea del Sur apoyada por EE.UU., Kim Il Sung contribuyó a establecer un gobierno comunista provisional y se convirtió en su primer gobernante. Invadió Corea del Sur en un intento por reunificar el país, pero la posterior guerra de COREA le impidió alcanzar ese objetivo. Después de este conflicto bélico, introdujo una filosofía de autoconfianza (*juche*), en virtud de la cual Corea del Norte sería capaz de desarrollar su economía con escasa ayuda de países extranjeros. El culto a su personalidad omnipresente le permitió gobernar sin cuestionamiento durante 46 años, en una de las sociedades más aisladas y represivas del mundo.

Kim Jong Il *o* **Kim Chong Il** (n. 16 feb. 1941, Siberia, Rusia, U.R.S.S.). Hijo de KIM IL SUNG. Fue designado sucesor de su padre en 1980 y, a la muerte de este en 1994, se convirtió en el líder de facto de Corea del Norte. Conocido en su país como el "Querido líder", realiza pocas apariciones públicas. Después de un grave período de hambruna (1995–98), comenzó a moderar la política de aislacionismo extremo del país.

Kim Young Sam (n. 20 dic. 1927, isla de Kojedo [cerca de Pusan], Corea). Líder opositor moderado de Corea del Sur, que ocupó el cargo de presidente (1993–98) después de la fusión de su partido con el partido gobernante. En 1954 fue elegido por primera vez miembro de la Asamblea Nacional, en la que sirvió hasta ser expulsado por el pdte. Park Chung Hee en 1979, hecho que desencadenó el estallido de disturbios y manifestaciones que precedieron el asesinato de Park. Tras el golpe militar del gral. Chun Doo Hwan en 1980, Kim permaneció bajo arresto domiciliario hasta 1983. En 1990 fusionó su partido con el gobernante Partido de Justicia Democrática, medida que lo ayudó a ganar la presidencia en 1992. Promulgó reformas para terminar con la corrupción política y durante su mandato Corea del Sur registró una creciente prosperidad hasta 1997, cuando el país se vio afectado por una crisis financiera asiática.

Kimberley Ciudad (pob., 1996: área urbana, 170.432 hab.) de la República de Sudáfrica. Fundada en 1871, poco después del descubrimiento de diamantes en sus inmediaciones, fue la capital de Griqualand oriental (1873–80) antes de formar parte de la Colonia de El Cabo. En el curso de la guerra de los BÓERS fue sitiada durante cuatro meses por estos (1899–1900). Es aún un centro de explotación diamantífera; en sus alrededores se encuentran inmensas fosas y acumulaciones de tierra que han dejado las operaciones mineras. Las minas DE BEERS CONSOLIDATED MINES y Kimberley se encuentran en las cercanías.

kimberlita *o* **tierra azul** Roca ígnea oscura, pesada y a menudo fragmentada, que puede contener DIAMANTES en su matriz. La kimberlita es una peridotita de MICA, un tipo de roca ultrabásica con una composición mineral compleja y a menudo muy alterada. Se la encuentra en el distrito Kimberley en Sudáfrica y en las regiones de Kimberley y del lago Argyle de Australia, así como cerca de Ithaca, N.Y., EE.UU.

kimono ver QUIMONO

Kin, dinastía ver dinastía JIN

Ki-nan ver JINAN

kindergarten ver JARDÍN INFANTIL

Kindi, al- *p. ext.* **Yakub ibn Ishaq al-Sabah al-Kindi** (c. 870). Primer filósofo islámico prominente. Trabajó en Irak subordinado a los califas al-MAMUN y al-Mutasim. Uno de los primeros filósofos árabes en estudiar a los griegos; tradujo importantes obras griegas al árabe y trató de combinar las concepciones de PLATÓN y ARISTÓTELES en un sistema nuevo. En sus breves tratados analizó las cuestiones filosóficas planteadas por el NEOPLATONISMO. También escribió más de 270 tratados científicos sobre materias varias, como astrología, aritmética india, fabricación de espadas y cocina.

kinesiología Estudio de los mecanismos y de la anatomía de los movimientos humanos y de su función en la promoción de la salud y el alivio de las enfermedades. Tiene aplicaciones directas en la condición física y la salud, como la programación de ejercicios para personas con o sin discapacidades, la preservación de la autonomía de personas mayores, la prevención de enfermedades producto de traumas y negligencias, y la rehabilitación de pacientes después de enfermedades o lesiones. Los kinesiólogos contribuyen también al desarrollo de mobiliario y ambientes más accesibles para personas con movilidad limitada y buscan maneras de mejorar los rendimientos individuales y de equipo. La investigación kinesiológica abarca la bioquímica de la contracción muscular y de los líquidos tisulares, la mineralización ósea, las respuestas al ejercicio, la forma en que se desarrollan las destrezas físicas, la eficiencia laboral y la antropología del juego.

B.B. King, 1972.
GENTILEZA DE SIDNEY A. SEIDENBERG INC.

King, B. B. *orig.* **Riley B. King** (16 sep. 1925, Itta Bena, cerca de Indianola, Miss., EE.UU.). Guitarrista de BLUES estadounidense. Criado en el delta del Mississippi, fue influido tempranamente por la música GOSPEL. Por un tiempo fue *disc jockey* en Memphis, donde adquirió el apodo B.B. (por "Blues Boy"). A su primer éxito, "Three O'Clock Blues" (1951), le siguió una larga sucesión de otros, entre ellos, "Every Day I Have the Blues" y "The Thrill Is Gone". A sus propios llamados vocales apasionados, King daba respuestas monocordes con un vibrato característico, en un estilo influenciado por los guitarristas de blues del delta y por el guitarrista de jazz DJANGO REINHARDT. A fines de la década de 1960 los guitarristas de rock empezaron a reconocer su influencia y a presentar a King y a su guitarra, Lucille, al público blanco. Permanece como el intérprete de blues más exitoso de todos los tiempos.

King, Billie Jean *orig.* **Billie Jean Moffitt** (n. 22 nov. 1943, Long Beach, Cal., EE.UU.). Tenista estadounidense. Ganó su primer campeonato de dobles en Wimbledon, en 1961, como parte de la dupla más joven de la historia en lograr ese título. Durante su carrera obtuvo un récord de 20 títulos en Wimbledon (en *singles* dobles femeninos y dobles mixtos) entre mediados de la década de 1960 y la de 1970. Además, ganó varios títulos en *singles* en el Campeonato de EE.UU. (1967, 1971–72 y 1974), de Australia (1968) y de Francia (1972). Figuró primera en el *ranking* estadounidense en siete ocasiones y cinco veces en el del mundo. En 1973 derrotó al ex campeón Bobby Riggs, de 55 años, en un partido ampliamente publicitado como "la guerra de los sexos". En 1974 se convirtió en cofundadora y primera presidenta de la Women's Tennis Association (WTA) (Asociación Femenina de Tenistas Profesionales) y ese mismo año fundó con su marido, Larry King, el World Team Tennis (WTT), del cual ha sido varias veces directora. Escribió dos autobiografías (con coautores) y una historia del tenis femenino. Es también una de las fundadoras de la revista *Womensport*.

King Cotton (inglés: "el rey algodón"). Término que se usó antes de la guerra de SECESIÓN para referirse a la importancia económica que tenía la producción sureña de algodón. El concepto apareció por primera vez en el libro *Cotton Is King* [El algodón es rey] (1855), y los políticos sureños lo repitieron, convencidos de que si la secesión llevaba a la guerra, el poder económico y político de este producto aseguraría la victoria. El Sur esperaba el apoyo de Gran Bretaña, gran importador de algodón; en cambio, Gran Bretaña encontró otras fuentes abastecedoras dentro de su propio imperio. La dependencia del algodón en el Sur fue una causa de su debilidad económica, después de la guerra de Secesión.

King George Sound Ensenada del océano Índico, en la costa meridional de Australia Occidental. Con una superficie de 91 km² (35 mi²), entre sus puertos se cuentan Oyster Harbor y Princess Royal Harbor (puerto de la ciudad de Albany). Cartografiada en 1791 por el capitán GEORGE VANCOUVER, inicialmente fue utilizada como base ballenera.

King, Larry *orig.* **Lawrence Harvey Zeiger** (n. 19 nov. 1933, Brooklyn, N.Y., EE.UU.). Anfitrión de programas de conversación estadounidense. Trabajó en Miami, Fla., como *disc-jockey* radial, entrevistador, y fue locutor y escritor independiente (1957–78). Fue el presentador del popular programa de radio *The Larry King Show* (1978–94) y desde 1985 hace entrevistas en el programa de televisión *Larry King Live* en la cadena CNN. Es conocido por su estilo relajado para entrevistar y en sus dos programas ha efectuado más de 30.000 entrevistas a celebridades, personajes de la actualidad y líderes mundiales.

King, Martin Luther, Jr. (15 ene. 1929, Atlanta, Ga., EE.UU.–4 abr. 1968, Memphis, Tenn.). Líder estadounidense de los derechos civiles. Hijo y nieto de predicadores baptistas, adhirió a la no violencia mientras estudiaba en la universidad. En 1954 se ordenó ministro baptista y fue pastor de una iglesia en Montgomery, Ala.; al año siguiente recibió un doctorado de la Universidad de Boston. Fue escogido para dirigir la Montgomery Improvement Association (Asociación progresista de Montgomery), que con sus iniciativas de boicot lograron poner fin a las políticas de SEGREGACIÓN RACIAL de la ciudad en los medios de locomoción pública. En 1957 fundó la Conferencia de LÍDERES CRISTIANOS DEL SUR y comenzó a hablar en todo el país, instando a la no violencia con el fin de alcanzar los derechos civiles para los afroamericanos. En 1960 volvió a

Martin Luther King, Jr.
JULIAN WASSER

Atlanta a compartir con su padre las funciones de pastor de la iglesia baptista Ebenezer. Fue detenido y encarcelado por protestar contra la segregación en un mesón de comida rápida; el caso atrajo la atención nacional y el candidato presidencial JOHN F. KENNEDY intercedió para obtener su libertad. En 1963 colaboró en la organización de la marcha sobre Washington, D.C., que reunió a más de 200.000 manifestantes y en la cual pronunció su famoso discurso en que proclamó: "Yo tengo un sueño". La marcha influyó en la aprobación de la ley sobre DERECHOS CIVILES FUNDAMENTALES DE 1964 y recibió el Premio Nobel de la Paz. En 1965 fue blanco de críticas al interior del movimiento de derechos civiles por ceder ante la policía montada durante una marcha en Selma, Ala., y por no haber logrado modificar las políticas segregacionistas de Chicago en materia de vivienda. Posteriormente, amplió sus objetivos, se ocupó de la situación de los pobres de todas las razas y se opuso a la guerra de Vietnam. En 1968 partió a Memphis, en apoyo de una huelga de obreros sanitarios; allí, el 4 de abril, fue asesinado por JAMES EARL RAY. En EE.UU., el tercer lunes de enero es feriado nacional en su honor.

King, Stephen (Edwin) (n. 21 sep. 1947, Portland, Me., EE.UU.). Escritor estadounidense. Educado en la Universidad de Maine, escribió varios libros inmensamente populares que lo convirtieron en uno de los autores más vendidos del mundo. Sus obras mezclan el horror, lo macabro, la fantasía y la CIENCIA FICCIÓN. *Carrie* (1974; película, 1976), su primera novela publicada y éxito inmediato, fue seguida de una larga serie de títulos famosos, entre los que figuran *El resplandor* (1977; película, 1980; serie de televisión, 1997), *La zona muerta* (1979; película, 1983), *Cementerio de animales* (1983; película, 1989) y *Misery* (1987; película, 1990). La mayoría de sus novelas han sido adaptadas a la televisión o el cine, y muchas han sido traducidas a varios idiomas.

King, W(illiam) L(yon) Mackenzie (17 dic. 1874, Berlin, Ontario, Canadá–22 jul. 1950, Kingsmere, Quebec). Primer ministro de Canadá (1921–26, 1926–30, 1935–48). Nieto de William L. Mackenzie, fue viceministro del trabajo (1900–08) antes de ser la primera persona que ocupó el cargo de ministro de esa cartera en Canadá (1909–11). Reelegido al parlamento (1919), fue líder del Partido Liberal. Como primer ministro, fue partidario de la reforma social sin socialismo; gobernó con el apoyo de una alianza de liberales y progresistas, y logró una relación más independiente entre los países de la *Commonwealth* y Gran Bretaña. Durante la segunda guerra mundial y después de ella, unificó un país a menudo dividido entre votantes ingleses y franceses.

kingfish Cualquiera de varios peces, entre ellos ciertas especies de CABALLA y BURRIQUETA. La caballa reina (*Scomberomorus cavalla*), es un pez del Atlántico occidental de unos 170 cm (67 pulg.) de largo y que pesa 36 kg (79 lb) o más. El merlán (*Menticirrhus saxatilis*) del Atlántico es notable entre los tímbalos porque carece de vejiga aérea.

Kings Canyon, parque nacional Parque nacional en la SIERRA NEVADA, situado en la zona centro-sur del estado de California, EE.UU. Ocupa una superficie de 1.870 km² (722 mi²) y es administrado junto con el colindante parque nacional SECUOYA. Fue creado en 1940 y contiene secuoyas gigantes. Su característica más impresionante es el Kings Canyon, junto al Kings River, cañón esculpido por la acción erosiva de los glaciares.

Kingsley, Charles (12 jun. 1819, Holne Vicarage, Devon, Inglaterra–23 ene. 1875, Eversley, Hampshire). Clérigo y novelista inglés. Después de estudiar en Cambridge, fue párroco y luego capellán de la reina Victoria, además de profesor de historia

Las aguas del Kings River bañan las tierras del parque nacional Kings Canyon, EE.UU.
JOSEF MUENCH

moderna en Cambridge y canónigo de Westminster. Entusiasta promotor del SOCIALISMO CRISTIANO, publicó varias novelas sobre problemas sociales antes de escribir novelas históricas tan exitosas como *Hipatía* (1853), *Rumbo al oeste* (1855) y *Hereward the Wake* [Hacia aquí lleva la estela] (1866). Temiendo que la Iglesia anglicana tendiera hacia el catolicismo, entabló una famosa controversia con JOHN HENRY NEWMAN. Su aceptación incondicional de la teoría de la evolución de CHARLES DARWIN inspiró su conocido libro infantil *Los niños del agua* (1863).

Kingston Ciudad (pob., est. 1999: área metrop., 655.000 hab.), capital y puerto principal de JAMAICA. Se ubica en la costa meridional de la isla, y fue fundada en 1692 después de que un terremoto destruyera la ciudad de Port Royal. Pronto se convirtió en el centro comercial de Jamaica y en 1872, en capital política. Entre sus edificios históricos se cuentan una iglesia del s. XVII, una fortificación y la Headquarters House (Casa de Gobierno), que data del s. XVII. Es también sede de la Universidad de las Antillas.

Kingston, Maxine Hong orig. **Maxine Hong** (n. 27 oct. 1940, Stockton, Cal., EE.UU.). Escritora estadounidense. Nació en el seno de una familia de inmigrantes. Kingston examinó los mitos, realidades e identidades culturales de familias estadounidenses y chinas, y el papel que desempeñan las mujeres en la cultura china, tanto en sus obras de ficción como de no ficción. Sus obras tan admiradas, *The Woman Warrior* [La mujer guerrera] (1976) y *China Men* [Hombres de porcelana] (1980) combinan la fantasía y los hechos para narrar aspectos de su historia familiar.

Kingston-upon-Hull *o* **Hull** Ciudad (pob., 2001: 243.595 hab.) del cond. administrativo de East Riding, en el cond. histórico de YORKSHIRE, Inglaterra. Está situada en la ribera septentrional del río HUMBER, en su punto de confluencia con el río Hull, a 35 km (22 mi) del mar del Norte. Hull fue un puerto medieval para el comercio de lana que en 1293 pasó de los monjes de la abadía de Meaux a EDUARDO I. Durante más de 400 años fue el principal puerto de embarque de las vías fluviales interiores que convergen en el río Humber. Recibió la carta que le otorgaba el título de ciudad en 1897. Es un importante puerto nacional, capaz de recibir grandes transatlánticos. En la zona histórica de la ciudad se conservan varios edificios medievales. Su escuela de enseñanza básica se fundó en 1486.

Kingstown Capital (pob., est. 1999: 16.175 hab.) y puerto principal de SAN VICENTE Y LAS GRANADINAS, Antillas Menores. Se ubica en el extremo sudoriental de la isla de San Vicente, desde el cual se domina el puerto de Kingstown. Entre sus lugares de interés se cuentan el Jardín botánico (fundado en 1763), el más antiguo de su especie en las Indias Occidentales. En 1787, el cap. WILLIAM BLIGH emprendió su travesía en el *Bounty* para traer ejemplares del árbol del pan de TAHITÍ para este jardín.

Kinnereth, lago de ver lago de TIBERÍADES

Kinnock, Neil (Gordon) (n. 28 mar. 1942, Tredegar, Monmouthshire, Gales). Político británico. Elegido al parlamento en 1970, ascendió en las filas del PARTIDO LABORISTA y fue designado miembro de su comité ejecutivo nacional en 1978. En 1983, después de que el partido sufriera su más grave derrota en 48 años, resultó elegido su líder, el más joven en su historia. En 1989 había convencido al partido de abandonar sus políticas radicales de desarme y nacionalización. Aunque este incrementó su número de escaños en el parlamento, perdió la elección general de 1992 ante los conservadores y renunció como líder del partido. Se convirtió en vicepresidente de la Comisión Europea de la Unión Europea en 1999.

Kinsey, Alfred (Charles) (23 jun. 1894, Hoboken, N.J., EE.UU.–25 ago. 1956, Bloomington, Ind.). Zoólogo estadounidense, experto en conducta sexual humana. Después de obtener un Ph.D. en la Universidad de Harvard en 1920, enseñó zoología en la Universidad de Indiana, donde fue fundador-director (1942) del Institute for Sex Research (Instituto de investigación sobre sexualidad), el que más tarde llevó su apellido. Sus investigaciones sobre sexualidad humana lo llevaron a publicar *Comportamiento sexual del hombre* (1948) y *Comportamiento sexual de la mujer* (1953). Estos informes, basados en 18.500 entrevistas personales, recibieron extraordinaria publicidad por sus conclusiones acerca de las costumbres y comportamientos sexuales contemporáneos. En los últimos años, sin embargo, los métodos y muestreos estadísticos de Kinsey han sido vigorosamente cuestionados y criticados.

Kinshasa *ant.* **Léopoldville** Capital y ciudad más populosa (pob., est. 1994: 4.655.313 hab.) de la República Democrática del Congo. Ubicada en la ribera sur del río CONGO, fue fundada con el nombre de Léopoldville en 1881 por HENRY MORTON STANLEY. En la década de 1920 se convirtió en la capital del Congo Belga. Después de la segunda guerra mundial pasó a ser la ciudad más grande del África subsahariana, y en 1960, la capital de la república independiente. Fue bautizada con su nombre actual en 1966. Es un importante puerto fluvial y centro de comercio. También es la sede de la Universidad de Kinshasa (1954).

kiosco *o* **quiosco** Inicialmente un pabellón circular abierto, propio de la arquitectura islámica, consistente en un techo soportado por pilares. La palabra ha sido usada también para describir un pabellón turco de verano, y un tipo de mezquita persa primitiva. Hoy el término se refiere a cualquier caseta urbana pequeña que vende periódicos o boletos y entrega información.

Kioto *o* **Kyoto** Ciudad (pob., est. 2000: 1.467.705 hab.) del centro-oeste de HONSHU, Japón. Está situada al nordeste de OSAKA. En su calidad de centro cultural y del budismo japonés, Kioto ("Ciudad capital") fue la residencia de la familia imperial y la capital por más de 1.000 años (794–1868). En la ciudad actual hay salas que presentan TEATRO NŌ y KABUKI, así como muchos pequeños talleres que producen textiles y porcelanas. Por toda la ciudad y sus alrededores se levantan templos budistas y sintoístas. Forma parte de una región industrial y es también un centro manufacturero. Entre sus instituciones de educación superior destacan las universidades de Kioto (fundada en 1897) y de Doshisha (1875).

El Pabellón dorado (Kinkaku-ji), famoso templo budista zen construido por Yoshimitsu c. 1394, Kioto, Japón.
FOTOBANCO

kiowa Pueblo indígena de América del Norte que vive mayormente en Oklahoma, EE.UU., en una reserva que comparten con los COMANCHES y APACHES. Su lengua pertenece a la familia de las lenguas kiowa-tanoan. El nombre kiowa puede ser una variante del nombre con que ellos se autodenominan, kai-i-gwu, que significa "pueblo principal". Emigraron hacia el sur desde el oeste de Montana y adoptaron el estilo de vida de los indios de las LLANURAS. Montados a caballo cazaban búfalos y vivían en amplios TIPIS de tres postes. Se regían por sociedades guerreras, cuyos miembros adquirían rango en función de su desempeño bélico. Creían que los sueños y visiones les otorgaban poderes sobrenaturales, y participaban en la ceremonia de la DANZA DEL SOL. También se destacaban por su sistema de signos pictográficos, dibujos utilizados como calendario de importantes eventos tribales. Se cuentan entre los últimos pueblos de las llanuras en capitular ante EE.UU. Unas 8.600 personas manifestaron tener ascendencia kiowa en el censo estadounidense de 2000.

Kipchoge Keino, Hezekiah ver Kip KEINO

Kipling, (Joseph) Rudyard (30 dic. 1865, Bombay, India–18 ene. 1936, Londres, Inglaterra). Novelista, cuentista y poeta británico de origen indio. Hijo de un curador de museo, Kipling fue criado en Inglaterra, pero regresó a India como periodista. Pronto se hizo famoso por sus volúmenes de cuentos, como *Cuentos de las colinas* (1888, que incluía "El hombre que quiso ser rey"), y más tarde por la colección de poemas *Canciones de cuartel* (1892, que incluía "Gunga Din" y "Mandalay").

Rudyard Kipling.
ELLIOTT Y FRY

Sus poemas, con frecuencia muy rítmicos, son por lo general baladas narrativas. Durante su permanencia en EE.UU. publicó una novela, *En tinieblas* (1890); las dos entregas de *El libro de las tierras vírgenes* (1894, 1895), historias del niño salvaje Mowgli en la selva india, que se convirtió en un clásico infantil; el relato de aventuras *Capitanes intrépidos* (1897), y *Kim* (1901), una de las grandes novelas de India. Escribió otros seis volúmenes de cuentos y varios poemarios. Entre sus libros para niños destacan el famoso *Precisamente así* (1902) y la colección de cuentos de hadas *Puck, el de la colina de Pook* (1906). En 1907 fue galardonado con el Premio Nobel de Literatura. La extraordinaria popularidad de la que gozó en su tiempo, declinó después de la primera guerra mundial, debido a la impresión generalizada de que se trataba de un imperialista patriotero.

Kirchhoff, Gustav Robert (12 mar. 1824, Königsberg, Prusia–17 oct. 1887, Berlín, Alemania). Físico alemán. Las leyes de Kirchhoff (1845) permiten el cálculo de las corrientes, voltajes y resistencias de redes eléctricas (fue el primero en demostrar que la corriente fluye a través de un conductor a la velocidad de la LUZ) y generalizaron las ecuaciones que describen el flujo de corriente en tres dimensiones. Junto con ROBERT BUNSEN, demostró que cada ELEMENTO QUÍMICO al ser calentado emite luz de color de una LONGITUD DE ONDA específica para el elemento, propiedad que es la base del análisis espectral. Usaron esta nueva herramienta de investigación para descubrir el CESIO (1860) y el rubidio (1861), y abrieron una nueva era en la astronomía cuando la aplicaron al ESPECTRO solar.

Kirchhoff, leyes de los circuitos de *o* **leyes de Kirchhoff** Dos afirmaciones enunciadas por GUSTAV KIRCHHOFF sobre los CIRCUITOS complejos que engloban las leyes de CONSERVACIÓN de la CARGA ELÉCTRICA y de la energía. Se utilizan para determinar el valor de la CORRIENTE ELÉCTRICA en cada rama del circuito. La primera ley establece que la suma de las corrientes que entran en un nudo de un circuito es igual a la suma de aquellas que salen del nudo. La segunda ley establece que a lo largo de cada rama cerrada de un circuito eléctrico, la suma de las FUERZAS ELECTROMOTRICES (fem) es igual a la suma de todas las caídas de potencial (cambios o diferencias de voltaje) a través de los componentes en dichas ramas. Aplicando estas leyes se pueden formular ecuaciones algebraicas para determinar el valor de las corrientes en las diferentes ramas del circuito.

Kirchner, Ernst Ludwig (6 may. 1880, Aschaffenberg, Baviera–15 jun. 1938, cerca de Davos, Suiza). Pintor, grabador y escultor alemán.

Fue uno de los fundadores del grupo expresionista Die BRÜCKE ("El puente"). El muy personal estilo de Kirchner, influido tanto por ALBERTO DURERO y EDVARD MUNCH como por el arte africano y polinésico, destacó por su tensión psicológica y erotismo. Utilizó formas simples dibujadas con mucha fuerza, y a menudo colores chillones para crear obras intensas y a veces amenazantes, como sus dos versiones de *Calle, Berlín* (1907, 1913). Muy sensible y con frecuencia deprimido, se suicidó cuando los nazis calificaron su obra de "degenerada".

"Calle, Berlín", óleo sobre tela de Ernst Ludwig Kirchner, 1913.
GENTILEZA DEL MUSEO DE ARTE MODERNO DE NUEVA YORK

KIRGUIZISTÁN

▸ **Superficie:** 198.500 km² (76.641 mi²)
▸ **Población:** 5.146.000 hab. (est. 2005)
▸ **Capital:** BISHKEK
▸ **Moneda:** som

Kirguizistán *ofic.* **República de Kirguizistán** País de Asia central. El territorio es principalmente montañoso; en la frontera con China se eleva el macizo TIAN SHAN. Los kirguizes constituyen cerca de la mitad de la población; el resto está compuesto de rusos y uzbekos, así como de ucranianos y alemanes deportados de Rusia durante la segunda guerra mundial (1939–45). Idiomas: kirguiz y ruso (ambos oficiales). Religión: Islam (sunní). En el extremo oriental se levanta el pico Pobieda (Victoria), de 7.437 m (24.400 pies) de altura, el punto más alto del país. La mayor parte de la población vive en los valles y llanuras, que ocupan sólo el 14% de la superficie total. La economía se basa principalmente en la actividad agropecuaria, como la ganadería ovina y el cultivo de cereales, patatas, algodón y remolacha azucarera. También son importantes la minería del carbón, el procesamiento de alimentos y la producción de maquinarias. Es una república bicameral; el jefe de Estado y de Gobierno es el presidente, asistido por el primer ministro. Los kirguizes, pueblo nómada de Asia central, se asentaron en la región de Tian Shan en tiempos remotos. Fueron conquistados en 1207 por Jöchi, hijo de GENGIS KAN. A mediados del s. XVIII, la región cayó en poder de la dinastía Qing, de origen chino, y en el s. XIX quedó bajo dominio ruso. Su rebelión contra el Imperio ruso, ocurrida en 1916, tuvo como consecuencia una prolongada y violenta represión zarista. La región de Kará-Kirguiz (así denominada por los rusos) pasó a ser una provincia autónoma de la Unión Soviética en 1924, y en 1936 se constituyó en la República Socialista Soviética de Kirguizia. Obtuvo su independencia en 1991, y desde esa fecha se ha esforzado por afianzar un gobierno democrático y una economía estable.

Kiriano de Clonmacnois, san *o* **Kiriano el Joven** (c. 516, Irlanda–c. 549, Clonmacnois; festividad: 9 de septiembre). Abad irlandés y uno de los fundadores del movimiento monástico en Irlanda. Se educó con san COLUMBA en el monasterio de Clonard y con posterioridad vivió en la isla Inishmore (o Aranmore) como discípulo de san Enda. Viajó al centro de Irlanda y se estableció con ocho compañeros en Clonmacnois, donde fundó una abadía (548) que tiempo después obtuvo renombre como centro de la erudición medieval. Su abadía tuvo tal influencia que más de la mitad de los monasterios en Irlanda siguieron sus estrictos preceptos ascéticos. En su festividad anual se realiza una peregrinación a Clonmacnois.

KIRIBATI

▸ **Superficie:** 811 km² (313 mi²).
▸ **Población:** 95.300 hab. (est. 2005)
▸ **Capital:** BAIRIKI
▸ **Moneda:** dólar australiano

Kiribati *ofic.* **República de Kiribati** Estado insular en Oceanía situado en el océano Pacífico central. Está compuesto por 33 islas. Abarca tres grupos de islas principales, GILBERT, PHOENIX Y LINE ISLANDS (excluyendo las tres islas de las Line que corresponden a territorio de EE.UU.). También forma parte de Kiribati la isla Banaba, antiguo centro administrativo de la colonia británica de las islas GILBERT Y ELLICE. La población autóctona es en su mayoría micronesia. Idiomas: inglés (oficial) y gilbertiano. Religiones: catolicismo, protestantismo y baha'i. A excepción de Banaba (que es una isla volcánica y de mayor altura), todas las demás son atolones coralinos de poca altura que reposan sobre una cadena volcánica sumergida y están rodeados de arrecifes. No más de 20 están habitadas, y más del 95% de la población vive en las Gilbert. La economía se basa en la agricultura y la pesca de subsistencia. Kiribati es una república unicameral; el jefe de Estado y de Gobierno es el presidente. Las islas fueron colonizadas antes del s. I DC por pueblos de origen austronesio. Fijianos y tonganos llegaron a ellas c. siglo XIV. En 1765, el comodoro británico John Bryon descubrió la isla de Nikunau, y en 1837 llegaron los primeros colonos europeos. En 1916, las islas Gilbert y Ellice, junto con Banaba, pasaron a ser colonia británica; las islas Phoenix se sumaron a ella en 1937. La mayoría de las islas Line se integraron a la colonia en 1972, pero en 1976 las islas Ellice se separaron de esta para formar la nación de TUVALU. La colonia comenzó a gobernarse en forma autónoma en 1977, y dos años después se proclamó la República de Kiribati.

Ki-rin VER JILIN

Kirkland, (Joseph) Lane (12 mar. 1922, Camden, S.C., EE.UU.–14 ago. 1999, Washington, D.C.). Dirigente sindical estadounidense. Fue oficial de la marina mercante de EE.UU. y en 1948 se incorporó como investigador a la American Federation of Labor AFL, (Federación estadounidense del trabajo). En 1969 fue elegido secretario-tesorero de la AFL-CIO y en 1979 sucedió a GEORGE MEANY en el cargo de presidente. Durante su mandato (1979–95), la influencia política y el número de miembros de la AFL-CIO disminuyeron a consecuencia de la contracción del empleo en el sector manufacturero del país.

Kirkūk Ciudad (pob., última est.,: 419.000 hab.) del nordeste de Irak. Situada en la región kurda del país, al norte de BAGDAD, se halla en una de las primeras regiones del Medio Oriente donde se encontró petróleo. Kirkūk es un centro comercial y exportador y una de las bases de la industria petrolera iraquí, con oleoductos conectados con Trípoli y Yumurtalik en la costa de Turquía. Tradicionalmente, la ciudad ha tenido una mayoría de población de origen kurdo y turcómano, pero a fines del s. XX el gobierno iraquí adoptó la política de expulsarlos y repoblar la región con árabes.

Kirkwall Distrito real y ciudad principal (pob., est. 1995: 7.000 hab.) de las islas ORCADAS, en la isla Pomona, frente al extremo septentrional de Escocia. Ahí se han encontrado pruebas de que la influencia vikinga se mantuvo incluso hasta la construcción de la catedral de St. Magnus en el s. XII. Kirkwall es un centro comercial y de servicios para las islas Orcadas, y también capital histórica y centro administrativo del condado. La extracción de petróleo en el mar del Norte ha impulsado el desarrollo de servicios para atender y abastecer la industria petrolera.

Kirkwood, gaps de Interrupciones en la distribución de ASTEROIDES en el cinturón de estos, ubicado entre las órbitas de Marte y Júpiter, que se producen cuando el período orbital de cualquiera de estos pequeños cuerpos es una fracción simple del período orbital de Júpiter. Varias zonas de baja densidad en el cinturón de asteroides fueron descubiertas c. 1860 por Daniel Kirkwood (n. 1814–m. 1895), quien explicó estos "gaps" como resultado de las perturbaciones de Júpiter. Dedujo que cualquier objeto que orbitara en una de estas regiones sería perturbado de manera regular por la atracción gravitacional del planeta y, como consecuencia, desplazado hacia otra órbita.

Kírov, Serguéi (Mirónovich) *orig.* **Serguéi Mirónovich Kostrikov** (27 mar. 1886, Urzhum, provincia de Viatka, Rusia–1 dic. 1934, Leningrado, Rusia, U.R.S.S.). Líder político soviético. Después de unirse a los BOLCHEVIQUES, extendió el control del Partido Comunista en Transcaucasia y, en 1926, STALIN lo nombró jefe de la organización partidaria en Leningrado. Modernizó las industrias de la ciudad, fue elegido al Politburó (1930) y adquirió un poder que casi rivalizó con el de Stalin. En 1934 fue asesinado por un joven miembro del partido, Leonid Nikolaiev, quien más tarde fue fusilado junto con 13 sospechosos de complicidad. Stalin afirmó que una extensa conspiración de comunistas antiestalinistas planeaban asesinar a todo el liderazgo soviético y utilizó el asesinato como pretexto para instituir las PURGAS POLÍTICAS. En 1956, NIKITA JRUSCHOV sugirió que Stalin había maquinado el asesinato de Kírov.

Kírov, Teatro ver Teatro MARÍINSKI

Kirovabad ver GÄNCÄ

Kirstein, Lincoln (Edward) (4 may. 1907, Rochester, N.Y., EE.UU.–5 ene. 1996, Nueva York, N.Y.). Experto en danza, empresario artístico y escritor estadounidense. Se graduó en Harvard, donde fundó la revista literaria *Hound & Horn*. Económicamente independiente, centró su interés artístico en el ballet y, en 1933, convenció al coreógrafo GEORGE BALANCHINE para que se trasladara a EE.UU. para fundar una escuela y compañía de ballet. En 1934 se inauguró la School of American Ballet, que Kirstein dirigió de 1940 a 1989. Junto con Balanchine fundó varias compañías de ballet hasta culminar con el NEW YORK CITY BALLET (1948), del cual fue director general hasta 1989. Escribió siete libros sobre ballet, entre ellos *Dance* (1935), texto clásico de la historia de la danza.

Kis Antigua ciudad-estado de Mesopotamia, al este de BABILONIA, en el actual centro-sur de Irak. Se situaba a orillas del ÉUFRATES antes de que el río cambiara su curso. Las ruinas de la ciudad, que datan del IV milenio AC, corresponden a la cultura sumeria; también se han encontrado muestras arqueológicas del palacio de SARGÓN y del templo de NABUCODONOSOR II.

Kisangani *ant. (hasta 1966)* **Stanleyville** Ciudad (pob., est. 1994: 417.517 hab.) del nordeste de la República Democrática del Congo. Es el segundo puerto fluvial del país, después de KINSHASA, y está ubicada a orillas del río CONGO, aguas abajo de las cataratas Boyoma (Tshungo). La ciudad fue fundada por europeos en 1883; primero se le dio el nombre de Falls Station y, más tarde, el de Stanleyville (en honor de HENRY MORTON STANLEY). Desde fines del s. XIX ha sido el principal centro urbano del norte del Congo. Es la sede de la Universidad de Kisangani (1963) y de otras instituciones de educación superior.

Kishinev ver CHISINAU

Kishon, río ver río QISHON

Kissinger, Henry A(lfred) (n. 27 may. 1923, Fürth, Alemania). Politólogo y asesor en política exterior estadounidense (1969–76), de origen alemán. Emigró a EE.UU. con su familia en 1938. Dictó cátedra en la Universidad de Harvard, donde dirigió el Programa de estudios de defensa (1959–69).

Henry Kissinger, 2002.
FOTOBANCO

En 1968, el pdte. RICHARD NIXON lo nombró asesor en asuntos de seguridad nacional y, entre 1969 y 1975, presidió el Consejo nacional de seguridad; fue secretario de Estado desde 1973 hasta 1977. Formuló la política de DISTENSIÓN hacia la Unión Soviética, que se tradujo en los acuerdos surgidos de las negociaciones sobre la limitación de las ARMAS ESTRATÉGICAS. También inició el primer contacto oficial de EE.UU. con China comunista. Colaboró en la planificación del bombardeo estadounidense de Camboya en 1969–70 y negoció el convenio de alto el fuego que puso fin a la guerra de VIETNAM, por lo cual en 1973 compartió el Premio Nobel de la Paz con Le Duc Tho (quien lo rechazó). En 1973 contribuyó a fomentar un golpe militar en Chile que derrocó al gobierno marxista de ese país. Desde que se retiró de la administración pública ha actuado como consultor internacional y conferenciante, y se ha dedicado a escribir.

Kistna ver KRISHNA

Kitaj, R(onald) B(rooks) (n. 29 oct. 1932, Chagrin Falls, Ohio, EE.UU.). Pintor británico de origen estadounidense. Estudió en Nueva York, Viena, Oxford y Londres. En la década de 1960 fue miembro importante del POP ART en Gran Bretaña. Sus obras mezclaron el acabado impersonal característico de las telas pop con la pincelada suelta de los representantes del EXPRESIONISMO ABSTRACTO, pero se diferenciaron de las obras de sus contemporáneos pop en su compleja y alusiva imaginería figurativa. Las pinturas semiabstractas de Kitaj presentan figuras humanas de colores brillantes e interpretadas con imaginación, las que a su vez están representadas en posturas enigmáticas y ambiguas en relación unas con otras. Expuso en diversos países y enseñó en varias escuelas británicas de arte.

Kitakami, montes Macizo montañoso en el nordeste de HONSHU, Japón. Se extiende a lo largo de 250 km (155 mi) en forma paralela a la costa del Pacífico hasta la península de Ojika. La cumbre más alta tiene una altitud de 1.914 m (6.280 pies). Llamados con frecuencia el "Tíbet de Japón", los Kitakami constituyen la región culturalmente más aislada de Honshu. En ellos subsistieron, hasta mediados del s. XX, antiguas prácticas agrícolas, como el régimen de servidumbre conocido como Nago.

Kitakyūshū Ciudad (pob., est. 2000: 1.011.491 hab.) de KYUSHU, Japón. Se creó en 1963 por la fusión de varias ciudades. Un tramo de su larga costa forma parte del parque nacional del Mar Interior. Es uno de los principales centros manufactureros de Japón. Un puente y túneles submarinos la conectan con la ciudad de Shimonoseki, en Honshu.

Kitami, montes Macizo montañoso del nordeste de HOKKAIDO, Japón. Se extiende 290 km (180 mi) a lo largo de la costa del mar de Ojotsk, y alcanza una altura de 750 a 950 m (2.500 a 3.100 pies), aunque su pico más alto se eleva a 1.980 m (6.500 pies).

Kit-Cat, club Asociación de líderes WHIG de principios del s. XVIII en Londres. Entre sus miembros se contaban los escritores RICHARD STEELE, JOSEPH ADDISON y WILLIAM CONGREVE y figuras políticas como ROBERT WALPOLE y el duque de MARLBOROUGH. Al principio se reunían en la taberna de Christopher Cat, cuyos pasteles de carne de carnero se llamaban "kit-cats". Los retratos de los 42 miembros fueron pintados por Godfrey Kneller (n. 1646–m. 1723) y el tamaño específico de los lienzos (91 × 71 cm [36 × 28 pulg.]) utilizados en los retratos se hizo conocido como "kit-cat".

Kitchener, H(oratio) H(erbert) *post.* **conde Kitchener (de Jartum y de Broome)** (24 jun. 1850, cerca de Listowel, cond. de Kerry, Irlanda–5 jun. 1916, en el mar, frente a las islas Orcadas). Mariscal de campo británico y administrador imperial. En su calidad de ingeniero militar, prestó servicio en el Medio Oriente y Sudán antes de ser nombrado comandante en jefe del ejército egipcio en 1892. En 1898 aplastó al movimiento MAHDISTA rebelde en la batalla de OMDURMAN y obligó a Francia a hacer concesiones en el incidente de FASHODA. Participó en la guerra de los BÓERS como jefe de estado mayor en 1899, y un año después se convirtió en comandante en jefe. En los últimos 18 meses de la guerra, recurrió a métodos brutales, quemando las granjas de los bóers e internando a sus mujeres y niños en campos de concentración. Más tarde fue enviado a India para reorganizar el ejército. Un enfrentamiento con Lord CURZON por el control del ejército provocó la renuncia de este en 1905. En 1911, Kitchener regresó a Jartum como procónsul de Egipto y Sudán. Como ministro de guerra durante la primera guerra mundial, organizó ejércitos a una escala sin precedentes en la historia británica y se convirtió en símbolo de la voluntad de triunfo del país. Murió en una misión a Rusia cuando su buque fue hundido por una mina alemana.

kithara Gran lira de la antigüedad clásica, principal instrumento de CUERDA de los griegos y posteriormente de los romanos. Tenía una caja de resonancia cuadrada desde la que se extendían dos brazos paralelos conectados por un travesaño. Entre tres y 12 cuerdas se estiraban entre la caja de resonancia y el travesaño. Se colocaba verticalmente y las cuerdas se pulsaban con un plectro; la mano izquierda se usaba para detener y apagar las cuerdas. La tocaban tanto los cantantes de poemas épicos griegos, como los acompañantes y solistas profesionales, tiempo más tarde.

kiva Cámara subterránea de las aldeas de los indios PUEBLO, del sudoeste de EE.UU., notable por los murales que decoran sus paredes. Un agujero pequeño en el piso, llamado *sípapu*, sirve como lugar simbólico del origen de la tribu. Aunque el propósito principal de la *kiva* es realizar ceremonias rituales, los hombres también la usan para reuniones políticas y sociales. Las mujeres están casi siempre excluidas de la *kiva*.

Kivu, lago Lago del centro de África oriental. Ubicado entre Ruanda y la República Democrática del Congo, ocupa una superficie de 2.700 km² (1.040 mi²); tiene una extensión de 90 km (55 mi) y 48 km (30 mi) de ancho, con una profundidad máxima de 475 m (1.558 pies), que contiene varias islas. Formaba parte de una masa de agua mayor hasta que por acción volcánica en la costa septentrional se creó un embalse natural que separó el lago Kivu del lago EDUARDO.

Kiwi común (*Apteryx australis*).
© ENCYCLOPÆDIA BRITANNICA, INC.

kiwi Cualquiera de tres especies (género *Apteryx*) de aves RATITE del tamaño de un pollo, de color marrón grisáceo, que habitan en Nueva Zelanda. Su nombre maorí alude al reclamo chillón del macho. Los kiwis tienen alas vestigiales ocultas dentro del plumaje, ventanillas en el extremo (y no en la base) de su largo pico flexible, plumas suaves como cabellos, y patas robustas y musculosas. Cada uno de los cuatro dedos posee una gran garra. Los kiwis viven en los bosques, donde duermen de día y de noche, y buscan gusanos, insectos y sus larvas, además de bayas. Corren velozmente y usan sus garras para defenderse cuando se ven acorralados.

kiwi Fruto comestible de la enredadera *Actinidia chinensis* (familia Actinidiaceae), originaria de China y Taiwán, y cultivada comercialmente en Nueva Zelanda y California, EE.UU. Se hizo popular con la NOUVELLE CUISINE de la década de 1970. Tiene un sabor ligeramente ácido y un alto contenido de vitamina C. Puede comerse crudo o cocido y a veces el jugo se usa como ablandador de carne.

Kiwi (*Actinidia chinensis*).
STOCKXPERT

Kiyomori ver TAIRA KIYOMORI

Kizil Irmak, río *antig.* **río Halys** Río que cruza el centro y centro-norte de Turquía. El más largo de los ríos del país, cuyo curso completo discurre por el territorio, y es también el más largo de ANATOLIA; nace en el centro-norte de Turquía y fluye en dirección sudoeste. Se desvía hacia el norte y desemboca en el mar Negro después de completar un curso de 1.182 km (734 mi). No es navegable, pero es fuente de regadío y energía hidroeléctrica para la región.

Kizilkum, desierto de *uzbeko* **Qizilqum** *kazako* **Qyzylqum** Desierto de Kazajstán y Uzbekistán. Con una superficie de 300.000 km² (115.000 mi²) aprox., está ubicado entre los ríos SYR DARYÁ y AMU DARYÁ, al sudeste del mar de ARAL. La escasa vegetación que crece sirve de forraje para el ganado; en los oasis hay varios poblados pequeños. Entre sus recursos destacan los yacimientos auríferos y de gas natural.

KKK ver KU KLUX KLAN

Kláipeda *alemán* **Memel** Ciudad (pob., 2001: 192.954 hab.) y puerto de Lituania. Se encuentra a orillas del canal que comunica el río NIEMAN con el mar Báltico. En 1252, la Orden TEUTÓNICA destruyó una fortaleza construida en el lugar a principios del s. XIII y construyó un nuevo asentamiento llamado Memelburg. En el s. XVII pasó a formar parte de Prusia y los alemanes se establecieron en la ciudad que llamaron Memel. En 1923 quedó bajo el control de Lituania y fue rebautizada con el nombre de Kláipeda. Los alemanes la ocuparon en 1939 hasta que en 1945 quedó en manos de la Unión Soviética. En 1991, Kláipeda pasó a formar parte de la recién independizada Lituania. La ciudad moderna tiene astilleros de importancia y es la sede de una gran flota pesquera de alta mar.

klamath Pueblo de los indios de las MESETAS de América del Norte que viven mayoritariamente en Oregón, EE.UU. El nombre klamath puede ser una variante del término con que ellos designan la región (se pronuncia clemmat o tlamath); así eran llamados por los CHINOOK. A sí mismos se llamaban maqlaq, que significa "la gente", a menudo con un adjetivo (como ewksikni, "del lago"). Eran ante todo pescadores y cazadores de aves acuáticas. Se dividían en aldeas relativamente autónomas, cada una con su propio jefe y MÉDICO BRUJO. Las aldeas se aliaban para la guerra, y sus habitantes se casaban entre sí. Las familias vivían en recintos cubiertos de tierra en invierno y en viviendas cupulares hechas con postes y esteras en verano. Las chozas de sudación también se usaban como centros comunitarios para actividades religiosas. Eran vecinos de los MODOCS, con quienes se encontraban estrechamente relacionados. Junto a estos últimos y al grupo yahooskin de indios snake, formaron una entidad conocida como las tribus klamath. Unas 2.700 personas manifestaron tener ascendencia exclusivamente klamath en el censo estadounidense de 2000.

klebsiella Cualquiera de las BACTERIAS baciliformes que constituyen el género *Klebsiella*. Son bacterias gram negativas (ver tinción de GRAM), que se desarrollan mejor sin oxígeno que con él, y no son móviles. La *K. pneumoniae*, también llamada BACILO de Friedländer, puede infectar la vía respiratoria humana y causar neumonía, y tal como algunas otras especies de bacteria, infecciones de la vía urinaria y de las heridas en los seres humanos.

Klee, Paul (18 dic. 1879, Münchenbuchsee, Suiza–29 jun. 1940, Muralto). Pintor suizo. Después de estudiar en Alemania e Italia, se estableció en Munich, donde se unió al grupo Der BLAUE REITER ("El jinete azul") en 1911. Enseñó en la BAUHAUS (1920–31) y luego en la Academia de Düsseldorf. Cuando los nazis tomaron el poder en 1933, perdió su cargo y regresó a Suiza. Fue uno de los más destacados artistas del s. XX; no pertenecíó a ningún movimiento, a pesar de que asimiló e incluso anticipó algunas de las principales tendencias artísticas de su época. Utilizando aproximaciones tanto figurativas como abstractas, hizo unos 9.000 dibujos, pinturas y acuarelas, en una amplia variedad de estilos. Sus obras, que suelen ser en pequeña escala, destacan por sus delicados matices en la línea, el color y la tonalidad. En el sofisticado arte de Klee, la ironía y una sensación de absurdo se unen para producir

Paul Klee, 1939.
AUFNAHME FOTOPRESS

una intensa evocación del misterio y la belleza de la naturaleza. Las figuras musicales tienen una destacada importancia en su obra, en sus muchas imágenes de óperas y de músicos, y de alguna manera, como modelos para sus composiciones. Pero fue la literatura lo que más lo sedujo. Su arte está impregnado de alusiones poéticas y míticas, y los títulos que dio a sus pinturas tienden a cargarlas con mensajes adicionales. Sus últimas pinturas, que anticipan la cercanía de su muerte, figuran entre las más memorables.

Kleiber, Erich (5 ago. 1890, Viena, Austria–27 ene. 1956, Zurich, Suiza). Director de orquesta austrohúngaro. Después de su debut en Praga en 1911, desempeñó una serie de cargos que lo llevaron a la ópera del estado de Berlín, donde fue su director musical en 1923–34. Allí estrenó obras importantes como *Wozzeck* de ALBAN BERG (1925). Cuando los nazis prohibieron el estreno de *Lulu* de Berg (1934), se las arregló para programar la suite de la ópera para su último concierto. Después

de mudarse a Buenos Aires, encabezó la ópera alemana en el teatro Colón (1937–49). Su hijo Carlos (n. 1930) también se convirtió en un director aclamado internacionalmente, en especial de ópera, con una reputación de perfeccionismo igual que la de su padre.

Klein, Calvin (Richard) (n. 19 nov. 1942, Nueva York, N.Y., EE.UU.). Diseñador de modas estadounidense. Asistió al Fashion Institute of Technology. Abrió su propia compañía en 1968, cuando estaba de moda la ropa casual, estilo *hippie*, pero tomó una dirección diferente al diseñar vestuario sobrio y elegante. Aunque en un principio destacó por sus trajes y abrigos, poco a poco fue poniendo mayor énfasis sobre la ropa deportiva, especialmente en prendas de vestir fáciles de combinar e intercambiar. Fue el primer diseñador en ganar tres Premios Coty consecutivos (1973–75) en la categoría de vestuario femenino. En 1980–90 se hizo conocido por su vestuario, cosméticos y otras colecciones de marca, así como por sus fotografías publicitarias eróticas, algunas de las cuales ocasionaron protestas públicas. Sus logros representaron la madurez de la industria de la moda estadounidense.

Klein, Melanie orig. **Melanie Reizes** (30 mar. 1882, Viena, Austria–22 sep. 1960, Londres, Inglaterra). Psicoanalista británica de origen austríaco. Se casó a los 21 años de edad y tuvo tres hijos antes de someterse a psicoanálisis con SÁNDOR FERENCZI en Budapest, Hungría. Estudió el psicoanálisis en infantes, ingresó al Instituto psicoanalítico de Berlín (1921–26) y después se trasladó a Londres. En trabajos como *El psicoanálisis de los niños* (1932) y *Narrative of a Child Analysis* [Relato de un análisis infantil] (1961), afirmó que el juego en los niños era una manera simbólica de controlar la ansiedad y que la observación del juego espontáneo con juguetes podía servir para determinar las pulsiones psicológicas tempranas.

Klein, Yves (28 abr. 1928, Niza, Francia–6 jun. 1962, París). Pintor, escultor y artista performático francés. Sin formación artística formal, a mediados de la década de 1950 comenzó a exponer pinturas no figurativas en las que la tela estaba uniformemente cubierta por un solo color, a menudo azul. También usó esta técnica para sus figuras escultóricas y relieves. En 1958 ocasionó un pequeño escándalo con su "exhibición del vacío", una galería vacía, pintada de blanco y titulada *El vacío*. Utilizó una variedad de métodos poco convencionales para realizar pinturas, como impresiones del cuerpo humano sobre papel o tela (*anthropométries*). Su obra fue deliberadamente extrema y experimental. Fue miembro del grupo FLUXUS e influyó de gran manera en el desarrollo del MINIMALISMO.

Kleist, (Bernd) Heinrich (Wilhelm von) (18 oct. 1777, Francfort del Oder, Brandeburgo–21 nov. 1811, Wannsee, cerca de Berlín). Escritor alemán. Sirvió siete años en el ejército prusiano, y su obra despertó por primera vez atención cuando Kleist se encontraba en prisión acusado de espía. El sombrío e intenso drama *Pentesilea* (1808) contiene parte de su poesía más potente, y *El jarrón roto* (1808) es una obra maestra entre las comedias dramáticas; estas obras fueron seguidas por *Catalina de Heilbronn* (1810), *La batalla de Hermann* (1808) y *El príncipe de Homburg* (1810). En 1811 publicó una colección de ocho extraordinarias novelas cortas, como *Michael Kohlhaas*, *El terremoto en Chile* y *La marquesa de O.* Enfermo y sin recursos se suicidó con su amante a los 34 años. Se lo considera hoy el primero de los grandes dramaturgos alemanes del s. XIX, y sus ficciones perturbadoras y densas son muy admiradas por los escritores.

Kleitias ver CLEITIAS

Klemperer, Otto (14 may. 1885, Breslau, Alemania–6 jul. 1973, Zurich, Suiza). Director de orquesta alemán. Después de estudiar composición con Hans Pfitzner (n. 1869–m. 1949), en 1905 conoció a GUSTAV MAHLER, quien lo recomendó para varios cargos, entre ellos, el de director principal de la ópera de Hamburgo (1910). En la efímera Kroll Opera (1927–31), dirigió los estrenos berlineses de muchas obras importantes de compositores contemporáneos. En 1933 escapó de Alemania hacia EE.UU., donde dirigió en Los Ángeles (1933–39) y estudió con ARNOLD SCHÖNBERG. En 1939, un tumor cerebral lo dejó paralizado parcialmente. Desde la década de 1950, generó un legado de grabaciones admirables con la Orquesta Filarmónica de Londres.

Kleofrades, pintor de ver pintor de CLEOFRADES

Klerk, F(rederik) W(illem) de (n. 18 mar. 1936, Johannesburgo, Sudáfrica). Presidente de Sudáfrica (1989–94). Puso fin al sistema del *apartheid* y negoció una transición hacia un gobierno de mayoría. Después de reemplazar a P.W. BOTHA como líder del PARTIDO NACIONAL y como presidente, actuó rápidamente para liberar a todos los prisioneros políticos importantes, entre ellos NELSON MANDELA, y para levantar la prohibición que pesaba sobre el CONGRESO NACIONAL AFRICANO. En 1993, De Klerk y Mandela recibieron el Premio Nobel de la Paz. En 1994, después de las primeras elecciones de sufragio universal del país, Mandela se convirtió en presidente y De Klerk fue designado segundo vicepresidente. Se retiró de la política en 1997.

F.W. de Klerk, 1992.
FOTOBANCO

klezmer, música (yiddish: "vasija por donde pasa la música"). Música tradicional tocada por músicos profesionales (*klezmorim*) en los guetos judíos de Europa oriental, sobre todo en las bodas y otras ceremonias. La tradición klezmer tiene sus raíces en la Europa medieval. En el s. XIX su estilo había madurado, influenciado no sólo por la música litúrgica de la sinagoga (que sólo permite el canto sin acompañamiento), sino también por las culturas locales no judías. Se caracteriza por ser una música bailable muy viva. Los conjuntos de klezmer han variado bastante. En EE.UU. durante la década de 1980 se registró un resurgimiento del klezmer; una banda típica se compone de cuatro a seis músicos que tocan alguna combinación de violín, clarinete, trompeta, trombón, tuba, acordeón, contrabajo y percusión.

Klimt, Gustav (14 jul. 1862, Viena, Austria–6 feb. 1918, Viena). Pintor austríaco. En 1879, luego de un período como muralista académico, surgió la madurez de su estilo. Se rebeló contra el arte académico en favor de un estilo decorativo similar al ART NOUVEAU, y fundó la SEZESSION de Viena. Entre sus obras más notables se cuentan *El beso* (1908) y una serie de retratos de elegantes damas vienesas. En estas obras trabajó la figura humana sin sombras, transmitiendo la sensualidad de la piel, rodeándola de espacios decorativos planos muy elaborados. Sus murales posteriores se caracterizan por el dibujo lineal preciso y diseños planos y decorativos de color con pan de oro. Ejerció una fuerte influencia sobre OSKAR KOKOSCHKA y EGON SCHIELE. Ver también JUGENDSTIL.

"El beso", de Gustav Klimt, 1908.
FOTOBANCO

Kline, Franz (1910, Wilkes-Barre, Pa., EE.UU.–13 may. 1962, Nueva York, N.Y.). Pintor estadounidense. Estudió arte en Londres antes de establecerse en Nueva York. Se convirtió en uno de los principales artistas del EXPRESIONISMO ABSTRACTO y fue conocido porque utilizaba pinturas comerciales baratas y grandes brochas para realizar sobre lienzos trazos de color negro sobre fondo blanco. Con estas pinturas a gran escala, como *Mahoning* (1956), logró crear una sensación de majestuosidad y poderío. A fines de la década de 1950 introdujo el color en sus pinturas.

Klinefelter, síndrome de Trastorno cromosómico que ocurre en uno de cada 500 varones. Los pacientes, con un CROMOSOMA X adicional en cada célula (XXY), parecen varones, tienen TESTÍCULOS pequeños y firmes, pero no producen espermios; sus pechos y nalgas pueden ser prominentes y sus piernas muy largas. Su nivel de TESTOSTERONA es bajo y el de sus hormonas hipofisiarias reproductoras, elevado. Por lo general, su inteligencia es normal, pero pueden tener dificultades para la adaptación social. Algunas variantes más raras causan anomalías adicionales, incluso retardo mental. En el síndrome del varón XX, el material del cromosoma Y se ha transferido a otro cromosoma, produciendo las manifestaciones típicas del síndrome de Klinefelter. Todas las variantes se tratan con ANDRÓGENOS.

Klinger, Max (18 feb. 1857, Leipzig, Alemania–5 jul. 1920, cerca de Naumburg). Pintor, escultor y grabador alemán. Es conocido por el uso de símbolos, fantasías y situaciones oníricas, que reflejan la conciencia que había a fines del s. XIX sobre las profundidades psicológicas. Su imaginería vívida y frecuentemente mórbida, así como su interés por lo horripilante y grotesco, se pueden observar en sus grabados goyescos. Es sobre todo conocido por una serie de dibujos a pluma llamados *Series sobre el tema de Cristo* y *fantasía sobre el descubrimiento de un guante*, que habla de la extraña parábola de un desafortunado joven y su obsesiva fijación en el largo guante de una mujer. Su enfoque de temas religiosos también provocó controversia. En sus últimos años trabajó principalmente en escultura. Ejerció una profunda influencia sobre muchos artistas, entre ellos, EDVARD MUNCH, KÄTHE KOLLWITZ, MAX ERNST y GIORGIO DE CHIRICO.

Kmart Corp. *ant. (hasta 1977)* **S.S. Kresge Co.** Gran cadena estadounidense de venta al detalle a través de tiendas de descuento y bazares. Se inició con un par de baratillos instalados por S.S. Kresge y un socio en 1897. Al principio, Kresge's restringió el precio de sus mercancías a un máximo de diez centavos, pero finalmente a un máximo de un dólar. En 1962 ingresó al mercado minorista con descuento en gran escala al construir el primer local Kmart en las afueras de Detroit, Mich. Debido a su éxito, la empresa inició un agresivo plan de expansión y construyó un promedio de 85 tiendas de descuento al año durante las dos décadas siguientes. En 1977 se convirtió en el segundo establecimiento minorista más grande de EE.UU. Sin embargo, en 2002 se declaró en quiebra después de años de competencia con la compañía del ramo más grande del mundo, Wal-Mart Stores Inc. (ver SAM WALTON), y otras tiendas de descuento. Ver también SEARS; ROEBUCK AND COMPANY.

Knesset (hebreo: "asamblea"). Poder LEGISLATIVO unicameral de Israel. El primer Knesset fue inaugurado en 1949. Su nombre y número de escaños (120) se basan en la asamblea judía de los tiempos bíblicos; sus tradiciones y organización se inspiran en el Congreso sionista, sistema político de la comunidad judía en la Palestina anterior al Estado de Israel, y en menor medida en la CÁMARA DE LOS COMUNES británica. Sus miembros se eligen bajo el sistema de representación proporcional por períodos de cuatro años; los candidatos son escogidos por sus partidos.

Knight, Frank H(yneman) (7 nov. 1885, White Oak township, cond. de McLean, Ill., EE.UU.–15 abr. 1972, Chicago, Ill.). Economista estadounidense. Se doctoró en la Universidad Cornell en 1916. Fue profesor de la Universidad de Chicago en 1927–52. MILTON FRIEDMAN fue uno de los muchos alumnos en que ejerció influencia. En su libro *Riesgo, incertidumbre y beneficio* (1921) distinguía entre RIESGOS asegurables y no asegurables y sostenía que las utilidades eran la recompensa que recibían los empresarios por asumir riesgos no asegurables. Su monografía *La organización económica* es una exposición clásica sobre teoría macroeconómica (ver MICROECONOMÍA). Es considerado el fundador de la escuela de economía de Chicago.

Knopf, Alfred A. (12 sep. 1892, Nueva York, N.Y., EE.UU.–11 ago. 1984, Purchase, N.Y.). Editor estadounidense. Trabajó brevemente en una editorial, antes de fundar la Alfred A. Knopf, Inc. junto con su esposa Blanche en 1915. Su aprecio por la literatura contemporánea y sus contactos literarios contribuyeron a que su editorial se hiciera conocida por publicar obras de gran calidad. Cuando murió, entre los escritores publicados por Knopf había 16 Premios Nobel y 27 Premios Pulitzer. En 1966, la editorial devino una filial de RANDOM HOUSE. Knopf Inc. también publicó *American Mercury* (1924–34), un periódico influyente que fundó con H.L. MENCKEN y George Jean Nathan.

Knox, Henry (25 jul. 1750, Boston, Mass. EE.UU.–25 oct. 1806, Thomaston, Maine). Oficial estadounidense de la guerra de independencia. Perteneció a la milicia colonial y se incorporó al Ejército continental; GEORGE WASHINGTON le encomendó la misión de transportar piezas de artillería británicas capturadas en la batalla de TICONDEROGA. En pleno invierno dirigió el transporte de 55.000 kg (120.000 lb) de material artillero con bueyes y caballos, sobre nieve y hielo, en un recorrido de 480 km (300 mi) hasta Boston. Ascendió a general y tomó el mando de la artillería en las batallas de Monmouth y Yorktown, y en 1783 sucedió a Washington como comandante del ejército. Fue secretario de guerra en 1785–89, de acuerdo con los artículos de la CONFEDERACIÓN, y en 1789–95 fue el primer secretario de guerra de EE.UU.

Knox, John (c. 1514, cerca de Haddington, East Lothian, Escocia–24 nov. 1572, Edimburgo). Clérigo escocés, líder de la Reforma de Inglaterra y fundador de la Iglesia presbiteriana (ver PRESBITERIANISMO) en Escocia. Se habría formado para el sacerdocio en la Universidad de St. Andrews y fue ordenado en 1540. Se unió a un grupo de protestantes que fortificaron el castillo St. Andrews, pero fueron capturados por católicos franceses y sometidos a la esclavitud en 1547. Liberado en 1549, gracias a la intervención de Inglaterra, pasó cuatro años predicando en ese país, donde influyó en los hechos que ocurrieron en la Iglesia de Inglaterra. Cuando ascendió al trono la reina católica MARÍA I TUDOR, huyó al continente. Fue pastor en Francfort del Meno y en Ginebra hasta su regreso a Escocia en 1559. En Inglaterra, ISABEL I hizo causa común con los

John Knox, grabado del libro *Icones* de T. Beza, 1580.
GENTILEZA DEL DIRECTORIO DEL MUSEO BRITÁNICO; FOTOGRAFÍA, J.R. FREEMAN & CO. LTD.

presbiterianos escoceses, temerosa de que los franceses obtuvieran el control de Escocia para apoyar a su monarca católica, MARÍA I ESTUARDO. Knox sobrevivió a los conflictos con María y empleó el resto de su vida en establecer la Iglesia presbiteriana.

Knox, Philander Chase (6 may. 1853, Brownsville, Pa., EE.UU.–12 oct. 1921, Washington, D.C.). Abogado y político estadounidense. Una vez recibido, en 1875, ejerció con éxito como abogado asesor de empresas, en Pittsburgh. En su

calidad de tal, asesoró a la Carnegie Steel Company y colaboró en la creación de la UNITED STATES STEEL CORP. (1900–01). El pdte. THEODORE ROOSEVELT lo nombró fiscal general (ministro de justicia) en 1901 e inició varios juicios en virtud de la ley antimonopolio SHERMAN. Fue senador en 1904–09, luego, como secretario de Estado (1909–13) del pdte. WILLIAM H. TAFT, colaboró en la formulación de la política exterior de ampliación de las inversiones estadounidenses, que más adelante fue criticada como DIPLOMACIA DEL DÓLAR. Durante su segundo período en el Senado (1917–21), se opuso a la creación de la SOCIEDAD DE NACIONES.

Knoxville Ciudad (pob., 2000: 173.890 hab.) en el este del estado de Tennessee, EE.UU. En 1785, un tratado con los indios CHEROKEES abrió la región a los colonizadores y el cap. James White estableció un puesto fronterizo que denominó White's Fort. En 1791 fue rebautizada como Knoxville en honor a HENRY KNOX. Fue capital del estado de Tennessee 1796 y 1812 y entre 1817 y 1819. En la guerra de SECESIÓN, las fuerzas de la Confederación la ocuparon hasta 1863. Es sede de la Universidad de TENNESSEE y del Knoxville College, y también de la TENNESSEE VALLEY AUTHORITY.

Knuth, Donald E(rvin) (n. 10 ene. 1938, Milwaukee, Wis., EE.UU.). Científico en informática estadounidense. En 1963 obtuvo un Ph.D. en matemática en el Instituto Tecnológico de California. Pionero en la informática, se tomó un tiempo libre durante la década de 1970 mientras escribía su aclamado multivolumen *El arte de la programación de computadoras*, a fin de desarrollar TeX, un sistema de preparación de documentos. Por su control preciso de caracteres especiales y fórmulas matemáticas, TeX y sus variantes pronto llegaron a ser el estándar para preparar artículos de investigación científica y matemática para ser publicados. Ha recibido muchos premios y honores, entre ellos el Premio Kioto (1996), el Premio Turing (1974) y la Medalla nacional de ciencia (1979).

koala MARSUPIAL (*Phascolarctos cinereus*) arborícola de la costa este de Australia. De unos 61–85 cm (24–33 pulg.) de largo y sin cola, el koala tiene un cuerpo robusto, de color gris claro o amarillento, cara ancha, nariz grande, redonda y coriácea; ojos pequeños de color amarillo y orejas velludas. Sus pies tienen fuertes garras y algunos dedos son oponibles. El koala se alimenta sólo de hojas de EUCALIPTO. La cría única permanece en la bolsa marsupial (que se abre hacia atrás) hasta siete meses. La población de koalas ha mermado mucho, antes porque eran cazados por su piel, y ahora debido a la pérdida de su hábitat y a la propagación de enfermedades.

Koala (*Phascolarctos cinereus*).
ANTHONY MERCIECA DE LA COLECCIÓN DE THE NATIONAL AUDOBON SOCIETY

koan En el budismo ZEN, una afirmación o pregunta paradójica breve utilizada como disciplina de MEDITACIÓN. El esfuerzo que implica resolver un *koan* está concebido para agotar el intelecto analítico y la voluntad, y dejar la mente abierta para responder a un nivel intuitivo. Hay unos 1.700 *koans* tradicionales, basados en anécdotas de antiguos maestros zen. Entre ellos está el bien conocido ejemplo: "Cuando ambas manos aplauden se produce un sonido; escucha el sonido de una mano aplaudiendo".

Kobe Ciudad (pob., est. 2000: 1.493.595 hab.) de la zona centro-oeste de HONSHU, Japón. Situada en la bahía de Osaka, ocupa una angosta plataforma de tierra entre las montañas y el mar. En conjunto con las ciudades vecinas de OSAKA y

KIOTO constituye el centro de una gran zona industrial. Hasta la restauración MEIJI era sólo una aldea pesquera, pero a fines del s. XIX experimentó un rápido crecimiento. Fue bombardeada en forma severa durante la segunda guerra mundial y completamente reconstruida después de 1945. En 1995 fue sacudida por un gran terremoto. Kobe es un puerto importante y un centro de industria naval y de producción siderúrgica; además, es la sede de la Universidad de Kobe.

Kobo Daishi ver KUKAI

Kobuk Valley, parque nacional Parque nacional en el noroeste del estado de Alaska, EE.UU. Se ubica al norte del círculo polar ártico y fue declarado monumento nacional en 1978 y parque nacional en 1980. Ocupa una superficie de 708.370 ha (750.421 acres) y preserva el valle del Kobuk, que comprende los ríos Kobuk y Salmon, bosques y el Great Kobuk Sand Dunes. Descubrimientos arqueológicos revelan que existió presencia humana hace más de 10.000 años. Protege las rutas de migración del caribú y entre su fauna destacan las especies de oso gris y negro, zorro, alce americano y lobo.

Koch, Ed(ward Irving) (n. 12 dic. 1924, Nueva York, N.Y., EE.UU.). Político estadounidense. Luego de prestar servicios en el ejército durante la segunda guerra mundial, se tituló en la escuela de derecho de la Universidad de Nueva York. En 1968 fue elegido para integrar el Congreso de Estados Unidos y, en 1978, fue elegido para el primero de tres períodos como alcalde de Nueva York. Se le atribuye el mérito de haber dado estabilidad fiscal al entonces insolvente municipio y de haber instituido la selección por méritos de los jueces de la ciudad. Su descaro, desparpajo y franqueza lo convirtieron en una figura popular y amena, pero su actitud y su retórica aparecieron cada vez más hirientes y divisorias, hasta que culminaron en su derrota. Después trabajó como columnista y presentador de programas de entrevistas.

Koch, (Heinrich Hermann) Robert (11 dic. 1843, Clausthal, Hannover–27 may. 1910, Baden-Baden, Alemania). Médico alemán. Fue el primero en aislar el bacilo del ÁNTRAX, observar su ciclo vital y desarrollar una inoculación preventiva contra él, y también el primero en demostrar una relación causal entre un bacilo y una enfermedad. Perfeccionó técnicas de cultivos puros, basándose en los conceptos de LOUIS PASTEUR. Aisló el agente de la TUBERCULOSIS y estableció su papel en la enfermedad (1882). En 1883 descubrió el organismo causal del CÓLERA y su forma de transmisión. También desarrolló una vacuna contra la PESTE BOVINA. Los postulados de Koch siguen siendo fundamentales para la patología: el organismo causal debe encontrarse siempre en animales enfermos, nunca en los sanos; debe desarrollarse en cultivos puros; el organismo cultivado debe enfermar a un animal sano; se debe aislar nuevamente del animal que enfermó y volver a cultivarlo y seguir siendo el mismo. En 1905 se le otorgó el Premio Nobel y es considerado uno de los fundadores de la bacteriología.

Köchel, Ludwig (Alois Ferdinand) von (14 ene. 1800, Stein, cerca de Krems, Austria–3 jun. 1877, Viena). Académico y musicólogo austríaco. Después de licenciarse en derecho, fue instructor de niños de familias acomodadas y viajó realizando investigaciones librescas sobre temas diversos, como botánica, mineralogía y música. Es más conocido por el catálogo temático de las obras de Mozart (que todavía se identifican por sus "números K", o *Köchel*) publicado en 1862, un monumento de la erudición musical. También editó las cartas de LUDWIG VAN BEETHOVEN.

Kocher, Emil Theodor (25 ago. 1841, Berna, Suiza–27 jul. 1917, Berna). Cirujano suizo. Fue el primer cirujano que extirpó la tiroides para tratar el BOCIO (1876). Después observó que la extirpación total provocaba un estado parecido al cretinismo, pero que si dejaba una parte de la glándula en su lugar, ello era transitorio. Introdujo un procedimiento

quirúrgico para reducir las dislocaciones del hombro, así como también numerosas técnicas, instrumentos y utensilios quirúrgicos novedosos. Aún se emplea un tipo de pinza y una incisión quirúrgica para abordar la vesícula biliar que llevan su nombre. Adoptó los principios de asepsia total en cirugía de JOSEPH LISTER. En 1909 fue galardonado con el Premio Nobel.

Kodály, Zoltán (16 dic. 1882, Kecskemét, Hungría–6 mar. 1967, Budapest). Compositor, etnomusicólogo y profesor de música húngaro. Desde niño tocó varios instrumentos y estudió simultáneamente en la Universidad y en la Academia de música

Zoltán Kódaly, c. 1960.
FOTOBANCO

de Budapest, diplomándose en composición y pedagogía; además realizó un doctorado en canción folclórica húngara. Junto con BÉLA BARTÓK, un amigo de toda la vida, compiló las *Canciones tradicionales húngaras* (1906) y continuó haciendo grabaciones en terreno hasta que la primera guerra mundial se lo impidió. Llamó la atención internacional con su *Psalmus hungaricus* (1923) y la ópera *Háry János* (1926). Kodály creó un estilo individual derivado de la música folclórica húngara, la música contemporánea francesa y la música religiosa del renacimiento italiano. Dedicó gran parte de su energía al desarrollo de un currículo escolar que fomentara la musicalidad en los niños; el "método Kodály" conserva hoy plena vigencia.

Kodiak, isla Isla (pob., 2000: 13.913 hab.) en el estado de Alaska, EE.UU. Ubicada en el golfo de ALASKA, tiene una extensión de 160 km (100 mi) y una anchura de 16–96 km (10–60 mi), con una superficie de 9.293 km² (3.588 mi²). El Kodiak National Wildlife Refuge (santuario nacional de vida silvestre) ocupa el 75% de la isla y es el hábitat natural del oso Kodiak. Cuando fue descubierta en 1763 por un comerciante de pieles ruso, la isla se llamaba Kijtak. En 1784 se estableció allí la primera colonia rusa en América. El control ruso finalizó en 1867, y en 1901 Kodiak recibió su nombre actual. En 1964, durante un devastador terremoto, la isla se hundió en 1,5–1,8 m (5–6 pies).

Koestler, Arthur (5 sep. 1905, Budapest, Hungría–hallado muerto 3 mar. 1983, Londres, Inglaterra). Novelista, periodista y crítico británico de origen húngaro. Conocido sobre todo por *El cero y el infinito* (1940), novela política que examina el peligro moral de un sistema totalitario que sacrifica los medios por sobre los fines, el libro refleja los sucesos que llevaron a Koestler a romper con el Partido Comunista y su experiencia como corresponsal encarcelado por los fascistas en la guerra civil ESPAÑOLA. Escribió también sobre su desilusión del comunismo en una colección de ensayos, *The God That Failed* [El dios que fracasó] (1949). Algunos de sus escritos posteriores, la mayoría sobre ciencia y filosofía, son *El acto de la creación* (1964) y *The Ghost in the Machine* [El fantasma de la máquina] (1967). Enfermo de leucemia y Parkinson, fue defensor de la eutanasia voluntaria; Koestler murió con su esposa en un pacto suicida.

Koguryŏ El mayor de los tres reinos en que se dividía la antigua Corea hasta 668. La tradición data su fundación en 37 AC, pero según los historiadores modernos el estado tribal se formó en el s. II AC. Con el tiempo, Koguryŏ llegó a dominar la mitad septentrional de la península de Corea, la de Liaodong y gran parte de Manchuria. El budismo, el confucianismo y el taoísmo ejercieron influencia en este reino, que en 668 sucumbió ante las fuerzas aliadas de la dinastía TANG de China y el reino de SILLA de Corea meridional. Numerosas pinturas conservadas en tumbas dan cuenta de la vida, la ideología y el carácter de este enérgico pueblo de jinetes del norte. Ver también Parhae.

Kohima Ciudad (pob., est. 2001: 78.584 hab.), capital del estado de Nagaland, nordeste de India. Está ubicada en los montes Naga, cerca del límite con el estado de Manipur. Fue el punto más lejano alcanzado por el avance japonés sobre la India británica durante la segunda guerra mundial. Las tropas japonesas la controlaron por un breve período durante la campaña de Manipur, en 1944, pero fue recuperada por los británicos. Es la sede de la Universidad de Nagaland.

Koh-i-noor Famoso diamante de la India con una historia que data quizás desde el s. XIV. Originalmente era una piedra de 191 quilates que carecía de fuego (dispersión de colores), por lo que en 1852 fue recortado a 109 quilates en un intento para aumentar su fuego y brillo. El Kho-i-noor (hindú: "montaña de luz") fue adquirido por los británicos en 1849 y pasó a formar parte de las Joyas de la Corona de la reina Victoria. Fue incorporado en la corona ceremonial creada para la reina Isabel, consorte de Jorge VI, para su coronación en 1937.

Kohl, Helmut (n. 3 abr. 1930, Ludwigshafen del Rin, Alemania). Canciller de Alemania Occidental (1982–90) y de la Alemania reunificada (1990–98). Después de obtener un doctorado en la Universidad de Heidelberg, fue elegido a la legislatura del estado de Renania-Palatinado y se convirtió en ministro presidente del estado (1969). En 1973 fue elegido presidente de la Unión Demócrata Cristiana (CDU) y en 1982 se convirtió en canciller de Alemania. Entre sus políticas centristas se cuentan una moderada reducción del gasto gubernamental y un fuerte apoyo a los compromisos de Alemania Occidental con la OTAN. Después de la caída del muro de Berlín en 1989, firmó un tratado con Alemania Oriental que unificó los sistemas económicos de ambos países. La absorción de la moribunda economía de Alemania Oriental resultó difícil y su administración tuvo que aumentar los impuestos y disminuir el gasto público después de la unificación. En 1998, su gobierno de coalición con el Partido Democrático Libre fue derrotado por los socialdemócratas encabezados por Gerhard Schröder. Pronto surgieron revelaciones de graves irregularidades financieras durante su mandato, lo que manchó su reputación y debilitó a su partido.

Köhler, Wolfgang (21 ene. 1887, Tallinn, Estonia, Imperio ruso–11 jun. 1967, Enfield, N.H., EE.UU.). Psicólogo alemán radicado en EE.UU. Su estudio sobre el modo en que los chimpancés solucionaban problemas, *La mentalidad de los simios* (1917), en el que examinó el aprendizaje y la percepción como totalidades estructuradas, condujo a una revisión radical de la teoría prevaleciente y Köhler se convirtió en figura clave en el desarrollo de la psicología de la Gestalt. Continuó sus investigaciones durante la década de 1920 e inicios de la de 1930 en la Universidad de Berlín, donde publicó *La psicología de la Gestalt* (1929, rev. 1947), pero emigró de Alemania a EE.UU. después del ascenso al poder de los nazis y ejerció la docencia en el Swarthmore College (1935–55). Entre sus otros escritos se cuentan *Dinámica en psicología* (1940), *El lugar de los valores en un mundo de hechos* (1938) y *La tarea de la psicología de la Gestalt* (1969).

koiné *o* **coiné** Lengua de consenso de nueva formación que surge, por lo general, de una nivelación de los rasgos que distinguen los dialectos derivados de una lengua base común, o de los rasgos que distinguen varias lenguas estrechamente relacionadas. Por lo tanto, la nueva lengua se desregionaliza y no refleja el dominio social o político de ningún grupo de hablantes. El ejemplo clásico de una koiné (y fuente de origen del término) es el Griego helenístico, que se desprendió del griego ático mediante el reemplazo de los rasgos áticos más distintivos, por rasgos del jónico o de otros dialectos. Una koiné puede servir de lingua franca y a menudo constituye la base de una nueva lengua estándar.

Koizumi Jun'ichirō (n. 8 ene. 1942, Yokosuka, prefectura de Kanagawa, Japón). Político japonés en tercera generación que ascendió como primer ministro en 2001. Tanto su padre como su abuelo fueron integrantes de la Dieta (parlamento). En 1969 perdió las elecciones para ocupar el escaño que había quedado vacante tras la muerte de su padre, pero fue elegido en 1971. Ocupó cargos ministeriales en 1988–89, 1992–93 y 1996–98. Tras postular sin éxito a la presidencia del Partido Liberal Democrático en 1995 y 1998, triunfó en abril de 2001 y poco después fue confirmado como primer ministro. Partidario de las reformas y caracterizado por un estilo informal, integró en su gabinete una cantidad récord de cinco mujeres. Entre sus políticas económicas se cuentan la privatización del sistema nacional de ahorro postal, la reducción del gasto fiscal y el fin de la práctica de respaldar a las empresas en quiebra.

Koizumi Yakumo ver Lafcadio Hearn

Kokoschka, Oskar (1 mar. 1886, Pöchlarn, Austria–22 feb. 1980, Villeneuve, Suiza). Pintor y escritor austríaco. Estudió y enseñó en la Escuela de Artes y Oficios de Viena, pero no se sentía satisfecho, porque la escuela omitía el estudio de la figura humana, su principal interés artístico. Sus primeras pinturas estaban hechas con delicadas líneas ondulantes y colores relativamente naturalistas. Después de c. 1912 se convirtió en exponente líder del Expresionismo; sus retratos llegaron a ser pintados con brochazos cada vez más gruesos, de colores variados y contornos pesados. Mientras se recuperaba de una herida recibida durante la primera guerra mundial, escribió, produjo y realizó las escenografías de tres obras de teatro; su *Orfeo y Eurídice* (1918) fue convertida en ópera por Ernst Krenek (1926). Los paisajes, fruto de diez años de enseñanza y viajes, marcan la segunda cumbre de su carrera. Poco antes de la segunda guerra mundial, viajó a Londres, donde sus pinturas se tornaron cada vez más políticas y antifascistas. Siguió con su arte político tras mudarse a Suiza en 1953.

Kol Nidre Oración cantada en las sinagogas judías al comenzar los servicios en vísperas del Yom Kippur. La plegaria comienza con una expresión de arrepentimiento por todos los votos, juramentos y promesas a Dios no cumplidos durante el año anterior. Vigente desde el s. VIII, se creó quizá como una forma de anular los juramentos a los que eran obligados los judíos por sus perseguidores cristianos. La melodía usada por los judíos asquenazí se hizo célebre cuando el compositor Max Bruch la usó en su *Kol Nidrei* (1880).

Kola, península de Península en el norte de Rusia. Separa el mar Blanco del mar de Barents y tiene una superficie de 100.000 km² (40.000 mi²). El círculo polar ártico atravie-

Vegetación estival en la península de Kola, Rusia.

sa la parte meridional de la península. Está constituida por rocas de más de 570 millones de años de antigüedad. El clima invernal es muy duro; el centro urbano más grande es el puerto de Múrmansk, situado en la costa norte, cuyas aguas no se congelan. Contiene los yacimientos de apatita más grandes del mundo, destinada a la producción de fertilizantes.

Kolbe, san Maximiliano María *orig.* **Rajmund Kolbe** (8 ene. 1894, Zduńska Wola, cerca de Łodz, Imperio ruso–14 ago. 1941, Auschwitz; canonizado 10 oct. 1982; festividad: 14 de agosto). Sacerdote franciscano polaco martirizado por los nazis. Ordenado en 1918, fundó la misión de la Inmaculada (1927) y se convirtió en su superior, así como en director del principal complejo editorial católico de Polonia. Fue arrestado por la Gestapo en 1939 y nuevamente en 1941, por los cargos de ayudar a los judíos y a la clandestinidad polaca. Fue encarcelado en Varsovia y luego enviado a AUSCHWITZ, en donde ofreció su vida en lugar de la de un prisionero condenado a muerte.

Kolchak, Alexandr (Vasílievich) (16 nov. 1874, San Petersburgo, Rusia–7 feb. 1920, Irkutsk, Siberia, Rusia soviética). Oficial naval ruso y líder político. Fue obligado a renunciar como comandante de la flota en el mar Negro después de iniciada la REVOLUCIÓN RUSA DE 1917. Luego de un golpe de Estado en Omsk en 1918, ganó autoridad entre los rusos blancos contrarrevolucionarios y en 1919 fue reconocido por ellos como gobernante supremo de Rusia. Después de obtener éxitos iniciales contra el Ejército Rojo, sus ejércitos fueron completamente derrotados en 1919; al año siguiente fue capturado y ejecutado por los BOLCHEVIQUES.

Kolimá, río Río del nordeste de SIBERIA, Rusia. Nace en los montes Kolimá y desemboca en el mar de Siberia oriental; tiene 2.129 km (1.323 mi) de longitud. Es navegable aguas arriba hasta Verjne-Kolimsk, sólo los meses de verano en que no hay hielo. Durante el régimen de STALIN se instalaron campamentos de trabajos forzados (1932–54) para explotar los yacimientos auríferos situados en el valle del alto Kolimá; más de un millón de prisioneros perdieron la vida.

Kolkata *anteriormente* **Calcuta** Ciudad (pob., est. 2001: ciudad, 4.580.544 hab.; área metrop., 13.216.546 hab.) del nordeste de India. Capital del estado de BENGALA OCCIDENTAL y ex capital (1772–1912) de la India británica, es la segunda área metropolitana más grande de India. Está situada a orillas del río HUGLI, a unos 145 km (90 mi) de su desembocadura. Se estableció como puesto comercial británico en 1690, y en 1707 se convirtió en la sede de la presidencia de BENGALA. Fue capturada por el nabab de Bengala, que en 1756 encerró a los ingleses en una pequeña prisión, que más tarde se conocería como el agujero negro de Calcuta; la ciudad fue reconquistada por los británicos al mando de ROBERT CLIVE. Durante el s. XIX fue un centro comercial extremadamente activo, pero comenzó a decaer después del traslado de la capital a DELHI, en 1912. La declinación se acentuó con la división de la provincia entre India y Pakistán (1947) y la creación de Bangladesh (1971), cambios que dieron origen a la llegada masiva de refugiados. Ello no sólo redundó en un incremento de la población, sino también en un aumento drástico de una pobreza ya bastante generalizada. En septiembre de 2000 la ciudad sufrió graves inundaciones que dejaron a su paso cientos de muertos y decenas de miles de personas sin hogar. A pesar de sus problemas, Kolkata sigue siendo una zona urbana dominante en la India oriental, así como un importante centro educacional y cultural.

Kollontái, Alexandra (Mijáilovna) *orig.* **Alexandra Mijáilovna Domontovich** (31 mar. 1872, San Petersburgo, Rusia–9 mar. 1952, Moscú, Rusia, U.R.S.S.). Burócrata y diplomática rusa. Como la primera comisaria de bienestar público en el gobierno BOLCHEVIQUE (1917), abogó por la simplificación de los procedimientos de matrimonio y divorcio y por el mejoramiento de la condición de la mujer. Se convirtió en la primera mujer en desempeñarse como ministra acreditada ante un país extranjero, cuando fue nombrada representante diplomática ante Noruega (1923–25, 1927–30); posteriormente ejerció el mismo cargo ante México (1926–27) y Suecia (1930–45). En 1944 condujo las negociaciones que pusieron fin a las hostilidades soviético-finlandesas en la segunda guerra mundial.

"Autorretrato con una mano en la frente", aguafuerte de Käthe Kollwitz, 1910.
GENTILEZA DE LA GALERÍA NACIONAL DE ARTE, WASHINGTON, D.C., ROSENWALD COLLECTION

Kollwitz, Käthe *orig.* **Käthe Schmidt** (8 jul. 1867, Königsberg, Prusia oriental–22 abr. 1945, cerca de Dresde, Alemania). Artista gráfica y escultora alemana. Estudió pintura en Berlín y Munich, pero se dedicó principalmente a las aguafuertes, los dibujos, las litografías y las xilografías. Conoció en forma personal las miserables condiciones de vida de los pobres de la ciudad cuando su marido médico abrió una clínica en Berlín. Se convirtió en la última de los grandes artistas alemanes del EXPRESIONISMO y una sobresaliente artista de protesta social. Dos series iniciales de grabados, *La revuelta de los tejedores* (1895–98) y *La guerra de los campesinos* (1902–08), retratan el sufrimiento de los oprimidos, con las formas simplificadas y acentuadas, con fuerza y audacia, que se convirtieron en su sello distintivo. Luego de que su hijo muriera en la primera guerra mundial, realizó un ciclo de grabados dedicado al tema del amor materno. Fue la primera mujer elegida por la Academia prusiana de las artes, en la que fue directora del Master Studio para las artes gráficas (1928–33). Los nazis prohibieron la exhibición de sus obras. El bombardeo sobre su hogar y su taller durante la segunda guerra mundial destruyó gran parte de su obra.

Kölreuter, Josef Gottlieb (27 abr. 1733, Sulz, Württemberg–12 nov. 1806, Karlsruhe, Baden). Botánico alemán. Pionero en el estudio de híbridos vegetales. Fue el primero en desarrollar una aplicación científica para el descubrimiento del sexo en las plantas (realizado en 1694 por RUDOLPH CAMERARIUS). Mediante el cultivo de plantas para estudiar su fecundación y desarrollo, llevó a cabo experimentos, en particular con la planta del tabaco, como la fecundación artificial y la producción de híbridos fértiles entre plantas de diferentes especies. Sus resultados prefiguraron los trabajos de GREGOR MENDEL. Kölreuter reconoció la importancia de los insectos y del viento como agentes de la transferencia del polen. Aplicó el sistema de clasificación sexual de CARLOS LINNEO a las formas de plantas inferiores. Su aporte no fue reconocido hasta mucho después de su muerte.

Komarov, Vladímir (Mijáilovich) (16 mar. 1927, Moscú, Rusia, U.R.S.S.– 24 abr. 1967, Kazajstán). Cosmonauta soviético. Se integró a la fuerza aérea de su país a la edad de 15 años, y recibió su licencia de piloto en 1949. En 1964 comandó el Voskhod 1, la primera nave en llevar más de una persona al espacio. En 1967, con su vuelo a bordo del SOYUZ 1, se convirtió en el primer soviético en realizar más de dos vuelos espaciales. Durante la órbita número 18 trató de aterrizar, sin embargo, murió cuando el aparato se enredó en el paracaídas principal a varios kilómetros de altura, precipitándose a tierra.

Kominform Organismo del comunismo internacional fundado bajo el auspicio soviético en 1947. Sus miembros originales fueron los partidos comunistas de la Unión Soviética, Bulgaria, Checoslovaquia, Hungría, Polonia, Rumania, Yugoslavia, Francia e Italia, pero Yugoslavia fue expulsada en 1948. La actividad de la Kominform consistía principalmente en la publicación de propaganda para fomentar la solidaridad comunista internacional. Fue disuelta por iniciativa soviética en 1956 como parte de un programa soviético de reconciliación con Yugoslavia.

Komintern *o* **Internacional Comunista** *o* **Tercera Internacional** Asociación de partidos comunistas nacionales fundada en 1919. VLADÍMIR LENIN convocó el primer Congreso del Komintern para socavar los intentos de revivir la SEGUNDA INTERNACIONAL. Para que pudieran ser miembros, se les exigía a los partidos que modificaran su estructura en conformidad con el modelo soviético y expulsaran a los socialistas moderados y pacifistas. Aunque su propósito declarado era la promoción de la revolución mundial, funcionó principalmente como un organismo de control soviético del comunismo internacional. En 1943, durante la segunda guerra mundial, STALIN disolvió el Komintern para apaciguar los temores de subversión comunista entre sus aliados.

Komsomol Organización de la Unión Soviética destinada a jóvenes de 14–28 años. Fue establecida en 1918 como órgano político para difundir la enseñanza del comunismo y preparar a futuros miembros del PARTIDO COMUNISTA DE LA UNIÓN SOVIÉTICA (PCUS). Sus integrantes participaban en iniciativas relacionadas con la salud, el deporte, la educación, como asimismo en actividades de propaganda y en varios proyectos industriales. A menudo se veían favorecidos frente a los que no eran miembros para obtener empleos, becas y otros beneficios. En la década de 1970 e inicios de la siguiente, el número de integrantes llegó a la abultada cifra de 40 millones. A comienzos de la década de 1990 se disolvió con el colapso del comunismo soviético.

Konbaung, dinastía ver dinastía ALAUNGPAYA

Kondrátiev, Nikolái (Dmítrievich) *llamado* **Kondratieff** (4 mar. 1892–¿1938?). Economista y estadístico ruso. En la década de 1920 contribuyó a desarrollar el primer PLAN QUINQUENAL soviético, para lo cual analizó los factores que podrían estimular el crecimiento económico soviético. Tras criticar el plan de STALIN de colectivización total de la agricultura, fue destituido de su cargo de director del Instituto de estudios sobre actividad económica en 1928. Fue detenido en 1930 y condenado a prisión. Tras la revisión de su pena, en 1938, fue condenado a muerte y se cree que fue ejecutado ese mismo año. Es famoso por su teoría de los CICLOS ECONÓMICOS de 50 años, conocida como los ciclos de Kondrátiev. Ver también GOSPLAN.

Kong, río Río que cruza Laos y Camboya. Nace en Vietnam central, al sudoeste de Hue, fluye hacia el sudeste a lo largo de 480 km (300 mi) y atraviesa el sur de Laos. Entra en Camboya al este del río MEKONG, y sigue en dirección sudoeste para unirse al Mekong después de cruzar la zona septentrional de la meseta camboyana.

Kongfuzi ver CONFUCIO

kongo *o* **bakongo** Pueblo de lengua bantú que habita a lo largo de la costa atlántica en la República Democrática del Congo, República del Congo y Angola. Los kongo se dedican a la agricultura de subsistencia y cultivan productos agrícolas comerciales (como café, cacao y banana); muchos viven y trabajan en las ciudades. La descendencia es matrilineal y la mayoría de las aldeas son independientes de sus vecinas. A partir del s. XIV existió un reino del Kongo; su riqueza provenía del comercio de marfil, pieles y esclavos, y de su moneda de conchas de mar. En 1665, los kongo se disgregaron.

Kóniev, Iván (Stepánovich) (28 dic. 1897, Lodeino, cerca de Veliki Ustiug, Rusia–21 may. 1973, Moscú, Rusia, U.R.S.S.). General soviético en la segunda guerra mundial. Cuando los alemanes invadieron la Unión Soviética en 1941, dirigió el primer contraataque de la guerra. Derrotó el avance de HEINZ GUDERIAN sobre Moscú y detuvo a grandes fuerzas alemanas en 1942 y 1943. En 1944, su ejército fue el primero en marchar en territorio alemán; junto a las fuerzas de GUEORGUI ZHÚKOV, capturó Berlín. Después de la guerra fue comandante en jefe de las fuerzas terrestres soviéticas (1946–50) y más tarde de las fuerzas del pacto de VARSOVIA (1955–60).

Königgrätz, batalla de *o* **batalla de Sadowa** (3 jul. 1866). Batalla decisiva en la guerra de las SIETE SEMANAS entre Prusia y Austria, librada en Sadowa, cerca de Königgrätz, Bohemia (actual Hradec Králové, República Checa). Los austríacos, equipados con rifles que se cargaban por la boca y confiados fuertemente en la carga a bayoneta, fueron conducidos por Ludwig von Benedek (n. 1804–m. 1881). Los prusianos, dirigidos por HELMUTH VON MOLTKE, estaban equipados con armas de retrocarga y, por primera vez en una guerra europea, usaron el ferrocarril para transportar sus tropas. La victoria prusiana llevó a la exclusión de Austria de una Alemania dominada por Prusia.

Königsberg ver KALININGRADO

Konin Jōgan, estilo Estilo escultórico japonés de principios del período HEIAN, que se observa principalmente, pero no en forma exclusiva, en esculturas budistas. Las macizas figuras, talladas en un bloque único de madera, son columnares, simétricas, erectas, y tienen grandes rostros redondeados, de labios carnosos, narices anchas y ojos enormes, casi geométricamente simplificados. Los drapeados, compuestos por series alternadas de pequeñas y grandes ondulaciones, son su característica más distintiva. La técnica apareció por primera vez en los drapeados de la colosal imagen de Buda en Bāmiān, Afganistán. Peregrinos chinos y japoneses llevaron de vuelta imágenes sagradas y las utilizaron como prototipos para las suyas.

Konkouré, río Río de la zona centro-este de Guinea, África occidental. Sigue un curso de 303 km (188 mi) hacia el oeste y desemboca en el océano Atlántico. Es una fuente de energía hidroeléctrica. Solía ser un serio obstáculo para el transporte entre CONAKRY y las localidades de Boffa y Boké, pero actualmente existe un puente en Ouassou.

Konoye Fumimaro *o* **Konoe Fumimaro** (12 oct. 1891, Tokio, Japón–16 dic. 1945, Tokio). Líder político y primer ministro de Japón (1937–39, 1940–41), quien intentó sin éxito restringir el poder de los militares e impedir que la guerra entre Japón y China generara un conflicto mundial. En 1941 firmó un pacto de no agresión con la Unión Soviética y participó en las negociaciones mediadas por EE.UU. con que se intentó resolver el conflicto con China. Ese mismo año renunció por diferencias con TŌJŌ HIDEKI. Durante la guerra fue obligado a abandonar el centro de la política. Más tarde fue ministro suplente del gabinete de Higashikuni. Se suicidó después de recibir una orden de arresto como sospechoso de crímenes de guerra.

Konya *antig.* **Iconium** Ciudad (pob., 1997: 623.333 hab.) del centro de Turquía. Habitada desde el III milenio AC, es uno de los centros urbanos más antiguos del mundo. Iconium recibió influencias de la cultura griega a partir del s. III AC y en 25 AC quedó bajo dominio romano. Fue capturada por la dinastía selyúcida c. 1072. Rebautizada como Konya, fue un importante centro cultural en el s. XIII y sede de la hermandad sufí conocida como "DERVICHES danzantes". Más tarde la gobernaron los mongoles, y c. 1467 fue anexada al Imperio OTOMANO. Decayó durante el gobierno turco, pero se revitalizó después de la inauguración del ferrocarril Estambul-Bagdad, en 1896. Es un importante centro industrial y comercial para la zona agrícola circundante.

Kookaburra (*Dacelo gigas*).

kookaburra Especie (*Dacelo gigas*) de MARTÍN PESCADOR del bosque (subfamilia Daceloninae) del este de Australia. Su reclamo, que suena como una risa maligna, se oye de madrugada, y enseguida de la puesta del sol. Es un ave silvícola, de color gris marrón, que alcanza una longitud de 43 cm

(17 pulg.), con un pico de 8–10 cm (3,2–4 pulg.). En su hábitat natural come invertebrados y vertebrados pequeños, incluso serpientes venenosas. En el oeste de Australia y Nueva Zelanda, donde ha sido introducido, se sabe que ha atacado polluelos de gallinas y de patos.

Koolhaas, Rem (n. 17 nov. 1944, Rotterdam, Países Bajos). Arquitecto neerlandés. Luego de estudiar arquitectura en Londres y trabajar en Nueva York, en 1975 abrió su propia empresa en Rotterdam y Londres. Se hizo conocido con su libro *Nueva York delirante* (1978), en el cual realizó un perfil del desarrollo de la arquitectura de Manhattan, sugiriendo que fue un proceso orgánico que se generó a partir de diversas influencias culturales. Sus proyectos más conocidos son estructuras a gran escala, entre las que se cuentan la Kunsthal, en Rotterdam; la galería de exposiciones Grand Palais, en Lille, Francia, y el plan maestro para el terreno de los MCA/Universal Studios, en Los Ángeles. En su libro *S, M, L, XL* (1996) abordó el tema del tamaño. En 1998 ganó el concurso de diseño para el nuevo centro del campus del Instituto de tecnología de Illinois. En 2000 fue galardonado con el Premio Pritzker de Arquitectura.

Kooning, Willem de (24 abr. 1904, Rotterdam, Países Bajos–19 mar. 1997, East Hampton, N.Y., EE.UU.). Pintor estadounidense de origen neerlandés. Estudió arte en Rotterdam e ingresó a EE.UU. como polizón en 1926. Se estableció en Hoboken, N.J., y se ganó la vida como pintor de brocha gorda antes de mudarse a Nueva York, donde fue influenciado por ARSHILE GORKY. Se sustentó trabajando para el WPA Federal Art Project. En las décadas de 1930–40, su obra era tanto figurativa como abstracta, tendencias que con el tiempo llegó a fundir en imágenes que combinaban formas biomorfas y geométricas. En la década de 1940 se convirtió en uno de los exponentes líderes del EXPRESIONISMO ABSTRACTO y en especial del ACTION PAINTING. Entre sus obras más conocidas figura una serie de imágenes de mujeres deliberadamente vulgares, realizadas con pigmento aplicado en forma tosca y colores crudos (p. ej., *Mujer I*, 1950–52; *Mujer y bicicleta*, 1953). En 1963 se mudó a East Hampton. En sus últimos años realizó esculturas de arcilla que fueron fundidas en bronce.

Köprülü, Fazil Ahmed Bajá (1635, Vezirköprü, Anatolia, Imperio otomano–3 nov. 1676, cerca de Çorlu, Tracia). Gran VISIR (1661–76) del sultán otomano Mehmet IV. Comenzó su carrera como un hombre de letras, pero entró al servicio público cuando su padre ascendió al cargo de gran visir. Después de hacer más eficiente al ejército, emprendió una exitosa campaña contra Austria (1663), la república veneciana en Creta (1669) y Polonia (1672–76). Falleció durante su última campaña.

Korais, Adamándios (27 abr. 1748, Esmirna, Anatolia–6 abr. 1833, París, Francia). Erudito griego. Estudió medicina en Francia, pero se trasladó a París para seguir una carrera literaria. Esperaba despertar las aspiraciones nacionales de sus compatriotas y aumentar la concienciación de la herencia griega. Su defensa de un clasicismo revitalizado tuvo gran influencia en el idioma y la cultura griegos. Sus antologías comprenden *Biblioteca de literatura griega*, 17 vol. (1805–26) y *Parerga*, 9 vol. (1809–27). Principalmente a través de su *Atakta* (compuesto 1828–35), el primer diccionario de griego moderno, Korais creó un nuevo lenguaje literario griego al combinar elementos del idioma vernacular (demótico) con el clásico.

Korbut, Olga (Valentinovna) (n. 16 may. 1956, Grodno, Belarús, U.R.S.S.). Gimnasta soviética. Debutó en los campeonatos internacionales de 1969, a los 13 años de edad. Menuda, atractiva, con una sonrisa cautivante, fue la primera persona en realizar un salto mortal invertido en la viga. En los Juegos Olímpicos de 1972 logró tres medallas de oro (en viga, ejercicios de suelo y como miembro del equipo olímpico de la Unión Soviética) y una de plata (en las barras paralelas asimé-

tricas). En los Juegos de 1976 ganó una medalla de oro con el equipo de su país y una de plata en la viga.

Korda, Sir Alexander *orig.* **Sándor Laszlo Kellner** (16 sep. 1893, Pusztatúrpásztó, Hungría–23 ene. 1956, Londres, Inglaterra). Director y productor de cine británico de origen húngaro. Trabajó como periodista en Budapest, donde después fundó una revista de cine; en 1917 asumió como ejecutivo en jefe del estudio cinematográfico Corvin. Abandonó Hungría en 1919, realizó varias películas en Berlín, y se instaló en Hollywood, donde dirigió largometrajes como *La vida privada de Helena de Troya* (1927). En 1931 se trasladó a Inglaterra, donde fundó la London Film Productions, que ayudó a sentar las bases de la industria cinematográfica británica. Dirigió y produjo exitosas películas como *La vida privada de Enrique VIII* (1933), *Catalina de Rusia* (1934), *La pimpinela escarlata* (1935) y *Rembrandt* (1936), y fue productor de *El tercer hombre* (1949), *Locuras de verano* (1955) y *Ricardo III* (1955). Fue la primera persona del ámbito del cine en ser ordenado caballero británico (1942).

Kordofán Región del centro de Sudán, al oeste del NILO Blanco, habitada originalmente por pueblos que hablaban nubio. Controlada por la dinastía cristiana Tungur (900–1200 DC), fue más tarde conquistada por los árabes, y en el s. XVII se estableció como sultanato. A partir de la década de 1820 quedó bajo dominio egipcio. El tráfico de esclavos desempeñó un papel importante en la economía de la región hasta 1878, año en que fue erradicado por CHARLES GEORGE GORDON. El dominio egipcio llegó a su fin con una revuelta liderada por al-MAHDI en 1882. En 1899, Kordofán se convirtió en provincia.

kordofanas, lenguas *o* **lenguas cordofanas** Rama de la familia de las lenguas NIGEROCONGOLEÑAS. Separada geográficamente del resto de estas, se cree que representa el estrato más antiguo de las lenguas de la región. La rama kordofana consta de unas 20 lenguas habladas por 250.000 a 500.000 personas, principalmente en las montañas de Nubia, en Sudán central.

koré Tipo de escultura de bulto redondo de una joven (la contraparte femenina del KOUROS), que apareció con el inicio de la escultura monumental griega (c. 700 AC) y se prolongó hasta el fin del período arcaico (c. 500 AC). El *koré*, que se tallaba en mármol y en su origen era pintado, es una figura femenina con drapeados, erguida, con los pies juntos o con un pie levemente adelantado. Uno de sus brazos suele estar extendido, sosteniendo una ofrenda; el otro permanece abajo y generalmente sostiene un pliegue del drapeado. Como en todo el arte griego, el *koré* evolucionó desde una forma muy estilizada hacia una más naturalista. Sus prototipos se encuentran en el arte egipcio y mesopotámico.

Koré, figura en piedra caliza, c. 650 AC; Museo del Louvre, París.
HIRMER FOTOARCHIV, MUNICH

Kornberg, Arthur (n. 3 mar. 1918, Brooklyn, N.Y., EE.UU.). Médico y bioquímico estadounidense. Estudió en la Universidad de Rochester. En 1959 se incorporó a la facultad de la Universidad Stanford. Mientras estudiaba cómo los organismos vivos producen NUCLEÓTIDOS, sus investigaciones lo llevaron al problema de cómo los nucleótidos se encadenan para formar las moléculas de ADN. Agregando nucleótidos radiactivos a una mezcla enzimática preparada con cultivos de E. COLI, constató la existencia de una reacción catalizada por la enzima, que agrega nucleótidos a la cadena de ADN preexistente. Fue el primero en lograr la síntesis acelular del ADN. En 1959 compartió el Premio Nobel con SEVERO OCHOA.

Korngold, Erich Wolfgang (29 may. 1897, Brünn, Austria-Hungría–29 nov. 1957, Hollywood, Cal., EE.UU.). Compositor estadounidense de origen austrohúngaro. Hijo de un crítico musical, sus composiciones de la niñez fueron elogiadas por GUSTAV MAHLER y ARTUR SCHNABEL. Consolidó su reputación con su obra maestra operística, *La ciudad muerta* (1920). En 1934 se trasladó a Hollywood y se hizo conocido por sus composiciones para cine, donde su estilo esencialmente romántico resultó ser muy apropiado para historias de espadachines como *El caballero Adverse* (1936, premio de la Academia) y *Las aventuras de Robin Hood* (1938, premio de la Academia), así como en otras 17 películas. Su concierto para violín (1946) se ha grabado con frecuencia.

Kornílov, Lavr (Gueórguievich) (30 ago. 1870, Karkaralinsk, Siberia occidental, Imperio ruso–13 abr. 1918, cerca de Ekaterinodar, Rusia). General del ejército imperial. Oficial de ejército de carrera, se desempeñó como comandante de división en la primera guerra mundial. Después de la REVOLUCIÓN RUSA DE 1917, fue nombrado comandante en jefe del ejército por ALEXANDR KERENSKI. Surgieron conflictos debido a sus puntos de vista opuestos sobre política y sobre el papel del ejército, y cuando Kornílov envió tropas a Petrogrado, Kerenski interpretó la medida como un intento de golpe de Estado y lo destituyó. Después de ser arrestado, escapó para comandar un ejército de rusos blancos antibolcheviques y fue muerto en batalla.

Korolev, Serguéi (Pavlovich) (12 ene. 1907, Zhitomir, Rusia–14 ene. 1966, Moscú, U.R.S.S.). Diseñador soviético de misiles guiados, cohetes y naves espaciales. En 1933, él y F.A. Tsander lanzaron el primer cohete soviético con combustible líquido. Durante la segunda guerra mundial, Korolev diseñó y probó cohetes de despegue con combustible líquido para aviones militares. Después de la guerra hizo mejoras al misil V-2 alemán y supervisó los lanzamientos de prueba de los misiles capturados. Su trabajo contribuyó decisivamente en la fabricación del primer MISIL BALÍSTICO INTERCONTINENTAL. Dirigió la ingeniería de sistemas para los vehículos de lanzamiento y naves espaciales soviéticas, como el diseño, la prueba y la construcción así como también el lanzamiento de naves espaciales tripuladas y no tripuladas, siendo el genio y líder indiscutido detrás del programa espacial soviético.

Koror, isla Isla (pob., 2000: 13.303 hab.) y ciudad de PALAU, Oceanía. Situada al sudoeste de la isla Babelthuap, tiene una superficie de 8 km² (3 mi²). El poblado de Koror fue la capital administrativa de todas las islas del mandato japonés en el Pacífico desde 1921 hasta 1945. Devastada durante la segunda guerra mundial, la localidad se desarrolló más tarde hasta convertirse en centro comercial y turístico. Asimismo, fue declarada capital de Palau. En 1996, después del colapso del puente que unía Koror con Babelthuap, se inició la construcción de uno nuevo (terminado en 2002), al tiempo que se levantaba una nueva capital en Babelthuap.

Embarcadero de Koror, una de las Islas Carolinas, Oceanía.
PAUL TZIMOULIS/TOM STACK & ASSOCIATES

Korsakoff, síndrome de *o* **psicosis de Korsakoff** *o* **enfermedad de Korsakoff** Trastorno neurológico caracterizado por AMNESIA severa, a pesar de tener una percepción clara y estar en plena conciencia, como consecuencia de alcoholismo crónico, traumatismo craneoencefálico, enfermedades cerebrales o déficit de TIAMINA. Las personas con el síndrome no pueden recordar hechos recientes, o incluso, del pasado inmediato; algunas conservan el recuerdo sólo unos pocos segundos. También pueden olvidar períodos más largos, de hasta 20 años. Con el síndrome coexiste a veces la fabulación (relato detallado, con "recuerdos" convincentes de hechos que nunca sucedieron), que puede ser transitoria o crónica.

Kórsakov, Nicolái Rimski- ver Nicolái (Andréievich) RIMSKI-KÓRSAKOV

Koryŏ Antiguo reino de Corea gobernado por una dinastía del mismo nombre desde 935 hasta 1392. Durante este período empezó a forjarse una tradición cultural propiamente coreana. La dinastía fue fundada por el general Wang Kŏn (Wanggon) del Koguryŏ tardío, quien derrotó a los reinos de SILLA y del Paikche tardío en 936 para unificar a la península de Corea. A fines del s. X, un sistema burocrático centralizado reemplazó el antiguo sistema tribal aristocrático. En este reino florecieron las artes, particularmente la cerámica (celadón de Koryŏ), y ejercieron influencia el budismo y el confucianismo. En el s. XIII, el reino de Koryŏ sufrió una serie de invasiones mongolas y, en 1392, YI SONG-GYE derrocó a la debilitada dinastía y fundó la dinastía CHOSŎN.

Kosala Antiguo reino del norte de India. Su territorio correspondía aproximadamente a la región histórica de OUDH, en lo que hoy es el centro-sur del estado de UTTAR PRADESH, y cubría también el actual Nepal. Surgió en el s. VI AC, y pronto se convertiría en uno de los estados dominantes del norte de India. Allí nació BUDA. El reino de MAGADHA lo conquistó c. 490 AC y pasó a ser llamado Kosala del Norte, para diferenciarlo de un reino más grande situado al sur, conocido como Kosala, Kosala del Sur, o Gran Kosala.

Kosciusko, monte Monte en el sudeste de NUEVA GALES DEL SUR, Australia. Ubicado en las Snowy Mountains (montañas nevadas), Alpes australianos, es el pico más alto del continente, con 2.228 m (7.310 pies) de altura. Situado en el parque nacional Kosciusko, cubre una superficie de 6.469 km² (2.498 mi²); cerca de él están los montes Townsend, Twynam, Ramshead del Norte y Carruthers, cuyos deshielos alimentan los ríos y embalses que componen el complejo hidroeléctrico Snowy Mountains. El monte recibió su nombre en 1840 en honor de TADEUSZ KOŚCIUSZKO.

Kościuszko, Tadeusz (4 feb. 1746, Mereczowszczyzna, Polonia–15 oct. 1817, Solothurn, Suiza). Patriota polaco que combatió en la guerra de independencia de los ESTADOS UNIDOS DE AMÉRICA. Estudió ingeniería militar en París y en 1776 viajó a América del Norte, donde se incorporó al ejército colonial. Tomó parte en la construcción de fortificaciones en Filadelfia, Pa., y en West Point, N.Y. Como ingeniero jefe, dos veces rescató el ejército del gral. Nathanael Greene dirigiendo las maniobras para cruzar el río. También encabezó el bloqueo de Charleston, S.C. Terminada la guerra, se le otorgó la ciudadanía estadounidense y fue ascendido a general de brigada. En 1784 regresó a Polonia y alcanzó el grado de general de división en el ejército polaco. En 1794 condujo una rebelión contra las fuerzas de ocupación rusas y prusianas, durante la cual defendió Varsovia por dos meses y dirigió a los habitantes en la construcción de defensas. Estuvo preso en Rusia en 1794–96, volvió a EE.UU. en 1797 y de ahí pasó a Francia, donde continuó su labor en pro de la independencia de Polonia.

kosher ver KASHRUTH

Kosi, río Río que cruza Nepal y el norte de India. Nace de varios afluentes en Nepal oriental, y discurre hacia el sur a través de la gran llanura del norte de India. Vacía sus aguas en el río GANGES después de completar un curso de 724 km (450 mi).

Košice Ciudad (pob., est. 2001: 236.093 hab.) del este de Eslovaquia. Establecida en el s. IX, obtuvo la carta de privilegio de ciudad en 1241; fue un núcleo de intercambio comercial durante la baja Edad Media. Creció rápidamente después de integrarse a Checoslovaquia en 1920. Ocupada por Hungría en 1938, fue liberada en 1945 y se convirtió en la primera sede del gobierno checoslovaco de posguerra. Tras la independencia de Eslovaquia en 1992, es el centro político, económico y cultural del sudeste del país.

Kosiguin, Alexéi (Nicoláievich) (20 feb. 1904, San Petersburgo, Rusia–18 dic. 1980, Moscú, Rusia, U.R.S.S.). Estadista soviético, premier de la Unión Soviética (1964–80). En 1927 se unió al PARTIDO COMUNISTA DE LA UNIÓN SOVIÉTICA (PCUS) y en 1939 fue miembro del Comité Central. Después de 1957 trabajó en forma estrecha con NIKITA JRUSCHOV en el área económica y en 1964, después de la forzada renuncia de Jruschov, lo reemplazó como presidente del Consejo de ministros, convirtiéndose así en jefe de Gobierno soviético. Administrador económico, competente y pragmático, introdujo reformas destinadas a modernizar la economía soviética. A fines de la década de 1960 y principios de la siguiente compartió el poder con LEONID BRÉZHNEV y NIKOLÁI PODGORNY, pero su importancia disminuyó en la medida en que aumentaba la autoridad de Brézhnev; se retiró en 1980.

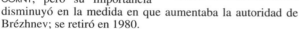

Regreso de refugiados albaneses en el paso fronterizo de Morine, tras la crisis de Kosovo.
FOTOBANCO

Kosinski, Jerzy (Nikodem) (14 jun. 1933, Łodz, Polonia–3 may. 1991, Nueva York, N.Y., EE.UU.). Escritor estadounidense de origen polaco. Sostenía que sus horrendas experiencias como judío en Polonia y Rusia durante la segunda guerra mundial lo habían enmudecido durante gran parte de su infancia. Estudió ciencias políticas y fue profesor de sociología antes de emigrar en 1957 a EE.UU. Su novela *El pájaro pintado* (1965) es un relato gráfico y surrealista de los horrores que rodean la guerra. Otras novelas exitosas fueron *Pasos* (1968) y la fábula satírica *Bienvenido Mr. Chance* (1970; película, 1979). Después de su suicidio, se reveló que gran parte de su pasado había sido inventado.

Kosovo albanés **Kosova** Región geográfica (pob., est. 2001: 2.325.000 hab.) de la República de SERBIA, Serbia y Montenegro. Ocupa una superficie de 10.887 km² (4.203 mi²) y su capital es PRISTINA. Antes de 1999, el 90% de la población era de origen albanés, musulmanes en su mayoría, y el resto serbios (casi todos cristianos). Kosovo fue una región autónoma hasta 1989, cuando Serbia tomó el control de su administración. Este hecho provocó el descontento de la población albanesa en la región, que en 1992 votó por separarse de Yugoslavia. Serbia replicó aumentando el control sobre la región, lo que desencadenó la crisis de KOSOVO. Desde 1999, la región se encuentra bajo administración de la ONU.

Kosovo, batalla de Nombre de dos batallas libradas en la provincia serbia de KOSOVO. La primera (13 jun. 1389), entre los serbios conducidos por el príncipe Lazar y el Imperio OTOMANO dirigido por el sultán Murad I, terminó (a pesar de la muerte de Murad) en la derrota de Serbia y el cerco del tambaleante Imperio BIZANTINO por ejércitos otomanos. La batalla, que llevó a tres siglos de vasallaje serbio, constituye un suceso central en la historia serbia. La segunda batalla (17–20 oct. 1448), entre los otomanos dirigidos por Murad II y una coalición hungarovalaca liderada por JÁNOS HUNYADI, detuvo el último gran esfuerzo de los cruzados cristianos por liberar a los Balcanes del dominio otomano.

Kosovo, crisis de (1998–99). Guerra étnica en KOSOVO, Yugoslavia. En 1989 el presidente serbio, SLOBODAN MILOŠEVIĆ, revocó la autonomía constitucional de Kosovo. Él y la minoría de serbios en Kosovo habían estado por largo tiempo irritados por el hecho de que los albaneses musulmanes tenían el control demográfico de un área considerada sagrada para los serbios (Kosovo era la sede de la Iglesia ortodoxa serbia, inspiración de la poesía épica serbia y escenario de la victoria turca sobre los serbios en 1389, así como de la victoria serbia sobre los turcos en 1912). En respuesta a ello, los kosovares albaneses comenzaron una campaña de resistencia no violenta. Las crecientes tensiones llevaron en 1998 a enfrentamientos armados entre serbios y el Ejército de liberación de Kosovo (ELK), que había comenzado a asesinar a policías y a políticos serbios. El Grupo de Contacto (EE.UU., Gran Bretaña, Alemania, Francia, Italia y Rusia) exigió un cese del fuego, el retiro incondicional de las fuerzas serbias, el regreso de los refugiados y el acceso ilimitado a los supervisores internacionales. Aunque Milošević acordó cumplir la mayoría de las demandas, no las acató. El ELK se reagrupó y rearmó durante el cese del fuego y reanudó su ofensiva. Los serbios respondieron con una despiadada contraofensiva, lo que indujo al Consejo de Seguridad de la ONU a condenar el excesivo uso de la fuerza por los serbios, sumado a la LIMPIEZA ÉTNICA (matanza y expulsión), e imponer un embargo de armas, aunque la violencia continuó. Después de que las negociaciones diplomáticas en Rambouillet, Francia, fracasaron, Serbia reanudó su ataque y la OTAN respondió con una campaña de bombardeo de 11 semanas que se extendió hasta Belgrado, destruyendo accidentalmente la embajada china y causando daños considerables a la infraestructura serbia. El bombardeo se detuvo después de que la OTAN y Yugoslavia firmaron un acuerdo en junio de 1999, que determinó el retiro de las tropas serbias y el regreso de casi 1.000.000 de refugiados albaneses así como de 500.000 desplazados dentro de la provincia; hubo represalias esporádicas contra los serbios que permanecieron en Kosovo.

Kossuth, Lajos (19 sep. 1802, Monok, Hungría–20 mar. 1894, Turín, Italia). Patriota húngaro. Abogado proveniente de una familia noble, fue enviado a la Dieta nacional (1832), en donde desarrolló su filosofía política y social de corte radical. Encarcelado bajo cargos políticos (1837–40), más tarde escribió para una publicación reformista y conquistó seguidores devotos. Reelegido a la Dieta (1847–49), dirigió la "oposición nacional", y después de la REVOLUCIÓN DE FEBRERO (1848) convenció a los delegados de votar por la independencia húngara del dominio austríaco. Designado gobernador provisional, se convirtió en virtual dictador de Hungría. En 1849, los ejércitos rusos intervinieron en favor de Austria y lo obligaron a renunciar. Huyó a Turquía, donde fue encarcelado durante dos años. Después

Lajos Kossuth, litografía, 1856.
GENTILEZA DEL MUSEO BRITÁNICO; FOTOGRAFÍA, J.R. FREEMAN & CO. LTD.

de su liberación, dictó conferencias en EE.UU. e Inglaterra, y más tarde, desde su hogar en Turín, observó cómo Hungría se reconciliaba con la monarquía austríaca. Después del COMPROMISO DE 1867, se retiró de la vida política.

Kosuth, Joseph (n. 31 ene. 1945, Toledo, Ohio, EE.UU). Artista conceptual y fotógrafo estadounidense. Estudió en la Escuela de Diseño de Toledo, en el Instituto de arte de Cleveland y en la Escuela de artes visuales de Nueva York. En 1965 creó su primera obra conceptual *Una y tres sillas*, en donde exhibió una silla, una fotografía de ella y un texto con la definición de la palabra silla. Esta obra estableció un hito en el desarrollo del arte occidental, ya que inició una corriente que privilegiaba la idea o el concepto de una obra por sobre su aspecto físico. A partir de 1968 se desempeñó como profesor de la Escuela de artes visuales de Nueva York y como editor de la revista *Art-Language*. Es considerado uno de los fundadores del ARTE CONCEPTUAL.

koto Instrumento musical japonés, un tipo de CÍTARA larga con puentes móviles y por lo general con 13 cuerdas. Se coloca en el suelo o sobre una mesa baja y las cuerdas son pulsadas mediante plectros insertados en los dedos de la mano derecha mientras la mano izquierda cambia el tono (o altura) u ornamenta el sonido de las cuerdas individuales presionándolas o manipulándolas desde el otro lado de cada puente. El koto se toca como instrumento solista, en conjuntos de cámara –especialmente con el *shakuhachi* (una flauta de bambú) y con el *shamisen* (un laúd sin trastes)– y en la música GAGAKU. El koto es el instrumento nacional de Japón.

August von Kotzebue, detalle de un grabado.
GENTILEZA DE LA BIBLIOTHÈQUE NATIONALE, PARÍS

Kotzebue, August (Friedrich Ferdinand) von (3 may. 1761, Weimar, Sajonia–23 mar. 1819, Mannheim, Baden). Dramaturgo alemán. Contribuyó a popularizar el drama poético, al cual infundió un sensacionalismo melodramático y una filosofía sentimentalista. Prolífico (escribió más de 200 obras) y superficial, es conocido por obras como los dramas *The Stranger* [El extraño] (1789) y *The Indian Exiles* [Los exiliados indios] (1790) y las comedias *Der Wildfang* (1798; "Trampas de caza") y *La pequeña ciudad alemana* (1803). Fue denunciado como espía por políticos radicales y murió apuñalado.

Koufax, Sandy *p. ext.* **Sanford Koufax** *orig.* **Sanford Braun** (n. 30 dic. 1935, Nueva York, N.Y., EE.UU.). Lanzador de béisbol estadounidense. Su madre se divorció cuando era niño y Koufax adoptó el apellido de su padrastro. En su juventud practicaba deportes en los centros comunitarios judíos de su Brooklyn natal, y en la secundaria era conocido más como basquetbolista que como beisbolista. Entró a la Universidad de Cincinnati gracias a una beca de baloncesto, y luego, en 1955, comenzó a jugar en Brooklyn (luego Los Ángeles) Dodgers como lanzador. Koufax, que era zurdo, lanzaba una bola rápida deslumbrante con una curva de quiebre violento. Una vez que dominó mejor sus lanzamientos, estableció varios récords de *strikeouts* por temporada (entre ellos los 382 *strikeouts* obtenidos en 1965). El promedio de su carrera, de un *strikeout* por entrada, constituye un logro excepcional. En 1965 completó el cuarto partido sin *hits* en contra, récord de las grandes ligas que se mantuvo hasta 1981; este cuarto partido fue también un juego perfecto, ya que ningún rival llegó a primera base. Pese a su temprano retiro, en 1966, debido a la artritis, es considerado uno de los mejores lanzadores de la historia del béisbol.

kouros Estatua griega arcaica que representa a un joven varón de pie. Estas grandes figuras de piedra comenzaron a aparecer en Grecia c. 700 AC y siguieron muy de cerca el estilo egipcio de las figuras geométricas y rígidas. Las formas posteriores, más naturalistas, ponen de manifiesto el gran conocimiento de anatomía humana que tenían los griegos. Los *kouroi* a veces representaban al dios Apolo, pero servían más frecuentemente como ofrendas votivas o marcadores de tumbas. Ver también KORÉ.

Koussevitzki, Serge *orig.* **Serguéi Alexandrovich Kusevitski** (26 jul. 1874, Vishni Volochiok, Rusia–4 jun. 1951, Boston, Mass., EE.UU.). Director de orquesta estadounidense de origen ruso. Intérprete virtuoso del contrabajo, fue un director autodidacta. Con la ayuda financiera de su suegro, debutó en 1908 con la filarmónica de Berlín. En los años siguientes fundó su propia orquesta, la que realizó una gira por el Volga. Después de abandonar la Unión Soviética en 1920, estableció la serie de conciertos Koussevitzki en París antes de ser el director permanente de la orquesta sinfónica de Boston (1924–49). Allí realizó aprox. 100 estrenos, incluso obras por encargo, como la *Sinfonía de los salmos* de IGOR STRAVINSKI y otras muchas obras de compositores estadounidenses, inspirando a sus músicos con la fuerza de su personalidad para realizar interpretaciones legendarias. El Tanglewood Music Center en Lenox, Mass., fue establecido mientras era director en Boston.

Kovno ver KAUNAS

Kowloon, península de *o* **península de Jiulong** Península de China continental que forma parte de la región administrativa especial de HONG KONG. Ubicada frente a la isla de Hong Kong, está rodeada por la bahía de Victoria; los Nuevos Territorios la unen al continente por el norte. Es un centro industrial, comercial y turístico que abarca la zona urbana de Kowloon y de Nueva Kowloon (pob., est. 2001: 2.025.800 hab.). Gran parte de su territorio ha sido ganado al mar.

Koxinga ver ZHENG CHENGGONG

kpele Pueblo que habita el centro de Liberia y parte de Guinea. Con una población cercana a un millón de personas, los kpele hablan una lengua MANDÉ, rama de la familia de lenguas NIGERO-CONGOLEÑAS. Constituyen cerca del 20% de la población de Liberia. Se dedican básicamente al cultivo de arroz; entre sus productos agrícolas comerciales figuran el cacahuete o maní, caña de azúcar y nuez de cola. Son conocidos por sus complejas SOCIEDADES SECRETAS (*poro* para los hombres, *sande* para las mujeres), que cumplen diversas funciones sociales y políticas.

Mujeres kpele en la molienda de mandioca.
JACQUES JANGOUX

kraal En África meridional, área cerrada o grupo de casas que rodean un recinto para el ganado, y también el grupo humano que habita estas estructuras. El término se usa más bien para describir la forma de vida dentro de ella. Entre algunos ZULÚES, el kraal tradicional consiste en un número de chozas dispuestas en círculo alrededor de un corral para ganado. En lugares donde se practica la poligamia, por lo general cada esposa tiene su propia choza. La palabra *kraal* también ha sido utilizada para referirse a los campamentos temporales de los MASAI de África oriental.

Kraepelin, Emil (15 feb. 1856, Neustrelitz, Mecklemburgo-Strelitz–7 oct. 1926, Munich, Alemania). Psiquiatra alemán. Ejerció la docencia en las universidades de Heidelberg y Munich, donde desarrolló un influyente sistema de clasificación de las enfermedades mentales, el *Compendium der Psychiatrie* (nueve eds., 1883–1926). Fue el primero en diferenciar (en 1899) la psicosis maníaco-depresiva (TRASTORNO BIPOLAR) de la demencia precoz (ESQUIZOFRENIA) y en distinguir tres variedades clínicas de esta última: catatonia, hebefrenia y paranoia.

Krafft-Ebing, Richard, (barón) von (14 ago. 1840, Mannheim, Baden–22 dic. 1902, cerca de Graz, Austria). Neuropsiquiatra alemán. Educado en Alemania y Suiza, enseñó psiquiatría en las ciudades de Estrasburgo, Graz y Viena. Realizó estudios que abarcaron desde la epilepsia y sífilis hasta funciones genéticas en la demencia y desviación sexual. También experimentó con hipnosis. En la actualidad se lo recuerda especialmente por su *Psychopathia sexualis* (1886), un examen vanguardista de las aberraciones sexuales.

Kraft Foods, Inc. Empresa fabricante y comercializadora de productos alimenticios. Tuvo sus orígenes en un negocio de reparto de queso al por mayor que James L. Kraft instaló en 1903. La empresa se constituyó con la razón social J. L. Kraft Bros. & Co. en 1909 y prosperó con la venta de queso procesado al ejército estadounidense durante la primera guerra mundial. A contar de 1930 tuvo varios dueños, hasta que en 1988 fue adquirida por Philip Morris Cos. (rebautizada Altria Group Inc. en 2003). Philip Morris Cos. compró también la sociedad controladora NABISCO en 2000 e integró sus operaciones a las de Kraft.

kraft, proceso Método químico para producir pulpa de MADERA que emplea SODA CÁUSTICA y sulfuro de sodio como medio líquido en el cual se cuece la pulpa para soltar las fibras. El proceso (del alemán *kraft*, "fuerte") produce un PAPEL particularmente resistente y durable; otra ventaja es su capacidad para digerir las astillas de pino; las RESINAS del pino se disuelven en el medio alcalino y son recuperadas como resina de lejías celulósicas, un subproducto valioso. La recuperación de compuestos de sodio es importante en la economía del proceso. En los molinos kraft modernos, las operaciones son completamente cerradas; los desechos se reciclan y reutilizan eliminando la contaminación del agua.

Krakatoa, isla *o* **Krakatau** Isla volcánica situada en el centro del estrecho de la SONDA, entre JAVA y SUMATRA, Indonesia. Su erupción en 1883 fue una de las más catastróficas de la historia. Sus explosiones se escucharon en Australia, Japón y Filipinas, y gran cantidad de ceniza cayó sobre una superficie de 800.000 km² (300.000 mi²). Causó maremotos que produjeron olas de 36 m (120 pies) de altura que provocó la muerte de unas 36.000 personas en Java y Sumatra. Tuvo otra erupción en 1927 y aún permanece activo.

Kramer, Jack *orig.* **John Albert Kramer** (n. 1 ago. 1921, Las Vegas, Nev., EE.UU.). Tenista estadounidense y promotor del tenis. Ganó Wimbledon en la competencia de singles (1947) y de dobles (1946–47) y el Campeonato de EE.UU. en singles (1946–47), dobles (1940–41, 1943 y 1947) y dobles mixtos (1941) y formó parte del equipo de EE.UU. que obtuvo la Copa Davis en 1946. Jugó como profesional entre 1947 y 1952, y fue clave en la promoción del tenis abierto, en el cual los aficionados podían competir con profesionales en torneos importantes. Contribuyó a formar la Asociación de Tenistas Profesionales (ATP).

Krámnik, Vladímir (n. 25 jun. 1975, Túpase, Rusia, U.R.S.S.). Ajedrecista ruso, gran maestro internacional. En 2000 ganó el campeonato mundial al derrotar a su compatriota GARRI KASPÁROV. Su padre le enseñó a jugar ajedrez cuando tenía cuatro años de edad, y a los cinco tomó clases con el maestro Mijaíl Botvinnik. A los 11 años ya era candidato a maestro. Krámnik tuvo éxito desde joven: ganó el Mundial para menores de 18 años de 1991 y una medalla de oro en las Olimpíadas de ajedrez masculinas de 1992. En 1992–2000 ascendió a la elite del ajedrez mundial al triunfar en numerosos torneos internacionales.

Krasner, Lee *orig.* **Lenore Krassner** (27 oct. 1908, Brooklyn, N.Y., EE.UU.–19 jun. 1984, Nueva York, N.Y.). Pintora estadounidense. Nacida en el seno de una familia de inmigrantes rusos, en 1937 comenzó a estudiar con el pintor HANS HOFMANN, quien la puso en contacto con la obra de PABLO PICASSO y de HENRI MATISSE. Al sintetizar estas influencias europeas, Krasner desarrolló su propio estilo de abstracción geométrica que plasmó en motivos florales y gestos rítmicos. En 1940 comenzó a exponer su obra junto con artistas estadounidenses que se hicieron conocidos como los expresionistas abstractos (ver EXPRESIONISMO ABSTRACTO). Después de casarse en 1945 con el pintor JACKSON POLLOCK, Krasner y Pollock produjeron una obra considerable que refleja la influencia que ejercieron el uno sobre el otro. Krasner siguió pintando durante la década de 1970.

Krasnoiarsk Ciudad (pob., est. 2001: 875.700 hab.) del centro-norte de Rusia. Situada a orillas del YENISÉI superior, fue fundada por los COSACOS en 1628. A fines del s. XVII sufrió ataques frecuentes de tártaros y kirguizes. El ferrocarril TRANSIBERIANO trajo consigo un período de rápido crecimiento en la década de 1890. Es un centro comercial e industrial, y en ella se encuentra una de las estaciones hidroeléctricas más grandes del mundo, construida a fines de la década de 1960.

Krebs, ciclo de *o* **ciclo del ácido tricarboxílico** *o* **ciclo del ácido cítrico** Última etapa del proceso químico por el cual las células vivas obtienen energía de los alimentos. Descritas por HANS ADOLF KREBS en 1937, las reacciones del ciclo se han demostrado en animales, plantas, microorganismos y hongos, y constituyen por lo tanto una característica de la química celular compartida por todos los tipos de vida. Se trata de una compleja serie de reacciones que se inicia y termina en el oxalacetato. Además de reformar al oxalacetato, el ciclo produce dióxido de carbono y un compuesto rico en energía, el ATP. Las enzimas que catalizan cada paso se ubican, en el caso de los animales, en las mitocondrias; en las plantas, en los CLOROPLASTOS; y en los microorganismos, en la MEMBRANA celular. Los átomos de hidrógeno y los electrones removidos de los compuestos intermedios que se forman durante el ciclo se canalizan finalmente hacia el oxígeno en las células animales, y hacia el dióxido de carbono en las células de las plantas.

Krebs, Edwin (Gerhard) (n. 6 jun. 1918, Lansing, Iowa, EE.UU.). Bioquímico estadounidense. Se tituló de médico en la Universidad de Washington. En 1992 compartió el Premio Nobel con Edmond H. Fischer (n. 1920) por el descubrimiento de la fosforilación reversible de las proteínas, proceso bioquímico que regula las actividades proteicas en las células y gobierna incontables procesos necesarios para la vida. Los problemas implicados en la fosforilación proteica pueden explicar enfermedades como la diabetes, el cáncer y el mal de Alzheimer.

Krebs, Sir Hans Adolf (25 ago. 1900, Hildesheim, Alemania–22 nov. 1981, Oxford, Inglaterra). Bioquímico británico de origen alemán. En 1933 huyó de la Alemania nazi a Inglaterra, donde enseñó en las universidades de Sheffield y Oxford. Fue el primero en describir el ciclo de la UREA (1932). En 1953 compartió el Premio Nobel con Fritz Lipmann (n. 1899–m. 1986) por el descubrimiento de una serie de reacciones químicas en los seres vivos conocidas como el ciclo de KREBS (también llamado ciclo del ácido tricarboxílico o ciclo del ácido cítrico), un descubrimiento de importancia vital para la comprensión de las bases del metabolismo celular y la biología molecular.

Kreisler, Fritz *orig.* **Friedrich Kreisler** (2 feb. 1875, Viena, Austria–29 ene. 1962, Nueva York, N.Y, EE.UU.). Violinista y compositor austríaco. Ingresó al conservatorio de Viena a los siete años de edad y terminó sus estudios musicales a los 12. Después de realizar giras internacionales durante su adolescencia, dejó los conciertos para estudiar medicina. Retomó el violín y triunfó en Berlín y Viena (1898). Hizo giras por Europa y EE.UU. hasta el inicio de la primera guerra mundial y en 1910 estrenó el *Concierto para violín en si menor, opus 61* de EDWARD ELGAR. Tras recuperarse de una herida de guerra, reanudó las giras (1919–50). Sus programas de concierto solían incluir encantadoras piezas breves de su autoría, entre ellas, "Viennese Caprice" y "Pretty Rosemary".

El Kremlin de Moscú, cuyos muros y torres se construyeron en el s. XV, Rusia.
ELLEN ROONEY/ROBERT HARDING WORLD IMAGERY/GETTY IMAGES

kremlin Fortaleza central de las ciudades medievales rusas. Situada generalmente en un punto estratégico (junto a un río), está separada del resto de la ciudad que la circunda por un muro con parapetos, foso, torres y almenajes. Varias capitales de principados se construyeron alrededor de antiguos kremlins, los cuales a menudo tenían catedrales, palacios, oficinas gubernamentales y depósito de pertrechos en su interior. El Kremlin de Moscú (fundado en 1156) sirvió como centro del gobierno ruso hasta 1712, y nuevamente a partir de 1918. Sus muros de ladrillo almenados y sus 20 torres fueron construidos en el s. XV por arquitectos italianos. Los palacios, las catedrales y los edificios gubernamentales intramuros abarcan variados estilos, como el bizantino, barroco ruso y clásico.

Krenek, Ernst (23 ago. 1900, Viena, Austria–23 dic. 1991, Palm Springs, Cal., EE.UU.). Compositor estadounidense de origen austríaco. Estudió composición desde los 16 años de edad con Franz Schreker (n. 1878–m. 1934) y llamó la atención por primera vez con su *Segunda Sinfonía* atonal (1923). Tras una breve etapa neoclásica, restableció sus credenciales radicales con la ópera satírica, influida por el jazz, *Johnny empieza a tocar* (1926), la que provocó gran sensación. Atraído por el método dodecafónico de ARNOLD SCHÖNBERG (ver SERIALISMO), ideó su propia versión –que implicaba la "rotación" del orden de la serie– para la ópera *Carlos V* (1933). Emigró a EE.UU. en 1937 y enseñó en diferentes instituciones, pero el voluminoso conjunto de sus obras fue mucho más estimado en Europa.

Kresilas ver CRESILAS

Kretschmer, Ernst (8 oct. 1888, Wüstenrot, Alemania–8 feb. 1964, Tubinga, Alemania Oriental). Psiquiatra alemán. En su obra más conocida, *Constitución y carácter* (1921), intentó correlacionar la estructura corporal y la constitución física con el carácter y las enfermedades mentales, identificando tres tipos físicos –el pícnico (gordo), el atlético (muscular) y el asténico (alto y delgado)–, y postuló que cada uno de esos tipos está asociado a determinados desórdenes psiquiátricos. Su sistema fue adaptado posteriormente por el psicólogo estadounidense William H. Sheldon (n. 1899–m. 1977), que dio a los tipos los nombres de endomorfo, mesomorfo y ectomorfo

y se centró en los rasgos de personalidad asociados a ellos. El trabajo de ambos teóricos se incorporó a la cultura popular y dio origen a nuevas investigaciones.

krill Cualquier miembro del suborden Euphausiacea de CRUSTÁCEOS, que comprende especies semejantes al camarón, que viven en alta mar. El krill también pertenece al género *Euphausia* dentro del suborden y a veces a una sola especie, *E. superba*. Las más de 80 especies, varían en tamaño de 8–60 mm (0,25–2 pulg.) aprox. La mayoría tienen órganos bioluminiscentes en la parte inferior, lo que los hace visibles de noche. Son una fuente de alimento importante para peces, aves y ballenas, particularmente la BALLENA AZUL y el RORCUAL COMÚN. El krill puede presentarse en enormes bancos en la superficie del océano, donde se alimentan de noche, y a profundidades mayores de 2.000 m (6.000 pies). Debido a su gran abundancia y a sus cualidades nutricionales (son una fuente rica en vitamina A), ha sido considerado una fuente potencial de alimento para los seres humanos.

Krishna Uno de los dioses hindúes más venerados, adorado como la octava encarnación de VISNÚ y como la deidad suprema. Muchas de sus leyendas provienen del MAHABHARATA y los PURANAS. Su primera aparición es en el *Mahabharata* como el auriga divino de Arjuna, a quien Krishna convence de que la guerra que Arjuna está a punto de librar es justa (ver BHAGAVADGITA). En obras posteriores es un exterminador de demonios, amante secreto de todos los fieles e hijo y padre devoto. También levantó la montaña sagrada de Govardhana con un dedo para proteger a sus devotos de la ira de INDRA. En el arte, suele representársele con piel cárdena, usando un taparrabo y una corona de plumas de pavo real. Como amante divino se le retrata tocando la flauta, rodeado de mujeres que le adoran.

Krishna, río *ant.* **Kistna** Río del sur de India. Nace en el estado de MAHARASHTRA. Fluye primero hacia el sudeste, luego hacia el este a través del estado de KARNATAKA, y cruza el estado de ANDHRA PRADESH para luego desembocar en el golfo de BENGALA, en un curso total de 1.290 km (800 mi).

Estatua nepalesa de Krishna, en bronce dorado con turquesas y gemas, s. XVIII; Museo Príncipe de Gales de India occidental, Mumbay (Bombay).
SCALA—ART RESOURCE

Krishnamurti, Jiddu (1895–1986). Líder espiritual indio. Fue instruido en TEOSOFÍA por ANNIE BESANT, quien lo proclamó el "Maestro del mundo" venidero, una figura semejante a un mesías que iluminaría el mundo. Se convirtió en maestro y escritor y a partir de la década de 1920 pasó gran parte del tiempo en EE.UU. y Europa. En 1929 rompió con la teosofía formal y renunció a la pretensión de ser Maestro, pero siguió siendo un conferencista popular. Afirmó que su deseo era liberar a las personas, meta que sólo podía ser alcanzada a través de una concienciación decidida. Estableció varias fundaciones Krishnamurti en EE.UU., Gran Bretaña e India para promover sus objetivos. Entre sus obras destacan *El canto de la vida* (1931) y *Comentarios sobre el vivir* (1956–60).

Kristallnacht ver NOCHE DE LOS CRISTALES ROTOS

Kristeva, Julia (n. 24 jun. 1941, Sliven, Bulgaria). Psicoanalista, crítica y educadora francesa de origen búlgaro. Profesora de lingüística en la Universidad de París VII, es conocida por sus escritos sobre lingüística estructuralista (ver ESTRUCTURALISMO), psicoanálisis, SEMIÓTICA y feminismo. Fue la protegida de ROLAND BARTHES y sintetizó los elementos de pensadores como JACQUES LACAN, MICHEL FOUCAULT y MIJAÍL BAJTIN al desarrollar sus propias teorías. Entre sus novelas destacan *Los samuráis* (1990) y *El viejo y los lobos* (1991).

Kritios y Nesiotes ver CRITIO Y NESIOTES

Krivói Rog Ciudad (pob., 2001: 669.000 hab.) en el sudeste de Ucrania central. Era una aldea fundada por los cosacos en el s. XVII, que progresó lentamente hasta que en 1884 se construyó un ferrocarril en la cuenca del DONETS. Se transformó en una importante ciudad situada en una región rica en mineral de hierro. En 1941 fue capturada por los alemanes y tres años después, reocupada por la Unión Soviética. Terny, anexionada a la ciudad en 1969, tiene un gran yacimiento de uranio. Actualmente constituye un centro industrial y minero, con plantas metalúrgicas, fundiciones, e industrias químicas.

Kroc, Ray(mond Albert) (5 oct. 1902, Chicago, Ill., EE.UU.–14 ene. 1984, San Diego, Cal.). Ciudadano estadounidense dueño de restaurantes y pionero de la industria de comida al paso ("fast food"). Trabajaba como vendedor de licuadoras cuando descubrió en San Bernardino, Cal., un restaurante de propiedad de los hermanos Maurice y Richard McDonald, quienes usaban una línea de montaje para preparar y vender un gran volumen de hamburguesas, papas fritas y leche malteada. En 1955, Kroc abrió su primer restaurante McDonald's con servicio al automóvil en Des Plaines, Ill., en que pagaba a los hermanos McDonald un porcentaje de los ingresos. Pronto empezó a vender franquicias para nuevos restaurantes e instituyó un programa de capacitación para dueños y administradores que ponía énfasis en la automatización y la estandarización. A la fecha de su muerte había cerca de 7.500 restaurantes McDonald's en todo el mundo. Con más de 25.000 restaurantes a principios del s. XXI, McDonald's es la empresa minorista de servicios de comida más grande del mundo.

Kroeber, A(lfred) L(ouis) (11 jun. 1876, Hoboken, N.J., EE.UU.–5 oct. 1960, París, Francia). Antropólogo estadounidense. Se formó con FRANZ BOAS (Ph.D. en 1901) y más tarde fue docente en la Universidad de California, en Berkeley. La carrera de Kroeber prácticamente coincidió con el surgimiento de la antropología académica y profesionalizada en EE.UU. y contribuyó en forma significativa a su desarrollo. Hizo valiosos aportes a la etnología de los indígenas norteamericanos, a la arqueología del Nuevo Mundo y al estudio de la lingüística, el folclore, los sistemas de parentesco y la cultura. Sus libros más influyentes son *Antropología general* (1923) y *El concepto de cultura* (1952). Su hija, URSULA K. LE GUIN (n. 1929), es una célebre escritora de literatura fantástica y de ciencia ficción.

Kroemer, Herbert (n. 25 ago. 1928, Weimar, Alemania). Físico alemán. Recibió un Ph.D. (1952) de la Universidad Georg August en Gotinga y más tarde se trasladó a EE.UU., donde enseñó en varias instituciones. En 1957 llevó a cabo cálculos teóricos que demostraron que un transistor de heteroestructura, el cual está hecho de varios materiales, debe ser superior a uno convencional compuesto de un solo tipo de material. Su teoría, confirmada más tarde, condujo al desarrollo de numerosos componentes electrónicos que tuvieron una influencia significativa en la tecnología de la comunicación informática. Compartió el Premio Nobel de Física en 2000 con ZHORES ALFEROV y JACK KILBY.

Kronstadt, rebelión de (1921). Sublevación interna en contra del régimen soviético después de la guerra civil RUSA, encabezada por marinos de la base naval de Kronstadt. Los marinos habían apoyado a los BOLCHEVIQUES en la REVOLUCIÓN RUSA DE 1917, pero la desilusión con el gobierno y el insuficiente abastecimiento de alimentos después de la guerra civil los llevó a exigir reformas económicas y laborales y libertades políticas.

Los rebeldes fueron aplastados por una fuerza dirigida por LEÓN TROTSKI y MIJAÍL TUJACHEVSKI, y los sobrevivientes, encarcelados o fusilados. Por haber demostrado en forma dramática el descontento popular con las políticas comunistas, la rebelión, junto con varias otras grandes sublevaciones internas, llevó a la adopción de la NUEVA POLÍTICA ECONÓMICA.

Kropotkin, Piotr (Alexéievich) (21 dic. 1842, Moscú, Rusia–8 feb. 1921, Dmitrov, cerca de Moscú). Revolucionario y geógrafo ruso, principal teórico del ANARQUISMO. Hijo de un príncipe, renunció a su herencia aristocrática en 1871. Aunque alcanzó renombre en disciplinas como geografía, zoología, sociología e historia, rehuyó el éxito material por llevar una vida de revolucionario. Fue encarcelado por cargos políticos (1874–76), pero logró escapar a Europa occidental. Prisionero en Francia por falsos cargos de sedición (1883–86), en 1886 se estableció en Inglaterra, donde permaneció hasta que

Piotr Kropotkin, anarquista ruso.
BROWN BROTHERS

la REVOLUCIÓN RUSA DE 1917 le permitió regresar a su patria. Mientras estuvo en el exilio, escribió varios libros influyentes, como *Memorias de un revolucionario* (1899) y *Ayuda mutua* (1902), en la que intentó exponer el anarquismo sobre una base científica y argumentó que el principal factor en la evolución de las especies es la cooperación, más que el conflicto. De regreso a Rusia, se decepcionó amargamente de que los BOLCHEVIQUES hubieran hecho su revolución por métodos autoritarios y no libertarios y se retiró de la política.

kru Conjunto de pueblos de Liberia y Costa de Marfil que comprende a los bassa, krahn, grebo, klao (kru), bakwe y beté. Hablan lenguas kru de la familia de lenguas NIGEROCONGOLEÑAS y suman unos 2,5–3 millones de individuos. Los miembros de los grupos étnicos kru, especialmente los klao, grebo y bassa, son conocidos como estibadores y pescadores a lo largo de toda la costa occidental de África, y han establecido colonias en la mayoría de los puertos desde Dakar, en Senegal, hasta Douala, en Camerún, la más grande de las cuales es la de Monrovia, Liberia.

kru, lenguas Rama de la familia de las lenguas NIGEROCONGOLEÑAS. Consta de unas 24 lenguas (o conjuntos de lenguas) habladas por unos tres millones de personas pertenecientes a la etnia kru, que viven en las regiones boscosas del sudoeste de Costa de Marfil y el sur de Liberia.

Kruger, parque nacional Parque nacional de la República de Sudáfrica. Ubicado en el nordeste del país, en la frontera con Mozambique, fue creado como coto de caza en 1898, y

Rinocerontes en el parque nacional Kruger, gran reserva natural de Sudáfrica.
ARCHIVO EDIT. SANTIAGO

en 1926, declarado parque nacional; lleva el nombre en honor de Paulus Kruger. Cubre una superficie de 19.485 km² (7.523 mi²) y contiene seis ríos. Presenta una variada fauna: elefantes, leones, guepardos y muchos otros animales. En diciembre de 2002 pasó a formar parte de la reserva natural más grande de África, cuando el parque nacional Kruger se fusionó con el parque nacional Limpopo de Mozambique y el parque nacional Gonarezhou de Zimbabwe, para constituir el parque transfronterizo Gran Limpopo.

Kruger, Paulus *orig.* **Stephanus Johannes Paulus Kruger** (10 oct. 1825, distrito de Cradock, colonia de El Cabo–14 jul. 1904, Clarens, Suiza). Militar y estadista sudafricano, conocido como el artífice de la nación AFRIKÁNER. Cuando tenía sólo diez años de edad, participó en el Gran TREK y quedó impresionado por la capacidad de los bóers de defenderse de los pueblos africanos hostiles y establecer un gobierno ordenado. Cuando los británicos anexaron el TRANSVAAL en 1877, se convirtió en el reconocido paladín de su pueblo en la lucha por reconquistar la independencia. Después de encabezar una serie de ataques armados, logró una independencia limitada y fue elegido presidente de la república restaurada (1883–1902). En 1895 repelió un intento de CECIL RHODES y LEANDER STARR JAMESON de poner fin al control bóer de la república. Su edad le impidió participar en la guerra de los BÓERS y se retiró a los Países Bajos. Murió en Suiza y fue enterrado (dic. 1904) en Pretoria, Sudáfrica.

Krupa, Gene (15 ene. 1909, Chicago, Ill., EE.UU.–16 oct. 1973, Yonkers, N.Y.). Director de orquesta de JAZZ estadounidense y primer gran baterista solista. Krupa trabajó con Eddie Condon (n. 1905–m. 1973) en Chicago antes de trasladarse en 1929 a Nueva York y en 1935 se incorporó a la gran orquesta de BENNY GOODMAN. Rápidamente se convirtió en el baterista más conocido de su época, famoso por su técnica y teatralidad desplegadas en extensos solos de batería como en "Sing, Sing, Sing". En 1938 formó su propia orquesta en la que brillaron el trompetista ROY ELDRIDGE y la cantante Anita O'Day (n. 1919). La enérgica forma de tocar de Krupa sirvió de modelo para muchos bateristas de la era del SWING.

Krupp, familia Familia alemana de industriales del acero. Friedrich Krupp (n. 1787–m. 1826) fundó en 1811 una acería en Essen. A su muerte, su hijo Alfred (n. 1812–m. 1887) tuvo que hacerse cargo, a la edad de 14 años, de un negocio tambaleante. Amasó una fortuna como proveedor de acero para los ferrocarriles y fabricando cañones; el desempeño de los cañones Krupp en la guerra FRANCO-PRUSIANA de 1870–71 llevó a que la firma fuera llamada "el arsenal del Reich". Al morir, 46 naciones habían recibido armamento de Alfred. El surgimiento de la armada alemana y la necesidad de placas para blindaje enriquecieron aún más la empresa bajo su hijo Friedrich Alfred (n. 1854–m. 1902). Al momento en que la hija mayor de Friedrich Alfred, Bertha (n. 1886–m. 1957), heredó el control de la compañía, empleaba más de 40.000 personas. Su marido, Gustav von Bohlen (n. 1870–m. 1950), agregó Krupp al comienzo de su apellido; un nazi fervoroso, condujo el imperio Krupp hasta 1943, cuando fue sucedido por su hijo Alfried Krupp (n. 1907–m. 1967). En sus fábricas recurrieron a la mano de obra de prisioneros en la segunda guerra mundial y fueron una pieza importante en la maquinaria de guerra nazi; posteriormente, en Nuremberg, Alfried recibió una condena por crímenes de guerra. Una orden aliada de 1953 que requería la división de la compañía, no se concretó nunca por falta de comprador, y finalmente Alfried restauró la fortuna Krupp. Ver también THYSSENKRUPP AG.

Krúpskaia, Nadiezhda (Konstantínovna) (26 feb. 1869, San Petersburgo, Rusia–27 feb. 1939, Moscú, Rusia, U.R.S.S.). Revolucionaria rusa, esposa de VLADÍMIR LENIN.

Activista marxista desde la década de 1890, conoció a Lenin c. 1894. Sentenciada a tres años de exilio en 1898, obtuvo permiso para cumplir su condena junto a Lenin en Siberia, lugar donde se casaron. Después de 1901 vivió con Lenin en varias ciudades europeas y ayudó a fundar la facción BOLCHEVIQUE del Partido Obrero Socialdemócrata. Regresó a Rusia en 1917 para difundir la propaganda bolchevique después de iniciada la revolución y más tarde ocupó varios cargos en la burocracia educacional. Tras la muerte de Lenin (1924), se mantuvo alejada de las luchas intrapartidarias.

ksatriya ver CHATRIA

Ksitigarbha BODHISATTVA budista ampliamente venerado en China y Japón. Conocido en India desde el s. IV AC, se hizo popular en China como Dicang y en Japón como Jizō. Es el protector de los oprimidos y moribundos, y procura salvar las almas de los muertos condenados al infierno. En China es el señor del infierno y en Japón se lo conoce por su benevolencia con los difuntos, en especial con los niños muertos. Generalmente representado como un monje, con un nimbo en torno a su cabeza afeitada, lleva un bastón para forzar las puertas del infierno y una perla brillante para iluminar la oscuridad.

Ktesibio de Alejandría ver CTESIBIO DE ALEJANDRÍA

Ku Klux Klan (KKK) Una de las dos organizaciones racistas de carácter terrorista estadounidenses. La primera fue organizada por veteranos del ejército confederado, primero como club social y luego como medio secreto de resistir la RECONSTRUCCIÓN y restablecer el dominio blanco sobre los negros recientemente emancipados. Vestidos con togas blancas y sábanas, los miembros del clan azotaban y mataban a los libertos y a los blancos que los ayudaban en incursiones nocturnas (ver LINCHAMIENTO). En la década de 1870 había alcanzado ampliamente sus objetivos, y comenzó a desaparecer gradualmente a partir de entonces. El segundo KKK surgió en 1915, en parte debido a la nostalgia por el Viejo Sur y en parte debido al miedo por el auge del comunismo en Rusia y la cambiante composición étnica de la sociedad estadounidense. Entre sus enemigos se contaban católicos, judíos, extranjeros y sindicatos obreros. El número de sus miembros alcanzó su punto más alto en la década de 1920 con más de cuatro millones, pero a partir de la GRAN DEPRESIÓN la organización comenzó a declinar en forma gradual. Se volvió activa nuevamente durante la época del movimiento por los DERECHOS CIVILES en la década de 1960, atacando por igual a negros y blancos que trabajaban en pro de los derechos civiles, con bombas, azotes y tiros. A fines del s. XX, la creciente tolerancia racial había reducido su número a unos cuantos miles.

Kuala Lumpur Ciudad (pob., est. 2000: 1.297.526 hab.), capital de MALASIA. Fundada en 1857 como asentamiento minero para la extracción de estaño, en 1895 pasó a ser la capital del protectorado británico de los Estados Malayos Federados, de la Federación Malaya en 1957 y de Malasia en 1963. En 1972 obtuvo el rango de municipio. Es la ciudad malaya más importante de la península de MALACA y un pujante centro comercial. Allí se elevan las Torres PETRONAS, que en 1998, año en que fueron terminadas, eran los edificios más altos del mundo. Entre sus instituciones de educación superior destacan las universidades de Malaca y Kebangsaan.

Edificio de la Secretaría de Estado en Kuala Lumpur, Malasia.
BERNARD PIERRE WOLFF/PHOTO RESEARCHERS

Kuan Han-ch'ing ver Guan Hanqing

Kuan Yü ver Guan Yu

Kuang-cheu ver Guangzhou

Kuang-hsi ver Guangxi

Kuang-tung ver Guangdong

Kuang-wu ti ver Huang Wudi

Kuanyin ver Avalokitesvara

Kubán, río Río del sudoeste de Rusia. Nace en el monte Elbrús, en Georgia, y discurre hacia el norte hasta desembocar en el mar de Azov. Tiene un curso de 906 km (563 mi). Gran parte de sus aguas se destinan al riego.

Kubitschek (de Oliveira), Juscelino (12 sep. 1902, Diamantina, Brasil–22 ago. 1976, cerca de Resende). Presidente de Brasil (1956–61). Estudió medicina, pero ingresó a la política, llegando a ser alcalde de Belo Horizonte y luego fue elegido parlamentario. Como presidente promovió el rápido desarrollo de la hidroelectricidad, la siderurgia y de otras industrias pesadas, y construyó 18.000 km (11.000 mi) de carreteras. Trasladó el gobierno de Río de Janeiro a Brasilia, 1.000 km (600 mi) tierra adentro, con el fin de acelerar la colonización del vasto interior brasileño. El precio de su ambición de desarrollo fue una rápida y persistente inflación, exacerbada por la necesidad de gastar grandes sumas de dinero para paliar la gran sequía en la región del nordeste. El gobierno militar que tomó el poder en 1964 lo forzó al exilio (1965–67). A su regreso a Brasil se convirtió en banquero.

Kublai Kan; Museo del Palacio Nacional, Taipei.
GENTILEZA DEL MUSEO DEL PALACIO NACIONAL, TAIPEI, TAIWÁN, REPÚBLICA DE CHINA

Kublai Kan (n. 1215–m. 1294). Nieto de Gengis Kan que conquistó China y estableció la dinastía Yuan o mongol. Su nombre propio era Shizu. Cuando se encontraba en la treintena, su hermano, el emperador Mangu, le asignó la tarea de conquistar y gobernar la dinastía Song de China. A sabiendas de la superioridad del pensamiento chino, se rodeó de consejeros confucianos que lo convencieron de la importancia de ser misericordioso con el conquistado. El hecho de someter a China y de establecerse en dicho territorio lo enemistó con los otros príncipes mongoles; también le disputaron sus pretensiones al título de kan. A pesar de no lograr el control efectivo de la aristocracia esteparia, pudo reunificar China, venciendo primero el norte y luego el sur en 1279. Para restablecer el prestigio de China, Kublai se involucró en guerras con dominios cercanos como Myanmar, Java, Japón y las naciones del Sudeste asiático oriental, sufriendo algunas derrotas desastrosas. En el plano interno, organizó a la sociedad en cuatro niveles diferentes: mongoles y otros pueblos de Asia central en los dos primeros estratos sociales, habitantes del norte de China en el siguiente y habitantes del sur de China en el último. Asignó cargos de importancia a foráneos, como Marco Polo. Reparó el Gran canal y los graneros públicos y decretó religión de estado al budismo. Aunque durante su reinado se alcanzó una gran prosperidad, no tuvo el mismo éxito en lograr que sus seguidores implementaran sus políticas.

Kubrick, Stanley (26 jul. 1928, Nueva York, N.Y., EE.UU.– 7 mar. 1999, Childwickbury Manor, cerca de St. Albans, Hertfordshire, Inglaterra). Director de cine estadounidense. Inició su carrera como fotógrafo de la revista *Look* (1945–50). Realizó dos documentales antes de dirigir su primer largometraje, *Fear and Desire* (1953). Se hizo famoso con *Senderos de gloria* (1957), *Espartaco* (1960), *Lolita* (1962), *Dr. Insólito* (1964) y la internacionalmente aclamada *2001: Una odisea del espacio* (1968), que obtuvo un premio de la Academia por mejores efectos visuales. Entre sus películas posteriores se cuentan *La naranja mecánica* (1971), *Barry Lyndon* (1975), *El resplandor* (1980), *Nacido para matar* (1987) y *Ojos bien cerrados* (1999). Sus filmes se caracterizan por un sereno estilo visual, un meticuloso cuidado en los detalles y un pesimismo desprendido y a menudo irónico.

Kuchuk-Kainarzhi, tratado de o **tratado de Küçük Kaynarca** (1774). Pacto firmado después de la guerra ruso-turca de 1768–74, en Kuchuk-Kainarzhi (actual Kainardzha), Bulgaria, que puso fin al indiscutido control otomano sobre el mar Negro. El tratado extendió la frontera rusa hasta el río Bug en el sur y permitió a Rusia navegar libremente en aguas otomanas a través del estrecho del Bósforo y los Dardanelos. Mayor alcance tuvo una cláusula religiosa que permitió a Rusia representar a los cristianos ortodoxos orientales en varias regiones, lo que Rusia más tarde interpretó como el derecho a intervenir en cualquier parte del Imperio otomano para proteger a los cristianos ortodoxos orientales.

kudú Esbelto antílope de África del género *Tragelaphus*. El kudú mayor vive en pequeños grupos en matorrales cerriles o bosques abiertos. Tiene una alzada de 1,30 m (51 pulg.) aprox., un ribete en la garganta y un mechón en el cuello y el lomo. Su color va de marrón

Kudú (*Tragelaphus strepsiceros*).
© ENCYCLOPÆDIA BRITANNICA, INC.

rojizo a gris azulado, con una marca blanca entre los ojos y angostas franjas blancas verticales en el cuerpo. El macho tiene cuernos largos en espiral. El kudú menor vive en parejas o grupos pequeños en matorrales abiertos; mide cerca de 1 m (40 pulg.) de alzada, la espiral de sus cuernos es más apretada, y posee dos manchas blancas en la garganta en lugar de ribete. Ambas especies ramonean arbustos y hojas.

kudzu Enredadera leñosa perenne, voluble y de crecimiento rápido (*Pueraria lobata* o *P. thunbergiana*) que pertenece a la familia de las Papilionáceas (ver Leguminosa). Originaria de China y Japón, fue trasplantada a Norteamérica en la década de 1870, como planta ornamental atractiva que podía crecer en terraplenes empinados para prevenir la erosión. El kudzu ha pasado a ser una maleza incontrolada en gran parte del sudeste de EE.UU., donde se propaga con facilidad para formar grandes doseles sobre árboles, arbustos y el suelo desnudo. Las raíces sobreviven incluso a los inviernos boreales y la enredadera, vellosa, crece hasta 18 m (60 pies) de largo en una temporada. Tiene hojas grandes, flores rojizo púrpura de floración tardía, y vainas seminales aplanadas y vellosas. En su ámbito original se cultiva por las raíces feculentas comestibles y por una fibra que se obtiene de los tallos. Se usa también como forraje o cubierta vegetal.

Kudzu (*Pueraria lobata*).
© ENCYCLOPÆDIA BRITANNICA, INC.

Kueicheu ver Guizhou

Kueiyang ver Guiyang

K'uen-luen, montes ver montes Kunlun

K'uen-ming ver Kunming

Kuhn, Thomas (Samuel) (18 jul. 1922, Cincinnati, Ohio, EE.UU.–17 jun. 1996, Cambridge, Mass.). Historiador y filósofo de la ciencia estadounidense. Enseñó en Berkeley

(1956–64), Princeton (1964–79) y el Instituto de Tecnología de Massachusetts (1979–91). En su muy influyente obra *La estructura de las revoluciones científicas* (1962), cuestionó la concepción aceptada hasta entonces del progreso científico, como acumulación gradual de conocimiento sobre la base de métodos experimentales y resultados universalmente válidos, afirmando que el progreso se lograba con frecuencia por efecto de "cambios de paradigma" de largo alcance. Entre sus obras restantes destacan *La revolución copernicana* (1957), *La tensión esencial* (1977) y *Black-Body Theory and the Quantum Discontinuity* [La teoría del cuerpo negro y la discontinuidad del quántum] (1978).

Kuíbishev ver SAMARA

Kuiper, cinturón de *o* **cinturón de Edgeworth-Kuiper**
Cinturón en forma de disco compuesto por miles de millones de pequeños cuerpos de hielo, ubicado más allá de la órbita de NEPTUNO, y que gira alrededor del Sol. Dista unas 30–50 veces la distancia de la Tierra al Sol. Gerard Peter Kuiper (n. 1905–m. 1973) propuso la existencia de esta distribución aplastada de objetos en 1951, en conexión con su teoría sobre el origen del sistema solar (ver NEBULOSA SOLAR). De manera independiente, Kenneth Edgeworth (n. 1880–m. 1972) había propuesto hipótesis similares en 1943 y 1949. No está establecido que el cinturón se extienda más allá de la nube de OORT. Se cree que las perturbaciones gravitacionales que ocasiona Neptuno sobre las órbitas de los objetos del cinturón son la causa de la mayoría de los COMETAS de corto período. El primer objeto del cinturón de Kuiper fue descubierto en 1992. A pesar de que PLUTÓN es considerado un planeta, su órbita, su composición de hielo y su tamaño diminuto favorecen su clasificación como un objeto gigante del cinturón de Kuiper.

Kūkai *o* **Kōbō Daishi** (27 jul. 774, Byōbugaura, Japón–22 abr. 835, monte Kōya). Santo budista japonés y fundador de la escuela SHINGON. Nacido en el seno de una familia aristocrática, recibió una educación confuciana (ver CONFUCIANISMO), pero pronto se convirtió al BUDISMO. Después de estudiar en China (804–806) con Huiguo (746–805), regresó a su patria para difundir sus doctrinas, las cuales enfatizaban las fórmulas mágicas, los ceremoniales y los servicios de difuntos. En 816 construyó un templo en el monte Kōya y contribuyó a establecer la secta Shingon como una de las formas más populares del budismo japonés. Su obra capital, *Diez estados de la conciencia*, investiga el desarrollo del confucianismo, el TAOÍSMO y el budismo, y presenta a Shingon como la etapa suprema. Fue además un poeta, artista y calígrafo talentoso.

Kuku Nor ver lago QINGHAI HU

kulak (ruso: "puño"). En Rusia, campesino terrateniente acaudalado o próspero. Antes de la REVOLUCIÓN RUSA DE 1917, los *kulaks* eran figuras importantes en las aldeas campesinas, que con frecuencia prestaban dinero y desempeñaban un papel central en los asuntos sociales y administrativos. En el período del COMUNISMO DE GUERRA (1918–21), el gobierno soviético socavó su posición organizando a los campesinos pobres para que administraran las aldeas y requisaran grano a los campesinos más ricos. Recuperaron su posición bajo la NUEVA POLÍTICA ECONÓMICA, pero en 1929 el gobierno comenzó una campaña de rápida colectivización de la agricultura y la "liquidación de los kulaks como clase". En 1934 la mayoría de ellos habían sido deportados a regiones remotas o arrestados y sus tierras y propiedades confiscadas.

Kulturkampf (alemán: "contienda cultural"). Encarnizada lucha de OTTO VON BISMARCK para someter a la Iglesia católica al control del Estado. Bismarck, acérrimo protestante, dudó de la lealtad de los católicos en su nuevo Imperio alemán y comenzó a preocuparse de la proclamación de la infalibilidad papal por el Concilio Vaticano en 1870. En 1872 el Estado disolvió la orden JESUITA en Alemania. Las leyes de mayo o leyes Falk de 1873 (aplicadas sólo en Prusia) limitaron los poderes de la Iglesia, y en 1875 el Estado estableció el matrimonio civil obligatorio. Bismarck cedió ante la férrea resistencia católica, en especial del PARTIDO DEL CENTRO. En 1887, con muchas leyes anticatólicas derogadas, el papa LEÓN XIII declaró superado el conflicto.

Kumasi *ant.* **Coomassie** Ciudad (pob., est. 1998: 578.000 hab.) de la región centro-sur de Ghana. Un rey ASHANTI del s. XVII escogió el lugar para que fuese su capital y condujo negociaciones en torno al territorio bajo un árbol llamado kum, lo que dio origen al nombre del pueblo. Ubicada en el eje norte-sur de las rutas comerciales, se transformó en un importante centro de transacciones. Los británicos se apoderaron de ella en 1874. Llamada la "Ciudad jardín de África occidental", continúa siendo la morada de los reyes ashanti. Su mercado central es uno de los más grandes de África occidental. En ella está ubicada la Universidad de Ciencia y Tecnología Kwame Nkrumah (1951).

kumquat Cualquiera de varios arbustos o arbolillos siempreverdes del género *Fortunella* (familia de las RUTÁCEAS), y su fruto comestible. Originario de Asia oriental, el kumquat se cultiva en todas las regiones subtropicales. Las ramas casi sin espinas tienen hojas lustrosas de color verde oscuro y flores blancos similares a las del naranjo. El pequeño fruto de color amarillo anaranjado brillante, redondo u ovalado, tiene una pulpa jugosa medianamente ácida y una cáscara pulposa comestible y dulce. Se puede comer fresco, en conserva, confitado o en mermeladas y jaleas.

Kumquat (*Fortunella margarita*).
© ENCYCLOPÆDIA BRITANNICA, INC.

En EE.UU. se han producido híbridos con otros CÍTRICOS.

Kun, Béla (20 feb. 1886, Szilágycseh, Transilvania, Austria-Hungría–¿30 nov. 1939?, U.R.S.S.). Líder comunista húngaro. Luchó en el ejército austríaco en la primera guerra mundial, fue capturado por los rusos y se transformó en un BOLCHEVIQUE. Después de regresar a Hungría en 1918, fundó el Partido Comunista Húngaro. Cuando el conde MIHÁLY KÁROLYI renunció en marzo de 1919, Kun encabezó la nueva República Soviética Húngara. Creó un Ejército Rojo que reconquistó la mayor parte del territorio perdido frente a los checoslovacos y rumanos y eliminó a los elementos moderados en el gobierno. En agosto cayó el régimen y huyó a Viena y luego a Rusia. Como dirigente del KOMINTERN, intentó fomentar la revolución en Alemania y Austria en la década de 1920. Finalmente fue acusado de "trotskismo", y cayó víctima de las PURGAS POLÍTICAS de STALIN.

kundalini En ciertas formas tántricas del YOGA, la energía cósmica que se cree está dentro de cada uno. Se la representa como una serpiente enroscada que yace en la base de la columna vertebral. A través de una serie de ejercicios que entrañan postura, meditación y respiración, un practicante puede hacer que esta energía suba cruzando el cuerpo hasta la coronilla. Esto ocasiona una sensación

Béla Kun, dibujo de Béla Uitz, 1930; Legújabbkori Történeti Múzeum, Budapest, Hungría.
GENTILEZA DEL LEGÚJABBKORI TÖRTÉNETI MÚZEUM, BUDAPEST, HUNGRÍA

de arrobamiento a medida que el ser ordinario se disuelve en su esencia eterna o ATMAN.

Kundera, Milan (n. 1 abr. 1929, Brno, Checoslovaquia). Escritor francés de origen checo. Trabajó como jazzista y enseñó en la academia de cine de Praga, pero gradualmente se volcó a escribir. Aunque perteneció al Partido Comunista por años, sus obras fueron prohibidas luego de que Kundera participara en el efímero movimiento de liberalización de Checoslovaquia (1967–68), por lo que fue despedido de sus labores docentes. Emigró a Francia en 1975 y en 1979 fue despojado de su ciudadanía checa; en 1981 se nacionalizó francés. Sus obras combinan la comedia erótica con la crítica política. *La broma* (1967), su primera novela, describe la vida bajo el régimen de Stalin. *El libro de la risa y el olvido* (1979), una serie de ingeniosas e irónicas reflexiones sobre el Estado moderno, y la novela *La insoportable levedad del ser* (1984; película, 1988), fueron prohibidos en su patria hasta 1989. Sus obras posteriores incluyen *La inmortalidad* (1990) y *La lentitud* (1994).

Kunene, río ver río CUNENE

kung fu *pinyin* **gongfu** ARTE MARCIAL chino que constituye tanto una disciplina física como espiritual. Se ha practicado al menos desde la dinastía Zhou (1111–255 AC). Sus posturas y acciones prescritas se basan en una aguda observación de la anatomía y la fisiología de la estructura ósea y muscular humana y muchos de sus movimientos imitan el modo de lucha de distintos animales. Las técnicas de combate son parecidas a las del KARATE y el TAEKWONDO. Se hace especial hincapié en la autodisciplina. El kung fu, realizado como ejercicio, se asemeja al TAI CHI CHUAN.

K'ung-fu-tze ver CONFUCIO

Kunlun, montes *o* **montes K'uen-luen** Sistema montañoso del centro-este de Asia. Se prolonga 2.000 km (1.250 mi) a través de las regiones occidentales de China. A partir de los montes PAMIR de Tayikistán, se extiende hacia el este a lo largo del límite entre las regiones autónomas de XINJIANG y TÍBET hasta llegar a los montes chino-tibetanos de la provincia de QINGHAI. Separa el extremo norte de la meseta del Tíbet de las llanuras interiores de Asia central. Su cumbre más alta es de 7.726 m (25.348 pies) de altura.

Kunming *o* **K'uen-ming** Ciudad (pob., est. 1999: 1.350.640 hab.), capital de la provincia de YUNNAN, China meridional. Situada en la costa septentrional del lago DIAN, ha sido largo tiempo un centro comercial donde confluyen importantes rutas de comercio. Llamada Tuodong durante los s. VIII–IX DC, formaba parte del estado independiente de Nanzhao. Pasó a dominio chino durante la invasión mongola de 1253; en 1276 se convirtió en capital provincial de Yunnan y fue visitada por MARCO POLO. En 1935 recibió el rango de municipio y se transformó en una ciudad moderna en 1937, durante la guerra chino-japonesa (1937–45), época en que los chinos desplazados desde el norte establecieron plantas industriales y universidades en Kunming.

Kunstler, William (Moses) (7 jul. 1919, Nueva York, N.Y., EE.UU.–4 sep. 1995, Nueva York). Abogado estadounidense que defendió a una serie de clientes controvertidos en casos prominentes. Luego de graduarse en la Universidad de Yale (1941), sirvió en el ejército en la campaña del Pacífico durante la segunda guerra mundial y obtuvo una Estrella de Bronce. Se graduó en la escuela de derecho de la Universidad de Columbia en 1948. En las décadas de 1950–60 trabajó en la AMERICAN CIVIL LIBERTIES UNION (ACLU) y con clientes como los antisegregacionistas "Freedom Riders" (Jinetes de la libertad) y MARTIN LUTHER KING, JR., no sólo defendiéndolos sino que participando activamente en sus causas. Alcanzó renombre nacional por su defensa de los "Chicago Seven" (Los siete de Chicago), acusados de conspirar para provocar disturbios en Chicago durante la convención nacional demócrata de 1968. En otros casos que reflejaban sus inclinaciones políticas, representó a los activistas del poder negro Stokely Carmichael y Bobby Seale, al activista antibélico Daniel Berrigan, y a prisioneros acusados luego del cruento motín de 1971 en la prisión de Attica, N.Y. Quizá sus clientes más célebres fueron el jefe mafioso John Gotti y el jeque Omar Abdel Rahman, que fue condenado en 1995 por conspirar para hacer volar el World Trade Center.

Kuo Hsiang ver GUO XIANG

Kuomintang ver GUOMINDANG

Kura, río *azerí* **Kür** *georgiano* **Mtkvari** Río que cruza Turquía, Georgia y Azerbaiyán. Es el río más largo de Transcaucasia. Nace en el este de Turquía y fluye hacia el norte. Después de penetrar en Georgia, se desvía hacia el este y discurre hacia el sudeste hasta desembocar en el mar CASPIO. Tiene 1.364 km (848 mi) de extensión y en diversos lugares es utilizado para suministrar agua a canales de regadío.

Kurath, Hans (13 dic. 1891, Villach, Austria–2 ene. 1992, Ann Arbor, Mich., EE.UU.). Lingüista estadounidense de origen austríaco. Emigró a EE.UU. en 1907. Es conocido especialmente como el editor principal del *Linguistic Atlas of New England*, 3 vol. (1939–43), primer atlas lingüístico de una región de EE.UU. Sus otros trabajos son *A Word Geography of the Eastern United States* [Geografía léxica del este de Estados Unidos] (1949) y *The Pronunciation of English in the Atlantic States* [La pronunciación del inglés en los estados atlánticos] (1961). Posteriormente, fue redactor jefe (1946–62) del *Middle English Dictionary* [Diccionario del inglés medio].

Kurdistán Región montañosa de Turquía, Irán, Irak y Siria poblada principalmente por kurdos. Abarca un área de 191.660 km² (74.000 mi²); sus ciudades más importantes son Diyarbakir; Bitlis y VAN en Turquía; MOSUL y KIRKŪK en Irak, y Kermānshāh en Irán. Desde épocas tempranas la zona ha sido hogar de los KURDOS, pueblo de origen étnico poco claro. El tratado de SÈVRES, firmado en 1920, disponía el reconocimiento de un estado kurdo, pero el acuerdo nunca fue ratificado.

Tierras de pastoreo en Kirkūk, nordeste de Irak, en la región del Kurdistán.
DAVID HUME KENNEDY/REPORTAGE/GETTY IMAGES

Kurdistán, Partido de los Trabajadores del ver PARTIDO DE LOS TRABAJADORES DEL KURDISTÁN

kurdo Miembro de un grupo étnico y lingüístico originario de una región que comprende parte de Irán, Irak y Turquía (ver KURDISTÁN). Hablan uno de los dos dialectos del kurdo, lengua iraní occidental emparentada con el persa moderno. Tradicionalmente nómadas, la mayoría tuvo que dedicarse a la agricultura debido a la modificación de las fronteras estatales después de la primera guerra mundial (1914–18). Casi todos los kurdos son musulmanes sunníes y se ha difundido ampliamente la práctica del sufismo. Los planes para crear el estado kurdo independiente establecido por el tratado de SÈVRES (1920), que disolvió el Imperio OTOMANO, nunca se concretaron. Los kurdos de Turquía, Irán e Irak han sido objeto de diversas formas de presión y persecución para obligarlos a integrarse. Los ataques iraquíes fueron especialmente intensos durante la guerra de IRÁN-IRAK (1980–90) y después de la primera guerra del GOLFO PÉRSICO (1990–91). Ver también PARTIDO DE LOS TRABAJADORES DEL KURDISTÁN.

Kuria Muria *árabe* **Jūriyā Mūriyā** Archipiélago de Omán. Situado en el mar de Arabia, al sudeste de las costas del país, está compuesto por cinco islas casi deshabitadas, que cubren una superficie total de 73 km² (28 mi²). Ḥallāniyyah, la más grande, tiene una población levemente mayor. El sultán de Omán las cedió a Gran Bretaña en 1854, y en 1937 pasaron a formar parte de la colonia británica de Adén. Gran Bretaña devolvió las islas a Omán en 1967.

Kuriles, islas Archipiélago del extremo oriental de Rusia. Tiene una extensión de 1.200 km (750 mi) desde el extremo meridional de la península rusa de KAMCHATKA hasta la costa nororiental de la isla japonesa de HOKKAIDO. Las 56 islas que lo componen cubren una superficie de 15.600 km² (6.000 mi²) y, junto con la isla SAJALÍN, forman una región administrativa rusa (pob., est. 2001: 591.000 hab.). Los rusos colonizaron originalmente las Kuriles en los s. XVII–XVIII. Japón se apoderó de las islas del sur y en 1875 obtuvo la plena posesión. Después de la segunda guerra mundial, las islas volvieron a pertenecer a la Unión Soviética; la población japonesa fue repatriada y se instalaron poblamientos rusos. Japón todavía reivindica derechos históricos sobre las islas del sur y en repetidas ocasiones ha intentado recuperarlas.

Kuropatkin, Alexéi (Nikoláievich) (29 mar. 1848, Shemchurino, provincia de Pskov, Rusia–23 mar. 1925). General ruso. Fue jefe del estado mayor durante la guerra RUSO-TURCA, comandante en jefe en Caucasia en 1897, y ministro de guerra (1898–1904). En la guerra RUSO-JAPONESA comandó las tropas rusas en Manchuria. Renunció tras la derrota rusa en la batalla de Mukden.

Akira Kurosawa, director de cine japonés, durante la filmación de *Trono de sangre*.
FOTOBANCO

Kurosawa Akira (23 mar. 1910, Tokio, Japón–6 sep. 1998, Tokio). Director de cine japonés. Estudió pintura antes de trabajar como asistente de dirección y guionista en el estudio cinematográfico PCL (más tarde Tōhō) (1936–43). Escribió y dirigió su primera película, *La leyenda del gran Judo*, en 1943; se hizo conocido con *El ángel borracho* (1948), protagonizada por MIFUNE TOSHIRO, y fue aclamado internacionalmente por *Rashomon* (1950). Entre sus clásicos filmes posteriores se cuentan *Vivir* (1952), *Los siete samurais* (1954), *Trono de sangre* (1957), *Mercenario* (1961), *La sombra del guerrero* (1980) y *Ran* (1985). Su habilidad para combinar fundamentos culturales y la estética japonesa con el sentido de acción y drama occidental lo establecieron, bajo el prisma occidental, como el principal cineasta japonés. En 1990 recibió un premio de la Academia por su trayectoria.

Kursk, batalla de (5 jul.–23 ago. 1943). Fracasado asalto alemán a la avanzada soviética alrededor de Kursk, en Rusia occidental, durante la segunda GUERRA MUNDIAL. El saliente en las líneas soviéticas penetraba 160 km (100 mi) hacia el occidente dentro de las líneas alemanas. Los alemanes planificaron un ataque sorpresa para atrapar a las fuerzas soviéticas, pero se encontraron con defensas antitanques y campos minados colocados por los rusos. En el momento decisivo del asalto, los soviéticos contraatacaron y forzaron la retirada alemana. Esta batalla fue el mayor enfrentamiento de tanques en la historia, en que participaron unos 6.000 tanques, dos millones de efectivos y 4.000 aeronaves. Marcó el decisivo fin de la ofensiva alemana en el frente oriental y despejó el camino para las grandes ofensivas soviéticas de 1944–45.

Kuryłowicz, Jerzy (26 ago. 1895, Stanislawow, Galitzia, Austria-Hungría–28 ene. 1978, Cracovia, Polonia). Lingüista e historiador polaco. Su identificación de la "*h*" intermedia del hitita en 1927 dio sustento a la existencia de los fonemas laringales, sonidos del habla indoeuropea postulados por FERDINAND DE SAUSSURE, y estimuló la realización de muchas investigaciones en la FONOLOGÍA del indoeuropeo. Entre sus libros se cuentan *Apofonía en el indoeuropeo* (1956) y *Las categorías flexivas del indoeuropeo* (1964).

Kush *o* **Cus** Antigua región de NUBIA, en el valle del NILO. En el segundo milenio AC estuvo dominado por Egipto. En el s. VIII AC, el rey kushita Piankhi invadió y conquistó el Bajo Egipto. A partir de 716 AC fue gobernado por Shabaka, hermano de Piankhi, quien también invadió Egipto e instauró la XXV dinastía; posteriormente instaló su capital en MENFIS. A comienzos del s. VI AC, la capital del reino kushita fue transferida a MEROË, donde gobernaron durante 900 años más.

kushana, arte *o* **arte kusana** Arte producido durante la dinastía kushana (fin del s. I–III DC), en un área que hoy comprende partes de Asia central, el norte de India, Pakistán y Afganistán. Entre los artefactos del período existen dos principales divisiones estilísticas: el arte imperial de origen iranio y el arte budista de fuentes grecorromanas e indias. El primero es ejemplificado por retratos rígidos y frontales (incluidos los de las monedas), que destacan el poder y la riqueza del individuo; en tanto que el segundo es más realista y está representado por las escuelas de GANDHARA y MATHURA.

Kushner, Tony (n. 16 jul. 1956, Nueva York, N.Y., EE.UU.). Dramaturgo estadounidense. Se crió en Lake Charles, La., y estudió en las universidades de Columbia y de Nueva York. *Yes, Yes, No, No* (1985) fue una de sus primeras piezas teatrales, y posteriormente escribió su mayor obra, *Ángeles en América*, que consta de dos extendidas obras que versan sobre asuntos políticos y la epidemia del sida de comienzos de la década de 1980. La primera parte, *El milenio se acerca* (1991), obtuvo un Premio Pulitzer y un Premio Tony como mejor obra; la segunda, *Perestroika* (1992), también se adjudicó un Tony como mejor obra. Entre sus obras posteriores se cuentan *Eslavos* (1995), *Henry Box Brown* (1997) y la controvertida *En casa/en Kabul* (2001), que aborda la relación entre Afganistán y Occidente.

Kutaísi Ciudad (pob., est. 1997: 240.000 hab.) del centro-oeste de la República de Georgia. Es una de las ciudades más antiguas de Transcaucasia, y fue capital de reinos sucesivos de Georgia: CÓLQUIDA, Iberia (Kartli), Abjasia e Imeretia. Con frecuencia se vio envuelta en guerras entre persas, mongoles, turcos y rusos. Rusia la ocupó en el s. XIX y la hizo capital provincial. Es un importante centro industrial y de comercio regional.

Kutch, Rann de Extenso pantano de agua salada en el centro-oeste de India y el sur de Pakistán. Su parte septentrional, el Gran Rann, ocupa una superficie de 18.000 km² (7.000 mi²) en el estado de GUJARAT, India. El sector oriental, el Pequeño Rann, cubre unos 5.100 km² (2.000 mi²) de Gujarat. Originalmente fue una extensión del mar de Arabia, que fue bloqueado por siglos de acumulación de sedimentos. En 1965 se entabló una disputa entre India y Pakistán acerca de la línea fronteriza del Gran Rann que terminó cuando un tribunal internacional concedió a India cerca del 90% del territorio fronterizo y el resto a Pakistán.

Kutúzov, Mijaíl (Illariónovich), príncipe orig. **Mijaíl Illariónovich Golenishchev-Kutuzov** (16 sep. 1745, San Petersburgo, Rusia–28 abril 1813, Bunzlau, Silesia). Comandante del ejército ruso. En 1805, siendo oficial de ejército, se le entregó el comando conjunto rusoaustríaco que se opuso al avance francés sobre Viena. Tras la derrota austríaca en la batalla de ULM, retrocedió y conservó intactas sus fuerzas, pero ALEJANDRO I enfrentó a los franceses en la batalla de AUSTERLITZ (1805) con un resultado desastroso, de lo que fue culpado en parte. Después de que el ejército de NAPOLEÓN I invadiera Rusia en 1812, la presión pública llevó a que Alejandro lo nombrara comandante en jefe. Tras algunas acciones menores, fue obligado a enfrentarse en la batalla de BORODINO, que no tuvo resultados decisivos. Cuando Napoleón se batió en retirada de Moscú, Kutúzov forzó al ejército francés a abandonar Rusia a través de un corredor que había devastado al invadir el país. Per-

Príncipe Kutúzov, detalle de un retrato de George Dawe, 1829.
FOTOBANCO

siguió a los franceses hasta Prusia, y destruyó a su oponente sin enfrentarlo en otra batalla importante. Considerado el mejor comandante ruso de su época, constituye un personaje destacado en La guerra y la paz DE LEÓN TOLSTÓI.

Kuusinen, Otto V(ilhelm) (4 oct. 1881, Laukaa, Finlandia–17 may. 1964, Moscú, Rusia, U.R.S.S.). Político soviético de origen finlandés. Se integró al Partido Social Demócrata en Finlandia en 1905 y mantuvo varios cargos dentro del partido. Tras la caída del fugaz régimen socialista finlandés en 1918, huyó a Rusia, donde fue cofundador del Partido Comunista Finlandés. Permaneció en el exilio para transformarse en el secretario del KOMINTERN. En la "guerra de invierno" (1939–40), entre Finlandia y la Unión Soviética, encabezó el gobierno títere finlandés prosoviético, y más tarde se transformó en presidente del Soviet Supremo de la República Socialista Soviética Carelo-Finlandesa (1940–56). Fue secretario del comité central del Partido Comunista Ruso (1946–53, 1957–64).

KUWAIT

▸ **Superficie:** 17.818 km² (6.880 mi²)

▸ **Población:** 2.847.000 hab. (est. 2005)

▸ **Capital:** KUWAIT

▸ **Moneda:** dinar kuwaití

Kuwait ofic. **Estado de Kuwait** País del nordeste de la península Arábiga. La población es predominantemente árabe. Idiomas: árabe (oficial), persa e inglés. Religión: Islam (oficial). Con excepción del oasis Al-Jahrā', en el extremo occidental de la bahía de Kuwait, y algunos sectores fértiles del sudeste y de la costa, el país es fundamentalmente desértico; las

precipitaciones anuales fluctúan entre 25–180 mm (1–7 pulg.). Casi no posee tierras cultivables, pero hay algunas pequeñas zonas de pastizales para el ganado (ovejas y cabras). Los grandes depósitos de petróleo y gas natural son la base de su economía; se estima que sus reservas de petróleo representan cerca del 10% de las reservas mundiales, lo que sitúa al país en el tercer lugar después de Irak y Arabia Saudita. Es una monarquía constitucional unicameral; el jefe de Estado y de Gobierno es el emir, asistido por el primer ministro. En la isla Faylakā, situada en la bahía de Kuwait, se han encontrado vestigios de una civilización que se remonta al III milenio AC y que floreció hasta c. 1200 AC, fecha en que desaparecieron de los registros históricos. En el s. IV AC, la isla fue habitada nuevamente, esta vez por colonos griegos. En 1710 la tribu nómada anizah, del centro de la península de Arabia, fundó la ciudad de Kuwait, y 'Abd al-Raḥīm, el fundador de la dinastía SABAH, se convirtió en jeque en 1756, año a partir del cual la familia siguió gobernando Kuwait. En 1899, para impedir la influencia alemana y otomana, Kuwait cedió a Gran Bretaña el control de sus asuntos exteriores. Tras estallar la guerra contra el Imperio otomano durante la primera guerra mundial (1914–18), Gran Bretaña estableció un protectorado en la zona. En 1961, después de obtener la plena independencia de Gran Bretaña, Irak reclamó para sí el territorio de Kuwait. Gran Bretaña envió tropas para defenderlo; la Liga ÁRABE reconoció su independencia, e Irak depuso sus demandas. No obstante, volvió a plantearlas después de la guerra Irán-Irak, e invadió y ocupó el país en 1990. Al año siguiente una coalición militar liderada por EE.UU. expulsó al ejército iraquí (ver guerra del GOLFO PÉRSICO). La deliberada destrucción por parte de Irak de cerca de la mitad de los pozos petrolíferos kuwaitíes, ha dificultado la reconstrucción del país.

Kuwait Ciudad (pob., 1995: aglomeración urbana, 28.859 hab.), capital de Kuwait. Fundada en el s. XVIII en la cabecera del golfo PÉRSICO, era una ciudad comercial que dependía del tráfico marítimo y de caravanas. Hasta 1957 estaba protegida por un antiguo muro que la separaba del desierto y tenía sólo 13 km² (5 mi²). El desarrollo de la industria petrolera del país después de la segunda guerra mundial (1939–45) la transformó en una metrópoli moderna. Casi la totalidad de los habitantes del país están concentrados en ella. Aunque la ciudad sufrió daños durante la ocupación iraquí y la primera guerra del GOLFO PÉRSICO (1990–91), se recuperó prontamente.

Kuyper, Abraham (29 oct. 1837, Maassluis, Países Bajos–8 nov. 1920, La Haya). Teólogo y político neerlandés. Tras desempeñarse como pastor (1863–74), fundó un periódico de orientación calvinista (1872) y fue elegido a la asamblea nacional (1874). Formó el Partido Antirrevolucionario, el primer partido político que se organizó en los Países Bajos, y formó un grupo de seguidores de clase media baja con un programa que combinó una postura ortodoxa en materia religiosa con una agenda social progresista. Para ofrecer formación calvinista a los pastores fundó la Universidad Libre de Amsterdam (1880), y en 1892 creó las iglesias reformadas en los Países Bajos. Como primer ministro de los Países Bajos (1901–05), defendió la ampliación del derecho a voto y la extensión de los beneficios sociales.

Kuznets, Simon (Smith) (30 abr. 1901, Járkov, Ucrania, Imperio ruso–8 jul. 1985, Cambridge, Mass., EE.UU.). Economista y estadístico estadounidense de origen ruso. Emigró a EE.UU. en 1922 y se incorporó a la National Bureau of Economic Research (Oficina nacional de investigación económica) en 1927. Posteriormente, fue profesor en las universidades de Pensilvania (1930–54), Johns Hopkins (1954–60) y de Harvard (1960–71). En su obra enfatiza la complejidad de la información subyacente en la construcción de los modelos económicos y subraya la necesidad de contar con información sobre la estructura de la población, tecnología, calidad de la mano de obra, estructura del gobierno, comercio y mercados. También describió la existencia de variaciones cíclicas en las tasas de crecimiento (hoy conocidas como "ciclos de Kuznets") y sus vínculos con los factores subyacentes, p. ej., la población. En 1971 obtuvo el Premio Nobel.

Kvasir En la mitología nórdica, el más sabio de todos los hombres. Nació de la saliva de dos grupos rivales de dioses, los ASES y los VANES. Como maestro, nunca falló en responder una pregunta correctamente. Dos enanos, Fjalar y Galar, cansados de su gran sabiduría, lo mataron y destilaron su sangre en una caldera mágica. Su sangre, mezclada con miel por el gigante Sattung, formó el aguamiel que otorgaba sabiduría e inspiración poética a quienes lo bebían. Su historia es relatada en el Edda *Braga Raedur.*

kwa, lenguas Rama de la familia de las lenguas NIGEROCONGOLEÑAS. Aproximadamente 20 millones de personas hablan cuarenta y cinco lenguas kwa en las regiones del sur de Costa de Marfil, Ghana, Togo y Benín, y en el extremo sudoriental de Nigeria. Las lenguas y grupos de lenguas que cuentan con más de un millón de hablantes son el anyi y el baule en Costa de Marfil; el akan (comprende el asante, el fante y el brong) y el guang en Ghana; y el gbe (que comprende el ewe, el fon y el anlo) en el sudeste de Ghana, Togo y Benín.

kwakiutl Pueblo de indios de la COSTA NOROCCIDENTAL, que viven a lo largo de las costas de la isla de Vancouver, Columbia Británica, Canadá, y en el territorio continental vecino. Hablan el kwakwala, lengua wakashan, y a sí mismos se llaman kwakwaka'wakw, que significa "aquellos que hablan kwakwala". Tradicionalmente, subsistían en gran medida gracias a la pesca. Poseían una tecnología basada en los trabajos en madera. Su sociedad estaba estratificada por rango, fundamentalmente determinado por herencia. El POTLATCH alcanzó un complejo desarrollo, a menudo combinado con danzas y cantos que dramatizaban experiencias ancestrales con seres sobrenaturales. Aún se destacan por su arte altamente estilizado, especialmente por sus TÓTEMS e impactantes MÁSCARAS. Los kwakiutl constituían unas 3.000 personas según el censo canadiense de 2001.

Kwandebele Bantustán emplazado en el centro de la provincia de TRANSVAAL, República de Sudáfrica. Era un "estado nacional" autogobernado para el pueblo NDEBELÉ de Transvaal, pero nunca gozó de reconocimiento internacional. Ubicado al nordeste de JOHANNESBURGO, se fundó en 1979, cuando muchos ndebelés de Transvaal fueron expulsados de Bophuthatswana. Después de la abolición del APARTHEID en 1994, Kwandebele pasó a formar parte de la provincia de Transvaal Occidental, que más tarde pasó a llamarse Mpumalanga.

Kwando, río Río del sur de África. Nace en Angola central y fluye hacia el sudeste, formando parte de la frontera entre Angola y Zambia. Continúa hacia el este a lo largo de la frontera nororiental de Botswana, y desemboca en el ZAMBEZE aguas arriba de las cataratas VICTORIA. Tiene una longitud total de 731 km (457 mi).

Kwangju *ant.* **Koshu** Ciudad (pob., 2000: 1.350.948 hab.) del sudoeste de Corea del Sur, capital de la provincia de Cholla del Sur. Ocupa una superficie de 501 km² (193 mi²) y constituye una ciudad metropolitana (provincia) en sí misma. Ha sido un centro comercial y administrativo desde los Tres Reinos (c. 57 AC); el desarrollo industrial moderno de la ciudad comenzó con la conexión ferroviaria a SEÚL, en 1914. En 1980, Kwangju fue escenario de un levantamiento armado de civiles contra el gobierno. Es la sede de la Universidad de Chosun (fundada en 1946).

Kwanzaa *o* **Kwanza** Festividad afroamericana celebrada del 26 de diciembre al 1 de enero, conforme al modelo de las fiestas africanas de la cosecha. Fue creada en 1966 por Maulana Karenga, profesor de estudios afroamericanos en la Universidad estatal de California en Long Beach, como una celebración laica de carácter familiar y comunitario. El nombre proviene de la frase swahili *matunda ya kwanzaa* ("primeros frutos"). Cada día está dedicado a uno de siete principios: unidad, autodeterminación, responsabilidad colectiva, economía cooperativa, propósito, creatividad y fe. Cada anochecer, los miembros de la familia se reúnen para encender una de las velas del *kinara*, un candelabro de siete brazos; a menudo se intercambian regalos. El 31 de diciembre, los miembros de la comunidad se reúnen para una fiesta, el *karamu*. En la actualidad, esta festividad es celebrada por más de 15 millones de personas.

kwashiorkor Afección causada por una deficiencia severa de PROTEÍNAS. Es frecuente en niños de regiones tropicales y subtropicales criados con una dieta basada de preferencia en alimentos feculentos, como granos, mandioca, banana y batata. Produce abdomen abultado, EDEMA, debilidad, irritabilidad, erupción y sequedad cutáneas, coloración rojizo-anaranjada del cabello, DIARREA, ANEMIA y depósito de grasa en el hígado. El desarrollo mental puede detenerse. Los adultos que han sufrido la enfermedad en la niñez tienen riesgo de enfermedades como la CIRROSIS. El tratamiento consiste en la administración de suplementos proteicos, a menudo en forma de leche desecada y descremada. Para prevenirla a largo plazo se estimula la elaboración de mezclas de vegetales ricos en proteínas, de acuerdo con las preferencias y la disponibilidad locales de alimentos. Las causas no dietéticas incluyen la absorción inadecuada de nutrientes por el intestino, el alcoholismo crónico, las enfermedades renales y el trauma (p. ej., infecciones, heridas) que provocan pérdidas anormales de proteína.

Kyd, Thomas (6 nov. 1558, Londres, Inglaterra–c. dic. 1594, Londres). Dramaturgo inglés. Con *La tragedia española* (1592), inauguró la tragedia revanchista, forma dramática favorita en los reinados de Isabel I y Jacobo I, en la cual la motivación principal era la venganza. Fue una de las obras más populares de su tiempo y allanó el camino para el *Hamlet* de WILLIAM SHAKESPEARE y otros dramas. La única otra obra que se atribuye con certeza su autoría es *Cornelia* (1594). Kyd fue arrestado y torturado en 1593 luego de que se encontraron documentos "ateístas" en su habitación; afirmó que los documentos pertenecían a CHRISTOPHER MARLOWE, con quien había compartido la vivienda. Con su reputación arruinada, murió al año siguiente a la edad de 36 años.

Kyodan, PL *p. ext.* **Congregación de la perfecta libertad** Grupo religioso fundado en Japón en 1946 por Miki Tokuchika como un resurgimiento del grupo de su padre, HITONO-MICHI. Sin afiliación a ninguna de las grandes religiones de Japón, predica que el objetivo de la vida humana es una gozosa manifestación de la personalidad propia. La desventura y el sufrimiento vienen de olvidar a Dios, mas el creyente puede orar para que sus dificultades sean transferidas al patriarca, quien, en su sufrimiento vicario, es fortalecido por las oraciones colectivas del grupo. Actualmente, el Kyodan PL afirma contar con más de 2,5 millones de adherentes en todo el mundo. Su sede está en Habikino, cerca de Osaka.

Kyoga, lago Lago del centro-sur de Uganda. Se sitúa en el curso del NILO VICTORIA, que fluye a través de él. Tiene una profundidad máxima de 8 m (25 pies), lo que restringe la navegación a embarcaciones de poco calado. Con cerca de 129 km (80 mi) de largo, cubre una superficie de 4.429 km² (1.710 mi²).

Kyushu, isla Isla (pob., est. 2001: 13.454.000 hab.) en el extremo meridional de Japón. Es una de las cuatro islas principales que constituyen este país. Situada frente a la costa oriental de Asia, el estrecho de Kannon o de Shimonoseki la separa de HONSHU al norte y el estrecho de Bungo de la isla SHIKOKU al este. La isla, con una superficie de 36.719 km² (14.177 mi²), es montañosa; varias cumbres conocidas se elevan a 1.525–1.980 m (5.000–6.000 pies) de altitud, entre ellas el monte ASO. Sus principales ciudades son FUKUOKA y KITAKYUSHU. Fue la primera región del Imperio japonés que se abrió a los extranjeros en el s. XIX.

L'Amour, Louis *orig.* **Louis Dearborn LaMoore** (22 mar. 1908, Jamestown, N.D., EE.UU.–10 jun. 1988, Los Ángeles, Cal.). Escritor estadounidense de novelas del oeste. Abandonó la escuela a los 15 años y viajó por el mundo antes de comenzar su carrera literaria en la década de 1940. Utilizó seudónimos, como Tex Burns y Jim Mayo, hasta que su libro *Hondo* (1953) se transformó en una película de éxito. Sus más de 100 novelas, en su mayoría *western* típicos que retratan de manera convincente la vida fronteriza, han vendido 200 millones de ejemplares en 20 idiomas. Más de 30 novelas de su autoría fueron adaptadas al cine, entre ellas *Kilkenny* (1954), *The Burning Hills* (1956), *Guns of the Timberland* (1955) y *La conquista del oeste* (1963).

L'Anse aux Meadows Yacimiento del extremo septentrional de Terranova donde tuvieron lugar los primeros asentamientos europeos conocidos en el Nuevo Mundo. Se estima que grupos de colonos escandinavos fundaron unos tres asentamientos en la zona a fines del s. X. Aunque los colonos escandinavos y los inuit (a quienes los primeros llamaban Skaeling) lucharon inicialmente entre sí, luego entraron en una relación comercial estable. Pronto los asentamientos fueron abandonados, probablemente cuando los escandinavos se marcharon de Groenlandia.

L'Aquila Ciudad (pob., est. 2001: 63.121 hab.), capital de la región de ABRUZOS, en el centro de Italia. Los sabinos, una antigua tribu itálica, poblaron la zona; la ciudad fue fundada c. 1240. Después de ser gobernada por el reino de Nápoles, pasó a formar parte del reino de Italia en 1861. Situada cerca de las montañas del Gran Sasso, es un centro de esquí y lugar de descanso veraniego. Entre los sitios de interés histórico destacan una catedral del s. XIV y un castillo del s. XVI.

L'Engle, Madeleine *orig.* **Madeleine L'Engle Camp** (n. 29 nov. 1918, Nueva York, N.Y., EE.UU.). Autora estadounidense de libros infantiles. L'Engle hizo carrera en las tablas antes de publicar su primer libro, *The Small Rain* [La llovizna] (1945). En *Una arruga en el tiempo* (1962), presenta a un grupo de niños que libran una batalla cósmica contra fuerzas diabólicas, aventuras que continúan en *A Swiftly Tilting Planet* [Un planeta que se inclina con rapidez] (1978) y otros libros. Sus obras por lo general exploran temas como la lucha entre el bien y el mal, la naturaleza de Dios, la responsabilidad individual y la vida familiar. También ha escrito narrativa y poesía para adultos, además de una autobiografía.

L'Espresso Semanario italiano, editado y publicado en Roma. Circuló por primera vez en octubre de 1955, bajo la dirección editorial de Arrigo Benedetti. Sus páginas incluyen noticias y comentarios de política, economía, sociedad y cultura. Pertenece al Gruppo Editoriale L'Espresso SPA, grupo de comunicaciones de propiedad de Carlo de Benedetti, que publica La *Repubblica*, uno de los diarios más importantes de Italia, y 16 periódicos locales, junto a otros medios radiales y de internet.

L'Express Semanario de actualidad internacional francés, fundado en 1953 por el periodista y político Jean Jacques Servan-Schreiber. Partió como suplemento del periódico *Echos* y en 1963 adoptó el formato actual de REVISTA. Surgió como medio contestatario y de opinión, y se hizo conocido cuando fue incautada del mercado una tirada que incluía un reporte confidencial de dos generales sublevados de la guerra de ARGELIA. Analiza los hechos internacionales de carácter político y diplomático. Desde 1987 pertenece al Groupe Express-Expansion.

L'Hôpital, regla de Procedimiento del CÁLCULO DIFERENCIAL para evaluar formas indeterminadas como 0/0 y ∞/∞ cuando resultan de un intento por encontrar un LÍMITE. Establece que cuando el límite de $f(x)/g(x)$ es indeterminado, bajo ciertas condiciones puede obtenerse mediante la evaluación del límite del cociente de las derivadas de f y g (i.e., $f'(x)/g'(x)$). Si este resultado es indeterminado, el procedimiento puede repetirse con las segundas derivadas. Se le dio este nombre por el matemático francés Guillaume de L'Hôpital (n. 1661–m. 1704), quien compró la fórmula a su profesor, el matemático suizo Johann Bernoulli (n. 1667–m. 1748) (ver familia BERNOULLI).

La Brea Tar Pits Zona de fósiles en el parque Hancock (anteriormente, Rancho La Brea) en LOS ÁNGELES, Cal., EE.UU. En el lugar existen pozos de alquitrán de donde mana petróleo crudo; fue descubierto en 1769 por la expedición de Gaspar de Portolá. Los pozos de alquitrán contienen los huesos fosilizados de mamíferos del período PLEISTOCENO que quedaron atrapados allí, entre los cuales se cuentan MAMUTS, MASTODONTES y TIGRES DIENTES DE SABLE. El museo George C. Page contiene más de un millón de especímenes prehistóricos exhumados de los pozos.

La Bruyère, Jean de (ago. 1645, París, Francia–10/11 may. 1696, Versalles). Mora-lista satírico francés. Como preceptor y bibliotecario de una de las residencias reales, pudo observar de cerca la ociosidad, los caprichos de la moda y las costumbres de la aristocracia. Su escrito *Los caracteres de Teofrasto, traducidos del griego, con los caracteres o las costumbres de este siglo* (1688) fue anexado a su traducción de Teofrasto y escrito en el estilo de este último. Considerado una obra maestra de la literatura francesa, constituyó una denuncia de la vanidad y presunciones que lo rodeaban. Entre 1688 y 1694 aparecieron ocho ediciones de *Los caracteres* con más alusiones temáticas y bocetos de personajes.

Jean de La Bruyère, ensayista y moralista francés, retrato del s. XIX.
FOTOBANCO

La Follette, Robert M(arion) (14 jun. 1855, Primrose, Wis., EE.UU.–18 jun. 1925, Washington, D.C.). Político estadounidense. Fue fiscal de distrito judicial del condado de Wisconsin (1880–84) y perteneció a la Cámara de Representantes(1885–91). Abogó por reformas progresistas y fue así elegido gobernador de Wisconsin (1901–06). En el Senado (1906–24) patrocinó proyectos de ley dirigidos a limitar el poder de las empresas de ferrocarriles. Fundó el semanario *La Follette's Weekly* (1909) para difundir su movimiento de reforma y dirigió la oposición republicana ante las políticas del pdte. WILLIAM H. TAFT. Se opuso a la entrada de EE.UU. en la primera guerra mundial y a las políticas del pdte. WOODROW WILSON que favorecían a las grandes empresas. Terminada la guerra, trabajó con ahínco para poner al descubierto la corrupción en el gobierno, incluso en el escándalo del TEAPOT DOME. Como candidato presidencial del PARTIDO PROGRESISTA en la elección de 1924, obtuvo cinco millones de votos, algo más del 16% de la votación nacional. Falleció al año siguiente y su hijo Robert (n. 1895–m. 1953) ocupó su asiento en el Senado desde 1925 hasta 1947, cuando lo derrotó Joseph McCarthy.

La Fontaine, Jean de (¿8? jul. 1621, Château-Thierry, Francia–13 abr. 1695, París). Poeta francés. Estableció contactos importantes en París, donde pasó sus años más productivos como escritor gracias al apoyo de diversos mecenas. Son célebres sus *Fábulas* (1668–94), que figuran entre las obras maestras de la literatura francesa. En dicha obra, compuesta por unos 240 poemas, hay relatos atemporales acerca de gente de campo sencilla, héroes de la mitología griega y animales familiares de las FÁBULAS. El tema central de estas es la experiencia moral cotidiana de la humanidad. Entre sus numerosas obras menores, cabe mencionar *Los amores de Psique y Cupido* (1669), que destaca por su prosa lúcida y elegante. Fue elegido miembro de la ACADEMIA FRANCESA en 1683.

La Galissonnière, Roland-Michel Barrin, marqués de (10 nov. 1693, Rochefort, Francia–26 oct. 1756, Montereau). Oficial naval francés. Mientras perteneció a la marina francesa (1710–36) realizó varios viajes de aprovisionamiento a Nueva Francia y estuvo al mando de diversos buques en el Atlántico. Como comandante general de NUEVA FRANCIA (1747–49) procuró infructuosamente fortificar un enlace entre el Canadá francófono y las colonias de Luisiana a lo largo del río Ohio, y establecer asentamientos franceses en Detroit y en la zona de Illinois. En 1754 asumió el mando de un escuadrón naval destinado a proteger a los mercantes franceses contra los piratas de Berbería.

La Guardia, Fiorello H(enry) (11 dic. 1882, Nueva York, N.Y., EE.UU.–20 sep. 1947, Nueva York). Político estadounidense, alcalde de Nueva York (1933–45). Ejerció como abogado en Nueva York a partir de 1910, antes de ingresar a la Cámara de Representantes (1917, 1918–21, 1923–33). Como republicano progresista, copatrocinó un proyecto de ley que limitaba la facultad de los tribunales para prohibir la huelga, el boicot y el piquete de los obreros sindicalizados; se opuso a la Prohibición y apoyó el SUFRAGIO FEMENINO y las leyes contrarias a la explotación de menores. En su calidad de alcalde de Nueva York, combatió la corrupción de TAMMANY HALL e inició programas de reforma para el mejoramiento cívico por medio de viviendas económicas, servicios de bienestar social y nuevos caminos y puentes. Fue una figura pintoresca con afición por lo dramático y gozó de inmensa popularidad gracias a su intrepidez y falta de pretensión. En 1945 rehusó optar por cuarta vez a la alcaldía.

La Harpe, Frédéric-César de (6 abr. 1754, Rolle, Vaud, Suiza–30 mar. 1838, Lausana). Líder político suizo. Desde 1784 fue tutor del futuro zar de Rusia ALEJANDRO I. Regresó a Suiza en 1794, luego se dirigió a París para obtener el apoyo militar francés y asegurar así la independencia de su cantón natal, Vaud. En 1798, Francia invadió Suiza para establecer la República Helvética. Como miembro de su directorio, La Harpe intentó obtener poderes dictatoriales, pero fue depuesto en 1800. Huyó a Francia, y en 1814 obtuvo de Alejandro la promesa de la independencia de Vaud.

La Haya, convención de Serie de acuerdos internacionales firmados en La Haya (1899, 1907). Rusia solicitó la primera conferencia para deliberar sobre reglas que limitaran la guerra y para intentar establecer limitaciones a los armamentos. Asistieron 26 países

René Cavalier, señor de La Salle, tomando posesión de Luisiana, pintura de J.N. Marchand.
FOTOBANCO

que aprobaron varias propuestas de acuerdos, entre ellas la prohibición del uso de gases asfixiantes (no renovada en 1907) y la creación del Tribunal Permanente de Arbitraje. A la reunión de 1907, convocada por THEODORE ROOSEVELT, asistieron representantes de 44 países, y también tuvo como objetivo la limitación de armamentos, lo que nuevamente no se concretó. Se llegó al acuerdo de convocar a una nueva reunión en ocho años más, lo

que confirmó el principio de que las conferencias internacionales eran la mejor forma de ocuparse de los problemas internacionales. Aunque la primera guerra mundial impidió la celebración de la reunión siguiente, estas conferencias influyeron en la creación de la SOCIEDAD DE NACIONES y de las NACIONES UNIDAS. Ver también convención de GINEBRA.

La Niña Fenómeno inverso de la corriente de EL NIÑO; consiste en un enfriamiento de las aguas superficiales del océano Pacífico a lo largo de la costa occidental de Sudamérica. Aunque sus efectos locales sobre el clima y las condiciones meteorológicas son por lo general las opuestas a las asociadas con El Niño, sus efectos globales pueden ser más complejos. Los eventos de La Niña frecuentemente se presentan a continuación de los de El Niño, los que ocurren a intervalos irregulares de alrededor de cinco a diez años.

La Paz Ver La PAZ

La Pérouse, estrecho de *japonés* **Soya-kaikyo** *ruso* **Proliv Laperuza** Paso marítimo internacional entre la isla rusa de SAJALÍN y la isla japonesa de HOKKAIDO. El estrecho, que fue nombrado en honor al explorador francés conde de La Pérouse, separa el mar de OJOTSK del mar de JAPÓN (mar Oriental). Tiene 43 km (27 mi) en su punto más angosto y su profundidad varía de 51 a 118 m (167 a 387 pies). Es conocido por sus fuertes corrientes. Se cierra en invierno debido a los hielos.

La Plata, río Río en el centro-este de Puerto Rico. Discurre por unos 70 km (45 mi) en dirección noroeste y norte hasta desembocar en el océano Atlántico. En algunas partes del río se construyeron represas para formar un lago que proporciona energía hidroeléctrica.

La Rochefoucauld, François VI, duque de (15 sep. 1613, París, Francia–16/17 mar. 1680, París). Escritor francés. Proveniente de una familia noble, se enroló en el ejército a temprana edad y fue herido en varias ocasiones. Posteriormente jugó un papel preponderante en La FRONDA; sin embargo, recuperó gradualmente el favor real. Volcó sus energías a los quehaceres intelectuales, transformándose en uno de los principales exponentes de las *máximas*, una forma francesa de EPIGRAMA que expresa de manera concisa una verdad severa o paradójica. Su obra cumbre titulada *Máximas* (cinco ediciones, 1665–78), contiene 500 reflexiones acerca del comportamiento humano. En sus *Memorias* (1664) hace un recuento de las conspiraciones y campañas de los nobles amotinados durante La Fronda.

La Salle, René Robert Cavalier, señor de (22 nov. 1643, Ruán, Francia–19 mar. 1687, cerca del río Brazos [hoy en Texas, EE.UU.]). Explorador francés. En 1666 salió de Francia rumbo a América del Norte, donde recibió una concesión de tierras cerca de Montreal. Exploró la región del río Ohio (1669) y luego trabajó con el conde de FRONTENAC para ampliar la influencia francesa. Participó en la fundación de Fuerte Frontenac sobre la ribera del lago Ontario, donde controló el comercio de pieles, en calidad de *seigneur* (terrateniente). Obtuvo de Luis XIV autorización para explorar la frontera occidental de Nueva Francia y construir nuevos fuertes. Navegó río abajo por el Illinois y, en compañía de Henri de Tonty (n. ¿1650?–

m. 1704), descendió en canoa por el río Mississippi hasta el golfo de México. Allí, en 1682, reclamó para Francia la cuenca total del Mississippi y la llamó Luisiana, en honor de Luis XIV. De regreso a Francia, recibió autorización para construir un fuerte en la desembocadura del Mississippi. Acosado por la pérdida de hombres y buques, desembarcó por error en la bahía de Matagorda, Texas. Luego de intentos infructuosos de localizar el Mississippi, un motín acabó con su vida.

La Tène ver La Tène

La Tour, Georges de (19 mar. 1593, Vic-sur-Seille, Lorena, Francia–30 ene. 1652, Lunéville). Pintor francés. Fue muy conocido durante su vida, especialmente por sus representaciones de figuras y objetos iluminados por luz de vela, y luego olvidado hasta el s. XX, cuando la identificación de las obras que, por error, anteriormente no le habían sido atribuidas, consolidó su reputación como uno de los gigantes de la pintura francesa. Sus primeras obras estaban pintadas de manera realista e influenciadas por el dramático claroscuro de CARAVAGGIO. Las pinturas realizadas en su madurez artística destacan por una sorprendente simplificación geométrica de la forma humana y por la representación de interiores iluminados solamente por el fulgor de velas o antorchas. Las pinturas religiosas que realizó en este estilo poseen una simplicidad y quietud monumentales, y expresan tranquilidad contemplativa y asombro. Su vida es casi desconocida y sólo cuatro o cinco de sus pinturas están fechadas. Aún se debate sobre la cronología y autenticidad de algunas de las obras que se le atribuyen.

La Vérendrye, Pierre Gaultier de Varennes de (17 nov. 1685, Trois-Rivières, Nueva Francia–5 dic. 1749, Montreal). Explorador francocanadiense. Perteneció al ejército francés antes de ser traficante en pieles en la región norte del lago Superior (1726). Gracias a los indios tuvo conocimiento de un río que conducía hasta el océano Pacífico, y con sus hijos construyó una cadena de puestos de comercio de pieles, desde Ontario hasta Manitoba (1731–38). Dos de ellos siguieron al oeste y fueron los primeros europeos que exploraron parte de lo que es hoy Nebraska, Montana y Wyoming, y reclamaron Dakota del Sur para Francia. Las 30.000 pieles de castor que envió anualmente a Quebec desbarataron el monopolio de la HUDSON'S BAY CO. Escasamente apreciado durante su vida, más tarde fue considerado uno de los más insignes exploradores del oeste canadiense.

Laban, Rudolf (von) (15 dic. 1879, Bratislava, Austria-Hungría–1 jul. 1958, Weybridge, Surrey, Inglaterra). Profesor de danza moderna húngaro, creador del sistema de NOTACIÓN COREOGRÁFICA llamado labanotación. Después de estudiar danza en París, en 1915 fundó el Instituto coreográfico de Zurich, Suiza, y más tarde abrió sucursales en Italia, Francia y Europa central. De 1919 a 1937 trabajó en Alemania, como director de ballet del Teatro Estatal de Berlín en 1930–34. En 1928 publicó su método para registrar todas las formas de movimiento humano, que permitió a los coreógrafos anotar los pasos y otros movimientos corporales de los bailarines, incluido el ritmo. En 1938 se unió a su antiguo alumno KURT JOOSS y enseñó danza en Inglaterra, donde más tarde formó el Art of Movement Studio. Su sistema se perfeccionó y perduró en centros especializados de Essen, Alemania, y Nueva York, EE.UU.

Labdah ver LEPTIS MAGNA

laberinto Sistema de corredores intrincados y callejones sin salida. Los antiguos griegos y romanos daban este nombre a los edificios, completa o parcialmente subterráneos, que tenían cámaras y pasajes que dificultaban la salida. Desde el Renacimiento europeo, los laberintos hechos de senderos intrincados separados por altos setos fueron característicos de los jardines formales.

laberinto del oído ver OÍDO INTERNO

"The Fortune Teller" (La adivina), óleo sobre tela de Georges de La Tour, probablemente, década de 1630.
FOTOBANCO

laboral, medicina ver MEDICINA LABORAL

laboratorio Lugar donde se lleva a cabo la INVESTIGACIÓN Y DESARROLLO científico y donde se realizan los análisis, en contraste con el terreno o la industria. La mayoría de los laboratorios se caracterizan por la uniformidad controlada de las condiciones (temperatura constante, humedad, higiene). Los laboratorios modernos usan un extenso número de instrumentos y procedimientos para estudiar, sistematizar o cuantificar los objetos de su atención. Los procedimientos a menudo comprenden muestreo, tratamiento previo y acondicionamiento, medición, cálculo y presentación de resultados. Cada etapa puede realizarse mediante técnicas que varían desde tener una persona que por sus propios medios utiliza instrumentos rudimentarios, hasta realizar un sistema de análisis automatizado con controles computacionales, almacenamiento de datos y complejos métodos de lectura.

laboreo, capacidad de Condición física del SUELO, especialmente en relación con su aptitud para plantar o hacer crecer un cultivo. Los factores que la determinan son la formación y estabilidad de las partículas edáficas aglomeradas, el contenido de humedad, el grado de aireación, la tasa de infiltración acuosa y el drenaje. La capacidad de laboreo de un suelo puede cambiar con rapidez, dependiendo de factores ambientales como cambios en la humedad. El objetivo de la labranza (manipulación mecánica del suelo) es mejorar la capacidad de laboreo, aumentando de esa manera la producción del cultivo; a largo plazo, sin embargo, la labranza convencional, en especial el uso del arado, suele tener el efecto opuesto, porque causa la fragmentación y compactación del suelo.

Laborista de Israel, Partido ver PARTIDO LABORISTA DE ISRAEL

Labov, William (n. 4 dic. 1927, Rutherford, N.J., EE.UU.). Lingüista estadounidense. Después de trabajar muchos años como químico industrial, Labov inició estudios de posgrado en 1961, y se centró en las diferencias regionales y de clase social que presentaba la pronunciación del inglés en Martha's Vineyard, Mass., y en Nueva York, y también en las maneras de cuantificar la variación y el cambio fonético. La mayor parte de sus investigaciones posteriores se ocuparon de los mismos temas, aunque enfocados con procedimientos cada vez más complejos que culminaron con su monumental obra *Principles of Linguistic Change* [Principios del cambio lingüístico] (1994). El hallazgo de que en la pronunciación del inglés de EE.UU., contrariando la creencia común, se acentuaban cada vez más las divergencias regionales, atrajo la atención de muchas personas ajenas al ámbito de los estudios del lenguaje.

labra tosca *o* **rusticación** En arquitectura, albañilería decorativa en la cual los bordes de las piedras se labran para formar una superficie plana, mientras la porción central de la cara se deja rústica o bien sobresaliente respecto de los bordes. La labra tosca proporciona riqueza y variedad a la superficie de los muros exteriores. Se usó ya en el s. VI AC, en la tumba de Ciro el Grande. Los arquitectos italianos del Renacimiento temprano emplearon la rusticación para decorar palacios. En el manierismo (fines del Renacimiento) y el barroco, la rusticación tuvo gran importancia en el diseño de jardines y villas. Se lograban superficies fantásticas, como en el trabajo vermicular, en el cual la superficie se cubre con diseños ondulantes y serpenteantes o con formas goteadas en vertical.

Labrador, corriente del Corriente oceánica superficial fría que fluye hacia el sur a lo largo del mar del Labrador occidental. Con su origen en el estrecho de Davis, la corriente es una combinación de la de Groenlandia occidental, la corriente de la isla de Baffin y el flujo proveniente de la bahía de Hudson. Mantiene temperaturas inferiores a 0 °C (32 °F) y tiene baja salinidad. Está limitada a la PLATAFORMA CONTINENTAL y alcanza profundidades levemente superiores a 600 m (2.000 pies). Cada año transporta cientos de ICEBERGS hacia el sur.

Labrador, península del Gran península del nordeste de Canadá. Dividida políticamente entre las provincias de Quebec y de Terranova y Labrador, ocupa una superficie de 1.620.000 km² (625.000 mi²). Las cumbres más altas se elevan por sobre los 1.520 m (5.000 pies), y la costa se compone de islas. Constituye la sección más oriental de la meseta conocida como el ESCUDO CANADIENSE. El control político de la región fue disputado por ambas provincias hasta que en 1927 se estableció la frontera entre Quebec y Terranova.

labradorita Tipo de FELDESPATO de la serie PLAGIOCLASA que a menudo es apreciado como gema y como material ornamental por su iridiscencia roja, azul o verde. Por lo general, el mineral es gris o de marrón a negro, y puede no ser iridiscente. La labradorita lleva su nombre porque se encuentra en la costa de Labrador, Canadá.

labranza cero ver SIEMBRA DIRECTA

lábrido Cualquiera de unas 300 especies (familia Labridae) de peces esbeltos y a menudo de colores brillantes, que se distribuyen en los mares tropicales y templados de todo el mundo, con frecuencia en los arrecifes coralíferos. Las especies miden entre 5 cm (2 pulg.) y 2 m (7 pies) de largo. Los lábridos tienen labios gruesos, escamas grandes, aletas largas y dientes caninos grandes y a menudo protuberantes. La mayoría se alimenta de invertebrados; algunas especies, llamadas limpiadoras, arrancan y comen los ectoparásitos de peces más grandes. El tautoga (*Tautoga onitis*) es una especie comestible.

Lacan, Jacques (-Marie-Émile) (13 abr. 1901, París, Francia–9 sep. 1981, París). Psicoanalista francés. Practicó la psiquiatría en París durante gran parte de su carrera. Lacan puso énfasis en la primacía del lenguaje como el espejo del inconsciente, e introdujo el estudio del lenguaje en la teoría psicoanalítica. Su logro principal fue la reinterpretación de la obra de SIGMUND FREUD en función de la LINGÜÍSTICA estructural. Sus *Escritos* (1966) lo transformaron en una celebridad en Francia, y ya en 1970 era una figura dominante en la vida cultural de su país. Ejerció gran influencia en la teoría psicoanalítica y literaria estadounidense.

lacandón Grupo indígena MAYA que vive en la selva tropical húmeda en el límite de México y Guatemala. Por mucho tiempo aislados, mantuvieron su forma de vida tradicional hasta los tiempos modernos, dedicados a la pesca, caza y cultivo de verduras y frutas. Hilan fibras y elaboran géneros, curten el cuero y confeccionan cerámica, flautas, piraguas y redes. Han preservado sus creencias tradicionales. Su número total ha declinado y sólo quedan unos cientos.

lacha *o* **sábalo** Cualquiera de varias especies de peces de la costa atlántica (género *Brevoortia* de la familia del ARENQUE). La lacha tiene un cuerpo ancho, abdomen de bordes agudos, cabeza grande y escamas de borde dentado. Los adultos miden alrededor de 38 cm (15 pulg.) de largo y pesan 0,5 kg (1 lb) o menos. Los cardúmenes de lacha densos se trasladan desde Canadá hasta América del Sur. Cuando se alimentan, nadan con la boca abierta y las cavidades de las branquias bien extendidas para filtrar el plancton. Las lachas se destinan para la elaboración de aceite, harina de pescado (principalmente para alimentación animal) y fertilizantes.

Lacha o sábalo (*Brevoortia tyrannus*).
© ENCYCLOPÆDIA BRITANNICA, INC.

Lachaise, Gaston (19 mar. 1882, París, Francia–18 oct. 1935, Nueva York, N.Y., EE.UU.). Escultor estadounidense de origen francés. Hijo de un ebanista, se formó en las artes decorativas y estudió escultura en la École des Beaux-Arts (1898–1904). Fue diseñador de objetos decorativos ART NOUVEAU para RENÉ LALIQUE antes de emigrar a EE.UU. en 1906. Su obra más famosa, *Standing Woman* (1932), un desnudo femenino con amplios pechos y muslos, pero con extremidades sinuosas y ahusadas, tipifica la imagen que trabajó una y otra vez a lo largo de su carrera. También es conocido por sus retratos de busto de JOHN MARIN, MARIANNE MOORE, E.E. CUMMINGS, entre otros.

Lachlan, río Principal afluente del río MURRUMBIDGEE, en el centro de NUEVA GALES DEL SUR, Australia. Nace en la GRAN CORDILLERA DIVISORIA y fluye al noroeste desviándose al sudoeste hasta unirse con el Murrumbidgee, luego de recorrer 1.500 km (930 mi). Aunque normalmente tiene un caudal permanente, puede agotarse en años de sequía extrema. Explorado en 1815 por George W. Evans, fue bautizado en honor de Lachlan Macquarie, gobernador de Nueva Gales del Sur.

"Standing Woman", escultura en bronce de Gaston Lachaise, 1932; Museo de Arte Moderno de Nueva York.
GENTILEZA DEL MUSEO DE ARTE MODERNO DE NUEVA YORK, MRS. SIMON GUGGENHEIM FUND

Lacio *italiano* **Lazio** Región (pob., est. 2001: 4.976.184 hab.) del centro-oeste de Italia, junto al mar Tirreno. Establecida en 1948, tiene una superficie de 17.203 km² (6.642 mi²) y su capital es ROMA. Al este de la región se encuentran los APENINOS centrales y hacia el oeste se extiende una planicie costera. Hasta fines del s. XIX la mayoría de sus tierras bajas eran pantanosas y palúdicas, que fueron drenadas y repobladas a principios del s. XX. Situada en la región antiguamente conocida como LATIUM, existe una industria ligera, pero su relevancia está dada por la ciudad de Roma.

Laclos, Pierre (-Ambroise-François) Choderlos de (18 oct. 1741, Amiens, Francia–5 nov. 1803, Tarento, República Partenopea). Escritor francés. Escogió la carrera militar, la que pronto abandonó para convertirse en escritor. Se le recuerda especialmente por *Las amistades peligrosas* (1782), una de las primeras novelas psicológicas. La obra, novela epistolar acerca de un noble seductor que con su cómplice femenina se regocijan inescrupulosamente de la desdicha de sus víctimas, causó inmediata sensación y fue prohibida durante varios años. Laclos volvió después al ejército y llegó hasta el grado de general en las huestes de Napoleón I. El libro ha mantenido su popularidad hasta hoy y ha sido adaptado al cine y la televisión en varias ocasiones.

Laconia, golfo de Ensenada del mar JÓNICO sur en la costa meridional del PELOPONESO, Grecia. El cabo Matea, temido antiguamente por los marinos a causa de sus vientos traicioneros y de sus costas desprovistas de albergue, separa al golfo del mar Egeo. El Eurotas, río no navegable, es la principal corriente que desemboca en el golfo.

Lacoste, (Jean-) René (2 jul. 1904, París, Francia–12 oct. 1996, Saint-Jean-de-Luz). Tenista francés y empresario de ropa deportiva. Se destacó por un juego metódico, con el cual procuraba agotar al rival. Ganó Wimbledon (1925 y 1928) y el Campeonato de Francia (1925, 1927 y 1929) en singles, y fue el primer extranjero en ganar dos veces el Campeonato de EE.UU., en 1926, y luego en 1927, cuando disputó la final contra BILL TILDEN. También consiguió varios títulos en dobles. Apodado "El Cocodrilo", se retiró en 1929 para fundar una empresa de ropa deportiva cuyo logo era un cocodrilo y, ahora, un caimán.

lacrosse (francés: "el báculo"). Deporte practicado al aire libre que consiste en anotar goles en la portería rival con un bastón llamado *crosse*. El bastón tiene un mango largo que acaba en una cabeza triangular con una bolsa de red para coger, trasladar y lanzar una pelota sólida de caucho. El objetivo es introducir la pelota en la portería rival, lo que otorga un punto. Los colonos franceses establecidos en Canadá adaptaron el juego a partir de una antigua actividad de los indios norteamericanos (*baggataway*), que era a la vez deporte, entrenamiento bélico y ceremonia mística. El lacrosse se convirtió en deporte organizado a fines del s. XIX. En la actualidad se disputa entre dos equipos de diez jugadores si son hombres, o 12 si son mujeres. El juego se divide en cuatro tiempos de 15 m. cada uno. Es especialmente popular en las universidades norteamericanas y lo practican tanto hombres como mujeres.

lactación Producción de leche posparto por la GLÁNDULA MAMARIA de las hembras de los mamíferos. La producción de leche es estimulada por hormonas que se liberan con la expulsión de la placenta y el amamantamiento. El calostro (leche que la madre produce en los primeros días posparto) tiene más proteínas, minerales y anticuerpos, y menos grasas y calorías que la leche madura, que se desarrolla después. La leche madura aporta nutrientes, hormonas y sustancias que otorgan al infante INMUNIDAD contra agentes infecciosos. La mayoría de los médicos recomiendan que los bebés se alimenten exclusivamente de leche materna el primer semestre y que el amamantamiento prosiga durante el primer año. A medida que el niño es destetado, la lactación se reduce progresivamente; mientras el amamantamiento prosigue, la FECUNDIDAD está disminuida. Los problemas de la lactación se relacionan con las hormonas, el patrón del lactante, las dificultades físicas o factores emocionales. Las madres que toman ciertos medicamentos o sufren alguna enfermedad (p. ej., SIDA) no deben amamantar por el riesgo de contagio que implica para sus bebés.

lactancia En MAMÍFEROS, la succión de leche del pezón de una glándula mamaria. En seres humanos, se conoce como amamantamiento. La palabra lactante denota un animal que aún no ha sido destetado, es decir, al cual no se le ha quitado la leche, proceso que acostumbra gradualmente a la cría a aceptar una dieta adulta.

láctico, ácido Ácido CARBOXÍLICO presente en ciertos jugos de vegetales, en la sangre, los músculos y en la tierra. En la sangre se encuentra en la forma de sus SALES (lactatos) cuando se descompone GLUCÓGENO en los músculos; puede reconvertirse en glucógeno en el hígado. La rigidez y la sensación de dolor luego de un ejercicio pesado y prolongado se deben al ácido láctico que se acumula en los músculos. Como producto final de la FERMENTACIÓN bacteriana, el ácido láctico es el componente ácido más común de los productos fermentados de la leche (p. ej., leche y crema ácida, queso, leche cultivada, yogur). Se utiliza en otros alimentos como saborizante o preservante, e industrialmente en curtiembre, teñido de lana y como materia prima o CATALIZADOR en muchos procesos químicos.

lactobacilo Cualquiera de las bacterias gram positivas (ver tinción de GRAM) baciliformes que componen el género *Lactobacillus*. Abundan en los alimentos, estiércol, leche y productos lácteos de los animales. Se utilizan diversas especies en la industria para producir leches agrias, quesos y yogures. Los lactobacilos también desempeñan un papel importante en la elaboración de vegetales fermentados (encurtidos y repollo agrio), bebidas (cerveza, vinos y jugos), panes de levadura agria y algunas salsas. Habitan en el tracto digestivo de seres humanos y animales sin causar daño. Se emplean preparados comerciales de lactobacilos para restaurar la flora intestinal normal después de tratamientos con antibióticos.

lactosa AZÚCAR ligeramente dulce (disacárido), compuesto de dos MONOSACÁRIDOS, GLUCOSA y GALACTOSA, unidos entre sí. Los adultos y excepcionalmente los infantes que no toleran la lactosa, no pueden digerirla porque carecen de la ENZIMA (lactasa), que la desdobla en azúcares más simples, y por ello sufren de DIARREA y se hinchan cuando comen alimentos que la contienen. La lactosa, que constituye el 2–8% de la leche de los mamíferos, es el único azúcar común de origen animal. La lactosa comercial se obtiene del suero, un subproducto líquido del queso. Se utiliza en alimentos, en productos farmacéuticos y en caldos nutritivos que se emplean para producir penicilina, levadura, riboflavina y otros productos.

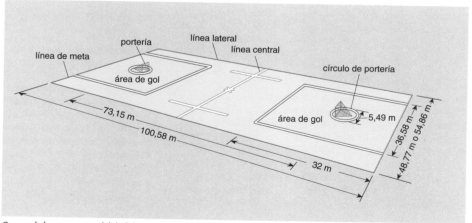

Campo de lacrosse en modalidad de varones. La versión femenina suele jugarse en un campo de mayor dimensión (109,7 x 75 m [120 x 82 yardas]), donde las porterías distan 91,4 m (100 yardas) entre sí y donde, por lo general, las líneas divisorias laterales no están marcadas. El balón entra en juego mediante un saque en el medio campo; el juego se desarrolla en forma continuada, excepto por goles, faltas y pausas. Los jugadores pueden patear el balón, pero sólo el portero puede usar las manos.

Ladakh Región del este de CACHEMIRA, en el noroeste del subcontinente indio. Cubre unos 117.000 km² (45.000 mi²) y abarca los HIMALAYA por el nordeste, la cordillera KARAKORAM al norte y el valle del alto río INDO. Su capital es Leh. India y Pakistán lucharon por su control antes de que las negociaciones de paz de 1949 confirieran el sector meridional a India (sector que forma parte del estado indio de JAMMU Y CACHEMIRA) y el resto a Pakistán. En la guerra chino-india de 1962, China ganó una parte del nordeste de Ladakh. Las fronteras de la región aún están en disputa.

Ladd-Franklin, Christine orig. **Christine Ladd** (1 dic. 1847, Windsor, Conn., EE.UU.–5 mar. 1930, Nueva York, N.Y.). Científica y experta en logística estadounidense. Cumplió los requisitos para obtener un Ph.D. en la Universidad Johns Hopkins en la década de 1880, pero como no se aceptaban candidatas, el grado no se le otorgó hasta 1926. En lógica simbólica, redujo el razonamiento silogístico a una tríada inconsistente con la introducción del antilogismo, una forma que facilitó la comprobación de las deducciones. La teoría Ladd-Franklin sobre la visión de los colores resaltaba la mayor diferenciación de los colores en el transcurso de la evolución y presumía un modelo fotoquímico para el sistema visual. Sus escritos principales son *The Algebra of Logic* (1883), *The Nature of Color Sensation* (1925) y *Color and Color Theories* (1929).

Ladies' Home Journal Revista mensual estadounidense, una de las más antiguas del país, y durante mucho tiempo el modelo a seguir entre las revistas femeninas. Fundada en 1883 como suplemento del *Tribune and Farmer* (1879–85), se comenzó a publicar de manera independiente en 1884. Bajo la dirección (1889–1919) de EDWARD BOK, la revista se transformó en la publicación de mayor circulación en EE.UU. Bok revolucionó el campo de las revistas de mujeres al ofrecer cuentos y ensayos de alta calidad; creó secciones especiales para contestar cartas de las lectoras y dar a su revista un estilo íntimo. Ya desde mediados del s. XX, *Ladies' Home Journal* comenzó a ser superada en circulación por su competidora, *McCall's*. En 1986, la revista fue adquirida por Meredith Corporation, que también publica *Better Homes and Gardens*.

ladilla ver PIOJO HUMANO

ladino *o* **lengua sefardí** Lengua ROMANCE hablada por los judíos sefarditas en los Balcanes, Medio Oriente, el norte de África, Grecia y Turquía, aunque casi extinguida en muchas de estas zonas. El ladino es una forma muy arcaica del castellano (ver ESPAÑOL), mezclada con elementos HEBREOS. Se originó en España, y los descendientes de los judíos, que fueron exiliados de España después de 1492, lo llevaron a las regiones donde se habla actualmente. Conserva muchas palabras y usos gramaticales que se han perdido en el español moderno. El ladino se escribe generalmente en el alfabeto hebreo.

Ladislao I *o* **san Ladislao** (27 jun. 1040, Polonia–29 jul. 1095, Nitra, Eslovaquia; canonizado en 1192; festividad: 27 de junio). Rey de Hungría (1077–95). Expandió notablemente los límites del reino ganando territorio en Transilvania y ocupando Croacia (1091). En la QUERELLA DE LAS INVESTIDURAS estuvo del lado del papa. Introdujo el catolicismo en Croacia y persiguió a los paganos en sus dominios. También promulgó un código legal que llevó orden y prosperidad a Hungría. Murió mientras se preparaba para la primera CRUZADA.

Ladislao II Jagellón (c. 1351–31 may./1 jun. 1434, Gródek, cerca de Lvov, Galitzia, Polonia). Gran duque de Lituania (1377–1401) y rey de Polonia (1386–1434), fundador de la dinastía JAGELLÓN. Tuvo que derrotar a diversos rivales, entre ellos a su primo WITOLD (o Vytautas el Grande), con el fin de asegurar su poder en Lituania. Se casó con la reina polaca

Ladislao II Jagellón, figura esculpida sobre el sarcófago, mediados del s. XV; catedral de Wawel, Cracovia.
GENTILEZA DE PANSTWOWE ZBIORY SZTUKI NA WAWELU, CRACOVIA

Eduvigis (1386) después de aceptar la conversión de Lituania al cristianismo y su unión con Polonia. Recobró Rutenia de manos de Hungría (1387) y convirtió al príncipe de Moldavia en su vasallo. Firmó un tratado (1401) en el que reconoció a Witold como duque con la condición de que Polonia y Lituania tuvieran una misma política exterior; juntos quebrantaron el poder de la Orden TEUTÓNICA.

Lado, Enclave de Antigua región de África central. Estaba situada al norte del lago ALBERTO, en la ribera occidental del NILO superior, en lo que hoy es el norte de Uganda y el sudeste de Sudán. Los europeos la exploraron por primera vez en 1841–42 y se transformó en una estación de paso del comercio de marfil y esclavos. En 1894, Gran Bretaña reclamó posesión de la región del Nilo superior y dio en arriendo al rey LEOPOLDO II de Bélgica la zona conocida como Enclave de Lado. En 1910 fue incorporado a Sudán.

Ladoga, lago Lago del noroeste de Rusia. El más grande de Europa, cubre una superficie de 17.600 km² (6.700 mi²). Con 219 km (136 mi) de longitud y un ancho promedio de 82 km (51 mi), su profundidad máxima es de 230 m (754 pies). Tiene 660 islas de más de 1 ha (2,5 acres). Desagua por el río NEVÁ, que nace de su extremo sudoccidental. Estuvo dividido entre la U.R.S.S. y Finlandia, pero en la actualidad pertenece enteramente a Rusia. Durante el sitio de LENINGRADO (1941–44), en la segunda guerra mundial, el lago fue la ruta de abastecimiento que conectaba la ciudad con el resto de la U.R.S.S.

ladrillo Pequeño bloque rectangular usado en construcción desde al menos 6.000 años, en un comienzo hecho con barro secado al sol. La arcilla, su ingrediente básico, se extrae de depósitos a tajo abierto, se moldea y luego se cuece en un horno para darle resistencia, dureza y refractariedad. El ladrillo fue el principal material de construcción en el Cercano Oriente durante la antigüedad. Su versatilidad aumentó en la antigua Roma por las mejoras introducidas en su fabricación y por el desarrollo de nuevas técnicas de aparejo. El ladrillo llegó a ser muy usado en Europa occidental debido a la protección que ofrece contra el fuego. Ver también ALBAÑILERÍA; MORTERO.

Ladrones, islas de los ver islas MARIANAS

Lady D ver DIANA, PRINCESA DE GALES

Laemmle, Carl (17 ene. 1867, Laupheim, Alemania–24 sept. 1939, Beverly Hills, Cal., EE.UU.). Productor de cine estadounidense de origen alemán. En 1884 emigró a EE.UU. y ejerció diversos oficios antes de abrir un "nickelodeon" (un cine de 5 centavos la entrada) en Chicago en 1906, donde llegó a ser un importante distribuidor de películas. En 1909 fundó la Independent Motion Picture Co., y persuadió a estrellas como MARY PICKFORD a integrarse a su estudio. Resistió la competencia del monopólico consorcio Motion Picture Patents Co., y en 1910 había logrado producir 100 cortometrajes. En 1912 se fusionó con pequeñas compañías y fundó UNIVERSAL PICTURES, y al cabo de tres años inauguró un estudio de 94 ha en California. Tuvo como empleados a IRVING THALBERG y HARRY COHN y es considerado el creador del "star system" de Hollywood. En 1935 vendió la compañía debido a problemas financieros.

Lagarto de collar
(Crotaphytus collaris)

Lagarto cornudo
(Phrynosoma cornutum)

Lagarto escorpión
(Gerrhonotus liocephalus)

Especies de lagarto, suborden Sauria.
© ENCYCLOPÆDIA BRITANNICA, INC.

Laetoli, huellas de Serie de huellas bípedas, posiblemente del *Australopithecus afarensis* (ver AUSTRALOPITHECUS), conservadas en cenizas volcánicas en Laetoli, en el norte de Tanzania, de una antigüedad de 3,6 millones de años. Fueron descubiertas en 1976 por un equipo encabezado por la familia LEAKEY. Las huellas indican que el mecanismo de transferencia del peso y la fuerza por medio de los pies de los primeros HOMÍNIDOS era prácticamente idéntico al de los seres humanos modernos, y parecen indicar que dos individuos, uno más grande que el otro, caminaban al mismo paso e iban lo suficientemente cerca como para tocarse. Ver también LUCY.

Lafayette, Marie-Joseph-Paul-Yves-Roch-Gilbert du Motier, marqués de (6 sep. 1757, Chavaniac, Francia–20 may. 1834, París). Líder militar francés. Nació en el seno de una antigua familia noble de gran riqueza. Aunque pertenecía a la corte de LUIS XVI, buscó la gloria como soldado. En 1777 se dirigió a América del Norte, fue nombrado general de división, se convirtió en amigo cercano de GEORGE WASHINGTON y se destacó en combate en la batalla de BRANDYWINE. Regresó a Francia en 1779, persuadió a Luis para que enviara una fuerza de 6.000 hombres en apoyo de los colonos y volvió a Estados Unidos en 1780 para comandar un ejército en Virginia y colaborar en el triunfo en el sitio de YORKTOWN. Llamado "el héroe de dos mundos", regresó a Francia en 1782 y se convirtió en un líder de los aristócratas liberales; fue elegido para los ESTADOS GENERALES en 1789. Presentó la DECLARACIÓN DE LOS DERECHOS DEL HOMBRE Y DEL CIUDADANO a la Asamblea Nacional. Nombrado comandante de la guardia nacional de París, intentó proteger al rey favoreciendo una monarquía constitucional. Cuando sus guardias dispararon sobre una multitud que manifestaba demandas en el Campo de Marte (1791), perdió popularidad y renunció a su cargo. Dirigió el ejército contra Austria (1792) y luego se entregó a los austríacos, quienes lo mantuvieron cautivo hasta 1797. De regreso a Francia, se convirtió en hacendado. En la restauración de los BORBONES, ingresó a la Cámara de Diputados (1814–24) y comandó la guardia nacional durante la REVOLUCIÓN DE JULIO (1830).

Laffitte, Jacques (24 oct. 1767, Bayona, Francia–26 may. 1844, Maisons-sur-Seine). Político y ban-quero francés. Se transformó en socio de la casa bancaria Perregaux en 1800 y en jefe de la firma en 1804. Como gobernador del Banco de Francia (1814–19), consiguió grandes sumas de dinero para el gobierno provisional en

Jacques Laffitte, dibujo de A. Devéria; Bibliothèque Nationale, París, Francia.
GENTILEZA DE LA BIBLIOTHÈQUE NATIONALE, PARÍS, FRANCIA

1814 y para LUIS XVIII durante los CIEN DÍAS. Salvó a París de una crisis financiera en 1818. Partidario inicial de una monarquía constitucional bajo LUIS FELIPE, trabajó intensamente para asegurar su ascenso al trono y fue primer ministro por un breve período (1830–31) durante la monarquía de julio.

lagarta peluda Especie (*Lymantria dispar*) de POLILLA COPETUDA, una plaga importante de los árboles. La cepa europea se introdujo en la parte oriental de Norteamérica c. 1869. La hembra, de cuerpo pesado y vuelo débil, es blanca con marcas negras zigzagueantes, y tiene una envergadura de 38–50 mm (1,5–2 pulg.). El macho, más pequeño y más oscuro, tiene un vuelo más vigoroso. La larva es muy voraz y en pocas semanas puede defoliar completamente árboles de hoja caduca. La lagarta peluda asiática, más grande (con una envergadura de unos 90 mm o 3,5 pulg.), es incluso una amenaza mayor porque el vuelo de la hembra es más vigoroso, lo cual le permite esparcirse con rapidez, y las larvas se alimentan de coníferas y árboles de hoja caduca. Fue introducida en el noroeste de Norteamérica en 1991. La pulverización con insecticida continúa siendo el medio de control más efectivo.

lagarto Cualquiera de unas 3.000 especies de REPTILES que constituyen el suborden Sauria. Son más diversos y abundantes en los trópicos, pero se encuentran desde el círculo polar ártico (una especie) hasta África meridional, América del Sur y Australia. Tal como las SERPIENTES, los lagartos tienen escamas, órganos copulatorios masculinos apareados y un cráneo flexible. Los lagartos comunes poseen un cuerpo moderadamente cilíndrico, cuatro extremidades bien desarrolladas (aunque algunos lagartos carecen de ellas), una cola un poco más larga que la cabeza y el cuerpo juntos, y párpados inferiores movibles. Su tamaño oscila entre 3 cm (1 pulg.) para los GECOS y 3 m (10 pies) en el caso del DRAGÓN DE KOMODO, pero la mayoría mide alrededor de 30 cm (12 pulg.) de largo. La ornamentación comprende crestas en la cabeza, el dorso o la cola; espinas, flecos y abanicos de colores brillantes en la garganta. La mayoría de las especies se alimenta de insectos y roedores, pero algunas, como la IGUANA, comen plantas. Ver también LAGARTO CORNUDO; MONSTRUO DE GILA.

lagarto cornudo Cualquiera de unas 14 especies de LAGARTOS del género *Phrynosoma*, familia Iguanidae. Normalmente tienen espinas cefálicas cuchillares (cuernos) y un cuerpo oval aplanado con escamas puntiagudas en los costados. Las especies varían de unos 8 a 13 cm (3–5 pulg.) de largo. Se extienden desde la Columbia Británica, Canadá, hasta Guatemala por el sur, y en EE.UU., desde Arkansas y Kansas hacia el oeste, por lo general en tierras arenosas, desérticas o semidesérticas. De preferencia se alimenta de hormigas. El lagarto cornudo se oculta cambiando el patrón de coloración y se retuerce lateralmente en la arena hasta quedar cubierto por completo, excepto la cabeza. Se puede defender inflando el cuerpo súbitamente y (raras veces) chorreando sangre por los ojos.

Lagash *actualmente* **Tell al-Hibā** Antigua capital de SUMER. Estaba situada en un punto equidistante de los ríos TIGRIS y ÉUFRATES, en BABILONIA, en el sudeste del actual Irán. En

diversas excavaciones se han descubierto ruinas de palacios y templos, así como textos CUNEIFORMES que ofrecen información acerca de la vida en Sumer durante el tercer milenio AC. Fundada durante el período obeidiano (c. 5200–c. 3500 AC), Lagash cayó bajo el dominio de SARGÓN de Acad. Prosperó después bajo el mandato de Gudea, un gobernador nominalmente sometido al dominio de los guti. Estuvo habitada hasta que Partia fue conquistada (247 AC–224 DC).

Jarrón de plata grabado del rey Entemena, Lagash; Museo del Louvre, París.
ARCHIVES PHOTOGRAPHIQUES

Lagen, río Río en el sudeste de Noruega. Nace en la meseta de Hardanger y fluye hacia el sur hasta desembocar en el estrecho de Skagerrak, brazo del mar del NORTE. Con una longitud de 337 km (209 mi), es el tercer río más largo del país.

Lagerfeld, Karl (n. 10 sep. 1938, Hamburgo, Alemania). Diseñador de modas alemán. Luego de mudarse a París a los 14 años de edad, se dedicó a crear diseños para marcas reconocidas, como Pierre Balmain, Chloe, Valentino y Fendi. Es sobre todo conocido por haber sido la fuerza creativa detrás del moderno resurgimiento de la casa Chanel, a la cual se unió en 1983. Lagerfeld logró fundir el espíritu de la época con la identidad *chic* y atemporal establecida por la fundadora de la casa, GABRIELLE "COCO" CHANEL, haciendo de esta marca una de las más codiciadas e influyentes en la moda de fines del s. XX.

Lagerkvist, Pär (Fabian) (23 may. 1891, Växjö, Suecia–11 jul. 1974, Estocolmo). Novelista, poeta y dramaturgo sueco. En su juventud abrazó ideas socialistas, las que lo llevaron a apoyar el radicalismo literario y artístico. A pesar de que sus primeras obras se caracterizan por un pesimismo extremo, en su magnífico monólogo en prosa *The Triumph over Life* [El triunfo sobre la vida] (1927) declaró su fe en la humanidad. En las décadas de 1930–40, sus escritos protestaron contra el fascismo y la brutalidad. La novela *El enano* (1944) fue su primer *best seller* y su primer éxito indiscutido de crítica. La novela *Barrabás* (1950) le otorgó reconocimiento mundial. En 1951 fue galardonado con el Premio Nobel de Literatura.

Lagerlöf, Selma (Ottiliana Lovisa) (20 nov. 1858, Mårbacka, Suecia–16 mar. 1940, Mårbacka). Novelista sueca. Era maestra de escuela cuando escribió su primera novela, *La saga de Gösta Berling* (1891), crónica de la vida en su Värmland natal. Entre sus obras posteriores figuran *Jerusalén* (1901–02), que la erigió como la primera gran novelista sueca, y el libro infantil *El maravilloso viaje de Nils Holgersson a través de Suecia* y su continuación (1906–07): una geografía del país en forma de historias fantásticas. Lagerlöf, una innata narradora de cuentos, inspiró su obra en leyendas y sagas. En 1909 fue la primera mujer y la primera figura de las letras suecas en obtener el Premio Nobel de Literatura.

Laghouat Ciudad (pob. est., 1998: 96.342 hab.) y oasis del centro-norte de Argelia. Ubicada en el extremo meridional de los montes ATLAS, fue construida sobre dos colinas situadas en los faldeos del monte Tizigarine. Poblada en el s. XI, pasó primero a control marroquí y luego otomano. Capturada por los franceses en 1852, volvió a poder de Argelia en 1962.

lago Masa de agua dulce o salada, que ocupa una cuenca interior. Los lagos son más comunes en las altas latitudes boreales y en regiones montañosas, en particular en aquellas que estuvieron cubiertas por GLACIARES en tiempos geológicos recientes.

Los de menor superficie se denominan lagunas, mientras que los más grandes, como el Caspio, reciben el nombre de mares. Las principales fuentes hídricas de los lagos son: derretimiento de hielo y nieve, vertientes, ríos, escorrentía y precipitación directa. En la superficie de los lagos existe abundante disponibilidad de luz, calor, oxígeno y nutrientes, bien distribuidos por las corrientes y la turbulencia. Como resultado, allí puede encontrarse una gran cantidad de diversos organismos acuáticos. Las formas más abundantes son PLANCTON (de preferencia DIATOMEAS), ALGAS y flagelados. En los niveles inferiores se acumulan sedimentos, las principales formas de vida son bacterias. Ver también LIMNOLOGÍA.

lagópodo *o* **perdiz blanca** Cualquiera de tres o cuatro especies de UROGALLO (género *Lagopus*) de regiones heladas. El plumaje blanco del lagópodo se torna gris en invierno o marrón y con barras en primavera y verano. Los dedos de sus extremidades inferiores están cubiertos de plumas rígidas. El lagópodo común (*L. mutus*) vive en las islas Británicas, Europa y Norteamérica, donde se denomina lagópodo de roca. Los lagópodos sobreviven en el invierno ártico y en la cima de las montañas alimentándose de arbustos y escarbando líquenes y hojas; se esconden en la nieve para dormir. Al iniciarse la primavera, los machos aparecen en grupos; posteriormente se separan y aparecen solos en territorios colindantes.

Lagópodo común
(*Lagopus mutus*)

Lagópodo escandinavo
(*Lagopus lagopus*)

Especies de lagópodo o perdiz blanca.
© ENCYCLOPÆDIA BRITANNICA, INC.

Lagos Ciudad y puerto principal (pob., 1999: aglomeración urbana, 12.763.000 hab.) de Nigeria. Es la ciudad más grande del país. Se levanta sobre cuatro islas principales –Lagos, Iddo, Ikoyi y Victoria–, conectadas por puentes entre sí y con el continente. Su población se concentra en la isla de Lagos, ubicada en el golfo de Benín. En el s. XVI formaba parte del reino de BENÍN y estaba habitada principalmente

por pueblos yoruba. A partir de 1808, a medida que Gran Bretaña intentaba poner fin a la trata de ESCLAVOS, Lagos inició un contacto cada vez más estrecho con los británicos. Anexada a Gran Bretaña en 1861, se transformó en colonia de la corona, y fue gobernada primero desde Sierra Leona (1866–74) y después como parte de la

Muelle Apapa, en Lagos, Nigeria.
THE FINANCIAL TIMES—ROBERT HARDING PICTURE LIBRARY

colonia de Costa de Oro (1874–86). Anexada al protectorado de Nigeria del Sur en 1906, en 1914 se la designó capital colonial de Nigeria. Tras proclamarse la República de Nigeria, siguió siendo la capital (1960–91) hasta que la sede de gobierno se trasladó a ABUJA. Es un importante centro comercial e industrial.

Lagrange, Joseph-Louis *post.* **conde del Imperio** (25 ene. 1736, Turín, Cerdeña-Piamonte–10 abr. 1813, París, Francia). Matemático francés de origen italiano. Hizo importantes contribuciones a la teoría de los NÚMEROS y a la mecánica clásica y celeste. Ya a la edad de 25 años era reconocido como uno de los más grandes matemáticos, debido a sus artículos científicos sobre la propagación de ONDAS y sobre MÁXIMOS Y MÍNIMOS de curvas. Su prodigiosa producción incluyó su texto *Mecánica analítica* (1788), base para todo trabajo posterior en el área. Sus notables descubrimientos comprenden el lagrangiano, que es una función que caracteriza el estado físico de un sistema (puede tener carácter de OPERADOR DIFERENCIAL, en mecánica cuántica), y los puntos de Lagrange del campo gravitacional de dos astros grandes, en los cuales un cuerpo pequeño permanece relativamente estable.

lagrimales, glándula y conducto Estructuras que producen, distribuyen y drenan las lágrimas. Una glándula almendrada, situada encima del ángulo externo del OJO, secreta las lágrimas entre el párpado superior y el globo ocular. Las lágrimas humedecen y lubrican la conjuntiva (la membrana que reviste el párpado y cubre el blanco del ojo) y luego fluyen hacia los orificios apenas visibles (cerca de los ángulos internos de los párpados) de los conductos lagrimales, que las llevan a la cavidad nasal. La grasa (de las GLÁNDULAS SEBÁCEAS del borde del párpado) evita que las lágrimas se derramen, a menos que su secreción aumente por el llanto o por reflejos provocados por estímulos como irritación ocular, luces brillantes o alimentos condimentados.

lágrimas de la virgen ver CORAZONCILLO

laguna costera Extensión de agua tranquila y relativamente poco profunda con acceso al mar, pero separada de este por bancos de arena, barreras de islas o arrecifes de coral. Las lagunas costeras tienen mareas bajas o moderadas y constituyen cerca del 13% de la línea costera de todo el mundo. Su agua es más fría que la del mar durante el invierno y más cálida en verano. En regiones cálidas, la evaporación puede superar la entrada de agua dulce y resultar en agua hipersalina e incluso en la acumulación de gruesos depósitos de sal. Las lagunas de arrecifes de coral se encuentran en arrecifes marginales, como la Gran Barrera Australiana, pero los ejemplos más espectaculares, algunos con más de 50 km (30 mi) de ancho, están asociados con los ATOLONES del Pacífico.

laguna muerta *o* **meandro abandonado** Laguna formada en un MEANDRO abandonado de un río o canal. Generalmente se forma cuando el río pasa a través del cuello del meandro para acortar su curso, bloquea el canal antiguo y se aleja del lago. Si sólo un arco del meandro es cortado, la laguna muerta toma la forma de luna creciente; si más de un arco es cortado, es serpenteante. Con el tiempo las lagunas muertas se colmatan para formar pantanos.

Lahn, río Río en el oeste de Alemania. Es un afluente del RIN que nace en el oeste de Alemania y cuyo curso continúa hacia el sur hasta alcanzar el Rin en Lahnstein. Tiene una longitud de 245 km (152 mi). Parcialmente canalizado, pequeñas barcazas pueden navegar por este río hasta Giessen.

Lahore Ciudad (pob., 1998: 5.063.499 hab.), capital de la provincia de Panjab, nordeste de Pakistán. La segunda ciudad más populosa del país, está situada en la llanura del Indo superior, a orillas del río RAVI. Antiguamente alcanzó prominencia con el arribo de los mogoles en los s. XI–XII. En 1524 fue capturada por las tropas de BĀBER y después estuvo bajo el dominio de AKBAR y Yahangir. Gobernada por sijs a principios del s. XIX, cayó en poder de los británicos en 1849. Después de la independencia de India, Lahore pasó a formar parte de Pakistán (1947). En ella se encuentran la mezquita de Wazir Khan (1634), la gran mezquita construida por AURANGZEB, y los jardines de Shalimar, diseñados en 1641. Es la sede de la Universidad del Panjab (fundada en 1882), la institución de educación superior más antigua de Pakistán.

Laibach, Congreso de (26 ene.–12 may. 1821). Reunión de las potencias de la SANTA ALIANZA, que estableció las condiciones para la intervención y la ocupación austríaca del Reino de las Dos Sicilias, en reacción contra la revolución napolitana (1820). El congreso proclamó su hostilidad hacia los regímenes revolucionarios, acordó abolir la constitución napolitana y autorizó que el ejército austríaco restaurara la monarquía absoluta. Los británicos y los franceses protestaron por los acuerdos.

Laing, R(onald) D(avid) (7 oct. 1927, Glasgow, Escocia– 23 ago. 1989, St. Tropez, Francia). Psiquiatra escocés. En su muy leído y polémico libro *El Yo dividido* (1960), su análisis de la ESQUIZOFRENIA le hizo teorizar que la inseguridad sobre la propia existencia impulsa una reacción de defensa en que el Yo se divide en componentes separados, generando síntomas psicóticos, y se opuso a los tratamientos habituales de la esquizofrenia como la hospitalización y el electrochoque. Fue contrario incluso al concepto de enfermedad mental, considerándola inducida por las relaciones familiares y la sociedad, y reconsideró radicalmente el rol del psiquiatra. Más tarde modificó algunas de sus posiciones controvertidas.

laissez-faire (francés: "dejar hacer"). Política que establece que la intervención del gobierno en los asuntos económicos de los individuos y de la sociedad debe ser mínima. Fue promovida por los FISIÓCRATAS y contó con el decidido respaldo de ADAM SMITH y JOHN STUART MILL. Conforme a esta doctrina, ampliamente aceptada en el s. XIX, el individuo que lucha por alcanzar sus propios objetivos entrega un aporte más positivo a la sociedad en su conjunto. La función del Estado es mantener el orden y evitar intervenir en la iniciativa individual. Su popularidad decayó hacia fines del s. XIX, cuando se demostró que era inadecuada para hacer frente a los problemas sociales y económicos derivados de la INDUSTRIALIZACIÓN. Ver también ECONOMÍA CLÁSICA.

Lake Clark, parque nacional y reserva Parque nacional en el sur del estado de Alaska, EE.UU. Se ubica en la ribera occidental de Cook Inlet; fue declarado monumento nacional en 1978 y parque nacional en 1980. Su superficie total es de 1.478.300 ha (3.653.000 acres). El lago Clark tiene una longitud superior a los 65 km (40 mi) y es el más grande de los lagos glaciares; es fuente de ríos que constituyen el lugar más importante de reproducción del salmón rojo en América del Norte. El parque abarca glaciares, cascadas y volcanes activos.

Lake District Zona montañosa dentro del cond. administrativo de Cumbria, noroeste de Inglaterra. En términos generales, ocupa la misma superficie del parque nacional Lake District, el más grande de Inglaterra, con 2.243 km² (866 mi²). Cuenta con numerosos lagos, entre ellos el WINDERMERE (el más grande del país), Grasmere y Coniston Water, además de las montañas más altas de Inglaterra. El pico Scafell constituye

Los jardines de Shalimar en Lahore, capital de la provincia de Panjab, Pakistán.

la mayor elevación, con 978 m (3.210 pies). En este distrito residieron varios poetas ingleses como WILLIAM WORDSWORTH, ROBERT SOUTHEY y SAMUEL TAYLOR COLERIDGE, quien alabó sus paisajes. Fue declarado parque nacional en 1951.

Lakshadweep o **Laksha Dvipa** Territorio asociado (pob., est. 2001: 60.595 hab.) de India. Situado en el mar de Arabia, frente a la costa sudoeste de India, abarca 27 islas (diez de las cuales están habitadas), con una superficie territorial de 32 km² (12 mi²). Su capital es KAVARATTI. Gobernado por la dinastía hindú Kulashekhara, en el s. XII pasó a formar parte de un dominio islámico. Gran Bretaña obtuvo soberanía sobre el territorio en el s. XVIII y en 1908 asumió su administración directa. Fue traspasado a India en 1947, y en 1956 se transformó en el territorio asociado más pequeño de la nación. Las actividades principales son el cultivo de cocos y la pesca.

Diosa Laksmi, relieve de la puerta norte del stupa Nº 1 de Sanchi, Madhya Pradesh, India, s. I AC.
P. CHANDRA

Laksmi Diosa hindú y jainista de la riqueza y la buena fortuna. Consorte de VISNÚ, se dice que asumió diferentes formas para estar con él en cada una de sus encarnaciones. Es uno de los principales objetos de culto durante DIVALI, cuando su presencia es requerida en hogares, templos y negocios para todo el año venidero.

Lalique, René (Jules) (6 abr. 1860, Ay, Francia–5 may. 1945, París). Joyero y vidriero francés. Se formó en París y Londres. Abrió su propio taller en París en 1885 y pronto tuvo clientes como SARAH BERNHARDT. Privilegiaba la calidad del trabajo artesanal; su estilo fue diseñar joyería elegante y de fantasía con piedras menos convencionales (turmalina, cornalina, etc.) y materiales como el marfil. Sus diseños aportaron significativamente a los movimientos ART NOUVEAU y ART DÉCO. Su interés por el cristal arquitectónico lo llevó a desarrollar el estilo de cristal moldeado, por el que se hizo famoso. Este se caracteriza por superficies pavonadas, elaborados diseños en relieve y, ocasionalmente, por la presencia de color aplicado o incrustado.

Adorno para el cabello y broche de esmalte, vidrio y topacio, de Lalique, 1900; Museo Victoria y Alberto, Londres.
GENTILEZA DEL MUSEO VICTORIA Y ALBERTO, LONDRES

Lam (y Castilla), Wilfredo (Óscar de la Concepción) (8 dic. 1902, Sagua la Grande, Cuba–11 sep. 1982, París, Francia). Pintor cubano, hijo de inmigrante chino y madre afrocubana. Se formó profesionalmente en Cuba y luego en Madrid y Barcelona. Su contacto con las artes AFRICANAS y su encuentro con PABLO PICASSO en París influyeron de forma decisiva en su obra posterior. En 1939 se unió al grupo de los surrealistas. Comenzó a viajar por todo el mundo y exhibió internacionalmente sus obras. Se estableció en Italia y participó en dos oportunidades en la DOCUMENTA DE KASSEL. La obra de Lam fusiona la imaginería africana y caribeña en un estilo que conjuga a su vez el EXPRESIONISMO y el SURREALISMO. Su temática predilecta comprende la SANTERÍA y las leyendas cubanas, la jungla y el VUDÚ.

lama En el BUDISMO TIBETANO, líder espiritual. Algunos son considerados reencarnaciones de sus predecesores; otros son respetados por su alto nivel de desarrollo espiritual. El más reverenciado de los lamas reencarnados es el DALAI LAMA; le sigue en autoridad espiritual el PANCHEN LAMA. El proceso de descubrir la nueva encarnación de un lama, especialmente del Dalai Lama, es complicado y exigente. Mensajes de oráculos, signos extraordinarios durante la muerte de un lama o durante un nacimiento posterior a este y exámenes de los candidatos permiten reconocer al sucesor. El niño identificado como la encarnación de un lama recibe una extensa instrucción monástica desde sus primeros años.

Dalai Lama, líder espiritual del budismo tibetano.
FOTOBANCO

Lamar Bonds, Barry ver Barry BONDS

Lamar, Mirabeau Buonaparte (16 ago. 1798, Louisville, Ga., EE.UU.–19 dic. 1859, Richmond, Texas). Político estadounidense. Tras fracasar como comerciante en Alabama, se desempeñó como secretario del gobernador de Georgia y después fue director de un periódico que promovía los derechos de los estados. Se trasladó a Texas, donde participó en la lucha contra México por la independencia texana. Como comandante de caballería colaboró en la victoriosa batalla de San Jacinto (1836) y luego fue nombrado secretario de guerra del gobierno provisional de Texas. Fue elegido vicepresidente de la República de Texas bajo SAM HOUSTON, a quien sucedió en la presidencia (1838–41). Inicialmente se opuso a la anexión texana a EE.UU., pero después de 1844 abogó por la categoría de estado para asegurar la continuación de la esclavitud.

Lamarck, Jean-Baptiste de Monet, caballero de (1 ago. 1744, Bazentin-le-Petit, Picardía, Francia–18 dic. 1829, París). Biólogo francés. Se le atribuye el mérito de ser el primero en emplear la palabra *biología* (1802). Fue uno de los creadores del concepto moderno de la colección de museo, una serie de objetos cuyo ordenamiento constituye una clasificación que, bajo patrocinio institucional, es conservada y actualizada por especialistas bien informados. Parece haber sido el primero en relacionar los fósiles con los organismos vivientes que más se les parecían. Su noción de que los caracteres adquiridos podían ser heredados (denominada lamarckismo) fue desacreditada por la mayoría de los genetistas después de la década de 1930, excepto en la Unión Soviética, donde dominó la genética rusa hasta la década de 1960 (ver TROFIM LYSENKO). Ver también CHARLES DARWIN; DARWINISMO.

Lamartine, Alphonse de (21 oct. 1790, Mâcon, Francia–28 feb. 1869, París). Poeta y estadista francés. Luego de un corto período en el ejército de LUIS XVIII, se volcó a la literatura, y escribió tragedias y elegías en verso. Es recordado sobre todo por su primer poemario, las musicales y evocativas *Meditaciones poéticas* (1820), que lo consagraron como una figura clave del ROMANTICISMO francés. Desde 1830 participó activamente en política, erigiéndose como vocero de la clase trabajadora. Después de proclamada la SEGUNDA REPÚBLICA en 1848, encabezó brevemente el gobierno provisional hasta que la revolución fue aplastada. En sus últimos años publicó novelas, poesía y obras históricas en un vano intento por evitar la bancarrota.

Lamb, Charles (10 feb. 1775, Londres, Inglaterra–27 dic. 1834, Edmonton, Middlesex). Crítico y ensayista inglés. Desde 1792 hasta 1825 trabajó como empleado de East India House (oficina central de la Compañía Inglesa de las Indias Orientales). A partir de 1796 fue tutor de su hermana, la escritora Mary Lamb (n. 1764–m. 1847), quien, en un ataque de locura (que le aquejaría con frecuencia) había dado muerte a su madre. Se le conoce sobre todo por los ensayos, muchos de ellos autobiográficos, que escribió bajo el seudónimo Elia para *London Magazine*, y que compiló en *Ensayos de Elia* (1823) y *Últimos ensayos de Elia* (1833). Considerado uno de los más grandes escritores epistolares ingleses, sus cartas estaban salpicadas de digresiones de aguda crítica literaria. Colaboró con Mary en *Cuentos de Shakespeare* (1807), adaptación para niños muy popular de las obras del dramaturgo.

Lamennais, (Hugues-) Félicité (-Robert de) (19 jun. 1782, Saint-Malo, Francia–27 feb. 1854, París). Filósofo y sacerdote francés. Con su hermano Jean, esbozó un programa de reforma de la Iglesia en *Reflexiones sobre el estado de la Iglesia de Francia* (1808) y en 1814 elaboró una defensa del ultramontanismo (autoridad papal). Ordenado sacerdote en 1816, escribió el aclamado *Ensayo sobre la indiferencia en materia de religión* (1817–23), que sostenía la necesidad de la religión. Tras la REVOLUCIÓN DE JULIO (1830), cofundó el periódico *L'Avenir* para defender los principios democráticos y la separación de la Iglesia y el Estado. Sus principios fueron condenados por el papa en 1832. En *Palabras de un creyente* (1834), en respuesta a esta condena, provocó otra encíclica papal y su ruptura con la Iglesia. A partir de entonces escribió para las causas del republicanismo y el socialismo.

Lamerie, Paul de (9 abr. 1688, 's Hertogenbosch, Países Bajos–1 ago. 1751, Londres, Inglaterra). Platero británico de origen neerlandés. Sus padres hugonotes habían huido de Francia a comienzos de la década de 1680, para establecerse en Inglaterra en 1691. Luego de haber sido aprendiz de un orfebre londinense, registró su marca y abrió una tienda en 1713. A comienzos de su carrera fabricó simples vasijas como tazones y teteras, en estilo REINA ANA sin adornos; posteriormente utilizó más ornamentación. En la década de 1730, ya había establecido su propia versión del estilo ROCOCÓ, que puede verse en una taza con asas en forma de serpiente, que data de 1737.

laminación En tecnología, método principal para la formación de METALES, VIDRIO u otras sustancias en perfiles con una sección muy pequeña en comparación con su longitud, como barras, láminas, varillas, rieles y vigas. La laminación es el método más usado para dar forma a los metales, y es particularmente importante en la fabricación de ACERO. El proceso consiste en el paso del metal entre dos rodillos paralelos que giran a la misma velocidad, pero en direcciones opuestas y que dejan un espacio entre ellos levemente menor que el espesor del metal.

lámpara de descarga eléctrica Dispositivo de alumbrado con una ampolla transparente, que contiene un gas que es energizado y alumbra al aplicársele un voltaje. Luego de que se idearan los generadores prácticos en el s. XIX, muchos experimentadores aplicaron corriente eléctrica a tubos de gas. Hacia 1900, las lámparas de descarga eléctrica comenzaron a usarse en Europa y EE.UU.; actualmente se emplean en todo el mundo. Las lámparas fluorescentes de neón, mercurio, sodio y halógenas son variedades de dicha lámpara.

lámpara fluorescente Tipo de LÁMPARA DE DESCARGA ELÉCTRICA con un tubo de vidrio lleno de una mezcla de argón y vapor de mercurio. La aplicación de una corriente eléctrica hace que el vapor produzca radiación ultravioleta, la que a su vez excita el revestimiento de fósforo del interior del tubo, lo que lo hace fluorescente, es decir, reirradia la energía como luz visible. Las lámparas fluorescentes operan a más baja temperatura y son más eficientes que las LÁMPARAS INCANDESCENTES. Se instalan comúnmente con difusores, empotradas en el cielo raso, para dar una luz suave pero adecuada. Ver también FLUORESCENCIA.

lámpara halógena o **lámpara halógena de tungsteno** LÁMPARA INCANDESCENTE con una bombilla de cuarzo llena de un gas que contiene un HALÓGENO. Da una luz brillante y es compacta. El halógeno se combina con el tungsteno, que se evapora del filamento caliente para formar un compuesto que es nuevamente atraído hacia el filamento, lo que prolonga su vida. Además, así se evita que el tungsteno evaporado se condense en la pared de la bombilla y la oscurezca, un efecto que reduce la emisión de luz de las lámparas incandescentes corrientes. Usadas por primera vez a fines de la década de 1960 en la producción cinematográfica, las lámparas halógenas se emplean hoy en día en focos de automóviles, fotografía submarina y alumbrado residencial.

lámpara incandescente Artefacto que despide luz al calentar un material adecuado a una temperatura elevada. En una lámpara incandescente eléctrica, hay un filamento encerrado en una cápsula de vidrio que está al vacío o llena de un gas inerte. El filamento emite luz al calentarse por el paso de una corriente eléctrica. Las primeras lámparas incandescentes eléctricas de aplicación práctica fueron producidas a fines de la década de 1870, en forma independiente, por JOSEPH SWAN y THOMAS ALVA EDISON. Gran parte del mérito se atribuyó a Edison, por haber desarrollado además las líneas de alta tensión y equipos necesarios para un sistema de alumbrado. Menos eficiente que las LÁMPARAS FLUORESCENTES y LÁMPARAS DE DESCARGA ELÉCTRICA, el alumbrado incandescente tiene hoy uso principalmente domiciliario. Ver también LÁMPARA HALÓGENA.

lamprea Cualquiera de unas 22 especies de peces agnatos y primitivos (que con las ANGUILAS BABOSAS se encuentran en la clase Agnatha). Las lampreas viven en aguas costeras y dulces de las regiones templadas de todo el mundo, a excepción de África. Son anguiliformes, sin escamas y miden 15–100 cm

Lamprea adherida a una trucha arcoiris.
OXFORD SCIENTIFIC FILMS–BRUCE COLEMAN LTD.

(6–40 pulg.) de largo. Tienen ojos bien desarrollados, una sola ventana nasal que corona la cabeza, un esqueleto cartilaginoso y una boca succionadora, con dientes córneos, que la circundan. Pasan años como larvas minadoras; los adultos de la mayoría de las especies migran al mar. Se adhieren a los peces con la boca y se alimentan de la sangre y tejidos del huésped. Algunas especies se quedan en agua dulce, en particular la lamprea de mar, que penetró a los Grandes Lagos y casi eliminó de allí la TRUCHA LACUSTRE y otros peces de importancia comercial.

Lampsaco *actual* **Lapseki** Antigua colonia griega de la costa asiática de los DARDANELOS. Famosa por sus vinos, era la sede principal del culto a PRÍAPO. Colonizada en 654 AC por jonios provenientes de Focea, en 499 participó en el alzamiento jonio contra la dinastía aqueménida de Persia, y más tarde se unió a la Liga de DELOS. En 405, cuando cayó Atenas, pasó nuevamente a control persa, pero ALEJANDRO MAGNO la recuperó en 334. Fue la cuna del filósofo Estratón de Lampsaco.

LAN *sigla de* **local area network** (red de área local). Red de comunicaciones consistente en muchas computadoras dentro de un área local, como un solo edificio o la instalación de una empresa. Los usuarios individuales pueden compartir datos o archivos en una LAN como si los datos o archivos residieran en sus respectivas computadoras. Se le llama SERVIDOR a la computadora central usada para este propósito. Las impresoras láser y otros equipos periféricos pueden ser conectados a una LAN para el uso común. Los CABLES COAXIALES y las FIBRAS ÓPTICAS son líneas de comunicación empleadas para las LAN, ya que proveen transmisión de datos rápida y son fáciles de instalar. Ver también RED DE COMPUTADORAS.

Lan Na Uno de los primeros grandes reinos THAI (siameses). Fue fundado por Mangrai (reinó c. 1259–1317) en la región septentrional de la actual Tailandia; su capital era la ciudad de Chiangmai. Lan Na fue un estado poderoso y un centro de propagación del budismo THERAVADA. Durante el gobierno de Tilokaracha (r. 1441–87), el reino se destacó por la literatura y estudios budistas. Se mantuvo independiente hasta que fue conquistado por Myanmar en el s. XVI. Los siameses restablecieron el control sobre la región sólo en el s. XIX.

Lan Xang *o* **Lan Chang** Reino laosiano que floreció entre los s. XIV–XVIII, época en que se dividió en dos reinos separados. Debido a conflictos con sus vecinos, los gobernantes de Lan Xang se vieron obligados en 1563 a trasladar la capital de Luang Prabang a VIENTIANE, pero el reino conservó su poder.

lana Fibra animal que constituye la capa protectora o vellón de las ovejas y otros mamíferos, como cabras y camellos. La lana se prepara lavándola (de donde se obtiene la lanolina como subproducto), sometiéndola después a los procesos de CARDADO, a veces de peinado y finalmente de hilado. La lana es una fibra más gruesa que el algodón, lino, seda y rayón, por tanto más resistente al estiramiento y a la compresión, de manera que las telas y la ropa hechas de lana tienden a mantener su forma, tienen buena caída y no se arrugan. La lana es cálida y liviana y se tiñe bien. Los HILOS de lana, generalmente confeccionados con sus fibras cortas, son gruesos y densos; se usan para artículos como frazadas y telas de TWEED. Las LANAS PEINADAS generalmente se hacen con fibras largas.

lana peinada HILO de LANA que se peina para eliminar las fibras cortas y retener sólo las fibras largas dejándolas paralelas. En el proceso de hilado, el cual da la torsión adecuada a las fibras para mantenerlas unidas, la lana peinada se tuerce más apretadamente que los hilos de lana espesa; se obtiene un hilo suave y durable que a menudo se usa para tejer suéteres y en telas finas de vestir.

Lanao, lago Lago de MINDANAO, Filipinas. Está ubicado en una región alta situada al norte de una cordillera de volcanes activos. Es el segundo lago más grande de Filipinas, tiene 340 km² (131 mi²), con 35 km (22 mi) de longitud y una anchura máxima de 26 km (16 mi).

Lancashire Condado administrativo (pob. 2001: 1.134.976 hab.), histórico y geográfico en el noroeste de Inglaterra. El condado administrativo comprende 12 distritos. A comienzos de la Edad Media fue una provincia del reino anglosajón de NORTHUMBRIA. En esta región se encontraban las tierras ancestrales de la casa de LANCASTER. Durante la Revolución industrial se convirtió en una importante zona manufacturera y centro de la industria textil. Lancaster y PRESTON son sus principales ciudades comerciales e industriales. También tiene balnearios como Blackpool, a orillas del mar de Irlanda.

Lancaster, Burt(on Stephen) (2 nov. 1913, Nueva York, N.Y., EE.UU.–20 oct. 1994, Century City, Cal.). Actor de cine estadounidense. En la década de 1930

Burt Lancaster, 1988.
FOTOBANCO

fue acróbata en circos itinerantes y durante la segunda guerra mundial estuvo en las campañas militares de África del norte e Italia. Se convirtió en estrella en su debut cinematográfico con el filme *Forajidos* (1946). Fue célebre por sus interpretaciones de personajes físicamente rudos y emocionalmente sensibles. Entre sus numerosas películas se destacan *Vuelve pequeña Sheba* (1952), *De aquí a la eternidad* (1953), *La rosa tatuada* (1955), *Chantaje en Broadway* (1957), *El fuego y la palabra* (1960, premio de la Academia), *El hombre de Alcatraz* (1962), *El gatopardo* (1963), *Atlantic City* (1981), *Un tipo genial* (1983) y *Campo de sueños* (1989).

Lancaster, casa de Familia real inglesa, rama secundaria de la casa de PLANTAGENET, a la cual pertenecieron durante el s. XV tres reyes: ENRIQUE IV, ENRIQUE V, ENRIQUE VI. La denominación de la familia apareció por primera vez en 1267, cuando el título de conde de Lancaster fue conferido al hijo de ENRIQUE III, Edmundo (n. 1245–m. 1296). Enrique (m. 1361), nieto de Edmundo, se transformó en el primer duque de Lancaster, y la sucesión recayó en su hija menor, Blanche, y su esposo, JUAN DE GANTE. Su hijo, Enrique de Lancaster, se convirtió en el rey Enrique IV, y el ducado de Lancaster fue integrado a la corona. La dinastía concluyó tras la derrota de Enrique VI por EDUARDO IV de la casa de YORK (ver guerra de las DOS ROSAS), y los derechos de Lancaster pasaron a la casa de TUDOR.

Lancet, The Revista médica británica fundada en 1823, que se publica semanalmente en Nueva York y Londres. Su fundador y primer director, Thomas Wakley, considerado en su tiempo un reformador radical, declaró que la revista tenía el propósito de dar cuenta de las conferencias hospitalarias y describir los casos relevantes del momento. Desde entonces ha cumplido un papel destacado en los movimientos reformistas médicos y hospitalarios en Gran Bretaña, y ha llegado a ser una de las publicaciones más prestigiosas del mundo.

Lanchester, Frederick William (23 oct. 1868, Londres, Inglaterra–8 mar. 1946, Birmingham, Warwickshire). Pionero británico en el automovilismo y la aeronáutica. Produjo el primer automóvil británico en 1896, modelo de un cilindro y cinco caballos de fuerza. Luego de producir exitosamente modelos mejorados, obtuvo el apoyo financiero necesario para fabricar cientos de automóviles en los años siguientes, vehículos notables por su escasa vibración, aspecto elegante y una parrilla para el equipaje. Publicó un importante informe (1897) acerca de los principios del vuelo de objetos más pesados que el aire y, más tarde, textos especializados sobre aeronáutica.

Lan-chou ver LANZHOU

Lancisi, Giovanni Maria (26 oct. 1654, Roma, Estados Pontificios–20 ene. 1720, Roma). Anatomista y epidemiólogo italiano. Relacionó la prevalencia del PALUDISMO en las zonas pantanosas con la presencia de mosquitos y recomendó drenar los pantanos para prevenirlo. Vinculó el aumento de las muertes súbitas en Roma con causas como el accidente vascular encefálico hemorrágico, la hipertrofia y dilatación cardíacas, y vegetaciones en las válvulas cardíacas. También proporcionó la primera descripción de los aneurismas sifilíticos.

land art Manifestación artística desarrollada en el s. XX, realizada en exteriores, que incluye o circunda al espectador. El artista del *land art* puede utilizar cualquier material, desde barro y piedra hasta luz y sonido. Las obras montadas en interiores suelen incorporar figuras escultóricas insertas en detallados escenarios, dentro del espacio de una galería o un museo. Las obras montadas en escenarios naturales o urbanos comprenden los "earthworks" (alteraciones a gran escala del terreno efectuadas por maquinarias), como la obra *Spiral Jetty* (1970) de Robert Smithson, que consta de un espiral de roca de 457 m (1.500 pies) de longitud en el lago Great Salt. Los edificios envueltos de CHRISTO constituyen notables obras ambientales urbanas.

Land, Edwin (Herbert) (7 may. 1909, Bridgeport, Conn., EE.UU.–1 mar. 1991, Cambridge, Mass.). Inventor y físico estadounidense. Después de asistir brevemente a la Universidad de Harvard, en 1932 fue cofundador de los Laboratorios Land-Wheelwright en Boston. Interesado en la POLARIZACIÓN de la luz, ese mismo año desarrolló el polarizador (al que llamó lámina Polaroid J), para el cual imaginó numerosos usos. Hacia 1936 comenzó a utilizar material Polaroid en lentes de sol y otros dispositivos ópticos. Luego lo utilizó en filtros de cámaras y otros equipos ópticos. En 1937 fundó la POLAROID CORP. en Cambridge, Mass. En 1947 presentó su revolucionaria cámara Polaroid Land, la cual produce una fotografía en 60 segundos; en 1963 introdujo la película Polaroid en color. De su interés por la luz y el color resultó una nueva teoría de la percepción del color. Obtuvo más de 500 patentes.

Edwin Land, inventor del Polaroid.
FOTOBANCO

Land-Grant College, estatuto de 1862 o ley Morrill Ley del Congreso de EE.UU. (1862) que concedía terrenos a los estados para financiar el establecimiento de *colleges* (colegios universitarios) especializados en "agronomía y mecánica". Debe su nombre a su promotor, el congresista de Vermont Justin Smith Morrill (n. 1810–m. 1898), y le otorgaba a cada estado 12.140 ha (30.000 acres) por cada uno de sus asientos en el congreso. Los fondos derivados de la venta de las tierras eran utilizados por algunos estados para crear nuevas escuelas; otros estados destinaban el dinero a *colleges* privados o de los estados ya existentes para crear escuelas de agronomía y mecánica (llamados "A&M Colleges"). La instrucción militar requerida en los programas de estudios de todas las escuelas del tipo *land-grant* (fundadas al amparo de la ley de concesiones de terrenos para universidades públicas) llevó al establecimiento del Reserve Officers Training Corps, programa educacional para futuros oficiales del ejército, de la armada o de la fuerza aérea. La segunda ley Morrill (1890) estableció asignaciones regulares para financiar los *land-grant-colleges*, los cuales llegaron a incluir 17 *colleges* predominantemente afroamericanos y 30 *colleges* para indígenas estadounidenses.

Landau, Liev (Davídovich) (22 ene. 1908, Bakú, Azerbaiyán, Imperio ruso–1 abr. 1968, Moscú, Rusia, U.R.S.S.). Físico soviético. Después de graduarse en la Universidad del estado de Leningrado, estudió en el Instituto NIELS BOHR en Copenhague. Se le conoce por su trabajo en física de baja temperatura, atómica y nuclear, del estado sólido, de la energía estelar y del plasma. En 1962 se le otorgó el Premio Nobel por su explicación del fenómeno del HELIO líquido. Debido a su trabajo en numerosas áreas de la física, su nombre aparece en el diamagnetismo de Landau, en los niveles de Landau, en la atenuación de Landau, en el espectro de energía de Landau, en los cortes de Landau y en el Instituto Landau de física teórica, en Moscú.

Landino, Francesco (c. 1335, Fiesole, cerca de Florencia–2 sep. 1397, Florencia). Compositor, organista y poeta italiano. Ciego desde la infancia por la viruela, emprendió el estudio de la música y del órgano. Posteriormente se convirtió en fabricante de órganos así como en compositor lírico e intérprete de más de 150 canciones a dos y tres voces de bellas melodías. Las obras de Landino representan cerca de un cuarto de la música que sobrevive del ARS NOVA italiano (s. XIV).

Landis, Kenesaw Mountain (20 nov. 1866, Millville, Ohio, EE.UU.–25 nov. 1944, Chicago, Ill.). Juez federal estadounidense y primer comisionado del béisbol profesional. Su nombre de pila corresponde al de una montaña del estado de Georgia en que su padre había sido herido cuando combatía en la guerra de Secesión. Ejerció el derecho en Chicago (1891–1905) antes de ser nombrado juez de distrito (1905–22). En 1907 le tocó juzgar en el famoso caso en que la Standard Oil

Kenesaw Mountain Landis, 1928.
UPI–EB INC.

Company fue declarada culpable de conceder rebajas ilegales por fletes, y obligada a pagar una multa de US$ 29 millones (su veredicto fue revocado más tarde). Nombrado en 1920 comisionado del béisbol en medio de las repercusiones del escándalo de los BLACK SOX, se destacó por las medidas inflexibles que impuso para preservar la integridad del deporte. Aunque ampliamente rechazado por su severidad y el modo autocrático en que ejerció el poder, mantuvo el cargo hasta su muerte.

ländler Danza tradicional de Austria y Baviera, en que las parejas van deslizándose y dando giros con música en compás de 3 por 4. Se popularizó en Viena en los s. XVIII–XIX e influyó en el posterior desarrollo del VALS. Los músicos WOLFGANG AMADEUS MOZART, FRANZ SCHUBERT, ANTON BRUCKNER y GUSTAV MAHLER compusieron *ländlers* y obras inspiradas en esta danza.

Landon, Alf orig. **Alfred Mossman Landon** (9 sep. 1887, West Middlesex, Pa., EE.UU.–12 oct. 1987, Topeka, Kan.). Político estadounidense. Se tituló de abogado en la Universidad de Kansas en 1908 y cuatro años después ingresó a la industria del petróleo. Tuvo participación activa en política con el Partido Progresista y trabajó en Kansas en la campaña de 1912 del candidato presidencial del partido, THEODORE ROOSEVELT. Fue gobernador de Kansas en 1932 y otra vez en 1934, único gobernador republicano en ejercicio que fue reelegido aquel año. Como candidato republicano en la elección presidencial de 1936, perdió por una mayoría abrumadora ante el presidente demócrata en ejercicio, FRANKLIN D. ROOSEVELT.

Landor, Walter Savage (30 ene. 1775, Warwick, Warwickshire, Inglaterra–17 sep. 1864, Florencia, Italia). Escritor británico. Se educó en el Rugby School y en Oxford, pero dejó ambas instituciones por diferencias con las autoridades. Fue un clasicista que escribió muchas de sus obras en latín. A pesar de que produjo poesía lírica, obras de teatro y poemas heroicos, se le recuerda principalmente por sus *Conversaciones imaginarias* (5 vol., 1824–53), diálogos en prosa entre personajes de la historia (1824–53). Pasó gran parte de su vida en Francia e Italia.

Landowska, Wanda (Louise) (5 jul. 1879, Varsovia, Polonia, Imperio ruso–16 ago. 1959, Lakeville, Conn., EE.UU.). Clavecinista y pianista estadounidense de origen polaco. Después de consagrarse como pianista y dedicar mucha energía a la investigación musicológica, consiguió que Pleyel le fabricara un clavecín en París. Estrenó este instrumento en el Festival Bach de Breslau, en 1912, con lo que inició el resurgimiento del clavecín en el s. XX y despertó un renovado interés internacional por la práctica de interpretaciones musicales auténticas. Entre sus múltiples grabaciones está la primera grabación de las *Variaciones Goldberg* de JOHANN SEBASTIAN BACH, y encargó la preparación de obras como el *Concierto para clave* de MANUEL DE FALLA y el *Concert champêtre* de FRANCIS POULENC. Como judía, se vio forzada a escapar de los nazis; desde 1940 vivió y enseñó en EE.UU.

Land's End, península Península del extremo occidental de CORNUALLES, Inglaterra. Su punta constituye el extremo sudoccidental del país y se encuentra a unos 1.400 km (870 mi) de distancia de JOHN O'GROAT'S, pueblo considerado tradicionalmente como el extremo septentrional de Gran Bretaña. Frente a sus costas existen peligrosos arrecifes. Un grupo de ellos, situado a 1,5 km aprox. de la costa, está señalado por el faro de Longships.

Landsat Tipo de satélite científico no tripulado de EE.UU. Los primeros tres fueron lanzados en 1972, 1975 y 1978. Se diseñaron con el objetivo principal de recolectar información sobre los recursos naturales de la Tierra. Se equiparon también con instrumentos capaces de registrar las condiciones atmosféricas y oceánicas y para detectar variaciones en los niveles de contaminación y otros cambios ecológicos. Otros tres satélites Landsat fueron lanzados con éxito en 1982, 1984 y 1999; las comunicaciones radiales con el Landsat 6 se perdieron de inmediato después de su lanzamiento en 1993.

Landseer, Sir Edwin (Henry) (7 mar. 1802, Londres, Inglaterra–1 oct. 1873, Londres). Pintor y escultor británico. Estudió con su padre, grabador y escritor, y también en la Royal Academy. Se especializó en animales, y desarrolló gran destreza para representar la anatomía animal. A veces, humanizaba a sus animales hasta demostrar sentimentalismo o entregar enseñanzas morales (p. ej., *Dignity and Impudence*, 1839). Alcanzó gran éxito profesional y social, y fue uno de los pintores favoritos de la reina VICTORIA. Fue elegido miembro de la Royal Academy en 1831, y se le concedió el título de caballero en 1850. En su calidad de escultor es conocido especialmente por los leones de bronce en la base de la columna de Nelson, en Trafalgar Square (inaugurada en 1867).

Lane, Burton *orig.* **Burton Levy** (2 feb. 1912, Nueva York, N.Y., EE.UU.–5 ene. 1997, Nueva York). Compositor de canciones estadounidense. Lane trabajó en TIN PAN ALLEY, donde llamó la atención de GEORGE GERSHWIN. Desde comienzos de la década de 1930 sus melodías se presentaron en Broadway y posteriormente fueron escuchadas en filmes como *Babes on Broadway* (1942). Llegó a su apogeo con *Finian's Rainbow* (1947; película, *El valle del arco iris*,1968), para el cual trabajó con el letrista E.Y. HARBURG. Colaboró con ALAN JAY LERNER en el filme *Bodas reales* (1951). Otra dupla con Lerner, *On a Clear Day You Can See Forever* (1965; película, *Vuelve a mi lado* 1970), le dio a Lane su último éxito notable.

Lanfranco (c. 1010, Pavía, Lombardía–28 may. 1089, Canterbury, Kent, Inglaterra). Arzobispo de Canterbury (1070–89). Erudito italiano que se estableció en Normandía; ingresó al monasterio benedictino de Bec y fue nombrado su prior. Se convirtió en un leal consejero de GUILLERMO I, quien lo designó primer abad de San Esteban en Caen y lo nombró arzobispo de Canterbury después de la conquista normanda de Inglaterra. Reformó y reorganizó la Iglesia de Inglaterra, aseguró la primacía de Canterbury sobre York e introdujo los componentes morales de la reforma gregoriana. Descubrió una conspiración en contra del rey (1075) y aseguró la sucesión para GUILLERMO II en perjuicio de ROBERTO II (1087). Fue también un renombrado erudito y teólogo, célebre por su oposición a las enseñanzas de BERENGARIO DE TOURS sobre la EUCARISTÍA.

Lanfranco, Giovanni (26 ene. 1582, Parma–30 nov. 1647, Roma). Pintor italiano. Estudió con Agostino CARRACCI. En 1602 viajó a Roma para trabajar con Annibale Carracci en el palacio Farnesio. Tras la muerte de Annibale, se convirtió en el principal pintor de frescos de Roma. Su creación evidencia la influencia del dinámico ilusionismo de CORREGGIO. Su pieza maestra es *La asunción de la Virgen*, en el domo de Sant'Andrea della Valle (1625–27), la que arrebató a su rival, DOMENICHINO. Esta obra, con sus figuras vigorosamente pintadas flotando en las nubes por sobre la vista del espectador, representa la esencia del BARROCO. Trabajó en Nápoles en 1633–46. Su obra más conocida en esta ciudad es el domo de la capilla de San Gennaro, en la catedral (1641–46).

"La Música", detalle, óleo sobre tela de Giovanni Lanfranco.
FOTOBANCO

Lang, Fritz (5 dic. 1890, Viena, Austria-Hungría–2 ago. 1976, Los Ángeles, Cal., EE.UU.). Director de cine estadounidense de origen austríaco. Estudió arquitectura en Viena y después prestó servicios al ejército austríaco en la primera guerra mundial. Convaleciente de las heridas de guerra, comenzó a escribir guiones y posteriormente encontró trabajo en un estudio cinematográfico en Berlín, donde más tarde dirigió exitosas películas como *Las tres luces* (1921), *El Dr. Mabuse* (1922), los dos capítulos cinematográficos de *Los nibelungos* (1924), la expresionista *Metrópolis* (1926) y *M, el vampiro de Düsseldorf* (1931). Después de realizar la película antinazi *El testamento del Dr. Mabuse* (1933), abandonó Alemania con rumbo a París, para luego instalarse en Hollywood. Entre sus películas estadounidenses se cuentan *Furia* (1936), *Sólo se vive una vez* (1937), *El ministerio del miedo* (1944), *Encubridora* (1952) y *Los sobornados* (1953), que están a la altura de sus obras alemanas en intensidad, pesimismo y dominio del sentido visual. Gran parte de su trabajo aborda el destino y la inevitable necesidad de autodeterminación.

Langdell, Christopher Columbus (22 may. 1826, New Boston, N.H., EE.UU.–6 jul. 1906, Cambridge, Mass.). Educador jurídico estadounidense. Estudió derecho en Harvard (1851–54) y ejerció en Nueva York hasta 1870, cuando aceptó una cátedra y luego el decanato en la escuela de derecho de Harvard (1870–95). Su método de casos para la enseñanza del derecho, en el que los estudiantes leían y analizaban las fuentes originales e inducían por sí mismos los principios del derecho, con el tiempo se convirtió en el método dominante en las escuelas de derecho de EE.UU. Su obra *Selection of cases on the law of contracts* [Selección de casos en materia de derecho contractual] (1871) fue el primer libro de texto basado en el método de casos.

Lange, Dorothea (26 may. 1895, Hoboken, N.J., EE.UU.–11 oct. 1965, San Francisco, Cal.). Fotógrafa documental estadounidense. Estudió fotografía y abrió un estudio de retratos en San Francisco en 1919. Durante la gran depresión, sus fotos de personas sin hogar la llevaron a ser contratada por una agencia federal para mostrar a la opinión pública la difícil situación de los pobres. Sus fotografías fueron tan efectivas, que el gobierno organizó campos para los migrantes. Su *Migrant Mother* (1936) fue la fotografía más reproducida de todas las de la Farm Security Administration. Realizó varios otros ensayos fotográficos, entre ellos, uno que documentaba el confinamiento de japoneses-estadounidenses durante la segunda guerra mundial.

Lange, Jessica (n. 20 abr. 1949, Cloquet, Minn., EE.UU.). Actriz de cine estadounidense. Estudió pantomima en París y después trabajó como modelo en Nueva York antes de debutar en el cine en *King Kong* (1976). Actuó en *All That Jazz* (1979) y *El cartero siempre llama dos veces* (1981), y se convirtió en estrella con *Frances* (Alma) (1982) y *Tootsie* (1982, premio de la Academia). Célebre por su belleza y capacidad para develar la psiquis interna de sus personajes, fue elogiada por sus roles en *Country* (1984), *Dulces sueños* (1985) y *La caja de música* (1989), y por las versiones televisivas de las obras *La gata sobre el tejado de cinc caliente* (1984) y *Los colonos* (1992). Algunas de sus películas posteriores son *Las cosas que nunca mueren* (1994, premio de la Academia), *Rob Roy* (1995), *Heredarás la tierra* (1997) y *Titus* (1999).

Jessica Lange, 2003.
FOTOBANCO

Langer, Susanne K(atherine) (20 dic. 1895, Nueva York, N.Y., EE.UU.–17 jul. 1985, Old Lyme, Conn.). Filósofa estadounidense. Obtuvo su Ph.D. en la Universidad de Harvard en 1926, donde luego enseñó (1927–42) y en la Universidad de Columbia (1945–50, 1954–61). En *Nueva clave de la filosofía* (1942), presentó una interpretación original del significado del arte. Su *Sentimiento y forma* (1953) planteaba que el arte, específicamente la música, es una forma altamente articulada de expresión que simboliza el conocimiento intuitivo de los patrones vitales, conocimiento que la lengua ordinaria no puede transmitir. Rastreó el origen y desarrollo de la mente en la obra de tres volúmenes *Mente: ensayo sobre el sentimiento humano*.

Langerhans, islotes de Placas de tejido endocrino de forma irregular presentes en el PÁNCREAS. El páncreas humano normal tiene cerca de un millón de ellas. Las células beta, las más comunes de las células de los islotes, producen INSULINA para regular la glucemia. (La producción inadecuada de insulina es característica de la DIABETES MELLITUS). Las células alfa producen glucagón, una hormona de efecto contrario, que libera glucosa del hígado y ácidos grasos del tejido adiposo; estos, a su vez, favorecen la liberación de insulina e inhiben la secreción de glucagón. Las células delta producen somatostatina, que inhibe a la somatotropina (una de las principales hormonas de la hipófisis), a la insulina y al glucagón; su función metabólica es confusa. Un número reducido de otro tipo de células secretan un polipéptido pancreático, que desacelera la absorción de nutrientes. Ver también sistema ENDOCRINO.

Langley, Samuel (Pierpont) (22 ago. 1834, Roxbury, Mass., EE.UU.–27 feb. 1906, Aiken, S.C.). Astrónomo estadounidense y pionero de la aeronáutica. Enseñó por muchos años en la Universidad Occidental de Pensilvania (actual Universidad de Pittsburgh). Estudió el efecto de la actividad solar en el clima e inventó el bolómetro (1878), un detector de radiación sensible a variaciones extremadamente pequeñas de temperatura. Condujo experimentos en el tema de la fuerza ascensional y resistencia al avance de las alas, para lo que construyó máquinas voladoras. En 1896, una de sus máquinas más pesadas que el aire realizó el primer vuelo no tripulado; voló 900 m (3.000 pies) sobre el río Potomac.

Langmuir, Irving (31 ene. 1881, Brooklyn, N.Y., EE.UU.–16 ago. 1957, Falmouth, Mass.). Fisicoquímico estadounidense. Obtuvo un Ph.D. en la Universidad de Gotinga, Alemania. Como investigador para General Electric (1909–50) estudió las descargas eléctricas en gases, la emisión de electrones y la química superficial a altas temperaturas del tungsteno, haciendo posible una mayor duración en la vida del filamento de tungsteno de la lámpara incandescente. Desarrolló una bomba de vacío y los tubos de alto vacío usados en las transmisiones de radio. Formuló teorías de la estructura del átomo y de la formación de enlaces químicos, introduciendo el término covalencia. Obtuvo el Premio Nobel en 1932.

langosta Cualquiera de muchas especies de DECÁPODOS camaroniformes, marinos, bentónicos y generalmente nocturnos. Las langostas hurgan el fondo del mar en busca de carroña, aunque también comen peces vivos, moluscos pequeños, otros invertebrados bentónicos y algas. Uno o más pares de patas se modifican a menudo en pinzas, que suelen ser más grandes de un lado que de otro. Las langostas genuinas tienen un morro distintivo en el caparazón superior del cuerpo. La langosta americana (*Homarus americanus*) y la CIGALA son las de mayor importancia económica y muy apreciadas como alimento. La americana se distribuye desde el Labrador hasta Carolina del Norte en EE.UU., pesa 0,5 kg (1 lb) aprox. y mide unos 25 cm (10 pulg.) cuando se la captura en aguas someras. La mayoría de los ejemplares bentónicos pesa unos 2,5 kg (5,5 lb); algunos pueden pesar 20 kg (40 lb). Ver también MARISCO.

Langosta americana (*Homarus americanus*).
JOHN H. GERARD.

langosta de Noruega ver CIGALA

langosta de tierra Cualquiera de varias especies de SALTAMONTES (familia Acrididae), que experimentan explosiones poblacionales y migran grandes distancias en forma de nubes o mangas destructivas. En Norteamérica, los vocablos langosta de tierra y saltamontes son equivalentes y se usan para denominar cualquier acrídido; a veces se llama langostas a las CIGARRAS. En Europa, langosta de tierra se refiere a especies grandes y saltamontes a pequeñas. Las langostas de tierra son de distribución mundial. La existencia de nubes esporádicas de langostas de tierra puede explicarse por la teoría de que las especies que las forman tienen una fase solitaria (el estado normal) y una fase gregaria. Las ninfas que maduran en presencia de muchas otras langostas de tierra se desarrollan como tipo gregario; así, las nubes migratorias se generan por hacinamiento. Las mangas pueden alcanzar tamaños difíciles de imaginar, y encumbrarse a 1.500 m (5.000 pies) de altura; en 1889, se estimó que una manga en el mar Rojo cubría 5.000 km² (2.000 mi²). Las plagas de langostas de tierra pueden ser tremendamente destructivas para las cosechas.

Langosta de tierra.
STOCKXPERT

langostino de la bahía de Dublín ver CIGALA

Langton, Stephen (m. 9 jul. 1228, Slindon, Sussex, Inglaterra). Cardenal inglés y arzobispo de Canterbury (1207–28). Vivía en Roma cuando INOCENCIO III lo nombró arzobispo de Canterbury para resolver una disputada elección. El rey JUAN (sin Tierra) rehusó permitirle volver a Inglaterra y el papa excomulgó al soberano (1209). Este finalmente capituló y lo recibió en 1213. El nuevo arzobispo alentó la oposición de los barones al rey, pero se opuso a la violencia. Estuvo presente

Lillie Langtry.
MANSELL COLLECTION

en la firma de la CARTA MAGNA (1215) e influyó en sus disposiciones acerca de las libertades eclesiásticas.

Langtry, Lillie orig. **Emilie Charlotte Le Breton** (13 oct. 1853, isla de Jersey, islas Anglonormandas–12 feb. 1929, Montecarlo, Mónaco). Actriz británica. En 1874 se casó con Edward Langtry, hombre de destacada posición social, y más tarde llegó a ser conocida como "Jersey Lily". Famosa por su belleza, causó sensación al ser la primera mujer de sociedad que se dedicó al teatro. Protagonizó *Humillarse para vencer* (1881), y actuó frente a públicos entusiastas en Inglaterra y EE.UU., especialmente en la obra *A vuestro gusto*. Entre sus romances se cuenta el que sostuvo con el príncipe de Gales (más tarde, rey EDUARDO VII). Después del fallecimiento de su marido, se casó con Hugo de Bathe (1899). Posteriormente dirigió y remodeló el Imperial Theatre de Londres (1901–17).

Languedoc Región histórica y cultural del centro-sur de Francia. El término *languedoc* proviene de la lengua tradicional del sur de Francia, cuya palabra *oc* significa "sí" (ver lengua OCCITANA). Desde 121 AC la región formaba parte de la provincia romana de Galia Narbonensis. Tras la caída del Imperio romano, en el s. V fue controlada por los visigodos. Durante la Edad Media pasó a dominio de los condes de Toulouse. Después de las guerras religiosas (ver CRUZADA CONTRA LOS ALBIGENSES) del s. XIII se traspasó a la corona francesa. Entre los s. XVI–XVIII, Languedoc fue escenario de las persecuciones protestantes que culminaron en la guerra de los CAMISARDS. Como resultado de las revueltas protestantes se dividió en departamentos.

Lansbury, George (21 feb. 1859, cerca de Halesworth, Suffolk, Inglaterra–7 may. 1940, Londres). Político británico. Como miembro de la Cámara de los Comunes (1910–12, 1922–40), fue conocido como socialista y reformador de la ley de los pobres. Lideró el Partido Laborista británico entre 1931–35. De tendencia pacifista, no estaba dispuesto a pedir sanciones económicas contra Italia por su agresión a Etiopía (1935), temeroso de que esto pudiera llevar a la guerra, y perdió su liderazgo en el partido. En 1937 visitó a ADOLF HITLER y a BENITO MUSSOLINI esperando inútilmente que su influencia personal pudiese detener la guerra.

Lansdowne, Henry Charles Keith Petty-Fitzmaurice, 5° marqués de (14 ene. 1845, Londres, Inglaterra–3 jun. 1927, Clonmel, County Tipperary, Irlanda). Noble irlandés y diplomático británico. Heredó el título y la riqueza de su padre en 1866 y sirvió en la administración liberal de WILLIAM E. GLADSTONE. En 1885, siendo gobernador general de Canadá (1883–88), ayudó a resolver la rebelión liderada por LOUIS RIEL. Como virrey de la India (1888–94), bajo un gobierno conservador, reorganizó la policía, reconstituyó los consejos legislativos, cerró las casas de moneda indias para la libre acuñación de plata y extendió los ferrocarriles y las obras de regadío. Como secretario de guerra (1895–1900) fue culpado de la falta de preparación de los británicos en la guerra de los BÓERS. En su calidad de secretario de asuntos exteriores (1900–06) celebró la ENTENTE CORDIALE.

Lansing Ciudad (pob., 2000: 119.128 hab.), capital del estado de Michigan, EE.UU. Se ubica en la confluencia de los ríos Grand y Red Cedar; era un asentamiento reciente cuando reemplazó a DETROIT como capital del estado en 1847. Primero recibió el nombre de Michigan y en 1848 adoptó el nombre de Lansing. La industria automotriz se gestó allí a fines del s. XIX y en la actualidad es una importante actividad económica. Es sede de la primera escuela agrícola de EE.UU. y de la Universidad del estado de MICHIGAN (actualmente ubicada en la zona oriente de Lansing).

lantana Cualquiera de más de 150 arbustos que constituyen el género *Lantana* de la familia de las Verbenáceas (ver VERBENA), originarios de América y África tropicales. Se cultivan por su follaje ornamental, racimos de flores fragantes y frutos azul negro brillantes. La lantana vulgar (*L. camara*) es una maleza en América tropical; sin embargo, en otras partes se usa mucho como planta de jardín. Crece hasta 3 m (10 pies) y florece casi continuamente con cabezuelas florales de color amarillo, blanco, naranja y rosa. Las hojas, aromáticas, son ásperas y ovales.

Lantana vulgar (*Lantana camara*).
D.W. WOODRUFF–EB INC.

lantánido Cualquier elemento de la serie de quince ELEMENTOS QUÍMICOS consecutivos en la TABLA PERIÓDICA que abarca desde el lantano hasta el lutecio (números atómicos 57–71). Junto con los elementos escandio e itrio constituyen los metales de TIERRAS RARAS. Sus átomos tienen configuraciones semejantes y comportamiento físico y químico similar; las VALENCIAS más comunes son 3 y 4.

lanzadera En TEJEDURA instrumento ahusado empleado para pasar los hilos transversales (trama) a través de los hilos longitudinales (urdimbre). No todos los TELARES modernos usan una lanzadera; los que carecen de ella obtienen la trama de una fuente estacionaria. Los telares con lanzadera se dividen en dos grupos: los de lanzadera manual, o automática. Estos últimos con frecuencia se llaman telares automáticos, pero salvo por el movimiento de la lanzadera, estos no son más automáticos en su operación que los telares manuales. Ver también LANZADERA VOLANTE.

lanzadera espacial Sistema de COHETES que impulsa una NAVE ESPACIAL y la pone en la órbita de la Tierra o más allá de su atracción gravitacional. Se ha usado una gran variedad de lanzaderas para elevar cargas útiles que varían desde satélites que pesan unos pocos kilogramos (o libras) hasta grandes componentes modulares de ESTACIONES ESPACIALES. La mayoría de las lanzaderas son sistemas desechables (para un solo uso); muchas de las primeras provinieron de los MISILES BALÍSTICOS INTERCONTINENTALES. El Saturno V, el cual lanzó la nave espacial que llevó al hombre a la Luna (ver programa APOLO), tenía tres etapas (ver COHETE DE VARIAS ETAPAS). El sistema estadounidense de TRANSBORDADORES ESPACIALES (desde 1981) representa una modalidad que se aparta de manera significativa de las lanzaderas desechables, ya que es parcialmente reutilizable; su orbitador está diseñado para numerosos vuelos y sus aceleradores de cohetes pueden ser recuperados y reacondicionados.

lanzadera volante MÁQUINA que significó un paso importante hacia la TEJEDURA automática. Fue inventada por JOHN KAY en 1733. En los TELARES anteriores, la LANZADERA se pasaba a mano por entre las hebras, y las telas anchas requerían que dos tejedoras sentadas lado a lado se pasaran la lanzadera entre ellas. Kay montó su lanzadera sobre ruedas en un riel y usó un sistema de palancas para empujarla de un lado a otro cuando la tejedora tiraba de una cuerda. Empleando la lanzadera volante, una tejedora podía tejer telas de cualquier ancho más rápido que dos tejedoras con la lanzadera tradicional.

lanzallamas Arma de asalto militar que proyecta chorros de líquido inflamado de gasolina u otro combustible ardiente contra posiciones enemigas. Consiste en uno o más estanques de combustible, un cilindro de gas comprimido para proveer la fuerza propelente, y una manguera flexible con una boquilla disparadora que enciende y rocía el combustible. Los lanzallamas portátiles son transportados en la espalda de soldados de infantería; unidades de mayor tamaño pueden ser instaladas en torretas de tanques. Los lanzallamas modernos, utilizados por primera vez en combate durante la primera guerra mundial, fueron usados por todas las principales potencias en la segunda guerra mundial y guerras posteriores. A menudo se emplean en áreas con densa vegetación y en ataques a corta distancia a posiciones fortificadas.

Lanzarote Uno de los caballeros más ejemplares en las leyendas del rey ARTURO, amante de Ginebra y padre de GALAHAD. Apareció mencionado por primera vez en un romance del s. XII de CHRÉTIEN DE TROYES y es uno de los personajes principales de *Morte Darthur* de Sir THOMAS MALORY. Su nombre completo, Lanzarote del Lago, alude a que fue criado por la Dama del Lago, la hechicera que se lo llevó cuando era una criatura y lo educó para ser un modelo de caballerosidad antes de enviarlo a la corte de Arturo. Allí se convirtió en el favorito del rey Arturo y en el amante de la reina Ginebra. Su adulterio le significó fracasar en la conquista del GRIAL y originó los eventos que llevaron a la destrucción de CAMELOT. Fue reemplazado como caballero modelo por Galahad, el hijo que tuvo con Elaine, la hija del guardián del grial.

Lanzhou *o* **Lan-chou** Ciudad (pob., est. 1999: 1.429.673 hab.), capital de la provincia de GANSU, centro-norte de China. Situada en el alto HUANG HE (río Amarillo), pasó a formar parte del territorio de Qin en el s. VI AC y se desarrolló después hasta convertirse en un importante centro comercial en la ruta de la SEDA. Fue sede de la prefectura de Lanzhou durante la dinastía SUI (581–618 DC), y capital de la provincia de Gansu en 1666. Sufrió graves daños durante los levantamientos musulmanes de 1864–75. A comienzos del s. XX era un reducto de influencia soviética en el noroeste de China; allí terminaba la carretera chino-soviética de 3.200 km (2.000 mi), que se utilizó para transportar pertrechos durante la guerra chino-japonesa (1937–45). Después de la segunda guerra mundial se desarrolló como centro industrial y cultural. En ella se encuentra la Universidad de Lanzhou.

Lao She *orig.* **Shu Qigchun** *o* **Shu Sheyu** (3 feb. 1899, Beijing, China–¿24? ago. 1966, Beijing). Escritor chino. Fue profesor antes de viajar a Inglaterra en 1924; allí comenzó a escribir su primera novela inspirado en la obra de CHARLES DICKENS, a quien leía para mejorar su inglés. En un comienzo abogó por individuos trabajadores y fuertes, pero luego expresó la futilidad de la lucha del individuo contra la sociedad, como en *Luotuo Xiangzi* (1936), la trágica historia de un conductor de carretelas; *El muchacho del rickshaw*, una traducción no autorizada con un final feliz (1945), se transformó en un *best seller* en EE.UU. Después del estallido de la guerra CHINO-JAPONESA escribió obras de teatro y novelas menos patrióticas y propagandísticas. En 1966 cayó víctima de la REVOLUCIÓN CULTURAL.

Laoconte En la mitología griega, un vidente y sacerdote de APOLO. Era hijo de Agenor de Troya o hermano del padre de ENEAS, Anquises. Ofendió a Apolo al romper su voto sacerdotal de celibato y engendrar hijos, y por advertir a los troyanos que no aceptaran el caballo de madera obsequiado por los griegos. Mientras se preparaba para ofrecer un sacrificio a POSEIDÓN, él y sus dos hijos murieron estrangulados por serpientes marinas enviadas por Apolo.

LAOS

▸ **Superficie:** 236.800 km² (91.429 mi²)

▸ **Población:** 5.924.000 hab. (est. 2005)

▸ **Capital:** VIENTIANE

▸ **Moneda:** kip

Laos *ofic.* **República Democrática Popular de Laos** País del sudeste de Asia. Entre sus principales grupos étnicos se encuentran los lao-um (del valle Lao), que constituyen cerca del 65% de la población; los lao-thai, grupo tribal de las tierras altas; los lao-theung (monjmer), descendientes de los primeros habitantes de la región; y el grupo lao-soung, que comprende los HMONG y los man. Idiomas: laosiano (oficial), inglés, vietnamita y francés. Religiones: budismo theravada (la mayoría de la población) y animismo. El país es principalmente montañoso, sobre todo en el norte; su punto más alto es el monte Bia (2.818 m o 9.245 pies). Más de la mitad de Laos está cubierto de selvas tropicales; sólo una pequeña parte es apta para la agricultura. Las llanuras aluviales del río MEKONG constituyen las únicas tierras bajas del país y los principales campos de cultivo de arroz. Laos tiene una economía centralmente planificada basada en gran medida en la agricultura (con cultivos de arroz, batata, caña de azúcar, mandioca y opio, entre otros) y en la ayuda internacional. Es una república popular unicameral; el jefe de Estado es el presidente y el jefe de Gobierno, el primer ministro. La etnia lao emigró hacia Laos desde China meridional después del s. VIII DC, y desplazó a las tribus indígenas conocidas ahora como los ja. En el s. XIV, Fa Ngum creó el primer estado laosiano, Lan Xang. Con excepción de un período bajo el dominio de Birmania (1574–1637), el reino Lan Xang gobernó Laos hasta 1713, cuando se dividió en tres reinos: Vientiane, Champassak y Luang Prabang. En el s. XVIII, los gobernantes de los tres reinos laosianos pasaron a ser vasallos de Siam. Francia logró el dominio de la región en 1893, y Laos se constituyó en protectorado francés. En 1945, Japón se apoderó del país y cuando lo abandonaron declaró su independencia. La región fue reocupada por los franceses después de la segunda guerra mundial. Al final de la primera de las guerras de INDOCHINA, el movimiento izquierdista Pathet Lao controlaba dos provincias del país. El acuerdo de Ginebra de 1954 unificó Laos y reconoció su independencia. Las fuerzas del Pathet Lao lucharon contra el gobierno, alcanzaron el poder en 1975 e instauraron la República Democrática Popular de Laos; cerca del 10% de la población huyó hacia la vecina Tailandia. En 1989 se celebraron las primeras elecciones y en 1991 se promulgó una nueva constitución. Aunque su economía se vio afectada por la recesión económica que sufrió la región a partir de mediados de la década de 1990, Laos materializó, en 1997, la antigua aspiración de integrarse a la ASEAN.

Mujer lao–thai y su hijo, de la tribu akha, habitantes de las tierras altas de Laos.
FOTOBANCO

Laozi *o* **Lao-tsé** (c. siglo VI AC, China). Primer filósofo del TAOÍSMO chino. Tradicionalmente es mencionado como el autor del TAO TÊ-KING, aunque eruditos modernos sostienen que la obra tuvo más de un autor. Abundan las leyendas acerca de su vida, pero la información fidedigna que subsiste es escasa o nula. El Laozi histórico, si es que existió, puede haber sido un erudito y custodio de libros sagrados en la corte real de la dinastía ZHOU. Según la leyenda, estuvo 72 años en el vientre de su madre y conoció a CONFUCIO en su juventud. Es venerado como un filósofo por los confucianos, como un santo o dios por la gente común de China y como una divinidad y el representante del *tao* por los taoístas.

lapa Cualquiera de varias especies de CARACOLES con una concha plana. La mayoría de las especies marinas (subclase Prosobranchia) se aferra a las rocas del litoral. Una especie común de EE.UU. es la lapa chapeada del Atlántico (*Tectura testudinalis*), de aguas frías. Las lapas agujereadas tienen una ranura o un agujero en el ápice de la concha. Algunas (subclase Pulmonata) viven en aguas salobres y dulces. Ver también MOLUSCO.

Lapas comunes europeas (*Patella vulgata*) con percebes.
NEVILLE FOX-DAVIES—BRUCE COLEMAN INC./EB INC.

laparoscopia *o* **peritoneoscopia** Procedimiento para inspeccionar la cavidad ABDOMINAL mediante un laparoscopio; además, la cirugía que se realiza con un laparoscopio. Los laparoscopios emplean iluminación por fibra óptica y pequeñas videocámaras para mostrar los tejidos y órganos en un monitor. Los procedimientos de cirugía laparoscópica comprenden la extirpación de la vesícula biliar, apéndice y tumores, además de ligaduras tubarias e histerectomías. Primero se insufla dióxido de carbono para expandir el espacio que necesitan los instrumentos operatorios. Luego se realizan pequeñas incisiones y se insertan el laparoscopio y los instrumentos. La laparoscopia es menos invasiva que la cirugía tradicional (abierta), reduce el dolor posoperatorio y acorta el tiempo de recuperación y la estada hospitalaria.

lapislázuli Piedra semipreciosa valorada por su color azul profundo provocado por la presencia del mineral lazurita, fuente del pigmento ultramarino. El lapislázuli no es un mineral de compuesto único sino una mezcla de lazurita con calcita, piroxeno y comúnmente pequeños granos de PIRITA. Las minas más importantes se encuentran en Afganistán y Chile. Gran parte de lo que se vende como lapislázuli es en realidad JASPE teñido en forma artificial, procedente de Alemania, que está moteado con cuarzo cristalizado incoloro, pero nunca con pirita, que aporta un brillo dorado característico del lapislázuli.

Lapita, cultura Complejo cultural del probablemente primer asentamiento humano en Melanesia, la mayor parte de Polinesia y secciones de Micronesia. El pueblo lapita provenía originalmente de Nueva Guinea o de alguna otra región de Australasia. Exploradores marinos se diseminaron hacia las islas Salomón (c. 1600 AC), luego hacia Fiji, Tonga y el resto de la Polinesia occidental (c. 1000 AC) y, finalmente, hacia Micronesia (c. 500 AC). Son conocidos principalmente por los restos de cerámica cocida, estudiada por primera vez en forma exhaustiva en el yacimiento arqueológico de Lapita de Nueva Caledonia. Al parecer subsistieron principalmente gracias a la pesca, pero también pudieron haber practicado, en un nivel primitivo, agricultura y crianza de animales.

Laplace, ecuación de En matemática, ECUACIÓN DIFERENCIAL PARCIAL cuyas soluciones (funciones armónicas) son útiles en la investigación de problemas físicos en tres dimensiones que involucran campos gravitacionales, eléctricos y magnéticos, y ciertos tipos de movimiento de fluidos. La ecuación, que recibió este nombre en honor a PIERRE-SIMON LAPLACE, establece que la suma de las segundas derivadas parciales (operador de Laplace o Laplaciano) de una función desconocida es cero. Se puede aplicar a funciones de dos o tres variables y puede escribirse en términos de un operador diferencial como $\Delta f = 0$, donde Δ es el operador de Laplace.

Laplace, Pierre-Simon, marqués de (23 mar. 1749, Beaumount-en-Auge, Francia–5 mar. 1827, París). Matemático, astrónomo y físico francés. Se lo conoce principalmente por sus investigaciones sobre la estabilidad del sistema solar y su teoría de la propagación de ondas magnéticas, eléctricas y calóricas. En el principal trabajo de su vida aplicó la teoría gravitacional de Newton al sistema solar, para explicar las desviaciones de los planetas de las órbitas que predice la teoría (1773). NEWTON creía que sólo la intervención divina podía explicar el equilibrio del sistema solar, pero Laplace estableció una base matemática para ello, que constituyó el avance más importante en astrofísica desde Newton. Continuó trabajando durante la década de 1780 en elucidar las perturbaciones planetarias. Una obra, publicada en 1796, dio cuenta de su hipótesis que atribuía el origen del sistema solar al enfriamiento y contracción de una nebulosa gaseosa, teoría que influenció fuertemente el pensamiento posterior sobre el origen de los planetas. Ver también ecuación de LAPLACE; TRANSFORMADA DE LAPLACE.

Pierre–Simon Laplace.
FOTOBANCO

Laplace, transformada de ver TRANSFORMADA DE LAPLACE

lapón Descendiente de antiguos pueblos nómadas que poblaron el norte de Escandinavia. Es posible que hayan sido pueblos alpinos o paleosiberianos provenientes de Europa central. Desde los primeros tiempos la caza del reno constituyó la base de subsistencia y, hasta hace poco, su actividad económica más importante era el pastoreo. Los lapones hablan una lengua UGROFINESA, rama de la familia urálica, conformada por tres dialectos incomprensibles entre sí. Suman unas 70.000 personas.

Laponia Región del norte de Europa. Situada dentro del círculo polar ártico, se extiende a lo largo del norte de Noruega, Suecia y Finlandia hasta la península de KOLA, en Rusia. Ocupa una superficie de 389.000 km² (150.000 mi²) y limita con los mares de Noruega, BARENTS y Blanco. No existe una entidad administrativa independiente, puesto que traspasa varias fronteras nacionales. Su nombre proviene de los LAPONES, pueblo que habita en la región desde hace varios miles de años. Aquellos que todavía se dedican a criar renos pueden circular libremente a través de las fronteras. Los recursos económicos tradicionales son la minería y la pesca.

laqueado Proceso de aplicación de un tipo de barniz opaco, coloreado y muy pulido, llamado laca generalmente sobre madera, aplicado en objetos decorativos o superficies. El verdadero laqueado es de origen chino o japonés. La técnica fue copiada en Europa, donde se la conocía como "japanning", pero el laqueado europeo no tiene la dureza ni el brillo del asiático. La verdadera laca es la savia purificada y deshidratada del árbol *Rhus vernicifera*, originario de China y cultivado en Japón. El laqueado se torna extremadamente duro, pero no quebradizo, y al ser expuesto al aire adquiere un brillo intenso. Se aplican muchas capas delgadas que se dejan secar y luego se pulen hasta que la superficie esté lista para ser decorada con tallados, grabados o incrustaciones.

Laredo Ciudad (pob., 2000: 176.576 hab.) del sur del estado de Texas, EE.UU. Se ubica junto al río Grande del Norte (ver río BRAVO), frente a Nuevo Laredo, México. Los españoles la fundaron en 1755 y le dieron su nombre por la localidad de Laredo, España. Después de la rebelión de Texas contra la administración mexicana en 1836, se convirtió en sede de la República del Río Grande (1839–41). Los Texas Rangers la ocuparon en 1846 y se constituyó como ciudad en 1852. Es una urbe de crecimiento rápido, cuya industria abarca la fabricación de componentes electrónicos y la refinación de petróleo.

lares En la religión ROMANA, deidades guardianas. Originalmente dioses de los campos cultivados, con posterioridad fueron adorados junto con los PENATES, dioses del hogar. El lar del hogar, considerado el centro del culto familiar, era con frecuencia representado como una figura juvenil que sostenía un cuerno y una copa. Dos lares podían ser representados de pie flanqueando a Vesta o alguna otra deidad. Cada mañana se rezaba una oración al o a los lares y se les hacían ofrendas en las fiestas familiares. Los lares públicos eran divinidades tutelares de las encrucijadas; los del estado (*praestites*), guardianes de Roma, eran adorados en un templo ubicado en la Vía Sacra.

Larga marcha (1934–35). Caminata de 10.000 km (6.000 mi) emprendida por los comunistas chinos, cuyos resultados fueron el traslado de su base revolucionaria desde el sudeste hacia el noroeste de China, y el surgimiento de MAO ZEDONG como su líder indiscutido. Después de resistir cuatro campañas de CHIANG KAI-SHEK contra el cuartel general de los comunistas, casi fueron derrotados durante un quinto ataque. Los 85.000 soldados que quedaron se abrieron paso a través de las líneas nacionalistas y huyeron primero hacia el oeste, al mando de ZHU DE, y luego hacia el norte al mando de Mao. Cuando este llegó a Shaanxi, lo seguían sólo unos 8.000 sobrevivientes, el resto había perecido en combate o por enfermedad e inanición (entre las bajas se contaban dos hijos y un hermano de Mao). En su nuevo cuartel general, los comunistas pudieron reconstituir su fuerza militar a resguardo, lejos de los nacionalistas, y prepararse para la victoria final de 1949.

Largo Caballero, Francisco (15 oct. 1869, Madrid, España–23 mar. 1946, París, Francia). Líder socialista y primer ministro español (1936–37). Se integró al Partido Socialista Obrero Español en 1894 y ascendió hasta convertirse, en 1925, en presidente de la federación de sindicatos del partido. Cooperó con la dictadura de MIGUEL PRIMO DE RIVERA y más tarde fue ministro del trabajo durante la Segunda República (1931–33). Tras la victoria electoral del FRENTE POPULAR en 1936, se transformó en primer ministro e intentó unificar a los partidos de izquierda; sin embargo, en 1937, durante la guerra civil ESPAÑOLA, un levantamiento de la extrema izquierda en Barcelona provocó una crisis de gabinete y se vio obligado a renunciar. Partió al exilio en Francia y fue recluido por los alemanes durante la segunda guerra mundial (1942–45).

largometraje ver PELÍCULA

laringe Órgano hueco y tubular que conecta la FARINGE con la TRÁQUEA, a través de la cual el aire pasa hacia los pulmones. La laringe consiste en un armazón de láminas cartilaginosas, con una prominencia en su parte anterior (nuez de Adán); la epiglotis, proyección opercular hacia la parte alta de la garganta que cubre la vía aérea durante la deglución para

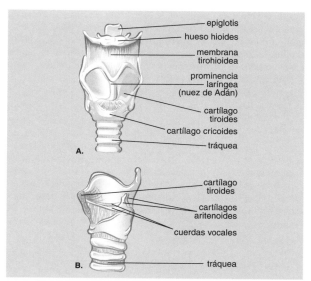

A. Vista frontal. La laringe está compuesta por dos láminas cartilaginosas unidas por medio de músculos y ligamentos. El cartílago tiroides, el más largo, forma una prominencia que se proyecta hacia adelante, conocida como nuez de Adán. La epiglotis, que tiene forma de hoja y se encuentra unida a la parte superior del cartílago tiroides, se cierra durante la deglución. B. Vista lateral recortada. Las cuerdas vocales, ubicadas en la cavidad laríngea, son grandes pliegues de mucosa que revisten la laringe. Estas se extienden entre el cartílago tiroides (adelante) y los cartílagos aritenoides (atrás). Cuando el aire pasa entre ellas, vibran y emiten sonidos.

© 2006 MERRIAM-WEBSTER INC.

evitar que entre comida y líquidos; y finalmente, las cuerdas vocales, cuyas vibraciones producen los sonidos de la voz (ver HABLA).

laringitis INFLAMACIÓN de la LARINGE que produce ronquera. La laringitis simple suele ocurrir en infecciones como el RESFRÍO COMÚN. Otras causas son la inhalación de sustancias irritantes. La mucosa laríngea se hincha y secreta mucus. En la laringitis crónica, causada por fumar, beber o usar las cuerdas vocales en exceso, la laringe se reseca y tiene PÓLIPOS. Otros tipos son producidos por la DIFTERIA cuando se extiende desde la faringe, por bacterias de la TUBERCULOSIS que provienen de los pulmones y por la SÍFILIS avanzada. Esta última puede producir cicatrices profundas y ronquera permanente.

Lāristān Región del sur de Irán, en el golfo Pérsico, que anteriormente constituía una provincia. Su principal pueblo es Lar. La región estuvo gobernada por la dinastía muzafárida de Kerman hasta su conquista por TAMERLÁN. Después de su muerte en 1405, fue gobernada por jefes locales bajo la dinastía safawí. El último de estos jefes fue ejecutado por orden de ABBAS I (el Grande), que gobernó la zona desde 1587 hasta 1629.

Larkin, Philip (Arthur) (9 ago. 1922, Coventry, Warwickshire, Inglaterra–2 dic. 1985, Kingston upon Hull, Yorkshire). Poeta inglés. Educado en Oxford, fue nombrado bibliotecario de la Universidad de Hull, Yorkshire, en 1955, oficio que desempeñaría por el resto de su vida. Escribió dos novelas antes de hacerse conocido con su tercer volumen de poemas, *The Less Deceived* [Los menos engañados] (1955), que expresaba la sensibilidad antirromántica imperante en la poesía inglesa de su época. Entre sus volúmenes de poesía posteriores destacan *Las bodas de Pentecostés* (1964), *Ventanas altas* (1974) y *Aubade* (1980). *All What Jazz* [Todo sobre jazz] (1970) contiene ensayos que escribió como crítico de jazz para *The Daily Telegraph* (1961–71).

Larne Ciudad (pob., 1991: 17.575 hab.), capital del distrito de Larne (pob., 2001: 30.832 hab.), Irlanda del Norte. Está situada a orillas del mar de Irlanda, al norte de BELFAST. Edward

Bruce desembarcó cerca de ella en 1315, durante su travesía para aceptar el trono de Irlanda. A partir de 1900 se desarrolló como balneario. En Larne comienza el camino costero de Antrim, una de las mayores atracciones turísticas del país. La economía del distrito se basa principalmente en el turismo y la agricultura.

Larousse, Pierre (Athanase) (23 oct. 1817, Toucy, Francia–3 ene. 1875, París). Editor, lexicógrafo y enciclopedista francés. Hijo de un herrero, recibió una beca para estudiar en Versalles. En 1852 fundó su editorial, Librairie Larousse, en París. En ella editó libros escolares, de gramática y diccionarios; sin embargo, su mayor obra, que refleja su deseo de "enseñarles a todos acerca de todo", fue el *Gran diccionario universal del siglo XIX,* 17 vol. (1866–76). Librairie Larousse sigue todavía publicando nuevas ediciones de la gran enciclopedia, como también diccionarios y enciclopedias más concisos.

Larsa *nombre bíblico* **Ellasar** Antigua capital de BABILONIA, a orillas del río ÉUFRATES, en el sur del Irak actual. Fundada en tiempos prehistóricos, prosperó en un período de decadencia sumeria (c. 2000–c. 1760 AC), en que el comercio conectaba regiones tan distantes entre sí como el Éufrates y el valle del río Indo. En 1763 AC, HAMMURABI de Babilonia logró el control de la región.

Larsen, barrera de hielo Barrera de hielo en el noroeste del mar de Weddell, que colinda con la costa oriental de la península antártica. Recibió su nombre en honor del capitán Carl A. Larsen, que en 1893 exploró en barco el borde de la barrera. Tiene 86.000 km² (33.000 mi²), sin contar los numerosos islotes que están en su interior.

Lartigue, Jacques-Henri (-Charles-Auguste) (13 jun. 1894, Courbevoie, Francia–12 sep. 1986, Niza). Pintor y fotógrafo francés. Nacido en el seno de una próspera familia, a los siete años de edad le obsequiaron una cámara Brownie. Desde un comienzo, sus fotografías fueron tomas informales de temas cotidianos. En las décadas de 1910–20, fotografió temas como las carreras de automóviles, las elegantes señoras en la costa o en el parque y cometas en vuelo. Estas fotografías revelan un espíritu libre y el amor por la vida, más que una preocupación por la técnica o destreza fotográfica. Cuando se descubrió su obra, en la década de 1960, fue aclamada tanto por su distanciamiento de los retratos formales y de pose, como por su ingenuo encanto y seductora espontaneidad.

larva Estadio activo y nutricional en el desarrollo de muchos animales, que transcurre después del nacimiento o eclosión y antes de alcanzar la forma adulta. Las larvas difieren en estructura de los adultos y a menudo están adaptadas a un ambiente distinto. Algunas especies tienen larvas autónomas y adultos sésiles (fijos), así las larvas móviles contribuyen a dispersar la especie; otras tienen larvas acuáticas y adultos terrestres. La mayoría de las larvas son minúsculas; muchas se dispersan entrando en el cuerpo de un huésped, donde emerge la forma adulta del parásito. Muchos INVERTEBRADOS (p. ej., CNIDARIOS) poseen larvas simples. Las DUELAS tienen varios estadios larvarios, y los ANÉLIDOS, MOLUSCOS y CRUSTÁCEOS cuentan con distintas formas larvarias. Las larvas de insectos se llaman ORUGAS, cresas, gusanillos o gusanos; el estadio larvario de varios insectos puede durar mucho más que el adulto (p. ej., algunas CIGARRAS viven 17 años como larvas y una semana como adultos). Los EQUINODERMOS tienen también formas larvarias. Las larvas de RANAS y SAPOS se llaman RENACUAJOS. Ver también METAMORFOSIS; PUPA.

Las Campanas, observatorio (LCO) OBSERVATORIO astronómico en el desierto de Atacama, Chile, a 2.300 m (7.800 pies) de altura, establecido en 1969. Pertenece a la Carnegie Institution of Washington, centro privado de investigación estadounidense. La región es mundialmente conocida por su extraordinaria calidad del cielo para las observaciones astronómicas. El observatorio cuenta con cinco TELESCOPIOS ópticos reflectores de gran potencia; el mayor de ellos, llamado Magallanes, consta de dos telescopios con un diámetro de 6,5 m (256 pulg.) cada uno, dispuestos de tal manera que en un futuro cercano puedan usarse de modo interferométrico (ver INTERFEROMETRÍA). Este telescopio es operado por la Carnegie Institution, en conjunto con las universidades de Michigan, Arizona, Harvard y el Instituto Tecnológico de Massachusetts (MIT). Con estos telescopios se pretende investigar el UNIVERSO al momento en que este tenía menos del 10% de su edad actual, así como muchos otros problemas de la ASTROFÍSICA moderna.

Las Casas, Bartolomé de (¿ago. 1474, Sevilla?–17 jul. 1566, Madrid). Historiador y misionero español, llamado el apóstol de los indios. Navegó en el tercer viaje (1498) de CRIS-

Fray Bartolomé de las Casas, grabado.
GENTILEZA DE LA ORGANIZACIÓN DE LOS ESTADOS AMERICANOS

TÓBAL COLÓN y luego se convirtió en hacendado en La Española (1502). En 1510 fue instituido como el primer sacerdote ordenado en la América española. Dedicó su vida a protestar contra el maltrato a los indígenas, con quienes trabajaba en Guatemala, Perú, Cuba, Nicaragua y México. Su llamado a terminar con el sistema de encomienda le trajo una oposición implacable. Se adoptó como solución su propuesta, rápidamente lamentada, de importar esclavos de África, pero ya se había establecido irreversiblemente la servidumbre indígena. Su *Brevísima relación de la destrucción de las Indias* (1552) y su inacabada *Historia de las Indias* inspiraron a SIMÓN BOLÍVAR y a otros héroes revolucionarios. Ver también LEYENDA NEGRA.

Las Vegas Ciudad (pob., 2000: 478.434 hab.) en el sudeste del estado de Nevada, EE.UU. Es famosa por sus hoteles de lujo, casinos y clubes nocturnos ubicados en el centro de la ciudad, que recibe el nombre de "Strip" (Franja). Los mormones provenientes de Utah colonizaron el lugar en 1855 y lo abandonaron en 1857. En 1905 se convirtió en una localidad ferroviaria y fue constituida legalmente en 1911. Los juegos de azar se legalizaron en 1931 y, a partir de 1940, Las Vegas tuvo una rápida expansión. Su vinculación con el crimen organizado comenzó en 1946, cuando Bugsy Siegel inauguró el hotel Flamingo. A principios del s. XXI es una de las zonas metropolitanas de crecimiento más rápido del país; atrae tanto a población permanente como a turistas.

lasca, herramienta de HERRAMIENTA de la EDAD DE PIEDRA, generalmente de PEDERNAL, que consiste en un trozo pequeño y delgado desprendido de una piedra. El hombre prehistórico prefería el pedernal y otras piedras silíceas debido a la facilidad con que podían tallarse y porque las lascas desprendidas tenían cantos muy afilados; también usó ARENISCA, CUARCITA, CUARZO y OBSIDIANA, así como rocas volcánicas. Las herramientas de piedra eran talladas golpeando un bloque de pedernal con un martillo de piedra, madera o hueso, o golpeando el bloque contra el canto de una piedra fija. El tallado por presión consiste en la aplicación de presión por medio de una varilla o un hueso puntiagudo cerca del canto de una lasca, para arrancar pequeños fragmentos. Se usó preferentemente para el acabado de las herramientas. Ver también industria LÍTICA.

Lascaux, cueva de Cueva cerca de Montignac, Francia, que contiene lo que es quizá la muestra de arte paleolítico más extraordinaria conocida hasta ahora. Fue descubierta en 1940 y consta de una caverna principal y numerosas galerías empinadas, todo magníficamente decorado con grabados, dibujos y pinturas zoomórficas, algunos de ellos representados con una "perspectiva deformada". Entre las imágenes más notables se encuentran cuatro grandes UROS, un extraño animal parecido al unicornio que podría representar una criatura mítica, y una singular composición narrativa que muestra la figura de un hombre-pájaro y un bisonte atravesado por una lanza. También se han encontrado en ese sitio cerca de 1.500 grabados en hueso que, según se estima, datan del período AURIÑACIENSE tardío (c. 15.000 AC). Debido a la gran afluencia turística, la cueva se cerró al público en 1963, pero en 1983 se abrió una réplica en tamaño natural, llamada Lascaux II. Ver también ARTE RUPESTRE.

láser Dispositivo que produce un intenso haz de luz coherente (luz compuesta de ondas armónicas con diferencia de FASE constante entre ellas). Su nombre, un acrónimo derivado del inglés *light amplification by stimulated emission of radiation* (amplificación de la luz por emisión estimulada de radiación), describe cómo se produce dicho haz de luz. El primer láser, construido en 1960 por Theodore Maiman (n. 1927) basándose en un trabajo anterior de CHARLES TOWNES, utilizó una barra de rubí. Con una luz de LONGITUD DE ONDA adecuada producida por una fuente de luz normal, se excitan (ver EXCITACIÓN) ciertos ÁTOMOS del rubí a niveles superiores de energía. Los átomos excitados decaen en forma espontánea y rápida a niveles de energía levemente menores (a través de interacciones con FONONES) y luego, en un proceso que también se inicia en forma espontánea, caen más lentamente al estado base (o tierra), emitiendo luz de longitud de onda específica. Esta luz rebota en forma reiterada entre los extremos pulidos del cilindro de rubí, estimulando una mayor emisión en una avalancha muchísimo más rápida que la espontánea, que es la emisión "láser" propiamente tal. El láser ha encontrado aplicaciones valiosas en microcirugía, reproductores de discos compactos, comunicaciones y holografía, así como en la perforación precisa de agujeros (aun muy pequeños) en materiales duros, en la alineación al excavar túneles, en la medición de grandes distancias y en el trazado de detalles finos.

Lashley, Karl S(pencer) (7 jun. 1890, Davis, W.Va., EE.UU.–7 ago. 1958, París, Francia). Psicólogo estadounidense. Ejerció la docencia en las universidades de Minnesota (1920–29), Chicago (1929–35) y Harvard (1935–55). En *Los mecanismos cerebrales y la inteligencia* (1929) demostró que ciertos tipos de aprendizaje están mediados por la corteza cerebral en su conjunto, refutando así la tesis de que cada función psicológica se localiza en un lugar específico de la corteza, exponiendo de este modo que ciertas zonas del sistema cerebral (p. ej., el sistema visual) pueden asumir las funciones de otras. También estudió la base cortical de las actividades motoras y la relación entre masa cerebral y capacidad de aprendizaje. Su artículo *The Problem of Serial Order in Behavior* [El problema del orden seriado en la conducta] (1951) desempeñó un papel fundamental en la revuelta contra la psicología asociacionista, considerada demasiado simple.

Lasker, Emanuel (24 dic. 1868, Berlinchen, Prusia–11 ene. 1941, Nueva York, N.Y., EE.UU.). Maestro de ajedrez y matemático alemán. En 1894 ganó por primera vez el título mundial de ajedrez, que retuvo hasta 1921, año en que fue derrotado por JOSÉ CAPABLANCA. Es el jugador que ha retenido más tiempo la corona. Fue el primer maestro en pedir altos honorarios por sus presentaciones, con lo que contribuyó a elevar el estatus financiero de los profesionales del ajedrez. Escribió el clásico libro *Sentido común en el ajedrez* (1896), así como otros de matemática y filosofía. En 1933 se vio

"Caballo chino", pintura paleolítica en la cueva de Lascaux.
FOTOBANCO

forzado, por el hecho de ser judío, a dejar la Alemania nazi. Cuando perdió todos sus bienes, puso fin a su retiro de ocho años y volvió a competir al más alto nivel.

Laski, Harold J(oseph) (30 jun. 1893, Manchester, Inglaterra–24 mar. 1950, Londres). Cientista político británico, educador y dirigente político. Se educó en la Universidad de Oxford, enseñó en la Universidad McGill (Canadá) y en la Universidad de Harvard antes de retornar a Gran Bretaña a trabajar por el PARTIDO LABORISTA. Más tarde fue profesor de la London School of Economics (1926–50). Sostuvo en obras como *The State in Theory and Practice* [Teoría y práctica del Estado] (1935) que las dificultades económicas del capitalismo podrían conducir a la destrucción de la democracia política, y llegó a considerar el SOCIALISMO la única alternativa al FASCISMO. Fue asistente de CLEMENT R. ATTLEE durante la segunda guerra mundial.

Lassalle, Ferdinand orig. **Ferdinand Lasal** (11 abr. 1825, Breslau, Prusia–31 ago. 1864, cerca de Ginebra, Suiza). Socialista alemán, uno de los fundadores del movimiento laborista alemán. Tomó parte en la revolución de 1848–49 y estableció contacto con KARL MARX y FRIEDRICH ENGELS. En 1859, radicado en Berlín, se transformó en periodista político. Su defensa de una vía evolutiva hacia el socialismo por medio de un Estado constitucional democrático, basado en el sufragio universal, lo llevó a su gradual alejamiento de Marx. Ayudó a formar la Asociación general de trabajadores alemanes (1863) y fue elegido su presidente, pero los asociados se rebelaron contra su liderazgo autoritario. En 1864 se trasladó a Suiza para descansar, donde fue herido de muerte en un duelo por un asunto sentimental a la edad de 39 años.

Lassen, pico Volcán en el extremo sur de la cordillera de las CASCADAS, en el nordeste del estado de California, EE.UU. Hizo erupción el 30 de mayo de 1914 y en forma intermitente hasta 1921. Tiene 3.187 m (10.457 pies) de altura y es la atracción principal del parque nacional Lassen

Ferdinand Lassalle, c. 1860.
ARCHIV FUR KUNST UND GESCHICHTE, BERLÍN, ALEMANIA

Volcanic, que ocupa una superficie de 43.047 ha (106.372 acres). En 1821, Luis Argüello, un oficial español, se convirtió en el primer europeo en descubrir este volcán. Debe su nombre a Peter Lassen, un explorador que guió a los colonizadores por esta zona.

Lassus, Orlande de *u* **Orlando di Lasso** *o* **Roland de Lassus** (1530/32, Mons, Hainaut español–14 jun. 1594, Munich). Compositor flamenco. Comenzó a cantar en un coro (debido a la belleza de su voz habría sido secuestrado para cantar en otro lugar), y su primer puesto conocido fue al servicio de la familia Gonzaga en Italia (1544). Después de 1556 se estableció en Munich como maestro de capilla del duque de Baviera, pero siguió una carrera internacional, con viajes a Italia, Alemania, Flandes y Francia. Escribió más de 1.200 obras, en todos los estilos y géneros contemporáneos; sacras (entre ellas, cerca de 60 misas y 500 motetes) y profanas (entre ellas, cientos de madrigales y *chansons*), siendo especialmente notable la atención que prestaba a la correspondencia entre música y palabras. Debido a su gama de estilos (siempre estuvo al tanto de la moda) y a que sus obras fueron impresas con profusión antes y después de su muerte, influyó en varios compositores, por lo que es considerado uno de los más grandes maestros de su siglo.

lateralidad *o* **asimetría hemisférica** Característica del cerebro humano en virtud de la cual ciertas funciones (como la comprensión del lenguaje) se localizan de preferencia en un lado del cerebro y no en el otro. Ejemplo de ello es el predominio manual (la tendencia a usar una u otra mano): dado que los hemisferios cerebrales izquierdo y derecho controlan respectivamente el lado derecho y el lado izquierdo del cuerpo, en los diestros suele predominar el hemisferio cerebral izquierdo en lo relativo al control de diversas funciones motoras y de la vista (predomino del ojo derecho) y la comprensión del lenguaje. PAUL BROCA fue el primero en identificar el centro cerebral del HABLA articulada en lo que actualmente se conoce como área de Broca. Investigadores posteriores descubrieron que las funciones que intervienen en el análisis lógico o secuencial residen generalmente en el hemisferio izquierdo, mientras que el hemisferio derecho parece controlar el procesamiento de la información visoespacial y las relaciones musicales. Un mayor número de zurdos que de diestros presentan una inversión de la especialización hemisférica o una distribución más pareja de las funciones entre ambos hemisferios. No hay consenso acerca de si la lateralidad se transmite genéticamente, se desarrolla durante la gestación o es aprendida.

laterita Capa de suelo rica en óxido de HIERRO y a veces de ALUMINIO, derivada por LIXIVIACIÓN de una amplia variedad de rocas. Se forma en regiones tropicales y subtropicales donde el clima es húmedo. La laterita es de color marrón negruzco a rojo; ha sido usada como fuente de hierro y, en Cuba, como fuente de níquel.

látex Cualquiera de varias suspensiones coloidales naturales o sintéticas (ver COLOIDE). Algunos látex existen en forma natural en las células de plantas, como el árbol del CAUCHO y el del chicle. Son mezclas complejas de compuestos orgánicos, que comprenden varias RESINAS gomas, GRASAS o CERAS y, en algunas instancias, compuestos venenosos, suspendidos en un medio acuoso con sales disueltas, azúcares, taninos, alcaloides, enzimas y otras sustancias de las cuales el látex (o CAUCHO natural, el único disponible hasta 1926) puede ser concentrado, coagulado y vulcanizado. Los látex sintéticos (p. ej., NEOPRENO), hechos mediante POLIMERIZACIÓN de la EMULSIÓN del copolímero estireno-butadieno, de resinas de acrilato, de acetato de polivinilo o de otros materiales, se emplean en pinturas y recubrimientos; el PLÁSTICO, disperso en el agua, forma películas por fusión a medida que el agua se evapora.

Latimer, Hugh (c. 1485, Thurcaston, Leicestershire, Inglaterra–16 oct. 1555, Oxford). Mártir protestante inglés. Hijo de un próspero pequeño terrateniente, se educó en la Universidad de Cambridge, donde entró en contacto con las doctrinas de MARTÍN LUTERO y se convirtió al PROTESTANTISMO. Apoyó el intento de ENRIQUE VIII de obtener la anulación de su matrimonio, pero posteriormente fue excomulgado por rehusar aceptar la existencia del PURGATORIO y la necesidad

de venerar a los santos. Acabó por someterse por completo y fue por breve tiempo obispo de Worcester (1535–39). De nuevo encarcelado por sospecha de herejía, fue liberado con la ascensión al trono de EDUARDO VI, durante cuyo breve reinado predicó extensamente. Con la ascensión de MARÍA I TUDOR y el retorno consiguiente al catolicismo, fue encarcelado por traición y quemado en la hoguera.

latín Lengua INDOEUROPEA del grupo de las lenguas ITÁLICAS; antepasado de las lenguas ROMANCES modernas. Hablado originalmente por grupos pequeños de personas que vivían a lo largo del río TÍBER, el latín se difundió al aumentar el poder político romano, primero en Italia y luego en la mayor parte del oeste y sur de Europa y las regiones africanas costeras del Mediterráneo central y occidental. Las inscripciones en latín más antiguas datan del s. VII AC. La literatura latina data del s. III AC. Pronto surgió una brecha entre el latín literario (clásico) y la lengua oral popular, es decir, el latín vulgar. Las lenguas romances evolucionaron a partir de DIALECTOS de este último. Durante la Edad Media y gran parte del Renacimiento, el latín fue la lengua más ampliamente utilizada en Occidente para propósitos literarios y académicos. Fue empleado en la liturgia de la Iglesia católica hasta fines del s. XX.

latino, alfabeto *o* **alfabeto romano** ALFABETO más ampliamente utilizado, y la escritura estándar de la mayoría de las lenguas que se originaron en Europa. Se desarrolló antes del 600 AC a partir del alfabeto etrusco (el que a su vez derivó del alfabeto semítico del norte a través de los alfabetos fenicio y GRIEGO). Las inscripciones latinas más antiguas que se conocen datan de los s. VII–VI AC. El alfabeto latino clásico tenía 23 letras, de las cuales 21 derivaron del etrusco. En la época medieval, la letra J se diferenció de la letra I, y las letras U y W se diferenciaron de la V, lo que originó, entre otros, el alfabeto español y el inglés modernos. En tiempos de la Roma antigua había dos tipos de escritura latina, las letras mayúsculas y las cursivas. La escritura uncial, que mezcla ambos tipos, se desarrolló en el s. III DC.

Latinoamérica ver AMÉRICA LATINA

latinoamericano, arte Artes visuales, escénicas y literarias desarrolladas en Mesoamérica, América Central, Sudamérica y el Caribe después del contacto con los españoles y portugueses, iniciado en 1492 y 1500, respectivamente. Cuando llegaron los europeos, trajeron consigo tradiciones artísticas que databan de la antigüedad. Del mismo modo, durante siglos, los pueblos indígenas norteamericanos desarrollaron civilizaciones con sus propias y distintivas prácticas artísticas (ver arte NATIVO NORTEAMERICANO). La importación de esclavos africanos favoreció asimismo la presencia en la región de artes AFRICANAS de larga data. Durante el período colonial se destruyeron muchos centros nativos que fueron reemplazados por iglesias y edificios de estilo europeo. La combinación de la imaginería europea e indígena dio origen a formas únicas de arte decorativo y escultura religiosa. Al emigrar más artistas europeos hacia el Nuevo Mundo trajeron consigo elementos de los estilos vigentes en el arte y la arquitectura RENACENTISTA, BARROCA y ROCOCÓ. El estilo regional más destacado del s. XVIII fue conocido como churrigueresco, caracterizado por sus elaboradas formas ornamentales en arquitectura, escultura y artes decorativas. A lo largo de los s. XIX–XX, los artistas y arquitectos latinoamericanos siguieron experimentando con una variedad de estilos occidentales, entre ellos el romántico (ver ROMANTICISMO), el neoclásico (ver CLASICISMO Y NEOCLASICISMO), el moderno (ver MODERNISMO) y el postmoderno (ver POSTMODERNISMO), adaptándolos cada vez más para exponer temas latinoamericanos y, con frecuencia, inquietudes políticas. La música indígena era variada antes de la colonización. Los principales instrumentos fueron matracas o cascabeles

(p. ej. maracas) diversos tipos de flauta, como la SIRINGA. Se adoptaron arpas, violines y guitarras bajo la influencia europea (ver MARIACHI). Las escalas musicales indígenas eran de tres o cinco tonos, y el canto coral en líneas paralelas era habitual en algunas áreas. La música española y portuguesa contribuyeron con formas en verso y canciones de solistas. Las influencias africanas rítmicas han incluido el uso de patrones repetitivos para acompañar la extensa improvisación y la frecuencia de patrones de dos y cuatro tiempos, particularmente en la música caribeña. También se observa la tradición africana en el uso de tambores y de la síncopa. Las características y los ritmos del baile ibérico, como el aplauso y el uso de pañuelos, se hicieron patentes en varias formas híbridas de música y danza. Especialmente en el s. XX, ciertas formas de música y baile popular, como la SALSA, TANGO, SAMBA y bossa nova, representaban una mezcla de tradiciones nativas y occidentales. Durante el período colonial, la literatura latinoamericana reflejó tendencias de la literatura española y portuguesa, y consistió principalmente en crónicas de conquista. A medida que las colonias desarrollaron su propio carácter y se movilizaron hacia la independencia, sobresalieron los escritos patrióticos. A mediados del s. XIX, se desarrolló la novela costumbrista. A fines del s. XIX, los autores del movimiento modernista (ver MODERNISMO) se concentraron en "el arte por el arte". La literatura latinoamericana entró en su propio terreno en el s. XX con movimientos como el REALISMO MÁGICO, que alcanzó relevancia internacional. Ver también artistas individuales como FRIDA KAHLO, OSCAR NIEMEYER y DIEGO RIVERA, y autores como JORGE LUIS BORGES, GABRIEL GARCÍA MÁRQUEZ y PABLO NERUDA.

Catedral metropolitana de Brasilia, diseñada por Oscar Niemeyer; combina elementos modernos incorporados al arte latinoamericano.
FOTOBANCO

latita *o* **traquiandesita** Tipo de roca ígnea que abunda en la parte occidental de Norteamérica. A menudo blanca, amarillenta, rosada o gris, es el equivalente volcánico de la MONZONITA. La latita contiene un FELDESPATO tipo plagioclasa (andesina u oligoclasa) en forma de grandes cristales (fenocristales) en una matriz de grano fino de feldespato tipo ortoclasa y augita.

latitud y longitud Sistema de coordenadas mediante el cual se puede determinar la posición de cualquier punto situado sobre la superficie terrestre. La latitud establece la ubicación de un lugar al norte o sur del ecuador. Las líneas de latitud se conocen como paralelos o paralelos de latitud. La longitud establece la ubicación de un lugar al este u oeste del meridiano de referencia, que pasa por Greenwich, Inglaterra. La combinación de meridianos de longitud y paralelos de latitud establece una grilla con la cual se puede determinar la posición con exactitud: por ejemplo, un punto descrito como 40° N, 30° O está ubicado 40° de arco al norte del ecuador y 30° de arco al oeste del meridiano de Greenwich.

Latium Antigua región del centro-oeste de Italia, junto al mar Tirreno. Los latinos (o latini) descendían de las tribus indoeuropeas que se establecieron en la península Itálica durante el segundo milenio AC. En 500 AC , las ciudades de Latium habían formado la Liga latina. En 340 AC estalló una guerra entre Roma y los latinos, que culminó en 338 AC con la derrota de estos últimos y la disolución de la Liga.

latón ALEACIÓN de COBRE y CINC, importante por su dureza y maleabilidad. El latón comenzó a ser usado c. 1200 AC en el Cercano Oriente; a partir de 220 AC en forma muy difundida

en China y poco después por los romanos. En documentos antiguos, inclusive en la Biblia, el término latón se emplea a menudo para describir al BRONCE (aleación de cobre y estaño). La maleabilidad del latón depende de su contenido de cinc; latones con más de 45% de cinc no pueden ser trabajados en frío. Los latones llamados alfa contienen menos de 40% de cinc; los latones beta (40–45% cinc) son menos dúctiles que los alfa, pero más resistentes. Un tercer grupo comprende los latones con elementos adicionales. Entre estos se encuentran los aleados con plomo, fáciles de maquinar; el latón naval, que contiene una pequeña cantidad de estaño para mejorar su resistencia a la corrosión por agua de mar, y los latones con aluminio, que poseen mayor resistencia mecánica y a la corrosión se usan donde el latón naval puede fallar.

Latona *o* **Leto** En la mitología clásica, la madre de APOLO y ARTEMISA. Quedó embarazada de ZEUS y erró en búsqueda de un lugar para dar a luz hasta que encontró la árida isla de DELOS. La isla era una roca flotante a merced de las olas, pero fue fijada al fondo del mar para que nacieran Apolo y Artemisa. En algunas versiones, la errancia de Leto fue atribuida a los celos de HERA, la esposa de Zeus.

Latreille, Pierre-André (29 nov. 1762, Brive-la-Gaillarde, Francia–6 feb. 1833, París). Zoólogo y eclesiástico francés, considerado el padre de la entomología. En 1796 publicó *Tratado de los insectos, estructurado según un orden natural*, obra que le significó ser jefe de entomología en el Museo nacional de historia natural de París. El principal libro posterior fue *Historia natural general y particular de los crustáceos y de los insectos* (14 vol., 1802–05). Las dos obras, que representan la primera clasificación detallada de insectos y crustáceos, marcan los comienzos de la entomología moderna. En 1829 asumió la cátedra vacante dejada por JEAN-BAPTISTE LAMARCK.

Latrobe, Benjamin Henry (1 may. 1764, Fulneck, Yorkshire, Inglaterra–3 sep. 1820, Nueva Orleans, La., EE.UU.). Arquitecto e ingeniero civil estadounidense de origen británico. Emigró a EE.UU. en 1795. Su primera obra importante fue la penitenciaría del estado en Richmond, Va. En 1798, en Filadelfia, diseñó el Banco de Pensilvania, considerado el primer monumento estadounidense de estilo neoclásico griego. El pdte. THOMAS JEFFERSON lo designó inspector de obras públicas. A Latrobe se le encomendó la misión de completar el edificio del CAPITOLIO de EE.UU., y posteriormente reconstruirlo tras su destrucción por los británicos. En Baltimore diseñó la primera catedral del país (1818). En su actividad como ingeniero, se destacó en el diseño de obras hidráulicas. A él se le atribuye la profesionalización de la arquitectura en EE.UU.

Lattre de Tassigny, Jean (-Marie-Gabriel) de (2 feb. 1889, Mouilleron-en-Pareds, Francia–11 ene. 1952, París). Líder militar francés. Después de servir en la primera guerra mundial y más tarde en Marruecos, fue promovido a general en 1939. Comandante de división de infantería en la segunda guerra mundial, fue encarcelado por los alemanes (1940–43), pero escapó a África del norte. En 1944 lideró el ejército francés en las operaciones de desembarco aliado al sur de Francia y en el avance a través del país hacia el sur de Alemania y Austria. Representó a Francia en la firma de la capitulación alemana (1945). En 1950–51 comandó las tropas francesas en la primera de las guerras de INDOCHINA contra el VIETMINH. Fue nombrado mariscal de Francia en forma póstuma.

laúd Instrumento de CUERDA pulsado, popular en Europa en los s. XVI–XVII. Proviene del *'ūd* árabe, el que llegó a Europa en el s. XIII. Tal como el *'ūd*, el laúd tiene un cuerpo piriforme profundo, con rosetón ornamentado, un mástil trasteado con un clavijero que forma ángulo recto con él y cuerdas amarradas a un puente pegado a la tabla del instrumento. En años posteriores aumentaron las cuerdas graves dispuestas al aire. Se convirtió en el instrumento preferido de los músicos aficionados cultos y contó con muchas obras escritas para acompañamientos de canciones, así como música solista y de conjuntos.

Ángel tocando el laúd, detalle de "Presentación de Jesús en el templo", retablo pintado por Vittore Carpaccio, 1510; Accademia de Venecia.
SCALA—ART RESOURCE

Laud, William (7 oct. 1573, Reading, Berkshire, Inglaterra–10 ene. 1645, Londres). Arzobispo de Canterbury (1633–45) y asesor religioso de CARLOS I. Fue consejero del comité asesor del monarca en 1627 y obispo de Londres en 1628; se dedicó a combatir el PURITANISMO e imponer el estricto ritual anglicano. Cuando fue nombrado arzobispo de Canterbury, había extendido su autoridad sobre todo el país. Atacó por peligrosa la práctica puritana de la prédica, y arrestó y mutiló a escritores puritanos como WILLIAM PRYNNE. Ayudado por su estrecho aliado, Thomas Wentworth, 1er conde de STRAFFORD, utilizó su ascendiente sobre el rey para influir en la política social del gobierno. En 1637, había crecido la oposición a su represión, y sus intentos por imponer el culto anglicano en Escocia provocaron una encarnizada resistencia. En 1640 se reunió el PARLAMENTO LARGO y Laud fue acusado de alta traición. Su juicio, iniciado en 1644 y controlado por Prynne, culminó en su condena y decapitación.

Lauder, Estée *orig.* **Josephine Esther Mentzer** (1 jul. ¿1908?, Nueva York, N.Y., EE.UU.–24 abr. 2004, Nueva York). Empresaria estadounidense. Junto con su marido Joseph, fundó la empresa Estée Lauder Inc. en 1946. Con sus innovadoras técnicas de comercialización lograron un éxito enorme a contar de la década de 1960. Su hijo Leonard fue nombrado gerente general en 1982. Los productos cosméticos y perfumes de la empresa se venden en más de 130 países; entre ellos, los cosméticos Clinique, la línea masculina Aramis y otras, como Bobbi Brown, Origins y Aveda. A principios del s. XXI, la empresa estaba avaluada en unos US$ 10 mil millones.

Laue, Max (Theodor Felix) von (9 oct. 1879, Pfaffendorf, cerca de Coblenza, Alemania–23 abr. 1960, Berlín, Alemania Occidental). Físico alemán. Enseñó en la Universidad de Berlín (1919–43). Fue el primero en usar un CRISTAL para difractar los RAYOS X, demostrando que estos son RADIACIONES ELECTROMAGNÉTICAS similares a la luz, y que la estructura molecular de los cristales constituye una disposición que se repite en forma regular. En 1914 obtuvo el Premio Nobel por su trabajo en cristalografía. Fue un decidido defensor de la teoría de la relatividad de ALBERT EINSTEIN y estudió la teoría cuántica, el efecto COMPTON y la desintegración de los átomos.

Lauenburg Región y antiguo ducado del norte de Alemania. Se estableció como ducado bajo la dinastía ascania en el s. XIII. En 1728, el elector George Louis la anexó a HANNOVER cuando se convirtió en soberano del reino. Fue cedida a Prusia luego de la guerra germano-danesa de 1864. El ducado se suprimió en 1918 y desde 1946 la región ha formado parte del estado de SCHLESWIG-HOLSTEIN.

Laughton, Charles (1 jul. 1899, Scarborough, Yorkshire, Inglaterra–15 dic. 1962 Hollywood, Cal., EE.UU.). Actor estadounidense de origen británico. Su debut teatral ocurrió en 1926, en Londres, y actuó en obras como *El inspector*, *Medea* y *Payment Deferred*, con la cual debutó en Nueva York en 1931. Comenzó a actuar en cine en 1929 y fue internacionalmente aclamado por *La vida privada de Enrique VIII* (1933, premio de la Academia). Su figura corpulenta y rostro campechano desafiaron los cánones hollywoodenses de *casting* y se alzó como uno de los actores más versátiles de su generación. Interpretó una amplia gama de personajes en películas como *Rebelión a bordo* (1935), *Nobleza obliga* (1935), *El jorobado de Notre Dame* (1939), *Testigo de cargo* (1957) y *Tempestad sobre Washington* (1962). También dirigió la memorable *La noche del cazador* (1955).

Launceston *ant.* **Patersonia** Ciudad portuaria (pob., 2001: 57.685 hab.) del nordeste de TASMANIA, Australia. Se desarrolló en la década de 1830 como puerto ballenero y centro mercantil. En la actualidad es el núcleo urbano y comercial más grande del norte de Tasmania. Constituye un nudo de exportación para la fértil región agrícola circundante, y contiene varias industrias, entre ellas fábricas de maquinarias. En la ciudad se levanta una de las primeras plantas hidroeléctricas del mundo, construida en 1895 sobre el río South Esk.

Lauráceas Familia que se compone de unas 2.200 especies de angiospermas, siempreverdes y a menudo aromáticas, distribuidas en 45 géneros. Se incluyen en esta familia las plantas ornamentales y otras que dan hierbas culinarias, frutos alimentarios y extractos medicinales. Pertenece al género *Laurus* el laurel común (*L. nobilis*), originario del Mediterráneo, cuyas hojas son de uso culinario, dan aceites esenciales para perfumería y se emplearon como guirnaldas para coronar a héroes y atletas victoriosos en la antigua Grecia. Otro género, *Cinnamomum*, comprende el alcanforero (ver ALCANFOR) y el CANELO. También pertenecen a esta familia el AGUACATE, el LAUREL DE MONTAÑA y el SASAFRÁS.

Laurana, Francesco (c.1430, Vrana, Dalmacia, República de Venecia–antes 12 de mar. 1502, Aviñón, Francia). Escultor y medallista italiano. Se desconocen los comienzos de su vida. En 1453 se le encargó trabajar en el arco del triunfo del Castelnuovo de Nápoles. Desde 1461 hasta 1466 estuvo en Provenza, en la corte del duque de Anjou, para quien realizó una serie de medallas. Sus otras obras documentadas comprenden madonas y bajorrelieves en Francia e Italia (principalmente en Sicilia y Nápoles), como también esculturas para tumbas y edificios en Francia. Es conocido sobre todo por sus retratos de busto de mujeres, caracterizados por una dignidad serena e indiferente, y una elegancia aristocrática.

"Leonor de Aragón", busto de Francesco Laurana; Museo Arqueológico Nacional, Palermo, Sicilia.
ALINARI—ART RESOURCE

Laurasia Hipotético supercontinente del hemisferio norte, el cual habría estado formado por las actuales Norteamérica, Europa y Asia (excepto India peninsular). El concepto de que los continentes estuvieron alguna vez unidos fue expuesto en detalle por primera vez por ALFRED WEGENER en 1912. Visualizó una masa continental única, PANGEA, la cual supuestamente comenzó a separarse a fines del triásico (227–206 millones de años atrás). Estudios posteriores distinguieron entre una masa de tierra septentrional, Laurasia, y otra meridional, GONDWANA. Se cree que Laurasia se fragmentó para convertirse en los actuales continentes, principalmente durante el MESOZOICO. Ver también DERIVA CONTINENTAL; TECTÓNICA DE PLACAS.

Laurel común (*Laurus nobilis*).
© ENCYCLOPÆDIA BRITANNICA, INC.

laurel Cualquiera de varios arbolillos con hojas aromáticas, en especial el laurel común (*Laurus nobilis*), cuyas hojas son de uso culinario. El laurel de California (*Umbellularia californica*) es un árbol ornamental.

laurel de carnero Arbusto leñoso, erguido y abierto (*Kalmia angustifolia*) de la familia de las ERICÁCEAS. Crece hasta 0,3–1,2 m (1–4 pies) de altura, tiene hojas siempreverdes, brillantes y coriáceas, y flores llamativas que van del rosado intenso al rosa. Como otras especies de *Kalmia* (el LAUREL DE MONTAÑA inclusive) y otros miembros de la familia de las Ericáceas, contiene un veneno (andromedotoxina). En el noroeste de Norteamérica, donde crecen estas plantas, el ganado (en especial el ovino), que pasta en suelos estériles o praderas y vegas abandonadas, puede llegar a ingerir lo suficiente para envenenarse, a veces fatalmente.

laurel de flor ver ADELFA

laurel de montaña Arbusto florífero siempreverde (*Kalmia latifolia*) de la familia de las ERICÁCEAS, que se da en la mayoría de las regiones montañosas del este de Norteamérica. Crece entre 1 y 6 m (3–18 pies) de altura y tiene hojas ovales. Los grandes racimos de flores de color rosa, rosado o blanco rebasan el follaje. Es muy utilizado en paisajismo.

Laurel de montaña (*Kalmia latifolia*).
© ENCYCLOPÆDIA BRITANNICA, INC.

Laurel, Stan y Hardy, Oliver (16 jun. 1890, Lancashire, Inglaterra–23 feb. 1965, Santa Mónica, Cal., EE.UU.) (18 ene. 1892, Harlem, Ga., EE.UU.–7 ago. 1957, North Hollywood, Cal.). Comediantes de cine estadounidenses. Laurel actuó en circos y vodeviles, y en 1910 se estableció en EE.UU., donde hizo sus primeras apariciones en películas mudas. Hardy, hijo de un abogado de estado de Georgia, era propietario de un cine y en 1913 comenzó a actuar en películas mudas. Ambos se incorporaron al estudio de HAL ROACH en 1926 y desde un principio comenzaron a actuar juntos en cortometrajes como *Putting*

Pants on Philip (1927). Realizaron más de 100 comedias, entre las que se cuentan *Déjenlos reír* (1928), *La caja de música* (1932), *Compañeros de juerga* (1933) y *Laurel y Hardy en el Oeste* (1937). Se les considera el primer gran dúo cómico de Hollywood. El delgado Laurel interpretaba al personaje torpe y timorato que contrariaba al grueso y arrogante Hardy, y ambos convertían simples situaciones cotidianas en enredos desastrosos y cómicos.

Lauren, Ralph *orig.* **Ralph Lifshitz** (n. 14 oct. 1939, Nueva York, N.Y., EE.UU.). Diseñador de modas estadounidense. Lauren creció en el Bronx, Nueva York. Mientras trabajaba en una compañía de corbatas, decidió diseñar sus propias prendas para usar en el cuello, y en 1967 se independizó con su negocio propio. Desde los inicios de su marca, las creaciones de Lauren estuvieron caracterizadas por un estilo destinado a gente acaudalada que evocaba el *look* de la aristocracia inglesa, adoptado por la elite deportiva de la costa este de EE.UU. En 1968 su primera línea de ropa masculina presentó clásicos trajes de *tweed*; en 1971 lanzó una colección de ropa para mujeres y que continuó con sus exploraciones en la sastrería clásica y el buen gusto. En 1972, Lauren comercializó lo que se convertiría en su pieza distintiva: la camiseta deportiva con tejido de malla, disponible en una variedad de colores y que llevaba su emblema distintivo, el jugador de polo. Durante las siguientes décadas exploró nuevas ideas, como el estilo tipo safari, pero mantuvo su foco de atención en la vestimenta estadounidense clásica. A comienzos del s. XXI, la presencia de sus tiendas y de su marca ya era mundial.

Laurence, Margaret *orig.* **Jean Margaret Wemyss** (18 jul. 1926, Neepawa, Manitoba, Canadá–5 ene. 1987, Lakefield, Ontario). Escritora canadiense. Vivió en África con su esposo ingeniero en la década de 1950. Sus experiencias en ese continente le brindaron material para sus primeras obras. Es conocida por retratar las vidas de mujeres que luchan por su realización personal en el mundo machista del oeste canadiense. Entre sus obras figuran las novelas *El ángel de piedra* (1964), *Una burla de Dios* (1966) y *Los habitantes del fuego* (1969), y las colecciones de cuentos *Un pájaro en la casa* (1970) y *The Diviners* [Los adivinadores] (1974). Desde la década de 1970 se volcó a la literatura infantil.

Lauréntides, casquete glaciar de las Cubierta glaciar más importante de Norteamérica durante el PLEISTOCENO (1,8 millones–10.000 años atrás). En su tamaño máximo se extendió hacia el sur hasta los 37° N de latitud y cubrió un área de más de 13 millones de km² (5 millones de mi²). En algunas zonas su espesor alcanzó 2.400–3.000 m (8.000–10.000 pies) o más.

Laurentinos *o* **Lauréntides** Cordón montañoso que bordea por el sur al ESCUDO CANADIENSE en Quebec y que limita con los ríos Ottawa, SAN LORENZO y Saguenay. Es uno de los cordones montañosos más antiguos del mundo y está constituido por rocas del período PRECÁMBRICO de más de 544 millones de años de antigüedad. Se ha erosionado mucho con el tiempo y su pico más elevado alcanza sólo a los 1.190 m (3.905 pies) de altura. Hay dos parques provinciales que son zonas vacacionales muy concurridas.

Laurier, Sir Wilfrid (20 nov. 1841, Saint-Lin, Canadá Oriental–17 feb. 1919, Ottawa, Ontario, Canadá). Primer ministro de Canadá (1896–1911). Estudió derecho en la Universidad McGill, donde fue miembro destacado del liberal Institut Canadien. Perteneció al poder legislativo de Quebec (1871–74) y a la Cámara de los Comunes canadiense (1874–1919), donde, en 1885, pronunció una petición de clemencia en favor de LOUIS RIEL. Condujo al Partido Liberal al triunfo en la elección de 1896 y fue el primer francocanadiense y católico en ocupar el cargo de primer ministro. Abogó por la unidad entre los anglo y francocanadienses, por el desarrollo de los territorios occidentales, la protección de la industria nacional y por la ampliación del sistema de transporte. Su insistencia en proteger la autonomía canadiense en las relaciones con Gran Bretaña ayudó a formar el concepto moderno de una comunidad británica (Commonwealth) de estados independientes. Su apoyo a un tratado de reciprocidad con EE.UU. contribuyó a la derrota de su gobierno en 1911. Se le recuerda como uno de los estadistas más connotados de Canadá.

Lausana, tratado de (1923). Tratado definitivo que puso fin a la primera GUERRA MUNDIAL, celebrado entre Turquía (sucesor del Imperio otomano) y los aliados. Firmado en Lausana, Suiza, reemplazó el tratado de SÈVRES (1920). Reconoció las fronteras del moderno estado de Turquía, así como la posesión británica de Chipre y la italiana del archipiélago del Dodecaneso. También declaró abiertos a todas las embarcaciones los estrechos turcos entre los mares Egeo y Negro.

Lautréamont, conde de *orig.* **Isidore Lucien Ducasse** (4 abr. 1846, Montevideo, Uruguay–24 nov. 1870, París, Francia). Poeta francés de origen uruguayo. Es considerado uno de los precursores del SURREALISMO. En 1867 viajó a París para estudiar en la École Polytechnique, donde comenzó a escribir largos cantos en prosa, el primero de los cuales apareció en 1868. En 1890 se publicó la obra completa, con cinco fragmentos adicionales, bajo el título *Los Cantos de Maldoror*. En ella se retratan las angustiosas visiones de una figura demoníaca que siente un profundo desprecio por Dios y por el género humano. Antes, en 1870, había publicado un volumen de sus *Poesías*, firmado con su verdadero nombre. En general, se sabe muy poco de su vida en París, y su muerte aún permanece envuelta en el misterio. Ello no obsta a la vasta influencia que ha ejercido su creación, de rasgos apocalípticos y enigmáticos.

Lautrec, Henri de Toulouse- ver Henri (-Marie-Raymond) de TOULOUSE-LAUTREC (-MONFA)

lava Roca fundida que se origina como MAGMA en el MANTO de la Tierra y que se vierte sobre la superficie terrestre a través de chimeneas volcánicas (ver VOLCÁN) a temperaturas de alrededor de 700–1.200 °C (1.300–2.200 °F). Las lavas de ROCA MÁFICA, como el BASALTO, forman coladas conocidas en su nomenclatura internacional por sus nombres hawaianos *pahoehoe* y *aa*. La *pahoehoe* es lisa y suavemente ondulada; se le asocia con la formación de tubos volcánicos bajo ellas. La *aa* es muy rugosa, cubierta con una capa de fragmentos irregulares sueltos y fluye por canales abiertos. La lava que comienza como *pahoehoe* se puede transformar en *aa* a medida que se enfría. Las lavas de composición intermedia forman una colada en bloque, la cual también tiene una cubierta formada en gran medida por material suelto, pero los fragmentos son de forma bastante regular, en su mayor parte polígonos con lados relativamente romos. Ver también BOMBA; NUBE ARDIENTE.

lavado de cerebro Esfuerzo sistemático por aniquilar las lealtades y creencias de un individuo y sustituirlas por la lealtad hacia una nueva ideología o poder. Diversas SECTAS religiosas y grupos políticos radicales, como los comunistas chinos en 1949, han incurrido en estas prácticas. Las técnicas de lavado de cerebro suelen comprender el aislamiento respecto de antiguos compañeros y fuentes de información; un régimen riguroso que exige obediencia y sumisión absoluta; fuertes presiones sociales y recompensas por la cooperación; castigos físicos y psicológicos por la no cooperación, que abarcan el ostracismo y la crítica social; privación de alimento, sueño y contactos sociales; cautiverio y tortura; y refuerzo constante. A veces es posible contrarrestar sus efectos por medio de la llamada desprogramación, que combina confrontación y psicoterapia intensiva.

lavado en seco Sistema para limpiar textiles con SOLVENTES químicos en vez de agua. Estos productos químicos, comúnmente haluros u organohalógenos (compuestos que contienen átomos de elementos HALÓGENOS ligados a átomos de carbono), disuelven la suciedad y la grasa en las telas. El tetracloruro de carbono fue otrora muy usado como agente de lavado en seco, pero sus efectos adversos para la salud han limitado su uso; hoy en día se prefieren otros compuestos halógeno-orgánicos como el tetracloroetileno, que es mucho más estable y menos tóxico.

Laval Ciudad (pob., 2001: 343.005 hab.) del sur de la provincia de Quebec, Canadá. Ocupa toda la isla Jesús, de 32 km (20 mi) de longitud y 12 km (8 mi) de ancho y se ubica al norte de MONTREAL. Fue colonizada por primera vez en 1681 y cedida a la Compañía de Jesús (JESUITAS) en 1699; recibió su nombre en honor a François de Laval, el primer obispo católico canadiense. Después de 1945 comenzó la construcción de barrios residenciales cercanos a Montreal y en 1965 estos se unificaron para dar forma a Laval. La ciudad se ha desarrollado rápidamente con la apertura de complejos industriales.

Laval, Carl Gustaf Patrik de (9 may. 1845, Blasenborg, Suecia–2 feb. 1913, Estocolmo). Científico, ingeniero e inventor sueco. Construyó la primera TURBINA de vapor de acción en 1882. Prosiguió con otros proyectos, como una turbina reversible para uso marítimo. Una de sus turbinas de reacción alcanzó la velocidad de 42.000 revoluciones por minuto. En 1896 operaba una planta de energía eléctrica completa con una presión inicial de 230 bares. Inventó y desarrolló la tobera divergente para alimentar vapor a la turbina. Su eje flexible y el engranaje de doble hélice fueron fundamentales en el desarrollo posterior de la turbina de vapor.

Laval, Pierre (28 jun. 1883, Châteldon, Francia–15 oct. 1945, París). Político francés. Miembro de la Cámara de Diputados (1914–19, 1924–27) y más tarde del Senado (desde 1927), también asumió diversos cargos ministeriales. Como primer ministro de Francia (1931–32, 1935–36), participó en la negociación del pacto HOARE-LAVAL, ampliamente condenado. En 1940, como ministro de Estado en el gobierno de PHILIPPE PÉTAIN (ver Francia de VICHY), inició negociaciones con los alemanes por su propia iniciativa, las que levantaron sospechas. Pronto Pétain lo destituyó, pero en 1942 volvió como jefe de Gobierno. Estuvo de acuerdo en proporcionar trabajadores franceses a las industrias alemanas y en un discurso anunció que deseaba la victoria alemana. En 1945 fue procesado y ejecutado como traidor a Francia.

Laval, Universidad de Universidad de habla francesa con sede en Quebec, Canadá. Su institución predecesora, el Seminario de Quebec (fundado en 1663), es considerada la primera institución de enseñanza superior canadiense. El seminario obtuvo régimen jurídico de universidad en 1852 y fue reorganizado en 1970. En la actualidad, la universidad cuenta con programas de pregrado y de posgrado en numerosas áreas de estudio.

lavanda Cualquiera de unas 20 especies de arbustos siempreverdes que constituyen el género *Lavandula* de la familia de las Labiadas (ver MENTA), cuyas hojas y flores contienen glándulas de aceites aromáticos. Las espigas de flores son de color lila y púrpura y, a veces, rosado o blanco. Originaria del Mediterráneo, se cultiva extensamente. Varias especies producen aceites esenciales para perfumes y cosméticos refinados. Las

Lavanda, especie aromática.
STOCKXPERT

hojas estrechas y fragantes, así como las flores, se secan para usarse en saquitos y popurrís aromáticos. También se ocupa bastante en aromaterapia por su esencia limpia y fresca.

lavandera Cualquiera de 7–10 especies PASERIFORMES del género *Motacilla* y la lavandera de los bosques (*Dendronanthus indicus*) de Asia. Las lavanderas mueven continuamente su larga cola, de arriba abajo; la del bosque, menea todo el cuerpo de lado a lado. Viven en playas, vegas y riberas fluviales, anidando en el suelo

Lavandera cascadeña (*M. cinerea*).
H. REINHARD–BRUCE COLEMAN INC.

y posándose en árboles. Los machos de la lavandera blanca (*M. alba*), común en toda Eurasia, tienen plumaje blanco con gris o blanquinegro. La única especie americana, la lavandera boyera (*M. flava*), se cría en Alaska y migra a Asia.

Laver, Rod(ney George) (n. 9 ago. 1938, Rockhamton, Queensland, Australia). Tenista australiano. Se unió al equipo australiano de Copa Davis cuando tenía 18 años de edad y representó a su país en el torneo hasta 1962. Apodado "Rocket", fue el segundo hombre (después de DON BUDGE) en ganar el Grand Slam del tenis (1962) y el primero en repetir la hazaña (1969). Se hizo profesional en 1963 y en 1971 se convirtió en el primer tenista en superar el millón de dólares en premios.

Lavoisier, Antoine (-Laurent) (26 ago. 1743, París, Francia–8 may. 1794, París). Químico francés, considerado el padre de la química moderna. Su trabajo sobre la combustión, oxidación (ver OXIDACIÓN-REDUCCIÓN) y los GASES (en especial aquellos en el AIRE) derribó la teoría del flogisto, que dominó durante un siglo y que sostenía que un componente de la materia (el flogisto) era emitido por una sustancia en el proceso de la combustión. Formuló el principio de la conservación de la MASA (i.e., que la suma de los pesos de los productos debe ser igual a la suma de los pesos de los reactantes) en las REACCIONES QUÍMICAS, aclaró la distinción entre ELEMENTOS QUÍMICOS y COMPUESTOS, y fue determinante en el diseño del sistema moderno de la nomenclatura química (dándole nombre al oxígeno, hidrógeno y carbono). Fue uno de los primeros en usar procedimientos cuantitativos en las investigaciones químicas; su ingenio experimental, sus métodos exactos y su razonamiento convincente, junto con los descubrimientos resultantes, revolucionaron la química. También trabajó en problemas físicos, especialmente aquellos relacionados con el calor, y en temas tan diversos como la fermentación, la respiración y su efecto sobre los animales. A pesar de tener fortuna personal, desarrolló una carrera simultánea como funcionario público de notable versa-

Antoine Lavoisier, padre de la química moderna.
FOTOBANCO

tilidad en áreas que abarcaron las finanzas, economía, agricultura, educación y asistencia social. Reformista y político liberal, participó en la REVOLUCIÓN FRANCESA, pero se convirtió en blanco de un ataque creciente por parte de extremistas y fue guillotinado.

Lavrovski, Leonid (Mijáilovich) (18 jun. 1905, San Petersburgo, Rusia–26 nov. 1967, París, Francia). Bailarín, coreógrafo y profesor ruso, director del Ballet BOLSHÓI. Estudió ballet en San Petersburgo hasta 1922 y pronto comenzó a interpretar los papeles principales en el Ballet Kírov, del cual llegó a ser director artístico en 1938. Fue coreógrafo principal del Ballet Bolshói en 1944–56 y en 1960–64, y director de su escuela desde 1964. De su trabajo coreográfico, iniciado en 1930, cabe destacar *Fadetta* (1934), *Romeo y Julieta* (1940), *Giselle* (1944), *The Stone Flower* [La flor de piedra] (1954) y *Night City* (1961).

Law, (Andrew) Bonar (16 sep. 1858, Kingston, Nuevo Brunswick, Canadá–30 oct. 1923, Londres, Inglaterra). Primer ministro de Gran Bretaña (1922–23), el primero nacido en una posesión británica de ultramar. Criado en Escocia, fue elegido a la Cámara de los Comunes en 1900 y se transformó en líder del PARTIDO CONSERVADOR en 1911. Ocupó los cargos de secretario de colonias (1915–16), canciller del Exchequer (1916–18) y presidente de la Cámara de los Comunes (1916–21). Tras la renuncia de LLOYD GEORGE en 1922, formó un gobierno conservador en su calidad de primer ministro, pero renunció siete meses más tarde debido a su deteriorada salud.

Law, John (bautizado 21 abr. 1671, Edimburgo, Escocia–21 mar. 1729, Venecia). Reformador escocés del sistema monetario. En 1705 publicó su plan de reforma bancaria *Consideraciones sobre el numerario y el comercio*, en el cual, a diferencia de otros mercantilistas, propuso un banco central que fuera un organismo para la emisión de dinero, más como billetes bancarios que como oro y plata. Francia estuvo de acuerdo en intentar su plan en 1716, y fundó la Banque Générale, que fue autorizada para emitir billetes. Pronto combinó esta institución con una empresa autorizada para desarrollar los territorios franceses de América del Norte, en forma particular el valle del Mississippi inferior. Su plan fracasó; considerado responsable del desastre especulativo conocido como la "Mississippi Bubble", huyó de Francia y murió en la pobreza en Venecia.

Lawamon ver LAYAMON

Lawes, Henry y William (bautizado 5 ene. 1596, Dinton, Wiltshire, Inglaterra–21 oct. 1662, Londres) (bautizado 1 may. 1602, Salisbury, Wiltshire, Inglaterra–24 sep. 1645, Chester, Cheshire). Compositores ingleses. Ambos hermanos sirvieron en la corte de CARLOS I. Henry se convirtió entonces en el principal compositor inglés de canciones; se conservan cerca de 435 de ellas. Entre su música teatral está aquella compuesta para la mascarada de JOHN MILTON, *Comus* (1634). William escribió una gran cantidad de música instrumental, en su mayor parte para conjuntos de cuerdas. Su música cerca de 25 producciones dramáticas, que abarca obras de BEN JONSON y WILLIAM DAVENANT, hizo de él el principal compositor teatral inglés antes de HENRY PURCELL. Luchó a favor de los realistas durante las guerras civiles inglesas y fue muerto en el sitio de Chester.

Lawrence, D(avid) H(erbert) (11 sep. 1885, Eastwood, Nottinghamshire, Inglaterra–2 mar. 1930, Vence, Francia). Novelista, poeta, cuentista y ensayista inglés. Fue hijo de un minero del carbón y de una maestra de escuela. Comenzó a escribir en 1905 y se tituló de pedagogo en 1908. FORD MADOX

FORD publicó gran parte de la obra temprana de Lawrence en *English Review* y contribuyó a colocar su primera novela, *El pavo real blanco* (1911). Lawrence por lo general extraía temáticas de su propia experiencia vital. *Hijos y amantes* (1913) es claramente una novela autobiográfica sobre la vida familiar de la clase trabajadora. En 1914 se casó con una alemana, Frieda Weekley. La pareja se volvió sospechosa y fue hostilizada durante la primera guerra mundial por su posición pacifista y por el origen germano de ella. Por ello después de 1919 vivieron en distintos países, sin volver jamás a Inglaterra. *El arcoiris* (1915) y su continuación, *Mujeres enamoradas* (1920), atribuye la enfermedad de la civilización moderna a los efectos de la industrialización sobre la psiquis humana. *Canguro* (1923) describe la persecución que sufrió

D. H. Lawrence, c. 1900.
FOTOBANCO

durante la guerra. *La serpiente emplumada* (1926) se inspiró en su fascinación por la cultura azteca. La pluma de Lawrence se destaca por su intensidad y sensualidad erótica. Muchas de sus obras, como *El amante de Lady Chatterley* (1928), fueron prohibidas por obscenas. Murió a causa de una tuberculosis contraída en la juventud.

Lawrence, Ernest O(rlando) (8 ago. 1901, Canton, S.D., EE.UU.–27 ago. 1958, Palo Alto, Cal.). Físico estadounidense. Obtuvo un Ph.D. en la Universidad de Yale, enseñó física en la Universidad de California, en Berkeley, desde 1929, donde fundó y dirigió (desde 1936) el laboratorio de radiación. En 1929 desarrolló el CICLOTRÓN, con el cual aceleró protones a velocidades suficientemente altas para producir desintegración nuclear. Más tarde produjo isótopos radiactivos para uso médico, instituyó el uso de rayos de neutrones para tratar el cáncer e inventó un tubo-pantalla de televisión en colores. Trabajó en el proyecto MANHATTAN, convirtiendo el ciclotrón de Berkeley en un separador de uranio 235 mediante espectrometría de masa. Por su invento del ciclotrón se le otorgó el Premio Nobel en 1939, y en 1957 recibió la distinción Enrico Fermi. El Laboratorio Lawrence, de Berkeley, y el Laboratorio Nacional Lawrence, de Livermore, recibieron el nombre en su honor, así como también el elemento 103, laurencio.

Lawrence, Gertrude *orig.* **Gertrud Alexandra Dagmar Lawrence Klasen** (4 jul. 1898, Londres, Inglaterra–6 sep. 1952, Nueva York, N.Y., EE.UU.). Actriz británica. Sus primeras apariciones teatrales tuvieron lugar en

Gertrude Lawrence.
CECIL BEATON

su infancia y, posteriormente, protagonizó revistas musicales como *London Calling* de NOËL COWARD (1923) y *¡Oh, Kay!* de GEORGE GERSHWIN (1926). Trabó una amistad de por vida con Coward, y actuó en muchas de sus comedias, entre las cuales destaca *Vidas privadas* (1930); tanto la obra como los protagonistas marcaron la pauta de las futuras comedias costumbristas por más de una década: sofisticación, elegancia y agudeza sensible. También fue aclamada por sus roles en los musicales *Una mujer en la penumbra* (1941) y *El rey y yo* (1951).

Lawrence, Jacob (7 sep. 1917, Atlantic City, N.J., EE.UU.– 9 jun. 2000, Seattle, Wash.). Pintor estadounidense. A los 13 años de edad se mudó junto a su familia a Harlem, Nueva York. Desarrolló su talento en las clases de arte patrocinadas por la Works Progress Administration en 1932. Sus obras retratan escenas de la vida e historia afroamericana, con un realismo vívido y estilizado. El *gouache* y la témpera fueron los medios característicos de Lawrence. El uso de colores marrón oscuro y negro para las sombras y los contornos, en una paleta generalmente vibrante, otorgó a su obra un matiz distintivo. Sus obras más conocidas son las series sobre temas históricos y sociales, como *Vida en Harlem* (1942) y *Guerra* (1947). Entre sus trabajos posteriores se cuenta una poderosa serie sobre la lucha por la integración. A partir de 1971 dictó clases en la Universidad de Washington.

Lawrence, John (Laird Mair) *post.* **barón Lawrence (del Panjab y de Grately)** (4 mar. 1811, Richmond, Yorkshire, Inglaterra–27 jun. 1879, Londres). Virrey y gobernador general de India (1864–69) de origen británico. Trabajó en Delhi como juez auxiliar, magistrado y recaudador de impuestos. Después de la primera guerra SIJ (1845–46), se lo nombró comisionado del recién anexado distrito de Jullundur, donde sometió a los jefes montañeses, estableció tribunales y estaciones policiales, y frenó el infanticidio femenino y la costumbre de quemar vivas a las viudas (*suttee*). En el consejo de administración del Panjab (o *Punjab*), abolió los aranceles internos, introdujo una moneda única y estimuló la construcción de caminos y canales. Como virrey y gobernador general desde 1864, fomentó la apertura de oportunidades educacionales crecientes para los indios, pero se resistió a que estos ocuparan altos cargos públicos. Evitó la injerencia en los asuntos de Arabia, el golfo Pérsico y Afganistán.

Lawrence, T(homas) E(dward) *llamado* **Lawrence de Arabia** (15 ago. 1888, Tremadoc, Caernarvonshire, Gales– 19 may. 1935, Clouds Hill, Dorset, Inglaterra). Erudito, estratega militar y escritor británico. Estudió en Oxford, y su tesis versó sobre los castillos de los cruzados. Aprendió árabe en una expedición arqueológica (1911–14). Durante la primera guerra mundial (1914–18) concibió el plan de apoyar la rebelión árabe contra el Imperio OTOMANO como forma de debilitar al aliado oriental de Alemania, y dirigió a las fuerzas árabes en una campaña de guerrillas tras las líneas, lo que inmovilizó a gran cantidad de fuerzas otomanas. En 1917 sus tropas lograron su primera gran victoria, al tomar el puerto de Al-ʿAqabah. Fue capturado en ese mismo año, pero escapó. Sus tropas llegaron a Damasco en 1918, pero, pese a la victoria, el faccionalismo árabe y la decisión anglofrancesa de dividir la región en mandatos controlados por británicos y franceses impidieron que los árabes formaran una nación unificada. Lawrence se retiró, negándose a recibir condecoraciones reales. Bajo el nombre de Ross, y más tarde Shaw, se alistó en la Royal Air Force (y por poco tiempo en el Royal Tank Corps). Terminó su autobiografía, *Los siete pilares de la sabiduría*, en 1926. Finalmente, lo destinaron a la India. Sus experiencias le proporcionaron material para escribir su obra seminovelesca *The Mint* [El troquel]. Falleció en un accidente de motocicleta, tres meses después de licenciarse.

laxante Sustancia que estimula la DEFECACIÓN. Abarcan irritantes (estimulantes) como la cáscara sagrada y el aceite de castor; aumentadores de volumen como el salvado y el psyllium; los laxantes salinos como las sales de Epsom o la leche de magnesia, glicerina, lubricantes como los aceites minerales y algunos aceites vegetales; y los ablandadores de deposiciones. Las dietas ricas en fibras son más importantes que los laxantes para corregir la constipación intestinal simple.

Laxness, Halldór *orig.* **Halldór Kiljan Gudjónsson** (23 abr. 1902, Reykjavík, Islandia–8 feb. 1998, cerca de Reykjavík). Novelista islandés. Se convirtió al catolicismo en su juventud mientras viajaba por Europa; pero luego se alejó del cristianismo y abrazó el socialismo, ideología reflejada en sus novelas de las décadas de 1930–40. Entre las obras que exploran los problemas sociales de Islandia figuran *Salka Valka* (1936), que aborda los apuros de un grupo de proletarios en un pueblo de pescadores; *Gente independiente* (1935), historia de la lucha que libra un empobrecido granjero por lograr la independencia económica, y la trilogía nacionalista *La campana de Islandia* (1943–46). Sus obras tardías asumieron un tono más lírico e introspectivo. En 1955 fue galardonado con el Premio Nobel de Literatura.

Layamon *o* **Lawamon** (c. siglo XII). Poeta medieval inglés. Fue un sacerdote que vivió en Worcestershire. Es el autor de la crónica novelada el *Brut* (c. 1200), obra sobresaliente del renacimiento de la literatura inglesa del s. XII y el primer trabajo en lengua inglesa en abordar las leyendas del rey ARTURO. Su fuente fue el *Roman de Brut* de WACE. En unos 16.000 largos versos aliterados, el *Brut* trata de Gran Bretaña desde la época del desembarco de *Brut* (Bruto), bisnieto del troyano ENEAS, hasta la victoria definitiva de los sajones sobre los britanos en 689.

Lázaro En el Nuevo Testamento, nombre de dos personas al parecer diferentes. En el Evangelio según San Lucas, era el hombre pobre de la parábola del rico Epulón y Lázaro, que en la Edad Media fue venerado como patrono de los leprosos. En el Evangelio según San Juan, Lázaro era el hombre a quien Jesús resucitó de entre los muertos. Cuando Jesús visitó Betania, cerca de Jerusalén, María, hermana de Lázaro, se lamentó diciendo que si Jesús hubiera estado allí cuatro días antes, seguramente podría haber impedido que su hermano muriera. Jesús fue a la cueva donde Lázaro había sido sepultado y le ordenó: "sal de ahí", y así lo hizo. El milagro, según el relato evangélico, hizo que algunos judíos aceptaran a Jesús como el MESÍAS, mientras que otros informaron el hecho a los líderes religiosos judíos.

Lazarus, Emma (22 jul. 1849, Nueva York, N.Y., EE.UU.–19 nov. 1887, Nueva York, N.Y.). Escritora estadounidense. Nació en el seno de una refinada familia judía, circunstancia que le hizo aprender diversos idiomas y conocer los clásicos desde su infancia. Su primer libro (1867) captó la atención de RALPH WALDO EMERSON, con quien entabló en lo sucesivo una relación epistolar. Escribió un romance en prosa y tradujo los poemas y baladas de HEINRICH HEINE. Asumió la defensa de los judíos perseguidos c. 1881 y comenzó a trabajar para socorrer a los nuevos inmigrantes que llegaban a EE.UU. Los célebres versos finales de su poema *The New Colossus* [El nuevo coloso] (1883) fueron grabados en una placa, en el interior del pedestal de la estatua de la LIBERTAD, en 1886.

LCD *sigla de* **liquid crystal display** (pantalla de cristal líquido). Dispositivo optoelectrónico usado en pantallas para relojes, televisores, calculadoras, computadoras portátiles y otros equipos electrónicos. La corriente que pasa a través de partes específicas de la solución de CRISTAL LÍQUIDO provoca que los cristales se alineen, bloqueando el paso de la luz. Al hacer esto de una manera controlada y organizada se producen imágenes visuales en la pantalla. La ventaja de los LCD es que son más livianos y consumen menos energía que otras tecnologías de exhibidores (p. ej., TUBO DE RAYOS CATÓDICOS). Estas características hacen de ellos una elección ideal para pantallas de paneles delgados, como en las computadoras portátiles.

L-dopa ver LEVODOPA

Le Bon, Gustave (7 may. 1841, Nogent-le-Rotrou, Francia–13 dic. 1931, Marnes-la-Coquette). Psicólogo social francés. Después de obtener un doctorado en medicina, viajó por diversos continentes y escribió libros de antropología, pero más tarde se interesó en psicología social. En *La Psicología de las*

masas (1895) sostuvo que la personalidad del individuo queda sumergida cuando está en medio de una multitud, de modo que la mentalidad colectiva de la masa pasa a ser dominante.

Le Brun, Charles (24 feb. 1619, París, Francia–12 feb. 1690, París). Pintor y diseñador francés. Tras haber estudiado en París y Roma, recibió encargos de obras de gran formato de carácter decorativo y religioso, las que consolidaron su reputación. Poseía extraordinarias habilidades técnicas y organizativas, y en su calidad de primer pintor real de LUIS XIV creó y supervisó la producción de la mayoría de las pinturas, esculturas y objetos decorativos encargados por el gobierno francés durante tres décadas, especialmente para el palacio de VERSALLES. Como director de la Academia de pintura y escultura y organizador de la Academia Francesa en Roma contribuyó a establecer la homogeneidad característica del arte francés del s. XVII.

Le Carré, John *orig.* **David John Moore Cornwell** (n. 19 oct. 1931, Poole, Dorset, Inglaterra). Novelista británico. Como miembro del servicio diplomático en Alemania Federal desde 1959, adquirió un conocimiento de primera mano del espionaje internacional. Se dedicó por completo a la literatura luego del éxito de su tercera novela, *El espía que surgió del frío* (1963), de estilo realista y llena de suspenso. La trilogía compuesta por *El topo* (1974), *El honorable colegial* (1977) y *La gente de Smiley* (1980) se centra en el quehacer del agente secreto George Smiley. A diferencia de otros espías de ficción, Smiley es decididamente poco glamoroso, solitario y alienado. Otras novelas destacadas de Le Carré son *La chica del tambor* (1983), *La casa Rusia* (1989) y *El infiltrado* (1993). Muchas de sus obras han sido adaptadas al cine y la televisión.

Le Châtelier, Henry-Louis (8 oct. 1850, París, Francia–17 sep. 1936 Miribel-les-Échelles). Químico francés. Profesor en el Collège de France y en la Sorbona, es conocido principalmente por el principio de Le Châtelier, el cual hace posible la predicción del efecto que un cambio en las condiciones (TEMPERATURA, PRESIÓN o concentración de componentes) tendrá sobre una REACCIÓN QUÍMICA. El principio, de valor incalculable en la industria química para desarrollar un proceso químico más eficiente y rentable, puede ser enunciado así: cuando un sistema en EQUILIBRIO QUÍMICO se somete a una perturbación, responde de tal modo que tiende a minimizar su efecto. Le Châtelier fue también una autoridad en metalurgia, cementos, vidrios, combustibles, explosivos y calor.

Vista exterior de la capilla de Notre-Dame-du-Haut; en Ronchamp, Francia, uno de los últimos trabajos de Le Corbusier.
FOTOBANCO

Le Corbusier *orig.* **Charles-Édouard Jeanneret** (6 oct. 1887, La Chaux-de-Fonds, Suiza–27 ago. 1965, Cap Martin, Francia). Arquitecto y urbanista francés, nacido en un poblado suizo, dejó su hogar siendo joven y desarrolló muchas de sus ideas durante sus viajes por Europa (1907–11). Después de establecerse en París, Le Corbusier (nombre que tomó del apellido de un ancestro) y el pintor Amédée Ozenfant (n. 1886–m. 1966) formularon las ideas del purismo, una estética basada en las formas geométricas puras y simples de los objetos cotidianos. Sus primeros trabajos fueron planos teóricos para ciudades de rascacielos y viviendas de producción masiva; en uno de sus muchos ensayos acerca de la arquitectura de la época, declaró que "una casa es una máquina para habitar". Sus trabajos de la década de 1920, como la Villa Savoye, en Poissy, Francia (1929–30), con su estructura erigida sobre pilares esbeltos de concreto, planta de piso abierta, grandes ventanas con flejes y terraza en el techo, lo establecieron como un representante importante del estilo INTERNACIONAL. Él y otros arquitectos que trabajaron en este estilo aspiraban a líneas modernistas limpias; sin embargo, Le Corbusier fue el primer arquitecto en hacer un uso estudiado del hormigón a la vista, una técnica que le dio a su trabajo una calidad expresiva claramente escultural. Sus últimos trabajos comprenden la UNITÉ D'HABITATION y la lírica capilla de Notre-Dame-du-Haut, en Ronchamp, Francia (1950–55). Sus edificios de gobierno en Chandigarh, India (comenzados en 1950), con sus enormes marquesinas de concreto, fachadas esculturales y líneas de cubierta descendentes, representan la primera aplicación a gran escala de sus principios urbanistas. Los muchos trabajos, planos y escritos de Le Corbusier inspiraron posteriormente experimentos arquitectónicos vanguardistas alrededor del mundo.

Le Gallienne, Eva (11 ene. 1899, Londres, Inglaterra– 3 jun. 1991, Weston, Conn., EE.UU.). Actriz y directora de teatro estadounidense de origen inglés. En 1915 se mudó a Nueva York e interpretó papeles menores en teatro antes de protagonizar *Liliom, la fábula del lobo* (1921). Fundó el Civic Repertory Theatre (1926–33), donde dirigió y actuó en obras de ANTÓN CHÉJOV, HENRIK IBSEN, y de otros dramaturgos poco conocidos en esos años para el público estadounidense. Posteriormente colaboró en la fundación del American Repertory Theatre, de corta vida (1946–47). La más destacada de sus actuaciones posteriores ocurrió en 1976 en el reestreno de *The Royal Family*.

Le Guin, Ursula K(roeber) *orig.* **Ursula Kroeber** (n. 21 oct. 1929, Berkeley, Cal., EE.UU.). Escritora de ciencia ficción estadounidense. Hija de ALFRED L. KROEBER y formada en Radcliffe College, fue influenciada por los métodos antropológicos, lo que se refleja en las descripciones muy detalladas de sociedades extraterrestres en sus obras. Entre sus novelas destacan *La mano izquierda de la oscuridad* (1969), *El nombre del mundo es bosque* (1972), *Los desposeídos* (1974) y *El eterno regreso a casa* (1985), además del ciclo de Terramar. También escribió varios volúmenes de ensayos de corte feminista, y otros acerca de literatura y temas variados.

Le Loi *o* **Binh Dinh Vuong** *o* **Thuan Thien** (1385, Lam Son, Vietnam–1433). General vietnamita que recuperó la independencia de Vietnam del dominio chino y fundó la dinastía LE POSTERIOR (1428–1788). Rico terrateniente, se sintió conmovido por las condiciones sociales que el pueblo sufría bajo el dominio de los chinos y de la aristocracia vietnamita. Mediante una serie de revueltas, iniciadas en 1418, logró expulsar a los chinos. Desde entonces mantuvo relaciones diplomáticas con la dinastía china Ming e incluso les envió tributos; los Ming reconocieron su reino en 1428. Entre sus logros se cuentan las reformas agrarias destinadas a ayudar a los campesinos. Es el héroe vietnamita más venerado de su tiempo.

Le Mans (Grand Prix d'Endurance) Competición de automovilismo, probablemente la más conocida del mundo. Se corre anualmente desde 1923 (salvo contadas excepciones) en el circuito carretero de Sarthe, cerca de Le Mans, Francia. Resulta vencedor el vehículo que recorre mayor distancia en 24 h. La pista tiene 13,4 km (8,3 mi) de longitud, y la carrera está reservada sólo para autos deportivos (ver carreras de AUTOS DEPORTIVOS).

Le Moyne de Bienville, Jean-Baptiste ver Jean-Baptiste Le Moyne de BIENVILLE

Le Nain, hermanos Pintores franceses. En 1630, los tres hermanos –Antoine (n. circa 1600–m. 1648), Louis (n. circa 1600–m. 1648) y Mathieu (n. circa 1607–m. 1677)– ya habían establecido un taller juntos en París. Se dice que trabajaron en armonía y que solían colaborar entre ellos en la realización de una misma obra. De sus trabajos resultan notables las dignas y amables pinturas de género sobre la vida campesina. Su realismo es único en el arte francés del s. XVII. Ninguna de las obras de los hermanos lleva más de un apellido, y hoy en día se les trata como si fueran de un solo pintor.

Le Nôtre, André (12 mar. 1613, París, Francia–15 sep. 1700, París). Arquitecto y paisajista francés. En 1637 sucedió

André Le Nôtre, detalle de una pintura de Carlo Maratti; Musée National de Versailles et des Trianons.
CLICHÉ MUSÉES NATIONAUX, PARÍS

a su padre como jardinero jefe de LUIS XIII en el palacio de las Tullerías, en París; rediseñó sus jardines y extendió la avenida principal, que más tarde constituyó los CAMPOS ELÍSEOS. LUIS XIV le encargó diseñar los jardines del palacio de VERSALLES, sitio que Le Nôtre transformó: de ser un pantano pasó a ser un parque con espléndidas vistas. Diseñó otros numerosos parques y jardines en Francia, como aquellos en Saint-Germain-en-Laye, Saint-Cloud y FONTAINEBLEAU, y probablemente el parque St. James's en Londres. Sus diseños influyeron posteriormente en Pierre-Charles L'Enfant.

Le Pen, Jean-Marie (n. 20 jun. 1928, La Trinité, Francia). Político nacionalista francés. Fue elegido en 1956 a la Asamblea Nacional como su miembro más joven. Ayudó a fundar el Frente Nacional en 1972, y se transformó luego en el líder del partido ese mismo año. Esta agrupación destacó la amenaza que representaba para Francia la inmigración, en particular de los árabes provenientes de las ex colonias francesas del norte de África. El partido también se opuso a la integración europea, favoreció la reincorporación de la pena de muerte e intentó que se prohibiera la construcción de más mezquitas en Francia. Fue candidato a presidente en varias ocasiones; aunque en 1974 obtuvo menos del 1% de los votos, en 1988 y 1995 logró cerca del 15%. En la elección presidencial de 2002 resultó segundo en la primera vuelta, con un 18% de los sufragios, aunque fue fácilmente derrotado en la segunda ronda por JACQUES CHIRAC. Fue ampliamente considerado en forma generalizada el líder del NEOFASCISMO francés y el Frente Nacional constituyó la principal oposición derechista a los partidos conservadores dominantes, desde la década de 1970 hasta los inicios del s. XXI.

Le posterior, dinastía (1428–1788). La más importante y más prolongada dinastía del Vietnam tradicional. Su fundador, LE LOI, expulsó a los chinos de Vietnam y comenzó el proceso de recuperar la parte septentrional de la región, por entonces en poder del reino de CHAMPA. En 1471, el principal gobernante de la dinastía, Le Thanh Tong (m. 1497), completó la tarea. Dividió el país en provincias según el modelo chino y estableció un sistema confuciano de exámenes para la administración pública cada tres años. Después de 1533, los gobernantes Le ostentaban sólo teóricamente el poder, pues el verdadero poder estaba en manos de las familias Trinh y Nguyen. En 1771, un levantamiento campesino derribó la dinastía.

Le Sage ver Alain-René LESAGE

Le Van Duyet (1763, provincia de Quang Ngai, Vietnam– 30 jul. 1832, Saigón). Estratega militar y funcionario gubernamental vietnamita. Estuvo desde su juventud vinculado a la corte de Vietnam. Se desempeñó como asesor de sucesivos emperadores y ayudó al príncipe Nguyen Anh (el futuro emperador Gia Long, fundador de la dinastía NGUYEN) a conquistar la totalidad de Vietnam, mediante el uso de técnicas militares y armamentos occidentales. Se opuso a la persecución de los misioneros católicos ordenada por el sucesor de Gia Long; fue enjuiciado en forma póstuma por su actitud desafiante, pero después se le rindieron honores.

Leacock, Stephen (Butler) (30 dic. 1869, Swanmore, Hampshire, Inglaterra–28 mar. 1944, Toronto, Ontario, Canadá). Escritor y conferencista canadiense de origen inglés. Emigró a Canadá con sus padres a los seis años de edad. A pesar de que enseñó economía y ciencias políticas en la Universidad de McGill (1903–36) y escribió exhaustivamente acerca de historia y economía política, su verdadera vocación era el humor. Su fama está cimentada en sus numerosos libros de alegres parodias y ensayos, que comenzaron con *Lapsus literarios* (1910) y *Novelas sin sentido* (1911). Su humor se basa en una percepción cómica de las debilidades sociales y de la incongruencia entre la apariencia y la realidad en la conducta humana.

Leadbelly *orig.* **Huddie William Ledbetter** (c. 21 ene. ¿1885?, Mooringsport, La., EE.UU.–6 dic.1949, Nueva York, N.Y.). Cantautor de blues folclórico estadounidense. En su niñez aprendió a tocar varios instrumentos; después trabajó como músico itinerante con Blind Lemon Jefferson. En 1918 fue encarcelado por asesinato e indultado en 1925 por el gobernador de Texas, quien visitó la prisión y lo es-

Stephen Leacock, fotografía de Yousuf Karsh.
© KARSH DE RAPHO/PHOTO RESEARCHERS–EB INC.

cuchó cantar. Al retomar una vida sin rumbo, en 1930 fue nuevamente encarcelado por intento de asesinato y en 1933 fue descubierto por el folclorista JOHN LOMAX, quien consiguió su liberación. Asesorado por Lomax inició una gira de conciertos, publicó 48 canciones con comentarios sobre las condiciones de los afroamericanos en la era de la Depresión (1936) y grabó profusamente. Colaboró con WOODY GUTHRIE en el grupo The Headline Singers. Leadbelly murió en la miseria, pero varias de sus canciones, entre ellas "Goodnight, Irene", "The Midnight Special" y "Rock Island Line", pronto se convirtieron en clásicos.

Leahy, William D(aniel) (6 may. 1875, Hampton, Iowa, EE.UU.–20 jul. 1959, Bethesda, Md.). Oficial naval estadounidense. Egresado de la Academia Naval de EE.UU., prestó servicios en la guerra hispano-estadounidense, en la insurrección de Filipinas y en la rebelión de los bóxers. Estuvo al mando de un transporte de la armada durante la primera guerra mundial, donde inició su amistad con FRANKLIN D. ROOSEVELT, entonces subsecretario de marina. Se desempeñó como jefe de operaciones navales (1937–39), gobernador de Puerto Rico (1939) y embajador de EE.UU. en Francia (1940). Fue jefe de estado mayor de Roosevelt durante la segunda guerra mundial y siguió en dicho cargo con HARRY S. TRUMAN. En 1944 ascendió a almirante de la escuadra.

Leakey, familia Familia de arqueólogos y paleoantropólogos conocida por sus descubrimientos de HOMÍNIDOS y de otros restos fósiles en África oriental. Louis S.B. Leakey (n. 1903–m. 1972), hijo de misioneros británicos, creció en Kenia, estudió en la Universidad de Cambridge y posteriormente (1931) inició su investigación de campo en la gargan-

ta de OLDUVAI, en Tanzania. Allí se unió a él su esposa, Mary D. Leakey (n. 1913–m. 1996), que en 1959 encontró los restos de un tipo de *Australopithecus*. La pareja descubrió después los primeros restos conocidos del *Homo habilis*, así como los del *Keniapithecus* (otro eslabón entre simios y humanos que vivió c. 14 millones de años). L.S.B. Leakey encargó a JANE GOODALL, Biruté Galdikas y DIAN FOSSEY los primeros estudios sobre chimpancés, orangutanes y gorilas, respectivamente. Tras la muerte de su esposo, Mary Leakey siguió realizando importantes descubrimientos, entre ellos las huellas de LAETOLI. Su hijo, Richard Leakey (n. 1944), es conocido por su trabajo en el yacimiento de Koobi Fora, a orillas del lago TURKANA, en Kenia, donde encontró pruebas de la presencia del *H. habilis* en África hace ya 2,5 millones de años. Su esposa, Meave Leakey (n. 1942), es también una renombrada paleoantropóloga que descubrió dos nuevas especies de homínidos.

Leal, Juan de Valdés ver Juan de VALDÉS LEAL

Lean, Sir David (25 mar. 1908, Croydon, Surrey, Inglaterra–16 abr. 1991, Londres). Director de cine británico. Desde 1928 comenzó a trabajar en los estudios Gaumont, donde se convirtió en editor general. Codirigió *Sangre, sudor y lágrimas* (1942) con NOËL COWARD y después supervisó los guiones en los largometrajes de este, *Un espíritu burlón* (1945) y *Breve encuentro* (1945). Asimismo dirigió las adaptaciones cinematográficas de *Cadenas rotas* (1946) y *Oliver Twist* (1948), y fue ampliamente aclamado por *El puente sobre el río Kwai* (1957, premio de la Academia) y más tarde por *Lawrence de Arabia* (1962, premio de la Academia), *Dr. Zhivago* (1965) y *Pasaje a la India* (1984). Sus cultas y épicas producciones se destacan por una espectacular dirección de fotografía y deslumbrantes locaciones.

Lear, Edward (12 may. 1812, Highgate, cerca de Londres, Inglaterra–29 ene. 1888, San Remo, Italia). Pintor y poeta humorístico inglés. Desde los 15 años comenzó a vivir de sus dibujos. Fue contratado para ilustrar la colección privada de fieras del conde de Derby en la década de 1830, y luego produjo el *Book of Nonsense* [Libro del absurdo] (1846) para los nietos del conde. Entre sus obras figuran *Disparatario* (1871), que contiene "El búho y el gatito", y *Letras divertidas para canciones divertidas* (1877). Se le recuerda especialmente por haber popularizado el LIMERICK. También publicó libros de dibujos de pájaros y animales y siete libros ilustrados de viajes. Epiléptico y depresivo, Lear residió desde 1837 la mayor parte del tiempo en el extranjero.

Edward Lear, dibujo de William Holman Hunt, 1857; Walker Art Gallery, Liverpool.
GENTILEZA DE LA WALKER ART GALLERY, LIVERPOOL

Lear, Norman (Milton) (n. 27 jul. 1922, New Haven, Conn., EE.UU.). Productor, escritor y director de cine estadounidense. Comenzó como relacionador público y después fue director y escritor de rutinas cómicas para la televisión (1950–59). Escribió y produjo películas como *Gallardo y la calavera* (1963), *El novio de mi mujer* (1967) y *Un mes de abstinencia* (1971); luego regresó a la televisión y creó y produjo exitosas series cómicas como *All in the Family* (1971–83), por la que obtuvo cuatro premios Emmy; *Maude* (1972–78), *Sanford and Son* (1972–77) y *The Jeffersons* (1975–85). Fue el fundador del movimiento activista progresista People for the American Way.

Lear, William Powell (26 jun. 1902, Hannibal, Mo, EE.UU.–14 may. 1978, Reno, Nev.). Ingeniero eléctrico e industrial estadounidense. Luego de servir en la primera guerra mundial, diseñó una radio para automóvil y la vendió a la futura Motorola, Inc. Durante y después de la segunda guerra mundial, sus compañías Lear Avia y Lear, Inc., construyeron radiocompases, pilotos automáticos y otros aparatos de precisión para los aviones aliados. En 1963 formó Lear Jet, Inc., fabricante de pequeños aviones a propulsión destinados a particulares y empresas. En 1964 desarrolló el reproductor estéreo de ocho pistas para automóviles.

Leavis, F(rank) R(aymond) (14 jul. 1895, Cambridge, Cambridgeshire, Inglaterra–14 abr. 1978, Cambridge). Crítico literario británico. Fue alumno y luego profesor en la Universidad de Cambridge. Le imprimió una nueva seriedad a la crítica, en la creencia de que el deber del crítico es evaluar las obras literarias de acuerdo con la postura moral del autor. Fue uno de los fundadores de *Scrutiny*, revista (publicada en 1932–53) considerada a menudo como su mayor contribución a las letras inglesas. Entre sus libros figuran *La nueva poesía inglesa* (1932) y *La Gran Tradición* (1948), en el cual hace una reevaluación de la novela inglesa.

Lebowa Antiguo bantustán del TRANSVAAL septentrional, República de Sudáfrica. El gobierno sudafricano lo designó como territorio nacional del pueblo sotho del norte, que abarcaba los pueblos pedi, love-du y kanga-kone. En 1972 se le concedió autonomía y en 1973 celebró su primera elección. Después de la abolición del APARTHEID, en 1994, pasó a formar parte de la nueva provincia septentrional de Sudáfrica.

Lebrel irlandés.
© SALLY ANNE THOMPSON/ANIMAL PHOTOGRAPHY

lebrel irlandés *o* **lobero irlandés** La más alta de todas las razas caninas, un PERRO DE CAZA de visión aguda usado en Irlanda para atrapar lobos y otros animales, y notable por su velocidad y fuerza. Raza antigua mencionada por primera vez alrededor del s. II DC, tiene una contextura similar al GALGO, pero mucho más fuerte. La hembra, bastante más pequeña, mide al menos 76 cm (30 pulg.) de estatura y pesa 48 kg (105 lb) o más. El pelaje áspero es largo en las cejas y la mandíbula y puede ser gris, leonado, rojo marrón, negro y blanco. Es apreciado como compañero de carácter tierno y sereno.

Lebrun, Albert (29 ago. 1871, Mercy-le-Haut, Francia–6 mar. 1950, París). Estadista francés y último presidente (1932–40) de la TERCERA REPÚBLICA francesa. De formación ingeniero de minas, hizo carrera en la Cámara de Diputados (1900–20) y el Senado (1920–32). Elegido presidente como candidato de transacción, cumplió la función de mediador y símbolo de unidad, con escasa influencia en la adopción de políticas. En 1940 acató la decisión del gabinete de procurar un armisticio con Alemania y estuvo de acuerdo en ser reemplazado por el gobierno de Vichy (ver Francia de VICHY). Fue recluido por los alemanes (1943–44). En 1944 reconoció a CHARLES DE GAULLE como cabeza del gobierno provisional.

Albert Lebrun, estadista francés.
GENTILEZA DE LA BIBLIOTHÈQUE NATIONALE, PARÍS, FRANCIA

Lebrun, Elisabeth Vigée ver (Marie-Louise-) Elisabeth VIGÉE-LEBRUN

leche Líquido secretado por las glándulas mamarias de las hembras de los mamíferos para alimentar a sus retoños. La leche de los animales domesticados es también una fuente importante de alimento para los seres humanos. La mayor parte de la leche consumida en los países de Occidente proviene de la vaca; otras fuentes importantes son la oveja, cabra y hembras de búfalo y camello. La leche está formada por una solución que contiene GRASA y PROTEÍNA, junto con azúcar disuelta, minerales (como CALCIO y FÓSFORO) y VITAMINAS, particularmente COMPLEJO DE VITAMINA B. La leche de vaca procesada en forma comercial es por lo general enriquecida con vitaminas A y D. Prácticamente toda la leche es sometida a PASTEURIZACIÓN como protección contra microorganismos que se presentan en forma natural o que son introducidos artificialmente. Con la refrigeración mejora la prevención de la descomposición (que se avinagre o se corte). La grasa puede separarse de la leche entera (con alrededor de 3,5% de contenido de grasa) con la utilización de una centrifugadora se obtiene CREMA y leche de bajo contenido graso (con 1–2% de grasa) o leche descremada (con 0,5% de grasa). La leche a menudo es homogeneizada, forzada a alta presión a través de pequeños agujeros a distribuir la grasa en forma pareja. También puede ser condensada, evaporada o deshidratada, para su preservación y facilitar el transporte. Otros productos lácteos son la MANTECA, el QUESO y el YOGUR.

Lechfeld, batalla de (955). Batalla en la que el rey germánico OTÓN I derrotó en forma decisiva la invasión de los MAGIARES. Librada en Lechfeld, un llano cerca de la actual ciudad de Augsburgo (Alemania), marcó el último esfuerzo húngaro por invadir Europa.

lechuga Hortaliza anual (*Lactuca sativa*) que forma grupos de hojas turgentes y frescas. Las variedades más conocidas son la lechuga de cogollo o repolluda (variedad *capitata*); lechuga de hoja o crespa (variedad *crispa*); lechuga sin cogollo o romana (variedad *longifolia*); y lechuga de tallo o lechuga espárrago (variedad *asparagina*). Las lechugas repolludas a su vez se subdividen en

Lechuga (*Lactuca sativa*), variedades repolluda y crespa.
STOCKXPERT

mantecosas y frescas (p. ej., la lechuga iceberg). En EE.UU., las granjas de producción a gran escala cultivan principalmente las variedades repolluda fresca, enviándolas a todo el país. Los granjeros locales con una producción limitada cultivan la variedad de hoja y la mantecosa. La lechuga es un cultivo anual temprano que crece mejor en un clima fresco con riego abundante. Aunque suele consumirse cruda, también puede guisarse.

lechuza Cualquiera de las AVES DE PRESA, casi todas nocturnas, del orden Strigiformes: lechuza típica (familia Strigidae), LECHUZA DE CAMPANARIO O COMÚN, lechuza del cabo y lechuza patilarga (Tytonidae), y lechuza cornuda (Phodilidae). El vuelo virtualmente silencioso y la coloración protectora (normalmente marrón) las ayudan a capturar insectos, aves y mamíferos pequeños. Tiene ojos redondos con mirada frontal, un pico muy encorvado, y visión y audición agudas. Mide 13–70 cm (5–28 pulg.) de alto. Algunas especies tienen un disco que enmarca la cara o penachos auriculares, que sirven para localizar la presa al reflejar el sonido hacia los oídos. Pueden girar la cabeza en 180° (algunas pueden llegar hasta 270°). Anidan en las construcciones, los árboles o en el suelo. Las lechuzas típicas se distribuyen mundialmente, salvo en la Antártida. Ver también BÚHO CORNUDO, BÚHO CHICO, BÚHO NIVAL.

lechuza de campanario *o* **lechuza común** Especie de AVE DE PRESA nocturna (género *Tyto*), con discos faciales acorazonados y sin penachos auriculares. La lechuza común tiene unos 30–40 cm (12–16 pulg.) de alto y un color que va de blanco a gris o bien, amarillento a anaranjado pardusco. Sus ojos oscuros son más pequeños que los de otras LECHUZAS. Caza principalmente roedores pequeños, a menudo en tierras cultivadas, y anida en troncos huecos, construcciones, torres y nidos de halcón en desuso. Se distribuye por todo el mundo, excepto la Antártida y Micronesia. Otras especies se distribuyen únicamente en el Viejo Mundo.

Lechuza de campanario o común (*Tyto alba*).—
KARL MASLOWSKI—PHOTO RESEARCHERS

lecitina Cualquiera de una clase de FOSFOLÍPIDOS (también llamados fosfatidilcolinas), importante en la estructura de la célula y en el METABOLISMO. Están compuestas de FOSFATO, COLINA, GLICEROL (como el ÉSTER) y dos ácidos GRASOS. Varios pares de ácidos grasos distinguen las diversas lecitinas. La lecitina comercial es una mezcla de lecitinas y otros fosfolípidos en un aceite comestible. Es un agente humectante y emulsionante utilizado en alimentos para animales, en productos y mezclas para hornear, chocolates, cosméticos y jabón, insecticidas, pintura y plásticos.

Leclerc, Jacques-Philippe *orig.* **Philippe-Marie, vizconde de Hauteclocque** (22 nov. 1902, Belloy-Saint-Léonard, Francia–28 nov. 1947, Colomb-Béchar, Argelia). General francés en la segunda guerra mundial. Fue capturado por los alemanes en 1939, pero escapó a Inglaterra, donde adoptó el seudónimo de Leclerc para proteger a su familia y se integró al ejército de la FRANCIA LIBRE de CHARLES DE GAULLE. Obtuvo algunas victorias militares en África Ecuatorial Francesa y norte de África, y en 1944 comandó una división francesa en la invasión de Normandía. El 25 de octubre recibió la rendición del comandante alemán en París. Falleció en un accidente aéreo y en forma póstuma fue nombrado mariscal de Francia.

lectisternio (del latín *lectum sternere*: "cubrir un lecho"). Antiguo rito griego y romano en el que se ofrecía un festín a las imágenes de dioses y diosas colocadas en un triclinio callejero. En sus orígenes en Grecia, se preparaban triclinios para tres parejas de dioses: APOLO y Leto, HERACLES y ARTEMISA, y HERMES y POSEIDÓN. Durante la festividad, que duraba siete u ocho días, los ciudadanos mantenían la residencia abierta, se liberaba a deudores y prisioneros, y se hacía todo lo posible por desterrar la pena. Otros dioses fueron más tarde honrados con el mismo rito. En tiempos cristianos, el término fue usado para designar una festividad en memoria de los muertos.

LED *sigla de* **light-emitting diode** (diodo emisor de luz). DIODO SEMICONDUCTOR que produce luz visible o infrarroja cuando está expuesto a una corriente eléctrica, como resultado de la electroluminiscencia. Los LED de luz visible se usan en muchos dispositivos electrónicos como lámparas indicadoras (p. ej., un indicador encendido/apagado) y, cuando son puestos en una matriz, permiten visualizar letras o números en pantallas alfanuméricas. Los LED infrarrojos se emplean en optoelectrónica (p. ej., en cámaras con enfoque automático y en controles remotos de televisores) y como fuentes de luz en algunos sistemas de comunicaciones de fibra óptica a distancia. Los LED están formados por los así llamados semiconductores compuestos III–V relacionados con el arseniuro de galio. Consumen poca energía, tienen larga duración y son económicos.

Leda En la mitología griega, hija del rey Testio de Etolia y esposa de Tíndaro, rey de Esparta. Visitada por ZEUS en forma de un cisne, concibió a HELENA de Troya. A veces se decía que Zeus también era el padre de su hijo Pólux, mientras que su esposo Tíndaro lo era de su hermano gemelo, Cástor (ver CÁSTOR Y PÓLUX). Tíndaro fue también el padre de la hija de Leda, Clitemnestra, quien desposó a AGAMENÓN.

Lederberg, Joshua (n. 23 may. 1925, Montclair, N.J., EE.UU.). Genetista estadounidense. Obtuvo un Ph.D. en la Universidad Yale. Con su discípulo NORTON ZINDER, Lederberg descubrió que ciertos virus son capaces de transportar un gen bacteriano de una bacteria a otra. Esto convirtió a las bacterias, tales como la *Drosophila* y el moho del pan *Neurospora*, en herramientas importantes para la investigación genética. También desarrolló técnicas de cruzamiento para la genética bacteriana. En 1958 compartió el Premio Nobel con GEORGE WELLS BEADLE y EDWARD L. TATUM por el descubrimiento de los mecanismos de recombinación genética en bacterias.

Ledo, ruta ver ruta STILWELL

Ledoux, Claude-Nicolas (21 mar. 1736, Dormans-sur-Marne, Francia–19 nov. 1806, París). Arquitecto francés. Durante la década de 1760 y comienzos de 1770 diseñó viviendas particulares en un estilo innovador de arquitectura NEOCLÁSICA, entre ellos, el famoso château de Madame du Barry, en Louveciennes (1771–73). A mediados de la década de 1770 diseñó la fábrica y el poblado de las salinas reales de Arc-et-Senans; el diseño, en el cual anillos de viviendas para obreros rodeaban una industria central, fue realizado tanto para facilitar la producción como para asegurar condiciones saludables para los trabajadores. Su teatro en Besançon (1771–73) resultó revolucionario, por proveer asientos para el público general y para la clase alta. Las elaboradas *barrières* (plazas de peaje) que diseñó para París (1785–89) fueron extremadamente caras, por lo que Ledoux fue removido del proyecto. Arrestado durante la Revolución francesa, no ejerció la arquitectura después de ser liberado.

Ledru-Rollin, Alexandre-Auguste (2 feb. 1807, París, Francia–31 dic. 1874, Fontenay-aux-Roses). Político radical francés. Fue elegido a la Cámara de Diputados en 1839, pero su insistencia en la necesidad de un gobierno republicano lo aisló de otros izquierdistas. Tras la REVOLUCIÓN DE FEBRERO, bajo su influencia como ministro del interior en el gobierno provisional (1848), por primera vez se llevaron a cabo elecciones parlamentarias bajo el sistema de sufragio universal. En 1849 exigió el enjuiciamiento de Luis Napoleón (más adelante NAPOLEÓN III) y encabezó una fracasada insurrección. Huyó a Inglaterra, pero regresó a Francia tras la amnistía de 1870.

Lee, Bruce *orig.* **Lee Yuen Kam** (27 nov. 1940, San Francisco, Cal., EE.UU.–20 jul. 1973, Hong Kong). Actor de cine estadounidense. Hijo de una estrella de una compañía itinerante de ópera china, se crió en Hong Kong, donde actuó en varias películas. Regresó a EE.UU. y en 1966 obtuvo un rol en la serie televisiva *El avispón verde*. A comienzos de la década de 1970 se consagró como una estrella popular gracias a sus películas de acción, entre las que se cuentan *Karate a muerte en Bangkok* (1972) y *Operación dragón* (1973), que lo elevaron a figura de culto con seguidores en todo el mundo. Su carrera terminó abruptamente a la edad de 33 años debido a su repentina muerte acaecida producto de un edema cerebral después de ingerir un analgésico. Sin embargo, sus filmes continuaron siendo masivos y fueron profusamente imitados. Su hijo Brandon Lee (n. 1965–m. 1993) comenzaba su carrera de estrella de películas de acción, cuando falleció a causa de un accidente con armas de fuego durante una filmación dentro de un set.

Lee, Gypsy Rose *orig.* **Rose Louise Hovick** (9 ene. 1914, Seattle, Wash., EE.UU.–26 abr. 1970, Los Ángeles, Cal.). Artista del desnudo estadounidense. A contar de 1919 comenzó a participar en rutinas de vodevil junto con su hermana, y debutó en un BURLESQUE en 1929. Posteriormente se convirtió en la bailarina principal del Republic Theatre de Broadway, propiedad de Billy Minsky (1931), y participó en el musical *Ziegfeld Follies* (1936). Fue reconocida por su gracia, estilo y sofisticado ingenio. En 1937 se retiró del burlesque, para luego actuar en clubes nocturnos y programas de televisión. Su autobiografía, *Gypsy* (1957), dio pie a la exitosa comedia musical (1959) y película, *La reina del vodevil* (1962).

Gypsy Rose Lee, 1944.
GENTILEZA DE LA UNITED ARTISTS CORPORATION; FOTOGRAFÍA DEL MUSEUM OF MODERN ART FILM STILLS ARCHIVE, NUEVA YORK

Lee, Harper (n. 28 abr. 1926, Monroeville, Ala., EE.UU.). Novelista estadounidense. Hija de un abogado, asistió a la Universidad de Alabama; sin embargo, partió a Nueva York antes de titularse de abogado. Un editor la ayudó a transformar un conjunto de cuentos en la novela *Matar un ruiseñor* (1960). Esta obra, la única novela de Lee, tuvo gran aceptación en EE.UU. Obtuvo el Premio Pulitzer y fue adaptada al cine en una película memorable. El héroe de la novela es un abogado de raza blanca, justo y compasivo, llamado Atticus Finch, quien se embarca en la impopular defensa de un afroamericano acusado falsamente de violar a una joven blanca. El libro sigue vigente en el s. XXI.

Lee, Henry (29 ene. 1756, cond. de Prince William, Va., EE.UU.–25 mar. 1818, Cumberland Island, Ga.). Oficial de ejército y político estadounidense. Durante la guerra de la independencia de los ESTADOS UNIDOS DE AMÉRICA ascendió a comandante de caballería y logró victorias en Paulus Hook, N.J. y en el Sur. Como gobernador de Virginia (1791–94), estuvo al mando del ejército que sofocó la rebelión del WHISKY (1794). En la Cámara de Representantes (1799–1801) redactó la resolución que elogió a GEORGE WASHINGTON como "primero en la guerra, primero en la paz y primero en el corazón de sus compatriotas". Después de 1800 fracasó en diversas especulaciones financieras y de tierras, y estuvo dos veces encarcelado por deudas. Fue el padre de ROBERT E. LEE.

Lee, Ivy Ledbetter (16 jul. 1877, Cedartown, Ga., EE.UU.–9 nov. 1934, Nueva York, N.Y.). Estadounidense, precursor de las RELACIONES PÚBLICAS. Trabajó como reportero de un periódico antes de convertirse en representante de prensa de un grupo de mineros del carbón en 1906 y de la sociedad Pennsylvania Railroad Co. en 1912. Con su éxito en el mejoramiento de la imagen pública de sus clientes logró captar muchos otros poderosos, como las empresas Rockefeller. Su mayor innovación fue su franqueza con la prensa: se aseguraba de mantenerla informada de los acontecimientos de interés periodístico que tenían lugar en las empresas que representaba.

Lee Kuan Yew (n. 16 sep. 1923, Singapur). Primer ministro de Singapur (1959–90). Nacido en el seno de una acaudalada familia china, estudió en la Universidad de Cambridge, se recibió de abogado y se hizo socialista. Trabajó como asesor legal de sindicatos y en 1955 fue elegido miembro de la asamblea legislativa de Singapur, mientras el país seguía siendo colonia de la corona británica. Contribuyó a que Singapur alcanzara la autonomía y, presentándose como anticolonialista y anticomunista, resultó elegido primer ministro en 1959. Entre sus numerosas reformas se cuenta la emancipación de las mujeres. Durante un breve período, integró a Singapur a la Federación de Malasia (1963–65); al retirarse de esta, Singapur pasó a ser Estado soberano. Lee industrializó el país y lo convirtió en la nación más próspera del Sudeste asiático. Logró paz laboral y condiciones de vida cada vez mejores para los trabajadores, aunque su gobierno, moderadamente autoritario, restringió a veces las libertades civiles.

Lee Kuan Yew, primer ministro de Singapur (1959–90).
KEYSTONE

Lee, Peggy *orig.* **Norma Deloris Egstrom** (26 may. 1920, Jamestown, N.D., EE.UU.–21 ene. 2002, Los Ángeles, Cal.). Cantante popular estadounidense. Sobrellevó una infancia difícil tras la muerte prematura de su madre. En 1941, mientras cantaba con un grupo en Chicago, fue contratada por BENNY GOODMAN como su cantante principal. En 1943 comenzó a cantar en forma independiente y también a colaborar en canciones, a menudo con su esposo, Dave Barbour, entre ellas, "Fever", "Mañana" y varias canciones para *La dama y el vagabundo* de WALT DISNEY (1955). Con su voz suave y ligeramente ronca, a menudo apoyada con arreglos de influencia jazzística, produjo otros éxitos como "Lover" y "Is That All There Is?".

Lee, Richard Henry (20 ene. 1732, Stratford, Va., EE.UU.–19 jun. 1794, Chantilly, Va.). Estadista estadounidense. Como miembro de la Cámara de los Burgueses de Virginia (1758–75) se opuso a la ley del Timbre y a las leyes Townshend. Colaboró en la formación de los COMITÉS DE CORRESPONDENCIA y participó activamente en el primer y segundo Congreso CONTINENTAL. El 7 de junio de 1776 presentó una resolución en favor de la independencia de las colonias. La aprobación de este documento condujo a la Declaración de INDEPENDENCIA, que él firmó, así también los artículos de la CONFEDERACIÓN. Estuvo otro tiempo en el Congreso (1784–87), y lo presidió en 1784. Se opuso a la ratificación de la Constitución de los ESTADOS UNIDOS DE AMÉRICA porque carecía de una declaración de derechos. Más adelante se desempeñó en el primer Senado (1789–92).

Lee, Robert E(dward) (19 ene. 1807, Stratford, cond. de Westmoreland, Va., EE.UU.–12 oct. 1870, Lexington, Va.). Jefe militar de EE.UU. y de la Confederación. Hijo de HENRY LEE, después de egresar de West Point, prestó servicios en el cuerpo de ingenieros durante la guerra mexicano-estadounidense bajo las órdenes de WINFIELD SCOTT. En 1856 pasó a la caballería y estuvo al mando de fuerzas fronterizas en Texas (1856–57). En 1859 condujo a soldados estadounidenses en contra de la insurrección de esclavos que intentó JOHN BROWN en Harpers Ferry. En

Robert E. Lee, 1865.
GENTILEZA DE LA BIBLIOTECA DEL CONGRESO, WASHINGTON, D.C.

1861 se le ofreció el mando de un ejército nuevo que se estaba organizando para conseguir por la fuerza que los estados separados del Sur volvieran a la Unión. Aunque se oponía a la secesión, se negó. Cuando su estado natal, Virginia, se separó, tomó el mando de las fuerzas de Virginia en la guerra de SECESIÓN y fue asesor de JEFFERSON DAVIS, presidente de la Confederación. Asumió la conducción del ejército de Virginia del Norte (1862) cuando Joseph Johnston cayó herido y rechazó a las fuerzas de la Unión en la batalla de los SIETE DÍAS. Triunfó en BULL RUN, FREDERICKSBURG y CHANCELLORSVILLE. Sus intentos de expulsar a las fuerzas de la Unión de Virginia, invadiendo el Norte, culminaron en las derrotas de ANTIETAM y GETTYSBURG. En 1864–65 dirigió las campañas defensivas en contra de las fuerzas de la Unión comandadas por ULYSSES S. GRANT y causó a la Unión fuertes pérdidas. Terminó su retirada tras las fortificaciones de Petersburg y Richmond (ver campaña de PETERSBURG). En abril de 1895, como general de todas las fuerzas de la Confederación, la reducción cada vez mayor de las tropas y los suministros lo obligaron a rendirse en APPOMATTOX COURT HOUSE. Después de varios meses de recuperación, aceptó el cargo de rector del Washington College (más tarde, Washington and Lee University), que desempeñó hasta su muerte.

Lee Shoemaker, William ver Bill SHOEMAKER

Lee, Spike orig. **Shelton Jackson Lee** (n. 20 mar. 1957, Atlanta, Ga., EE.UU.). Director de cine estadounidense. Criado en Brooklyn, N.Y., logró obtener una maestría en cine en la Universidad de Nueva York. Se hizo conocido con su comedia *Nola Darling* (1986), pero fue *Haz lo correcto* (1989), un retrato de los conflictos raciales en Brooklyn, el filme por el cual fue ampliamente aclamado. La mayoría de sus películas se centran en aspectos de la vida afroamericana, como *Aulas turbulentas* (1988), *Fiebre de selva* (1991), *Crooklyn* (1994) y *El juego sagrado* (1998). El largometraje épico *Malcolm X* (1992), el documental *Four Little girls* (1997) y *La hora 25* (2003) han desmostrado su versatilidad como director.

Lee Teng-hui (n. 15 ene. 1923, cerca de Tan-Shui, Taiwán). Primer presidente (1988–2000) de TAIWÁN (República de China) nacido en la isla. Ascendió al cargo en 1988 tras la muerte de CHIANG CHING-KUO. Fue reelegido en 1990 y obtuvo una victoria aplastante en 1996, durante la primera elección presidencial democrática de Taiwán. Lee era partidario de ejercer una política de "diplomacia flexible" para tratar con la República Popular China. Su sucesor, Chen Shui-bian (Ch'en Shui-pian), fue el primer presidente que no perteneció al GUOMINDANG.

Lee, William (¿1550?, Calverton, Nottinghamshire, Inglaterra–¿1610?, París, Francia). Inventor británico de la primera TEJEDORA. Su modelo (1589) fue el único existente por siglos, y su principio de operación sigue en uso. Isabel I le negó dos veces la patente, debido a su preocupación por los tejedores del reino. Con ayuda de Enrique IV de Francia, Lee posteriormente fabricó medias y calcetines en Ruán.

Leeds Ciudad y municipio (pob., 2001: 715.404 hab.) del condado metropolitano de YORKSHIRE OCCIDENTAL, en el condado histórico de Yorkshire, Inglaterra. Se encuentra a orillas del río Aire, al nordeste de MANCHESTER. Nació como un antiguo poblado anglosajón que se estableció como ciudad en 1626 y se convirtió en un incipiente centro de la industria lanera. La construcción del canal de Leeds y Liverpool (1816), estimuló su crecimiento. A fines del s. XIX se produjo un rápido aumento en la fabricación de prendas de vestir. Es la sede de la Universidad de Leeds.

Leeuwenhoek, Antonie van (24 oct. 1632, Delft, Países Bajos–26 ago. 1723, Delft). Microscopista holandés. En su juventud fue aprendiz de un pañero. Un empleo público posterior le permitió dedicarse a su afición: pulir lentes y usarlos para observar objetos diminutos. Con sus sencillos microsco-

pios observaba protozoos en agua de lluvia, pozas y norias, así como bacterias de la boca y de los intestinos humanos. También descubrió los corpúsculos sanguíneos, los capilares y la estructura de los músculos y nervios y, en 1677, describió por primera vez los espermatozoides de insectos, perros y seres humanos. Continúa siendo un misterio cómo aumentaba la potencia de sus lentes lo suficiente para obtener tales resultados. Sus investigaciones en animales inferiores desvirtuaron la doctrina de la generación espontánea, y sus observaciones contribuyeron a establecer los fundamentos de la bacteriología y la protozoología.

Leeuwenhoek, detalle de un retrato de Jan Verkolje; Rijksmuseum, Amsterdam.
GENTILEZA DEL RIJKSMUSEUM, AMSTERDAM

Lefèvre d'Étaples, Jacques (1455, Étaples, Picardía–mar. 1536, Nérac, Francia). Humanista, teólogo y traductor francés. Ordenado sacerdote, enseñó filosofía en París (1490–1507), tras lo cual trabajó en la abadía de Saint-Germain-des-Prés. Bajo sospecha de haberse convertido al PROTESTANTISMO, se trasladó transitoriamente a Estrasburgo y luego a Nérac, donde fue protegido por la reina de Navarra. Al desechar la influencia de la ESCOLÁSTICA medieval, fomentó el estudio de las Escrituras en vísperas de la REFORMA. Tradujo la Biblia al francés y escribió comentarios sobre san PABLO, así como obras filosóficas y místicas.

Léger, Fernand (4 feb. 1881, Argentan, Francia–17 ago. 1955, Gif-sur-Yvette). Pintor francés. Nacido en el seno de una familia de campesinos, trabajó como dibujante arquitectónico en París antes de estudiar arte. Influenciado por PAUL CÉZANNE y los inicios del CUBISMO, Léger desarrolló un estilo pictórico que combinaba colores audaces con formas geométricas y cilíndricas dispuestas en composiciones sumamente ordenadas. Sus obras más conocidas celebraban la tecnología industrial moderna, al realzar las formas derivadas de piezas de máquinas. Aunque fue gravemente herido en la primera guerra mundial, su arte siguió confirmando su fe en la vida moderna y la cultura popular.

Fernand Léger, fotografía de Arnold Newman, 1941.
© ARNOLD NEWMAN

En 1924 creó y dirigió el *Ballet mécanique*, una película sin argumento con fotografía de MAN RAY.

leghorn Raza de GALLINA originaria de Italia, la única raza mediterránea de importancia en la actualidad. De las 12 variedades, la *leghorn* blanca de cresta simple es más común que todas las demás *leghorn* juntas. Constituye la principal productora de huevos del mundo; pone huevos blancos y se cría en gran número en Inglaterra, Canadá, Australia y EE.UU.

Leghorn ver LIVORNO

legión Organización militar, originalmente la unidad permanente más grande del ejército romano. Fue la base del sistema militar mediante el cual la Roma imperial conquistó y gobernó su imperio. La República romana de los primeros tiempos encontró que la FALANGE griega era demasiado inmanejable para el combate fragmentado en los cerros y valles de Italia central. Para remplazarla, los romanos evolucionaron a un nuevo sistema táctico, basado en unidades de infantería pequeñas y flexibles llamadas manípulos. Estos se agrupaban en unidades mayores llamadas cohortes, las cuales tenían entre 360 y 600 hombres, según la época. Diez cohortes formaban una legión, que entraba en batalla con cuatro cohortes en la primera línea y tres en la segunda y tercera líneas. Ver también LEGIÓN EXTRANJERA.

Legión de Honor *ofic.* **Orden de la Legión de Honor** Orden y condecoración del más alto rango en la República francesa. Fue creada por NAPOLEÓN I en 1802 como una orden general del mérito militar y civil. La pertenencia a ella está abierta a hombres y mujeres, ciudadanos franceses y extranjeros, sin consideración de rango, nacimiento o religión. La admisión en la Legión requiere de 20 años de méritos civiles en tiempos de paz o actos extraordinarios de valentía y de servicios militares en tiempos de guerra.

Legión de María, Iglesia Iglesia africana independiente influenciada por el CATOLICISMO ROMANO. Se originó en Kenia en 1963, cuando dos católicos del grupo LUO, Simeon Ondeto y Gaundencia Aoko, afirmaron haber tenido experiencias proféticas. La Iglesia, que ofrece la sanación mediante la oración y el exorcismo de espíritus malignos, agrega elementos del PENTECOSTALISMO al culto y la jerarquía del catolicismo. En su primer año de existencia captó unos 90.000 adherentes, pero este número había disminuido a 50.000 a fines de la década. Rechaza la medicina tradicional occidental, el alcohol, el tabaco y el baile, pero acepta la poligamia y es fuertemente nacionalista.

Legión Extranjera *francés* **Légion Étrangère** Cuerpo militar francés integrado en un principio por extranjeros, pero que actualmente incluye a muchos franceses. Se creó en 1831 como un ejército profesional altamente disciplinado,

Destacamento de la Legión Extranjera en Sidi-Bel-Abbes, Argelia, 1906.
FOTOBANCO

cuyo fin era colaborar en el control de las colonias francesas en África. Desde su fundación, se ha mantenido casi siempre en combate; sus fuerzas han peleado o han estado apostadas en lugares como Europa, Crimea, México, Siria e Indochina. Los voluntarios que ingresan prestan juramento de servicio a la Legión y no a Francia. Tras cumplir un período de alistamiento de cinco años con buena conducta, los soldados extranjeros pueden optar a la ciudadanía francesa. Dado que se mantiene en secreto el pasado de los voluntarios, se la ha idealizado como refugio para aquellos que buscan una nueva identidad, como delincuentes o criminales, pero la mayoría son soldados profesionales que tienen vocación militar. Al principio, la Legión tenía su cuartel general en Argelia, pero fue trasladado a Francia luego de la independencia de ese país.

legionarios, enfermedad de los Forma de NEUMONÍA, que se identificó por primera vez en 1976, cuando murieron 29 asistentes a una convención de la Legión Americana (en Filadelfia, EE.UU.). Su causa fue identificada como una bacteria desconocida hasta entonces, la *Legionella pneumophila*, que más tarde reveló ser la causante de anteriores brotes misteriosos en lugares muy distantes entre sí. Suele iniciarse con malestar general y cefalea, seguidos de fiebre alta y a menudo escalofríos, tos seca, disnea y, ocasionalmente, confusión mental. El agua contaminada es la fuente de infección más probable (p. ej., en los sistemas de distribución de agua, los humidificadores y los equipos de aire acondicionado). La enfermedad se trata con antibióticos.

legislativo, poder Poder del Estado encargado de elaborar las leyes. Antes del advenimiento de los poderes legislativos, las leyes eran dictadas por monarcas. Entre los primeros poderes legislativos destacan el PARLAMENTO BRITÁNICO y el Althing islandés (creado c. 930). Los poderes legislativos pueden ser unicamerales o bicamerales (ver sistema BICAMERAL). Sus atribuciones pueden abarcar la aprobación de leyes, la fijación del presupuesto nacional, la confirmación de los nombramientos hechos por el Ejecutivo, la ratificación de tratados internacionales, la fiscalización del poder EJECUTIVO, la acusación constitucional y destitución de miembros del poder ejecutivo y judicial (ver poder JUDICIAL), y la reparación de perjuicios causados a sus representados. Sus miembros pueden ser designados o elegidos directa o indirectamente; pueden representar a toda la población, a grupos específicos o a subdistritos territoriales. En el sistema presidencial, las funciones del poder ejecutivo y del legislativo se encuentran claramente separadas; en el sistema parlamentario, los miembros del Ejecutivo son escogidos de entre los miembros del Legislativo. Ver también BUNDESTAG; DIETA; DUMA; Congreso de los ESTADOS UNIDOS DE AMÉRICA; KNÉSET; PARLAMENTO CANADIENSE; PARLAMENTO EUROPEO.

legítima defensa En el DERECHO PENAL, defensa afirmativa (p. ej., frente a la acusación de homicidio), en virtud de la cual se alega que el acusado se vio obligado a emplear la fuerza para protegerse. Por lo general, la alegación de legítima defensa debe sustentarse en una razonable convicción de que la otra parte tenía la intención de infligirle grave daño físico o causarle la muerte y de que era imposible evitarlo eludiendo el enfrentamiento. Ver también HOMICIDIO.

legitimación procesal En derecho, condición consistente en tener derecho a iniciar una acción legal debido a la existencia de un interés legítimo y suficiente en su resultado. Los tribunales han establecido que el demandante que haya sido objeto, o se encuentre en peligro de ser objeto, de un daño real (físico, económico o de otra índole), tiene claramente legitimación procesal. El demandante que no pueda acreditar dicho daño carecerá de esta legitimación y, en consecuencia, no podrá iniciar una acción judicial.

leguminosa Cualquiera de unas 18.000 especies repartidas en unos 650 géneros de angiospermas que constituyen el orden Fabales, y que componen la única familia de las Leguminosas o Fabáceas. El fruto característico es la legumbre. El cultivo de las leguminosas se encuentra generalizado en todos los continentes. Las hojas de muchas de ellas son plumosas y las flores, casi siempre llamativas. En importancia económica, este orden sólo es superado por las HIERBAS y juncias del orden CIPERÁCEAS. En cuanto a la producción de alimentos, la familia de las Leguminosas es la más importante de todas. Las vainas son parte de la dieta de casi todos los seres humanos y aportan la mayor parte de la proteína dietética en las regiones de alta densidad demográfica. Además, las leguminosas realizan el proceso inestimable de la fijación del NITRÓGENO. Puesto que contienen muchos de los AMINOÁCIDOS esenciales, pueden compensar las deficiencias proteicas de los CEREALES. También suministran aceites comestibles, GOMAS, fibras y materia prima para plásticos, y algunas son plantas ornamentales. Esta familia comprende la ALFALFA, FRIJOLES, RETAMA, ALGARROBO EUROPEO, TRÉBOL, FRIJOL CAUPÍ, LUPINO, ARVEJA, MANÍ, SOJA, TAMARINDO y las especies de ACACIA, MIMOSA y VICIA.

Lehár, Franz (Christian) *orig.* **Ferencz Christian Lehár** (30 abr. 1870, Komárom, Hungría, Austria-Hungría–24 oct. 1948, Bad Ischl, Austria). Compositor húngaro. Comenzó a estudiar violín a los 12 años de edad en Praga. En la década de 1890 fue director de bandas militares como su padre. Hacia fines de la década se había trasladado a Viena, donde se convirtió en un compositor popular de marchas y valses. Después de 1901 se concentró en la dirección orquestal y en la composición, sobre todo en sus 40 operetas ingeniosas y melódicas que encarnan el espíritu vienés anterior a la primera guerra mundial, tan populares como *La viuda alegre* (1905), *El conde de Luxemburgo* (1909) y *El país de las sonrisas* (1929).

Lehmbruck, Wilhelm (4 ene. 1881, Meiderich, Alemania–25 mar. 1919, Berlín). Escultor, pintor y grabador alemán. Su obra de juventud fue académicamente realista, pero en forma progresiva desarrolló admiración por las obras de AUGUSTE RODIN. En 1910 se mudó a París, donde realizó pinturas, litografías y esculturas. Se convirtió en uno de los principales escultores alemanes del EXPRESIONISMO. Fue conocido sobre todo por sus alargados desnudos, como *Mujer arrodillándose* (1911), el que sugiere un resignado pesimismo. Regresó a Alemania con el estallido de la primera guerra mundial y cuidó a soldados heridos en un hospital. *Joven sentado* (1917) revela su profunda depresión. Se suicidó dos años más tarde.

Leiber, Jerry (n. 25 abr. 1933, Baltimore, Md., EE.UU.). Compositor de canciones y productor estadounidense. Su familia se estableció en Los Ángeles, donde conoció a Mike Stoller (n. 1933), quien se había mudado allí desde Nueva York. En 1950, todavía adolescentes, Leiber y Stoller se convirtieron en un dúo compositor y productor y fueron de los primeros en producir grabaciones que combinaban la música pop con el RHYTHM AND BLUES. Su primera colaboración exitosa llegó con "Hound Dog", grabada por Big Mama Thornton (1953) y después por ELVIS PRESLEY, quien registró más de 20 de sus composiciones. Escribieron numerosas canciones para The Coasters, entre ellas, "Yakety-Yak". Otros éxitos son "There Goes My Baby", "Stand by Me" y "Love Potion Number Nine". Sus canciones han sido también grabadas por The BEATLES, ARETHA FRANKLIN, JAMES BROWN y Ben E. King, entre muchos otros.

Leibniz, Gottfried Wilhelm (1 jul. 1646, Leipzig, Sajonia–14 nov. 1716, Hannover, Hannover). Filósofo, matemático, inventor, jurista, historiador, diplomático y consejero político alemán. Obtuvo un doctorado en derecho a los 20 años. En 1667 comenzó a trabajar para el elector de Maguncia, posición en la que codificó las leyes de la ciudad, entre otras tareas importantes. Sirvió a los duques de Braunschweig-Lüneburg como bibliotecario y consejero (1676–1716). En 1700 ayudó a fundar en Berlín la Academia Alemana de Ciencias, de la que fue el primer presidente. Aunque escribió copiosamente, publicó poco en vida. En metafísica es conocido por su doctrina de la mónada, según la cual la realidad está constituida en última instancia por sustancias simples (mónadas), cada una de las cuales consiste en nada más que percepción y apetito. Aunque cada estado de una mónada es causa de su estado subsecuente y efecto de su estado precedente, no hay relaciones causales entre las mónadas; la apariencia de relaciones causales entre las sustancias se debe a la suposición de que existe una "armonía preestablecida" entre los estados perceptivos de las diferentes mónadas. Su principio de la identidad de los indiscernibles enuncia que un individuo *x* y un individuo *y* son idénticos si y sólo si comparten las mismas propiedades intrínsecas no relacionales. Su obra *Ensayos de teodicea* (1710), intentó conciliar la bondad de Dios con la existencia del mal en el mundo mediante la afirmación de que sólo Dios es perfecto y que el mundo actual es el "mejor de todos los mundos posibles". Esta doctrina fue famosamente ridiculizada por VOLTAIRE en su novela cómica *Cándido*. En matemática, Leibniz exploró la idea de un lenguaje lógico-matemático universal basado en un sistema numeral binario (*De arte combinatoria* [1666]), aunque en todos los instrumentos de cálculo que construyó posteriormente utilizó el sistema decimal. Descubrió el teorema fundamental del CÁLCULO de forma independiente a ISAAC NEWTON; la áspera disputa sobre la prioridad en el hallazgo dejó a Inglaterra atrasada por más de una generación, antes de que se adoptaran la notación y los métodos superiores de Leibniz. Hizo también importantes contribuciones a la óptica y la mecánica. Es considerado el último polimatemático de la civilización occidental.

Leibovitz, Annie *orig.* **Anna-Lou Leibovitz** (n. 2 oct. 1949, Westbury, Conn. EE.UU.). Fotógrafa estadounidense. En 1967 se inscribió en el San Francisco Art Institute y en 1970, siendo todavía una estudiante, recibió su primer trabajo comercial para la revista *Rolling Stone*. Leibovitz se convirtió en la principal fotógrafa de la revista en 1973, y durante la década siguiente realizó imágenes de los personajes más conocidos de la música rock contemporánea. En 1983 se trasladó a la revista *Vanity Fair*, en la que amplió su universo de personajes para incluir a estrellas de cine, atletas y figuras políticas. En 1986 se inició en la fotografía publicitaria. Se han publicado varias exitosas monografías sobre su obra fotográfica.

Leicester Ciudad (pob., 2001: 279.923 hab.) del condado geográfico e histórico de LEICESTERSHIRE, en el centro de Inglaterra. Situada a orillas del río Soar, fue fundada por los romanos y en el período normando se convirtió en una importante comunidad. En 1143 se construyeron en Leicester un castillo y un monasterio normando cuyas ruinas todavía se conservan. En dicho lugar alojó RICARDO III antes de morir en la batalla de BOSWORTH FIELD. La ciudad quedó constituida legalmente en 1589 y después de la llegada del ferrocarril en 1832 pasó a ser un centro industrial. Cerca de ella se encuentra la Universidad de Leicester (fundada en 1957).

Leicester, conde de ver Simón de MONTFORT

Leicester, Robert Dudley, conde de (24 jun. 1532/3–4 sep. 1588, Cornbury, Oxfordshire, Inglaterra). Cortesano inglés y favorito de ISABEL I. Arrestado en 1553 por apoyar a su padre, el duque de NORTHUMBERLAND, en su intento por colocar en el trono a LADY JANE GREY, fue liberado en 1554. Atractivo y ambicioso, se ganó el afecto de Isabel tras su ascenso al poder (1558), por lo que fue nombrado miembro del comité asesor del monarca en 1559. Cuando falleció su esposa en 1560, se rumoreó que la había asesinado para casarse con Isabel. Se transformó en un activo pretendiente de la reina; aunque no logró obtener su mano, se mantuvieron como amigos cercanos. En 1585, tras ser enviado al mando de una fuerza inglesa para apoyar a los Países Bajos en su revuelta contra España, demostró ser incompetente y fue retirado del cargo (1587).

Leicestershire Condado administrativo (pob., 2001: 609.579 hab.), histórico y geográfico en el centro de Inglaterra. Situado en la región de East Midlands, el condado geográfico abarca tanto el condado administrativo como la ciudad de LEICESTER. El río Soar lo atraviesa de sur a norte en su recorrido hasta unirse al río TRENT. Al este del valle del Soar se encuentra una conocida zona de cacería de zorros. Leicestershire tiene una tradición agrícola de pastoreo y destaca por su producción de queso Stilton. La industria manufacturera, al igual que Leicester, es importante.

Lei-chou ver península de LEIZHOU

Leiden *o* **Leyden** Ciudad (pob., 1999: 117.389 hab.) en el oeste de los Países Bajos. Mencionada por primera vez en 922 como posesión de la diócesis de Utrecht, fue gobernada por la corte de Holanda hasta 1420. Se convirtió en un centro de impresión luego de la instalación de una imprenta perteneciente a la familia ELZEVIR c. 1581. Gracias a la Universidad de Leiden, fundada en 1575, la ciudad se transformó en un centro de teología, ciencias y arte. Fue la cuna de los pintores REMBRANDT VAN RIJN y JAN JOSEPHS VAN GOYEN. Los PEREGRINOS residieron en ella durante 11 años antes de partir hacia América en 1620.

Leif Erikson o **Leif Erikson el Afortunado** *noruego* **Leiv Eriksson den Hepne** (floreció s. XI). Explorador islandés, posiblemente el primer europeo en llegar a América del Norte. Leif, segundo hijo de ERIK EL ROJO, viajaba desde Noruega de regreso a Groenlandia, donde había sido enviado por OLAF I TRYGGVESON para convertir a los nativos al cristianismo (c. 1000), cuando perdió el rumbo y desembarcó probablemente en Nueva Escocia, a la que llamó VINLAND. Este relato clásico proviene de la obra islandesa la *Saga de Erik*. Otro relato, la *Saga de los groenlandeses*, sostiene que Leif supo de Vinland por un hombre que había estado ahí 14 años antes y que el explorador islandés llegó a América del Norte después del año 1000.

Leigh, Mike *p. ext.* **Michael Leigh** (n. 20 feb. 1943, Salford, Lancashire, Inglaterra). Director de cine y dramaturgo británico. Con su primera obra de teatro, *The box play* (1965), inició un proceso de improvisación y colaboración con los actores que sería el fundamento de sus obras para el teatro, televisión y cine que, por lo general, retratan la realidad de la clase baja y obrera con patetismo y humor incisivo. Debutó en el cine con *Bleak Moments* (1971) y más tarde realizó películas no convencionales como *Grandes esperanzas* (1988), *La vida es formidable* (1991) e *Indefenso* (1993), con la cual obtuvo el premio al mejor director en el festival de Cannes. A la internacionalmente aclamada *Secretos y mentiras* (1996), le siguieron *Simplemente amigas* (1997), *Topsy-Turvy* (1999), *A todo o nada* (2002) y *El secreto de Vera Drake* (2004).

Leigh, Vivien *orig.* **Vivian Mary Hartley** (5 nov. 1913, Darjeeling, India–8 jul. 1967, Londres, Inglaterra). Actriz británica. Debutó en el cine en 1934 y su estreno en el teatro londinense fue con *La máscara de la virtud* (1935). Después de una muy publicitada búsqueda fue escogida para el rol de Scarlett en *Lo que el viento se llevó* (1939, premio de la Academia), personaje con la que obtuvo gran fama. Reconocida por su delicada belleza, posteriormente protagonizó *El puente de Waterloo* (1940), *Lady Hamilton* (1941), *Ana Karenina* (1948) y, con *Un tranvía llamado deseo* (1951), obtuvo un premio de la Academia por su retrato de la trágica y alucinatoria Blanche DuBois. Desde 1940 hasta 1960 estuvo casada con LAURENCE OLIVIER, con quien actuó en numerosas y exitosas producciones teatrales en Londres. En 1963 protagonizó en Broadway la adaptación musical de *Tovarich*, una producción desastrosa por la cual, sin embargo, Leigh obtuvo un Premio Tony.

Leighton, Margaret (26 feb. 1922, Barnt Green, cerca de Birmingham, Worcestershire, Inglaterra–13 ene. 1976, Chichester, West Sussex). Actriz británica. En 1944 hizo su estreno teatral londinense para después incorporarse a la compañía Old Vic. Debutó en Broadway en 1946, donde fue aclamada por su amplia gama de interpretaciones dramáticas en obras como *El cóctel* (1950) y *El carro de manzanas* (1953). Obtuvo premios Tony por sus actuaciones en *Mesas separadas* (1956) y *La noche de la iguana* (1962), y sus más destacadas actuaciones en cine fueron en *El caso Winslow* (1948), *El ruido y la furia* (1959) y *El mensajero* (1971).

Leinster Provincia oriental (pob., est. 2002: 2.105.449 hab.) de Irlanda. Abarca una superficie de 19.633 km² (7.850 mi²) y comprende los condados de Carlow, DUBLÍN, Kildare, Kilkenny, Laois, Longford, Louth, Meath, Offaly, Westmeath, Wexford y Wicklow. Su parte septentrional, Meath, fue un reino independiente en el s. II DC. A comienzos de la Edad Media, los reyes de Leinster lucharon constantemente contra los jefes del clan Ui Neill, cuya capital era Tara, en Meath. A fines del s. XV y principios del s. XVI, bajo los condes de Kildare, Leinster fue prácticamente independiente.

Leipzig Ciudad (pob., est. 2002: 493.052 hab.) en el centro-este de Alemania. Situada en el oeste del estado de SAJONIA, en el s. XI era una ciudad fortificada conocida como Urbs Libzi. Obtuvo rango de municipio alrededor de 1170 y se convirtió en un importante centro comercial gracias a su ubicación cercana a las principales rutas mercantiles de Europa central. En las proximidades de esta ciudad se libraron varias batallas de la guerra de los TREINTA AÑOS, y también la batalla de LEIPZIG (1813). En 1989 fue escenario de una serie de protestas masivas que contribuyeron al derrocamiento del régimen comunista de Alemania Oriental. Entre sus sitios de interés histórico destacan la Universidad de Leipzig (1409), la iglesia de santo Tomás del s. XIII y el Salón de exposiciones de Leipzig.

Leipzig, batalla de o **batalla de las Naciones** (16–19 oct. 1813). Derrota decisiva de NAPOLEÓN I en Leipzig, que terminó por aniquilar el poderío francés sobre Alemania y Polonia. Rodeado en la ciudad, el ejército de Napoleón sólo fue capaz de impedir los ataques aliados. Al iniciarse la retirada de la ciudad por el único puente hacia el oeste, un cabo atemorizado lo destruyó, dejando a 30.000 efectivos franceses atrapados en Leipzig para ser capturados. La batalla resultó ser una de las más violentas de las guerras NAPOLEÓNICAS; los franceses perdieron 38.000 hombres, entre muertos y heridos, y los aliados, 55.000.

Leipzig, Universidad de Universidad sustentada por el Estado de Leipzig, Alemania, fundada en 1409. Durante el s. XVI fue el centro del pensamiento de la Reforma, y en los s. XVIII–XIX se constituyó en uno de los centros literarios y culturales más destacados de Europa. Atrajo a estudiantes de altísimo nivel como GOTTFRIED WILHELM LEIBNIZ, JOHANN WOLFGANG VON GOETHE, JOHANN GOTTLIEB FICHTE y RICHARD WAGNER. Entre 1953 y 1990 su nombre fue cambiado por el de Universidad de Leipzig Karl Marx.

leishmaniasis Infección humana por protozoos que se disemina por la picadura de un mosquito simúlido hematófago. La afección es especialmente prevalente en zonas tropicales, aunque también tiene incidencia en otras regiones del mundo. Es producida por varias especies de *Leishmania*, protozoo flagelado que infecta roedores y caninos. La leishmaniasis visceral, o kala-azar, ocurre en todo el mundo, pero es especialmente prevalente en el Mediterráneo, África, Asia y América Latina; afecta el hígado, el bazo y la médula ósea y habitualmente resulta fatal si no se trata. La leishmaniasis cutánea es endémica en ciertas zonas alrededor del Mediterráneo, norte y centro de África, y Asia occidental y meridional; también se encuentra en América Central y América del Sur, excepto en Chile y Uruguay, y en partes del sur de EE.UU. Se caracteriza por lesiones cutáneas en las piernas, pies, manos y cara, la mayoría de las cuales sanan espontáneamente al cabo de varios meses.

leitmotiv En música, idea melódica asociada con un personaje o con un elemento dramático importante. Se asocia particularmente con las óperas de RICHARD WAGNER, la mayoría de las cuales descansa en una densa red de *leitmotivs* que se asocian. La mayor parte de los compositores poswagnerianos (y algunos de sus predecesores inmediatos) continuaron usando este principio músico-dramático, pero pocos lo han hecho con tanta rigurosidad como él.

Leizhou, península de o **península Lei-chou** Península que se extiende desde la costa del sudoeste de la provincia de GUANGDONG, China sudoriental. El estrecho de Hainan la separa de la isla de HAINAN; allí se encuentra Kwangchowan, territorio arrendado por Francia de 1898–1945. Durante la segunda guerra mundial fue ocupada por Japón y en 1946 volvió a estar bajo control chino.

lejía Líquido alcalino (ver ÁLCALI) extraído al remojar cenizas de madera en agua, comúnmente utilizado para lavar y fabricar JABÓN. En términos más generales, la lejía es cualquier solución alcalina fuerte, como el hidróxido de sodio (SODA CÁUSTICA) o el hidróxido de potasio (potasa cáustica).

Leland, Henry Martyn (16 feb. 1843, Danville, Vt., EE.UU.–26 mar. 1932, Detroit, Mich.). Ingeniero y fabricante estadounidense. Formado como mecánico, fundó en 1890 la Leland & Faulconer Manufacturing Co., en Detroit, para construir motores para fabricantes de automóviles. En 1904 unió esta empresa con la recién fundada Cadillac Motor Car Co., creando el exitoso Cadillac Modelo A. En 1917 fundó la Lincoln Motor Co., que fue adquirida por HENRY FORD en 1922. Fue conocido por sus normas de fabricación rigurosas; algunas de sus innovaciones fueron los motores V-8 y de arranque eléctrico.

Lelang ver NANGNANG

Lemaître, Georges (17 jul. 1894, Charleroi, Bélgica–20 jun. 1966, Lovaina). Astrónomo y cosmólogo belga. Sirvió en el ejército de su país durante la primera guerra mundial, para luego entrar al seminario y ser ordenado sacerdote. En 1927 ejerció como profesor de astrofísica en la Universidad de Londres y propuso el modelo del BIG BANG para la formación del universo. La teoría de Lemaître, modificada por GEORGE GAMOW, se transformó en la teoría dominante sobre el origen del universo. Lemaître también estudió los RAYOS CÓSMICOS y el problema de los tres cuerpos, el cual aborda la descripción matemática del movimiento de tres cuerpos en el espacio que se atraen mutuamente.

Castillo de Chillon en Montreaux, Riviera suiza del lago Léman.
GAVIN HELLIER/ROBERT HARDING WORLD IMAGERY/GETTY IMAGES

Léman, lago *o* **lago de Ginebra** *alemán* **Genfersee** Lago en la frontera francosuiza. Unos 347 km² (134 mi²) de la superficie del lago son suizos y 234 km² (90 mi²), franceses. Situado a una altura de 372 m (1.220 pies), tiene una extensión de 72 km (45 mi) y una anchura promedio de 8 km (5 mi). Es alimentado por el río RÓDANO, que entra por su lado oriental y sale por el extremo occidental a través de GINEBRA. El nivel del agua está sujeto a fluctuaciones conocidas como *seiches*, fenómeno que consiste en la oscilación de la superficie del agua debido a variaciones de la presión atmosférica.

LeMay, Curtis E(merson) (15 nov. 1906, Columbus, Ohio, EE.UU.–1 oct. 1990, Base Aérea March, Cal.). Oficial de aviación estadounidense. En 1928 ingresó al cuerpo aéreo del ejército. En la segunda guerra mundial creó técnicas avanzadas de bombardeo estratégico, entre ellas el bombardeo por saturación, y dirigió operaciones en Europa y en el Pacífico, donde realizó incursiones con bombas incendiarias sobre ciudades

japonesas. Como comandante de las fuerzas aéreas estadounidenses en Europa, entre 1945 y 1957, dirigió el puente aéreo de Berlín (ver bloqueo y puente aéreo de BERLÍN). En 1948–57 ocupó el cargo jefe del comando estratégico aereo de EE.UU., transformándolo en una fuerza de ataque mundial. De 1965 a 1968 se desempeñó como jefe de estado mayor de la Fuerza Aérea de EE.UU. En 1968 fue candidato a la vicepresidencia por la lista del tercer partido, encabezada por GEORGE WALLACE.

lemming Cualquiera de varias especies de ROEDORES pequeños que pertenecen a la familia Cricetidae y que habitan principalmente en las regiones septentrionales y polares de Norteamérica y Eurasia. Los lemmings son paticortos, rabones, de orejas pequeñas, y pelaje largo y suave. Miden 10–18 cm (4–7 pulg.) de largo, el rabo

Especie de lemming (*Dicrostonyx greenlandicus*).
© ENCYCLOPÆDIA BRITANNICA, INC.

inclusive, y son de color grisáceo o marrón rojizo en el dorso y más claro en el vientre. Se alimentan de raíces, brotes y hierbas y viven en madrigueras o grietas en la roca. Son famosos por las fluctuaciones poblacionales regulares y las migraciones periódicas en primavera y otoño. Las del lemming noruego (*Lemmus lemmus*) son las más espectaculares, porque muchos de los migrantes se ahogan en el mar. Sin embargo, los lemmings vacilan en entrar al agua y, contrario a lo que dice la leyenda, no se precipitan al mar en una marcha mortal deliberada.

Lemmon, Jack *orig.* **John Uhler Lemmon III** (8 feb. 1925, Boston, Mass., EE.UU.–27 jun. 2001, Los Ángeles, Cal.). Actor estadounidense. Estudió en la Universidad de Harvard y actuó en radioteatros y obras dramáticas para televisión antes de debutar en Broadway en 1953. Consolidó su carrera cinematográfica con *Escala en Hawai* (1955, premio de la Academia) y fue reconocido por su trabajo como actor de carácter al interpretar en diversas oportunidades a individuos excitables y desconcertados en películas como *Con faldas y a lo loco* (1959), *El apartamento* (1960), *La extraña pareja* (1968) y *Los encantos de la gran ciudad* (1970). Entre sus muchos otros filmes se cuentan *Salven al tigre* (1973, premio de la Academia), *El síndrome de China* (1979), *Desaparecido* (1982) y *Éxito a cualquier precio* (1992). Obtuvo un premio Emmy por su interpretación de un agonizante profesor universitario en el largometraje televisivo *Martes con mi viejo profesor* (1999).

Lemosín *francés* **Limousin** Región histórica y administrativa de Francia central, que cubre una superficie de 16.942 km² (6.541 mi²). La actual región de Lemosín (pob., 1999: 710.939 hab.) abarca casi la misma extensión que cuando era una provincia. Su capital es Limoges (pob., 1999: 133.960 hab.). Habitada originalmente por la antigua tribu gálica de los lemovices, fue conquistada por Roma c. 50 AC. Bajo la dinastía CAROLINGIA formó parte de AQUITANIA. En 1152, luego del matrimonio de LEONOR DE AQUITANIA con el rey ENRIQUE II de Inglaterra, pasó a dominio inglés. Más tarde la disputaron Inglaterra y Francia. Finalmente, fue anexada a la corona francesa durante el reinado de ENRIQUE IV.

lémur En general, cualquiera de los PRIMATES prosimios (GÁLAGOS inclusive), que tienen el extremo del hocico desnudo y húmedo, incisivos inferiores protuberantes y uñas garfadas en el segundo dedo de los pies. En rigor, el nombre se refiere a los lémures típicos (las nueve especies de la familia Lemuridae), que habitan únicamente en Madagascar y las islas Comores; tienen ojos grandes, cara zorruna, cuerpo delgado y simiesco, y miembros posteriores largos. Todos son dóciles y gregarios. Las especies miden entre 13 cm (5 pulg.) y unos 60 cm

Lémur (*Lemur catta*).
© ENCYCLOPÆDIA BRITANNICA, INC.

(2 pies) de largo. La cola tupida puede ser más larga que el cuerpo, y el pelaje lanudo es rojizo, gris, marrón o negro. La mayoría son de hábito nocturno y pasan la mayor parte del tiempo en los árboles comiendo frutas, hojas, brotes, insectos, avecillas y huevos de aves. Varias especies se encuentran en peligro de extinción.

Lena, río ver río LIENA

lengua Órgano muscular del piso de la BOCA. Es importante para las acciones de comer, beber y tragar, y modula los sonidos del habla mediante movimientos complejos. En su cara superior tiene miles de pequeñas prominencias (papilas). En las papilas se alojan los receptores del GUSTO, que son sensibles a cuatro sabores básicos: dulce, salado, ácido y amargo. Los sabores más específicos son influidos por el sentido del olfato. El aspecto de la lengua (p. ej., saburral o roja) puede indicar enfermedades en otros lugares. Entre sus afecciones están el cáncer (a menudo causado por mascar tabaco), las leucoplaquias (placas blancas), las infecciones por hongos y los TRASTORNOS CONGÉNITOS. Diferentes animales usan la lengua para distintas funciones; por ejemplo, las ranas tienen una lengua larga adaptada para capturar presas; la de las serpientes recoge y transfiere olores a una estructura sensorial especializada que ayuda a localizar la presa, y los gatos la emplean para acicalarse y asearse.

lengua *o* **idioma** Sistema de símbolos convencionales, hablados o escritos, empleado para comunicarse entre sí por quienes comparten una cultura. Una lengua refleja y afecta la manera de pensar de una cultura, y los cambios en una cultura influyen en el desarrollo de su lengua. Las lenguas emparentadas se diferencian más cuando sus hablantes se aíslan unos de otros. Cuando las comunidades lingüísticas entran en contacto (p. ej., por medio del comercio o la conquista), sus lenguas se influencian recíprocamente. La mayor parte de las lenguas existentes se agrupan con otras que descienden "genéticamente" de una lengua ancestral común (ver LINGÜÍSTICA HISTÓRICA). A la agrupación de lenguas más extensa se la llama familia de lenguas. Por ejemplo, todas las lenguas ROMANCES se derivan del latín que, a su vez, pertenece a la rama itálica de la familia de las lenguas INDOEUROPEAS, la que desciende de la antigua lengua madre, el protoindoeuropeo. Otras familias importantes en Asia son las lenguas CHINOTIBETANAS, las AUSTRONESIAS, las DRAVÍDICAS, las ALTAICAS y las AUSTROASIÁTICAS; en África, las lenguas NIGEROCONGOLEÑAS, las CAMITOSEMÍTICAS y las NILOSAHARIANAS, y en América, las lenguas UTOAZTECAS, las MAYAS, las OTOMANGUES y las TUPÍ-GUARANÍES. Las relaciones entre las lenguas se determinan comparando su GRAMÁTICA y su SINTAXIS y, especialmente, buscando cognados (palabras relacionadas) en diferentes idiomas. El lenguaje tiene una estructura compleja que se puede analizar y luego presentar sistemáticamente (ver LINGÜÍSTICA). Todas las lenguas comienzan con la forma oral, como HABLA, y muchas desarrollan posteriormente sistemas de ESCRITURA. Todas pueden emplear diferentes estructuras oracionales para expresar el MODO. A tal fin, usan sus recursos de manera diferente, pero parecen ser igualmente flexibles desde el punto de vista estructural. Los recursos principales son el orden de las palabras, su forma, la estructura sintáctica y, en el habla, la ENTONACIÓN. Las diferentes lenguas poseen indicadores de número, persona, GÉNERO, TIEMPO GRAMATICAL, modo y otras categorías, ya sea separados de la raíz de la palabra o unidos a ella. La capacidad humana innata

de aprender un idioma se va diluyendo con la edad. Por lo general, las lenguas que se aprenden después de aproximadamente los diez años de edad no se hablan tan bien como las aprendidas con anterioridad. Ver también DIALECTO.

lenguado Cualquiera de numerosos peces planos (ver PEZ PLANO), especialmente unas 100 especies de la familia Soleidae. Aquellos que se distribuyen desde Europa hasta Australia y Japón son marinos; algunas especies del Nuevo Mundo viven en agua dulce. Sus ojos se ubican al lado derecho de la cabeza. El lenguado común (*Solea solea*) se distribuye desde los estuarios hasta las aguas del litoral del Atlántico oriental y el Mediterráneo, y crece hasta 50 cm (20 pulg.) de largo. El lenguado de agua dulce (*Trinectes maculatus*) raras veces sobrepasa los 25 cm (10 pulg.) de longitud; se encuentra en aguas costeras someras, desde Nueva

Especie de lenguado (*Gymnachirus williamsoni*).
© ENCYCLOPÆDIA BRITANNICA, INC.

Inglaterra, EE.UU., hasta América Central y tierra adentro en hábitats asociados con ríos grandes.

lenguaje de cuarta generación (4GL) LENGUAJE DE PROGRAMACIÓN informática de cuarta generación. Los 4GL están más cercanos al lenguaje humano que otros lenguajes de alto nivel y son accesibles a personas sin un entrenamiento formal como programadores. Permiten operaciones comunes múltiples para ser ejecutadas con el ingreso de un comando único por el programador. Se pretende que sean más fáciles para los usuarios que los lenguajes de máquina (primera generación), LENGUAJE ENSAMBLADOR (segunda generación) y lenguajes de alto nivel antiguos (tercera generación).

lenguaje de máquina *o* **código de máquina** Lenguaje de informática elemental que consiste en cadenas de unos y ceros. Debido a que el lenguaje de máquina es el lenguaje de computadoras de más bajo nivel y el único lenguaje que las computadoras entienden directamente, un programa escrito en un lenguaje más sofisticado (p. ej., C, PASCAL) debe ser convertido a lenguaje de máquina antes de la ejecución. Esto se hace mediante un COMPILADOR o ensamblador. El archivo binario resultante (también llamado programa ejecutable) puede ser ejecutado por la CPU. Ver también LENGUAJE ENSAMBLADOR.

lenguaje de marcado Sistema de codificación informática de texto estándar que consiste en un conjunto de símbolos insertos en un documento de texto para controlar su estructura, formato o la relación entre sus partes. Los lenguajes de marcado más ampliamente usados son el SGML, el HTML y el XML. Los símbolos de marcado pueden ser interpretados por un dispositivo (computadora, impresora, navegador, etc.) para controlar cómo debe verse un documento cuando es impreso o desplegado en un monitor. Un documento marcado contiene, en consecuencia, dos tipos de texto: el texto que se muestra y el lenguaje de marcado que dice cómo debe mostrarse.

lenguaje de marcado de hipertexto ver HTML

lenguaje de programación Lenguaje de informática en el que un programador escribe instrucciones para que sean ejecutadas por una computadora. Algunos lenguajes, como COBOL, FORTRAN, PASCAL y C, son conocidos como lenguajes procedurales, ya que usan una secuencia de comandos para especificar cómo la máquina debe hacer para resolver un problema. Otros lenguajes son funcionales, como el LISP, en el que el programa se hace invocando procedimientos (sección de CÓDIGO ejecutable dentro de un programa). Los lenguajes que soportan PROGRAMACIÓN ORIENTADA A OBJETOS toman los datos para ser manipulados como sus puntos de partida. Los lenguajes de programación también pueden clasificarse de alto o bajo nivel. Los lenguajes de bajo nivel acceden a la computadora de una manera que esta pueda comprender en forma directa, pero están muy alejados del lenguaje humano. Los lenguajes de alto nivel tratan con conceptos que los seres humanos pueden diseñar y entender, pero deben ser traducidos por medio de un COMPILADOR en un lenguaje que las computadoras comprendan.

lenguaje de señas Medio de comunicación a base de movimientos corporales, principalmente de manos y brazos, más que por el habla. Ha sido empleado durante mucho tiempo por hablantes de lenguas ininteligibles entre sí. Por ejemplo, en el s. XIX, varias tribus de indios de las llanuras de EE.UU., se comunicaban por medio de un lenguaje de señas. Además, su uso está muy generalizado como medio de comunicación entre personas sordomudas. El abad Charles Michel de l'Épée, (n. 1712–m. 1789) creó el primer lenguaje gestual para sordos a mediados del s. XVIII. Su sistema devino en el lenguaje de señas francés, que todavía se emplea en el país. En 1816 fue llevado a EE.UU. por Thomas Gallaudet (n. 1787–m. 1851), donde evolucionó para transformarse en el lenguaje de señas estadounidense (American Sign Language, por sus siglas ASL o Ameslan), empleado actualmente por más de medio millón de personas. Este y otros lenguajes de señas locales, por lo general, expresan conceptos más que elementos de las palabras y, por lo tanto, tienen más en común entre sí que en relación con las lenguas habladas en sus países.

lenguaje ensamblador Tipo de LENGUAJE DE PROGRAMACIÓN informático de bajo nivel consistente en su mayor parte de simbología equivalente a la de un LENGUAJE DE MÁQUINA particular. Las computadoras producidas por diferentes fabricantes tienen otros lenguajes de máquina y requieren distintos ensambladores y lenguajes ensambladores. Algunos de estos pueden usarse para convertir el código que escriben los programadores (código fuente) en lenguaje de máquina (legible para la computadora), y poseen funciones para facilitar la programación (p. ej., combinando una secuencia de varias instrucciones en una entidad). La programación en lenguaje ensamblador requiere un conocimiento extenso de ARQUITECTURA DE COMPUTADORA.

lenguaje, filosofía del Estudio filosófico de la naturaleza y el uso del lenguaje natural y la relación entre lenguaje, hablante y mundo. Comprende el estudio filosófico del SIGNIFICADO lingüístico (ver SEMÁNTICA), el estudio filosófico del uso del lenguaje en la comunicación (ver PRAGMÁTICA), y la reflexión filosófica sobre la naturaleza y el estatus científico de las teorías lingüísticas, conocida como filosofía de la lingüística. Las principales áreas de investigación son la teoría de la referencia y la teoría de la VERDAD. Durante la mayor parte del s. XX fue el campo de investigación dominante en FILOSOFÍA ANALÍTICA.

lengüeta, instrumentos de Cualquier instrumento de viento que suena cuando el soplido del intérprete o el aire proveniente de una cámara provoca la vibración de una lengüeta (una hoja delgada de caña o metal), generando así una onda sonora en una columna de aire cerrada o al aire libre. Los tubos tienen lengüetas simples o dobles. Una lengüeta doble, como en el OBOE o el FAGOT, consta de dos lengüetas de caña unidas que vibran una contra la otra. Una lengüeta simple puede batir contra un marco (lengüetas batientes), como en el CLARINETE o el SAXOFÓN, o puede vibrar libremente a través de un marco ajustado (lengüetas libres), como en la ARMÓNICA o el ACORDEÓN. Las lengüetas batientes de los instrumentos de VIENTO-MADERA dependen de la longitud sonora del tubo (prefijada por la digitación) para determinar la altura. Las lengüetas libres tienen su propia altura única, determinada por su grosor y su longitud. Ver también CORNO INGLÉS; CHIRIMÍA.

Lenin, Vladímir (Ilich) *orig.* **Vladímir Ilich Uliánov** (22 abr. 1870, Simbirsk, Rusia–21 ene. 1924, Gorki, cerca de Moscú). Fundador del Partido Comunista ruso, líder de la Revolución rusa de 1917, y arquitecto y constructor del Estado soviético. Nacido en el seno de una familia de clase media, fue fuertemente influido por su hermano mayor, Alexandr, quien resultó ahorcado en 1887 por participar en la conspiración para asesinar al zar. Estudió derecho y se convirtió en marxista en 1889 en el ejercicio de su profesión. Fue arrestado por subversión en 1895 y exiliado a Siberia, donde se casó con NADEZHDA KRÚPSKAIA. Vivieron en Europa occidental después de 1900. En 1903, en la reunión del PARTIDO OBRERO SOCIAL DEMÓCRATA RUSO realizada en Londres, surgió como el líder de la facción BOLCHEVIQUE. En varios periódicos revolucionarios que fundó y editó, expuso su teoría del partido como vanguardia del PROLETARIADO, cuerpo central organizado alrededor de un núcleo de revolucionarios profesionales; sus ideas, más tarde conocidas como LENINISMO, serían integradas con las teorías de KARL MARX para formar el MARXISMO-leninismo, que se transformó en la cosmovisión comunista. Con el estallido de la REVOLUCIÓN RUSA DE 1905 regresó a Rusia, pero volvió al exilio en 1907 y continuó su vigorosa campaña de agitación durante los siguientes diez años. Concibió la primera guerra mundial como una oportunidad para transformar una guerra entre naciones en una guerra de clases, y regresó a su país durante la Revolución rusa de 1917 para encabezar el golpe bolchevique que derrocó el gobierno provisional de ALEXANDR KERENSKI. Como dictador revolucionario del Estado soviético, firmó el tratado de BREST-LITOVSK con Alemania (1918) y repelió las amenazas contrarrevolucionarias en la guerra civil RUSA. Fundó el KOMINTERN en 1919. Su política de COMUNISMO DE GUERRA se mantuvo hasta 1921, y para prevenir un desastre económico emprendió la NUEVA POLÍTICA ECONÓMICA. Enfermo desde 1922, falleció de apoplejía en 1924.

Vladímir Lenin, c. 1919–20.
FOTOBANCO

Leningrado ver SAN PETERSBURGO

Leningrado, sitio de (8 sep. 1941–27 ene. 1944). Prolongado sitio de la ciudad de Leningrado (actual San Petersburgo) por las fuerzas alemanas en la segunda guerra mundial. Las tropas alemanas invadieron la Unión Soviética en junio de 1941 y se acercaron a Leningrado desde el oeste y el sur, mientras sus aliados finlandeses avanzaron desde el norte. En noviembre de 1941 la ciudad fue casi completamente rodeada y se bloquearon sus líneas de abastecimiento provenientes del interior del país. Sólo en 1942, más de 650.000 habitantes de Leningrado murieron por inanición, enfermedades y a causa del bombardeo de la artillería alemana de largo alcance. El escaso abastecimiento de alimentos y combustible llegó a la ciudad a través del lago Ladoga: en el verano por barcazas y en invierno por trineo. Estos suministros mantuvieron en operaciones las fábricas de armas de la ciudad y se logró conservar apenas vivos a sus dos millones de habitantes, mientras se evacuó a otro millón de niños, ancianos y enfermos. Las ofensivas soviéticas en 1943 rompieron en forma parcial el cerco alemán y fueron seguidas en enero de 1944 por un exitoso ataque soviético que empujó a los alemanes desde las afueras de la ciudad hacia el oeste, poniendo así fin al sitio.

leninismo Principios expuestos por VLADÍMIR LENIN para guiar la transición de la sociedad desde el CAPITALISMO hacia el COMUNISMO. Los postulados del MARXISMO, en los que Lenin creía, no entregaban ninguna directriz concreta para esta transición. Lenin pensaba que se necesitaba un grupo pequeño y disciplinado de revolucionarios profesionales para desbaratar violentamente el sistema capitalista y que una "dictadura del PROLETARIADO" debía guiar a la sociedad hasta el día en que el Estado desapareciera. Ese día nunca llegó y en la práctica el leninismo significó el control del Estado sobre todos los aspectos de la vida a través del PARTIDO COMUNISTA y en la creación del primer Estado totalitario moderno. Ver también BOLCHEVIQUES; ESTALINISMO; TOTALITARISMO.

Lennon, John (Winston) (9 oct. 1940, Liverpool, Merseyside, Inglaterra–8 dic. 1980, Nueva York, N.Y., EE.UU.). Cantautor británico. Quiso ser marino como su padre, pero se convirtió en músico después de escuchar las grabaciones de ELVIS PRESLEY. En 1957 formó la banda que se convirtió en The BEATLES y en la década de 1960 logró un enorme éxito tocando con el grupo y escribiendo canciones con PAUL MCCARTNEY. A mediados de la década de 1960 empezó a trabajar en proyectos complementarios en materia de cine y música, en especial con la artista de vanguardia japonesa-estadounidense Yoko Ono (n. 1933), con la que se casó en 1969. Su activismo político y sus ideales sociales se reflejaron en gran parte de la obra solista temprana de Lennon, como el éxito "Imagine", que atrajo la atención del gobierno de EE.UU. que trató de deportarlo. Después de 1975 se retiró de la vida pública; él y Ono retornaron con el álbum *Double Fantasy* poco antes de su asesinato a manos de un fan desquiciado. Sus hijos, Julian (n. 1963) y Sean (n. 1975), también son músicos.

lente Pieza de vidrio o de otra sustancia transparente que se utiliza para formar una imagen de un objeto por la convergencia o divergencia de los rayos de luz que vienen desde el objeto. Debido a la curvatura que tiene su superficie, los diferentes rayos de luz son refractados (ver REFRACCIÓN) en diferentes ángulos. Un lente convexo hace converger los rayos en un solo punto, el punto focal (o foco). Un lente cóncavo hace que los rayos diverjan como si vinieran desde un punto focal. Ambos tipos producen que los rayos formen una imagen visual del objeto. La imagen puede ser real –invertida y posible de fotografiar o de visualizar en una pantalla–, o puede ser virtual –derecha (no invertida) y visible sólo mirándola a través del lente–.

lenteja LEGUMINOSA anual pequeña (*Lens esculenta*) y su semilla comestible lenticular y rica en proteínas. Uno de los alimentos cultivados más antiguos, es una buena fuente de vitamina B, hierro y fósforo. De origen desconocido, se cultiva ampliamente en toda Europa, Asia y el norte de África; aunque se cultiva poco en Norteamérica, cada vez se incluye más en la dieta de EE.UU. Mide entre 15 y 45 cm (6–18 pulg.) de altura, tiene hojas compuestas y flores azul claro. Los tallos y hojas se usan como forraje.

lentes de contacto Lentes artificiales delgados que se adosan a la superficie ocular para corregir defectos visuales refractivos. Los primeros lentes de contacto, inventados en 1887, eran incómodos y no podían usarse mucho tiempo. Los lentes de plástico, confeccionados mediante instrumentos ópticos según las medidas de la curvatura de la córnea, se desarrollaron a mediados del s. XX. Los lentes permeables a los gases permiten que llegue más oxígeno a los ojos, lo que aumenta la comodidad y prolonga su tiempo de uso. Los lentes de contacto tienen ventajas sobre los anteojos en ciertos defectos visuales y algunas personas los prefieren por razones estéticas, entre otras.

Lenya, Lotte *orig.* **Karoline Blamauer** (18 oct. 1900, Penzing, Austria–27 nov. 1981, Nueva York, N.Y., EE.UU.). Actriz y cantante estadounidense de origen austríaco. Nacida en la pobreza, Lenya trabajó como bailarina y actriz en Zurich y luego en Berlín. En 1926 se casó con el compositor KURT WEILL y comenzó a aparecer en dramas musicales de Weill y de su viejo colaborador BERTOLT BRECHT, como *Mahagonny* (1927) y *La ópera de tres centavos* (1928; película, 1930). Lenya y Weill escaparon de la Alemania nazi y se radicaron en París, donde ella cantó en *Los siete pecados capitales* de Brecht y Weill (1933). La pareja se trasladó a Nueva York en 1935 y Lenya debutó en *The Eternal Road* (1937). Durante la década de 1950, después de la muerte de Weill, aportó su inimitable voz ronca a reestrenos, como una producción que se mantuvo largo tiempo en cartelera de *La ópera de tres centavos*, y después se presentó en *Brecht on Brecht* (1962), *Madre Coraje y sus hijos* (1965) y *Cabaret* (1966), así como en diversos filmes.

Leo (latín: "león"). En astronomía, la constelación situada entre Cáncer y Virgo; en ASTROLOGÍA, quinto signo del ZODÍACO, que rige aprox. el período entre el 23 de julio y el 22 de agosto. Su símbolo, un león, ha sido asociado con el león de Nemea muerto por HERACLES. Este león era considerado invulnerable debido a que su piel era impenetrable a las flechas, pero Heracles lo golpeó con un garrote hasta matarlo. ZEUS colocó al león en el cielo como una constelación.

Leocares (floreció s. IV AC, Grecia). Escultor griego a quien suele atribuirse el *Apolo de Belvedere*. Trabajó para FILIPO II de Macedonia y su hijo, ALEJANDRO MAGNO. Se le encargó la producción de estatuas de oro y marfil de la familia real. Se dice que habría trabajado con ESCOPAS en el Mausoleo de Halicarnaso, una de las SIETE MARAVILLAS DEL MUNDO, c. 350 AC.

león FELINO grande y de contextura poderosa (*Panthera leo*), identificado con la frase proverbial "rey de los animales". Hoy habita principalmente en zonas del África subsahariana, aunque unos 200 constituyen una raza asiática que vive bajo protección estricta en la India. Los leones habitan en llanuras herbáceas y la sabana abierta. El macho mide 1,8–2,1 m (6–7 pies) de largo, excluyendo su cola de 1 m (3 pies), tiene una alzada de unos 1,2 m (4 pies) y pesa 170–230 kg (370–500 lb). La hembra o leona es mucho más pequeña. El pelaje del macho suele ser anteado amarillento o anaranjado marrón; las hembras tienen en general un tono más tostado o arenoso. La característica más conspicua del macho es la melena. Los leones son los únicos felinos que viven en un grupo o manada, a menudo de unos 15 individuos. Las leonas son las cazadoras principales. Predan animales de todos los tamaños, incluso hipopótamos, pero prefieren ñúes, antílopes y cebras. Después de comer, un león puede descansar por una semana.

León africano
(*Panthera leo massaica*)

León asiático
(*Panthera leo persica*)

Tipos de leones.
© ENCYCLOPÆDIA BRITANNICA, INC.

Vista exterior del castillo medieval de La Motta, León, España.
FOTOBANCO

León Reino medieval de España noroccidental. Sus territorios comprendían las ciudades de LEÓN, SALAMANCA y Zamora, disputándose el control de las zonas vecinas de Valladolid y Palencia con CASTILLA, su antigua frontera oriental. Comenzó siendo un reino cristiano a principios del s. X, cuando García I estableció su corte en un antiguo campamento de las legiones romanas. Sus gobernantes perdieron territorio frente a los moros durante el s. X, pero reconquistaron gran parte del mismo en el s. XI. Entre 1037 y 1157 se unió al reino de Castilla, pero más tarde recuperó su independencia y fue gobernado por sus propios reyes. En 1230 se unió definitivamente a Castilla. La actual comunidad autónoma de CASTILLA Y LEÓN abarca aproximadamente la misma superficie.

León Ciudad (pob., 2001: 130.916 hab.) en el noroeste de España. Se originó como un campamento de una legión romana; su nombre proviene del latín *legio*. Estuvo bajo dominio visigodo durante los s. VI–VII, y luego cayó en manos de los moros que la gobernaron hasta 850. En el s. X se convirtió en la capital del reino de LEÓN. Es un centro tanto industrial como turístico y en ella existen iglesias medievales.

León Ciudad (pob., 1995: 123.865 hab.) del oeste de Nicaragua. Es la segunda ciudad más populosa y el centro político e intelectual del país. Fundada en 1524 por los españoles a orillas del lago MANAGUA, después fue destruida por un terremoto y reconstruida en 1610 cerca de la costa del Pacífico, al noroeste de MANAGUA. León fue la capital de Nicaragua hasta 1855, y ha mantenido durante mucho tiempo una rivalidad política y comercial con la ciudad de GRANADA. En la ciudad yacen los restos del poeta y diplomático RUBÉN DARÍO y es la sede de la Universidad de León.

León I, san *llamado* **León Magno** (s. IV, ¿Toscana?– 10 nov. 461, Roma; festividad occidental: 10 de noviembre, festividad oriental: 18 de febrero). Papa (440–461). Fue defensor de la ortodoxia y doctor de la Iglesia. Cuando el monje Eutiques de Constantinopla aseguró que Jesucristo tenía una sola naturaleza divina, León escribió una epístola dogmática, *Tomo a Flaviano*, donde sostuvo la coexistencia en Cristo de dos naturalezas, una humana y otra divina. Sus enseñanzas fueron acogidas por el concilio de CALCEDONIA (451), el que aceptó sus planteamientos como la "voz de Pedro". León se encargó hábilmente de la invasión de las tribus bárbaras; persuadió a los HUNOS de no atacar Roma (452) y a los VÁNDALOS de no saquear la ciudad (455). Fue también un exponente del precepto de la supremacía papal; su propio proceder, junto con sus cartas y sus sermones, contribuyó en forma importante a aumentar la autoridad del papa.

León III *llamado* **León el Isaurio** (c. 675, Germanicea, Commagene, Siria–18 jun. 742, Constantinopla). Emperador bizantino (717–41), fundador de la dinastía de los isaurios. Como comandante militar de alto rango, se apoderó del trono con la ayuda de los ejércitos árabes que esperaban someter al Imperio bizantino. Con posterioridad defendió Constantinopla eficazmente frente a los árabes (717–718). Tras coronar a su hijo CONSTANTINO V como coemperador (720), usó el matrimonio de este para cimentar la alianza con los JÁZAROS. Su victoria sobre los árabes en Akroïnos (740) fue crucial para evitar la conquista de Asia Menor. Promulgó una importante compilación de leyes, la Égloga (726). Su política iconoclasta (ver ICONOCLASIA) (730), que prohibió el uso de imágenes sagradas en las iglesias, engendró un siglo de conflictos al interior del imperio y tensionó aún más las relaciones con el papa en Roma.

León IX, san *orig.* **Bruno, conde von Egisheim und Dagsburg** (1002, Egisheim, Alsacia, Alta Lorena– 19 abr. 1054, Roma; festividad: 19 de abril). Papa (1049– 54). Consagrado obispo de Toul en 1027, fue nombrado papa por el emperador ENRIQUE III, pero insistió en ser elegido por el clero y el pueblo de Roma. Sus esfuerzos por fortalecer el papado y erradicar el matrimonio de los clérigos y la SIMONÍA sentaron las bases del movimiento de la reforma gregoriana. Su declaración sobre la primacía papal y su campaña militar contra los normandos en Sicilia (1053) lo distanciaron de la Iglesia oriental. Sus delegados excomulgaron al patriarca de Constantinopla. Aunque ya había fallecido, su proceder desencadenó el CISMA DE 1054.

León X *orig.* **Giovanni de Medici** (1 dic. 1475, Florencia– 1 dic. 1521, Roma). Papa (1513–21), uno de los pontífices más despilfarradores del RENACIMIENTO. Segundo hijo de LORENZO DE MÉDICIS, se educó en la corte de su padre en Florencia y en la Universidad de Pisa. Nombrado cardenal en 1492, en 1494 fue exiliado de Florencia por la rebelión de GIROLAMO SAVONAROLA. Regresó en 1500 y pronto consolidó el control de los Médicis sobre la ciudad. Como papa, se convirtió en mecenas de las artes y aceleró la construcción de la basílica de SAN PEDRO. Fortaleció el poder político del papado en Europa, pero sus gastos derrochadores agotaron sus arcas. Desaprobó las reformas en el quinto concilio de LETRÁN y reaccionó en forma inadecuada a la REFORMA, al excomulgar a MARTÍN LUTERO en 1521 y abordar la necesidad del cambio, un error que marcó el fin de la Iglesia occidental unificada.

León XIII *orig.* **Vincenzo Gioacchino Pecci** (2 mar. 1810, Carpineto Romano, Estados Pontificios–20 jul. 1903, Roma). Papa (1878–1903). Nacido en el seno de la nobleza italiana, fue ordenado sacerdote en 1837 e ingresó al servicio diplomático de los Estados Pontificios. Fue designado obispo de Perugia en 1846 y nombrado cardenal en 1853. Elegido papa en 1878, a pesar de su avanzada edad y frágil salud, dirigió la Iglesia por un cuarto de siglo. Tal como su predecesor, PÍO IX, se opuso a la MASONERÍA y al liberalismo secular, pero renovó el espíritu del papado al adoptar una actitud conciliadora hacia los gobiernos civiles y tomar una visión más positiva del progreso científico.

Papa León XIII, 1878.
THE BETTMANN ARCHIVE

Léon, Arthur Saint- ver Arthur SAINT-LÉON

León, fray Luis de (15 ago. 1527, Belmonte, España– 25 ago. 1591, Madrigal de las Altas Torres). Escritor, traductor, humanista y religioso español. Tomó muy joven el hábito agustino. Estudió en las universidades de Alcalá de Henares y de Salamanca, donde más tarde enseñó. Fue detenido por la Inquisición y encarcelado durante casi cuatro años (1573–76), a causa de su traducción al castellano del *Cantar de los cantares* (1561), texto bíblico entonces prohibido. Entre sus obras se destacan *La perfecta casada* (1583), sobre las virtudes de la mujer cristiana, y *Los nombres de Cristo* (1583), textos escritos en una prosa a la vez natural y muy cuidada, así como sus poesías líricas, compuestas en gran medida bajo el influjo de PETRARCA y HORACIO, y publicadas por primera vez por FRANCISCO DE QUEVEDO Y VILLEGAS en 1631. Ellas constituyen modelos de equilibrio entre la intención poética y la forma expresiva.

León, golfo de Brazo del mar Mediterráneo que se extiende a lo largo de la costa del sur de Francia, desde la frontera española hasta Toulon (Tolón). Los principales puertos del golfo son MARSELLA y Sète

león marino Cualquiera de cinco especies (familia Otariidae) de FOCAS con pabellones auditivos externos que habitan en las costas de ambos lados del Pacífico, desde Alaska hasta Australia. Los leones marinos tienen un pelo corto y áspero sin un pelaje subyacente definido. Todos los machos, a excepción del león marino californiano, tienen melena. Se alimentan principalmente de peces, calamares y pulpos. Se reproducen en manadas grandes; los machos establecen un harén de 3–20 hembras. El león marino californiano (*Zalophus californianus*) es la foca entrenada de circos y zoológicos. Los machos de las distintas especies varían de 2,5–3,3 m (8–11 pies) de largo y pesan 270–1.000 kg (600–2.200 lb).

León marino californiano (*Zalophus californianus*).
© ENCYCLOPÆDIA BRITANNICA, INC.

Leonard, Sugar Ray orig. **Ray Charles Leonard** (n. 17 may. 1956, Rock Mount, N.C., EE.UU.). Boxeador estadounidense de categoría welter y mediano. Como aficionado tuvo un excelente desempeño: ganó 145 de 150 combates, entre ellos el triunfo en los Juegos Olímpicos de 1976. Se hizo profesional en 1977 y conquistó el título mundial welter en 1979, al derrotar a Wilfredo Benítez. Perdió la corona en 1980 frente a Roberto Durán, pero la recuperó ese mismo año. A principios de la década de 1980 se retiró debido a un desprendimiento de retina, pero volvió a pelear en 1984. En 1987 combatió en la categoría mediano y derrotó a Marvin Hagler, en una de las mejores peleas de la historia del boxeo. Se retiró nuevamente en 1991. Intentó regresar en 1997, pero sufrió una derrota estrepitosa. Conocido por su agilidad y la finura de su estilo, ganó 36 de sus 39 combates como profesional. Más tarde se convirtió en comentarista de televisión.

Leonardo da Vinci (15 abr. 1452, Anchiano, República de Florencia–2 may. 1519, Cloux, Francia). Pintor, escultor, dibujante, arquitecto, ingeniero y científico italiano del Renacimiento. Hijo de un terrateniente y una campesina, recibió formación en pintura, escultura y artes mecánicas cuando era aprendiz de ANDREA DEL VERROCCHIO. En 1482, cuando ya se había hecho por sí solo un nombre en Florencia, ingresó al servicio del duque de Milán como "pintor e ingeniero". En Milán se desplegó su genio artístico y creativo. Alrededor de 1490 inició su proyecto en torno a la escritura de tratados sobre la "ciencia de la pintura", arquitectura, mecánica y anatomía. Sus teorías se basaban en la creencia de que el pintor, gracias a sus poderes de percepción y a su habilidad para ilustrar sus observaciones, estaba especialmente calificado para investigar los secretos de la naturaleza. Los numerosos manuscritos de Leonardo que se conservan destacan por haber sido escritos al revés, siendo necesario un espejo para leerlos. En 1502–03, en calidad de arquitecto e ingeniero militar de CÉSAR BORGIA, contribuyó a establecer los fundamentos de la cartografía moderna. Después de haber estado cinco años pintando y realizando estudios científicos en Florencia (1503–08) regresó a Milán, donde prosperó su obra científica. En 1516, luego de un intervalo bajo el mecenazgo de la familia MÉDICIS en Roma, ingresó al servicio de FRANCISCO I de Francia; nunca más regresó a Italia. Aunque se conservan tan sólo unas 17 pinturas terminadas, estas son consideradas universalmente obras maestras. La fuerza de *La última cena* (1495–97) proviene en parte de su magistral composición. En la *Mona Lisa* (c. 1503–06), las características y las alusiones simbólicas del personaje

"Autorretrato" de Leonardo da Vinci.
FOTOBANCO.

logran una síntesis total. La singular fama que gozó Leonardo durante su vida, y que filtrada por la crítica histórica, ha permanecido inalterable hasta hoy, se basa principalmente en sus ansias ilimitadas de conocimiento, característica que guió todo su pensamiento y acción.

Leoncavallo, Ruggero (8 mar. 1857/58, Nápoles, Reino de las Dos Sicilias–9 ago. 1919, Montecatini Terme, cerca de Florencia, Italia). Compositor italiano. Después de asistir al conservatorio de Nápoles y obtener una licenciatura en literatura en la Universidad de Bolonia, trabajó como pianista itinerante mientras escribía óperas. La primera de ellas, *Chatterton* (1878), no llegó a representarse, pero su libreto atrajo el interés del editor Giulio Ricordi. El rechazo de GIACOMO PUCCINI al libreto que escribió para *Manon Lescaut* y el repudio de Ricordi a sus propios proyectos lo hicieron componer con rabia la ópera verista en un acto, *I Pagliacci* (1892), para el rival de Ricordi. Aunque compuso varias otras óperas y operetas, *I Pagliacci* fue su único éxito duradero.

Leone, Sergio (3 ene. ¿1929?, Roma, Italia–30 abr. 1989, Roma). Director de cine italiano. Después de trabajar como asistente de dirección con realizadores italianos y estadounidenses, debutó como director con *El coloso de Rodas* (1961). Captó un extenso público con *Por un puñado de dólares* (1964), la primera película de los violentos "spaghetti westerns"; y por las igualmente populares *La muerte tenía un precio* (1965) y *El bueno, el feo y el malo* (1966), todas protagonizadas por CLINT EASTWOOD. Entre sus otros largometrajes se cuentan los épicos *Hasta que llegó su hora* (1968) y *Érase una vez en América* (1984). En un principio muchos de sus filmes fueron mal recibidos por la crítica, pero con el tiempo, Leone fue reconocido por su minucioso cuidado de la fidelidad histórica y por su intenso sentido de la composición visual.

Leones, Asociación Internacional de Clubes de Club civil de servicios. Es la organización de su tipo más grande del mundo. Se fundó en Dallas, Texas, EE.UU., en 1917, para promover un espíritu de "consideración generosa" entre los pueblos del mundo y también, el buen gobierno, la buena ciudadanía y un interés activo en el bienestar cívico, social, comercial y moral. Entre sus actividades se cuentan proyectos de asistencia comunitaria general, asistencia a los ciegos, promoción de los conocimientos y apoyo a la ONU. Los Clubes de Leones funcionan en unos 190 países.

Leónidas (m. 480 AC, Termópilas, Locris [Grecia]). Rey de ESPARTA (c. 490–480 AC). Se hizo célebre por su heroica resistencia contra los persas en la batalla de las TERMÓPILAS (480).

Al ver lo desesperado de la situación, ordenó la retirada de la mayor parte de sus tropas y con los 300 hombres de su guardia real contuvo al ejército persa durante dos días, combatiendo valientemente hasta el último hombre. En Esparta se lo veneró como héroe, y hoy se alza como epítome de valentía en una situación abrumadoramente desventajosa. De este episodio deriva la leyenda de que los espartanos jamás se rinden.

Leonor de Aquitania (c. 1122–1 abr. 1204, Fontevrault, Anjou, Francia). Reina consorte de LUIS VII de Francia (1137–80) y ENRIQUE II de Inglaterra (1152–89), la mujer más poderosa de Europa en el s. XII. Heredó el ducado de Aquitania y se casó con el heredero al trono francés. Hermosa, caprichosa y tenaz acompañó a Luis en la segunda cruzada (1147–49) (ver CRUZADAS) y su conducta despertó los celos del rey. El matrimonio fue anulado (1152), y con posterioridad se casó con Enrique Plantagenet, quien pronto se convirtió en Enrique II; el matrimonio unificó Inglaterra, Normandía y el oeste de Francia bajo su dominio. Leonor dio a Enrique cinco hijos, entre ellos los futuros reyes RICARDO I Corazón de León y JUAN sin Tierra, y tres hijas que se casaron con miembros de otras casas reales. Su corte en Poitiers se transformó en un centro cultural que promovió la poesía de los TROVADORES. Es posible que haya incitado a sus hijos a que se alzaran contra Enrique (1173); cuando la rebelión fracasó, fue capturada y confinada hasta la muerte del rey (1189). Participó activamente en el reinado de Ricardo I, gobernó cuando este partió en una cruzada a Tierra Santa y pagó su rescate cuando estuvo capturado en Austria. Tras la muerte de Ricardo (1199) y la entronización de Juan, logró que este mantuviera su poder en Anjou y Aquitania frente a la amenaza francesa; posteriormente se retiró a un monasterio en Fontevrault.

Leonor de Castilla (1246–28 nov. 1290, Harby, Nottinghamshire, Inglaterra). Reina consorte de EDUARDO I de Inglaterra. Hija del rey de Castilla, su matrimonio en 1254 otorgó

Leonor de Castilla, detalle de una efigie en la abadía de Westminster; National Portrait Gallery, Londres.
GENTILEZA DE LA NATIONAL PORTRAIT GALLERY, LONDRES

a Eduardo el derecho sobre Gascuña y fue enviada por seguridad a Francia durante la sublevación de los barones (1264–65). Acompañó a Eduardo en una cruzada a Tierra Santa (1270–73) y, según la leyenda, salvó la vida de su esposo succionándole el veneno de una herida provocada por una daga. Cuando murió, Eduardo colocó cruces en todos los lugares donde se detuvo el féretro durante su traslado a Londres.

Leónov, Alexéi (Arjipóvich) (n. 30 may. 1934, cerca de Kemerovo, Rusia, U.R.S.S.). Cosmonauta soviético. Ingresó a la fuerza aérea soviética en 1953 y fue seleccionado como cosmonauta en 1959. En 1965 se convirtió en la primera persona en realizar una caminata espacial. Después de salir de la nave espacial (Voskhod 2) y sujeto a ella, Leónov realizó observaciones, filmó y practicó maniobras en la ingravidez antes de volver a la nave. Una década después sirvió como comandante de la nave espacial SOYUZ, que se acopló con una nave estadounidense APOLO en julio de 1975.

Leontief, Wassily (5 ago. 1906, San Petersburgo, Rusia– 5 feb. 1999, N.Y. Nueva York, EE.UU.). Economista estadounidense de origen ruso. Emigró a EE.UU. en 1931, después de estudiar en las universidades de Leningrado (1921–25) y Berlín (1925–28). En la Universidad de Harvard (1931–75) desarrolló su análisis INSUMO-PRODUCTO. También describió lo que se conoce como la paradoja de Leontief, donde plantea que es el capital y no la mano de obra el factor de producción escaso en EE.UU.

Obtuvo el Premio Nobel en 1973. Fue profesor de la Universidad de Nueva York desde 1975 hasta su muerte.

Leopardi, Giacomo (29 jun. 1798, Recanati, Estados Pontificios–14 jun. 1837, Nápoles). Poeta, erudito y filósofo italiano. Poseedor de una deformación congénita, padeció durante toda su vida de enfermedades crónicas y esperanzas frustradas. Su poesía, por lo general pesimista, es admirada por su brillo, intensidad y musicalidad natural. Entre sus poemarios figuran *Canciones* (1824), *Versos* (1826) y *Los cantos* (1831). Sus mejores poemas probablemente sean las piezas llamadas *Idilios*, presentes en las primeras ediciones de su obra poética. *Opúsculos Morales* (1827) es un influyente trabajo filosófico, de estructura eminentemente dialéctica, en la que expone su doctrina de la desesperanza. Se lo considera uno de los grandes escritores italianos del s. XIX.

Leopardo o pantera (*Panthera pardus*).
© ENCYCLOPÆDIA BRITANNICA, INC.

leopardo *o* **pantera** FELINO grande (*Panthera pardus*), de matorral y bosque, distribuido por toda la África subsahariana, y septentrional y en Asia. El leopardo promedio pesa 50–90 kg (110–200 lb), mide 210 cm (6 pies) aprox. de largo, excluida su cola de 90 cm (35 pulg.), y la alzada varía de 60–70 cm (24–28 pulg.). El color de fondo característico es amarillento en el lomo y blanco en el vientre. Las manchas negras en roseta que cubren la mayor parte del cuerpo carecen de un punto central, a diferencia de las del JAGUAR. Solitario y esencialmente nocturno, trepa con agilidad y suele guardar los despojos de sus presas en ramas de árboles. En general, preda antílopes y venados. También caza perros y, en África, babuinos. A veces se lleva ganado y puede atacar seres humanos. Está considerado una especie en peligro de extinción en EE.UU., pero no así para la UICN (Unión Internacional para la Conservación de la Naturaleza). Ver también GUEPARDO; LEOPARDO DE LAS NIEVES; PUMA.

leopardo de las nieves Especie de FELINO (*Uncia uncia*) de pelaje largo y hábitos nocturnos, en peligro de extinción, que vive en las altas montañas de Asia central y la India. Mide 1,8 m (6 pies) aprox. de largo, incluida su cola de 1 m (3 pies), posee una alzada de 0,5 m (2 pies) aprox. y pesa 27–55 kg (60–120 lb). El pelaje, denso y suave, consiste en una piel interior aislante y una exterior con pelos de 5 cm (2 pulg.), es grisácea clara, con rosetas oscuras y una raya oscura a lo largo de la columna. El pelaje del vientre, blanquecino, puede tener 10 cm (4 pulg.) de largo. Preda marmotas, ovejas y cabras salvajes, aves y otros animales. Se caza principalmente para el mercado de bienes que se usan en la medicina tradicional asiática.

Leopold, (Rand) Aldo (11 ene. 1887, Burlington, Iowa, EE.UU.–24 abr. 1948, cerca de Madison, Wis.). Ambientalista estadounidense. Asistió a la Universidad de Yale y luego trabajó en el Servicio Forestal de EE.UU. (1909–28), principalmente en el sudoeste. En 1924, ante su insistencia, se creó la primera zona silvestre del país (Gila Wilderness, en Nuevo México). Entre 1933 y 1948 fue profesor de la Universidad de Wisconsin. Ferviente partidario de la preservación de la vida silvestre y las zonas en estado natural, ocupó el cargo de director de la SOCIEDAD NACIONAL AUDUBON a partir de 1935, y ese mismo año participó como uno de los fundadores de la Wilderness Society (Sociedad de la vida silvestre). A su obra *Game Management* (1933) le siguió en 1949 su obra póstuma, *Equilibrio ecológico: almanaque del condado arenoso*, que instaba con elocuencia a preservar los ecosistemas. Leído por millones de personas, tuvo gran influencia en el naciente movimiento ambientalista.

Leopoldo I (9 jun. 1640 Viena, Austria–5 may. 1705, Viena). Sacro emperador romano (1658–1705). Hijo de FERNANDO III, fue un católico devoto destinado a la vida religiosa, pero cuando su hermano mayor falleció inesperadamente (1654), se transformó en el heredero forzoso de las posesiones austríacas de los Habsburgo. Coronado en forma sucesiva rey de Hungría (1655) y de Bohemia (1656), a la muerte de su padre, se transformó en emperador en 1658. Durante su extenso reinado, y tras una serie de conflictos, Austria se transformó en una gran potencia europea. En 1683, los turcos sitiaron Viena y fueron repelidos; la guerra continuó hasta que los turcos fueron derrotados y cedieron el control de Hungría en el tratado de CARLOWITZ (1699). También participó en la guerra de la LIGA DE AUGSBURGO, pero el desfavorable tratado de paz cedió Estrasburgo a Francia. Envuelto en la guerra de sucesión ESPAÑOLA, falleció antes de que finalizara. Su tercer matrimonio, con Eleonora del Palatinado-Neuburg, resultó una feliz unión que culminó con diez hijos, entre ellos los futuros emperadores José I y CARLOS VI.

"Batalla de Lepanto", fresco de la capilla de Saint-Étienne-de-Tinée, Francia.
FOTOBANCO

Leopoldo I *orig.* **Léopold-Georges-Chrétien-Frédéric** (16 dic. 1790, Coburgo, Sajonia-Coburgo-Saalfeld–10 dic. 1865, Laeken, Bélgica). Primer rey de los belgas (1831–65). Hijo de Francisco, duque de Sajonia-Coburgo-Saalfeld, se casó en 1816 con Carlota, hija del futuro rey inglés JORGE IV. Tras la muerte de su esposa en 1817, continuó viviendo en Inglaterra hasta que fue elegido rey de la recién formada Bélgica. Ayudó a fortalecer el sistema parlamentario del nuevo país y mantuvo escrupulosamente la neutralidad belga. Muy influyente en la diplomacia europea, usó la política de matrimonios para fortalecer sus vínculos. En 1832 contrajo matrimonio con la hija de LUIS FELIPE. En 1840 ayudó a planificar el matrimonio de su sobrina, VICTORIA, con su sobrino, el príncipe ALBERTO de Sajonia-Coburgo-Gotha. En 1857 concertó el matrimonio de su hija con MAXIMILIANO, archiduque de Austria.

Leopoldo II (5 may. 1747, Viena–1 mar. 1792, Viena). Sacro emperador romano (1790–92). Hijo de MARÍA TERESA y el emperador FRANCISCO I, se transformó en duque de Toscana en 1765. Exponente del denominado despotismo ilustrado, estableció un eficiente gobierno estatal y fomentó las institu-

ciones representativas. En 1790 sucedió como emperador a su hermano JOSÉ II y mantuvo varias de sus reformas. En 1792 se alió a Prusia contra la Francia revolucionaria, precipitando así las guerras revolucionarias FRANCESAS.

Leopoldo II *orig.* **Léopold-Louis-Philippe-Marie-Victor** (9 abr. 1835, Bruselas, Bélgica–17 dic. 1909, Laeken). Rey de los belgas (1865–1909). Sucesor de su padre, LEOPOLDO I, encabezó los primeros esfuerzos europeos encaminados a la explotación de la cuenca del río Congo. En 1876 fundó una asociación para explorar la región del Congo con HENRY MORTON STANLEY, como su principal representante. Creó el Estado Libre del Congo en 1885 y lo gobernó como su soberano. Bajo su mandato, el Congo se transformó en escenario de bárbaros actos de crueldad por parte de los amos colonialistas; cuando se tuvieron noticias de tales condiciones c. 1905, estalló un escándalo internacional. Bajo la presión estadounidense y británica, la región dejó de estar bajo su gobierno personal y fue anexada a Bélgica en 1908 con el nombre de Congo Belga. Le sucedió en el trono su sobrino, ALBERTO I.

Leopoldo III *orig.* **Léopold-Philippe-Charles-Albert-Meinrad-Hubertus-Marie-Miguel** (3 nov. 1901, Bruselas, Bélgica–25 sep. 1983, Bruselas). Rey de los belgas (1934–51). Sucedió a su padre, ALBERTO I, y favoreció una política exterior independiente, pero no estrictamente neutral. En la segunda guerra mundial asumió el comando del ejército belga, pero ordenó la rendición de sus fuerzas, que se encontraban rodeadas, 18 días después de iniciada la invasión alemana en mayo de 1940. El gobierno belga repudió su decisión de rendirse y permanecer con su ejército antes que integrarse al gobierno en el exilio en Londres. Bajo arresto domiciliario durante la guerra, con posterioridad se dirigió a Suiza (1945–50) para esperar la resolución de la controversia. Aunque el 58% de los votantes apoyó su regreso al trono, en 1951 abdicó en favor de su hijo BALDUINO I.

Leopoldo de Hohenzollern-Sigmaringen, príncipe (22 sep. 1835, Krauchenweis, Prusia–8 jun. 1905, Berlín, Alemania). Candidato prusiano al trono español. Fue miembro de la línea de origen suabo de la dinastía HOHENZOLLERN, y hermano de CAROL I de Rumania. El canciller OTTO VON BISMARCK y Juan Prim (n. 1814–m. 1870), gobernante español de facto, persuadieron al reticente Leopoldo a aceptar el trono español, que había quedado vacante en 1868. Bajo la presión diplomática francesa, la candidatura de Leopoldo fue retirada, pero Prusia rechazó doblegarse ante la demanda francesa de que la pretensión al trono nunca se volviera a plantear. El telegrama de EMS provocó la declaración de guerra de los franceses (ver guerra FRANCO-PRUSIANA).

Léopoldville ver KINSHASA

Lepanto, batalla de (7 oct. 1571). Enfrentamiento naval entre las fuerzas cristianas aliadas (Venecia, el papa y España) y los turcos otomanos durante una campaña de estos últimos para obtener la isla veneciana de Chipre. Tras cuatro horas de combate frente a las costas de Lepanto, Grecia, los aliados, al mando de JUAN DE AUSTRIA, resultaron victoriosos y capturaron 117 galeras y miles de hombres. La batalla tuvo poca utilidad, ya que Venecia entregó Chipre a los turcos en 1573, pero causó un gran impacto en la moral europea y fue tema de inspiración para pintores como TIZIANO, TINTORETTO y PAOLO VERONESE.

Lépido, Marco Emilio (m. 13/12 AC). CÓNSUL (46, 42 AC) y triunviro romano (43–36). Después de la muerte de JULIO CÉSAR, controló algunas regiones de Galia, Hispania y África y ejerció gran influencia. Él y MARCO ANTONIO hicieron frente a los conspiradores republicanos y en 43 formaron, junto con Octavio (más tarde AUGUSTO), el tercer TRIUNVIRATO. Conquistó una segunda provincia hispana, pero perdió Hispania y Galia frente a Antonio y Octavio, conservando sólo África. Después de contribuir a la derrota de Sexto POMPEYO (36), desafió a Octavio, pero sus soldados desertaron y se vio obligado a retirarse.

lepidóptero Cualquiera de las más de 100.000 especies que constituyen el orden Lepidoptera (griego: "ala escamosa"): MARIPOSAS, POLILLAS y MARIPOSAS SALTARINAS. El nombre alude al polvillo de las minúsculas escamas que cubren las alas y el cuerpo de estos INSECTOS. Cuenta con una trompa delgada que usa para succionar. Casi todos los lepidópteros son herbívoros y las especies tienen distribución pancontinental, con excepción de la Antártida. Las hembras pueden poner desde unos pocos huevos hasta más de mil por puesta. Todos los lepidópteros experimentan una METAMORFOSIS completa. Muchos tipos se desplazan de una región a otra, cruzando a veces miles de kilómetros de océano, pero la única especie con una migración genuina –los mismos individuos vuelan de ida y vuelta– es la MARIPOSA MONARCA.

lepisma o **pececillo de plata** Especie (*Lepisma saccharina*) de insecto áptero, plano, delicado y de movimientos rápidos, que tiene tres cerdas caudales y escamas plateadas. Las lepismas viven en todo el mundo. Las hembras ponen los huevos fecundados en grietas y lugares ocultos. Los individuos recién eclosionados no poseen escamas y tienen apéndices cortos. Habitan normalmente en interiores y como se alimentan de materiales amiláceos (p. ej., engrudo, encuadernaciones y papel mural) pueden causar bastante daño. Viven de dos a tres años y mudan durante toda la vida.

lepra o **enfermedad de Hansen** Enfermedad crónica de la piel y de los nervios superficiales causada por la bacteria *Mycobacterium leprae*. La forma lepromatosa (cutánea) presenta masas granulosas que infiltran el tejido subcutáneo inflamado, la mucosa de las vías respiratorias superiores y los testículos; si esta forma de la enfermedad no se trata, el pronóstico es malo. El tipo tuberculoide, que se caracteriza por manchas de bordes rojizos solevantados y placas que se extienden y pierden sensibilidad, puede estacionarse e incluso mejorar. La farmacoterapia prolongada con sulfonas, sumada a la rehabilitación, suelen ser efectivas. La lepra tiene una larga historia, pero la enfermedad que se observa actualmente no es la misma que se conoció en la antigüedad. La instalación de leprosarios, donde los enfermos eran aislados y atendidos, fue motivada por una variedad de enfermedades infecciosas llegadas a Europa desde Oriente, especialmente al regreso de los cruzados. Todavía se desconoce cómo se disemina la lepra, pero la infección es precedida con frecuencia por el contacto estrecho y prolongado con una persona infectada. La prevención depende de la identificación de los casos para aislarlos y tratarlos.

leprechaun En el folclore irlandés, ser feérico (ver HADA) con la forma de un anciano diminuto que usaba un tricornio y un mandil de cuero. Solitarios por naturaleza, vivían en lugares remotos y trabajaban como zapateros. Se creía que cada uno de ellos poseía oculta una vasija con oro. Si era capturado y amenazado, podía revelar el escondite del oro, siempre que su captor no le quitara los ojos. Generalmente, el captor era engañado para que mirara hacia otro lado y el leprechaun desaparecía. La palabra proviene del antiguo irlandés *luchorpan* ("cuerpo pequeño").

Leptis Magna *actualmente* **Labdah** La ciudad más grande de la antigua TRÍPOLIS, situada cerca de la actual Homs, Libia. Fundada por los fenicios en el s. VI AC, en 202 AC se unió a Numidia, pero en 111 AC se separó para aliarse con Roma. El emperador TRAJANO la hizo colonia romana. La decadencia del Imperio romano provocó la declinación de Leptis Magna, que quedó prácticamente abandonada después de la conquista árabe, en 642 DC. Se encuentran en ella algunas de las ruinas romanas mejor conservadas del norte de África.

leptón Cualquier miembro de una clase de los FERMIONES que responde sólo a fuerzas de los tipos electromagnético, débil y gravitacional y que no toma parte en las interacciones nucleares fuertes. Los leptones tienen ESPÍN semientero y obedecen al principio de exclusión de PAULI. Pueden tener tanto una unidad de CARGA ELÉCTRICA elemental como ser neutros. Los leptones cargados corresponden a electrones, muones y tauones. Cada tipo tiene una carga negativa y MASA propia. Cada leptón cargado tiene un asociado neutro, o NEUTRINO, el cual no tiene carga eléctrica y una masa muy pequeña, si es que la posee.

Lerma, río Río del centro-oeste de México. Nace al sudeste de Toluca y fluye primero en dirección noroeste y luego hacia el sur a lo largo de 560 km (350 mi) hasta vaciarse finalmente en el lago CHAPALA. A veces se considera que el río Grande de Santiago, que corre desde el lago Chapala hasta el océano Pacífico, es una extensión del Lerma. Junto con sus afluentes principales, constituye el sistema fluvial más grande de México.

Lermontov, Mijaíl (Yúrievich) (15 oct. 1814, Moscú, Rusia– 27 jul. 1841, Piatigorsk). Poeta y novelista ruso. Publicó su primer volumen de versos, *Primavera*, en 1830, año en que ingresó a la Universidad de Moscú. Dejó la universidad dos años después para entrar a la escuela militar. En 1834 se graduó de oficial de guardia, y estuvo exiliado en dos ocasiones en regimientos del Cáucaso por su lírica apasionada y libertaria. Se hizo popular por haber padecido a causa de su poesía, que combina temas cívicos y filosóficos con motivos profundamente personales. Sus poemas de madurez fueron recopilados en los volúmenes *Mitsiri* [El novicio] (1840) y *El demonio* (1841). Su novela *Un héroe de nuestro tiempo* (1840), reflexión acerca de la sociedad contemporánea y los destinos de su generación, está escrita en una prosa magistral, y el retrato de su héroe enajenado ejerció profunda influencia en los escritores rusos posteriores. Tal como ALEXANDR PUSHKIN, murió en un duelo. Se lo recuerda como el principal poeta romántico ruso.

Lerner, Alan Jay (31 ago. 1918, Nueva York, N.Y., EE.UU.–14 jun. 1986, Nueva York). Libretista y poeta lírico estadounidense. Nacido en una próspera familia de comerciantes, estudió en la Juilliard School y en Harvard. Escribió más de 500 libretos radiales entre 1940 y 1942, año en que conoció al compositor FREDERICK LOEWE. Ambos comenzaron a colaborar, y su primer éxito en Broadway llegó con *Brigadoon* (1947; película, 1954). Le siguió *Paint Your Wagon* (1951; película, *La leyenda de la ciudad sin nombre*, 1969). *My Fair Lady* (1956) fue un triunfo sin precedentes, que estableció el récord de primera permanencia en cartelera de un musical; la versión fílmica (1964) ganó siete premios de la Academia. La película musical *Gigi* (1958) recibió nueve premios de la Academia. Le siguió *Camelot* en 1960 (película, 1967). Lerner también colaboró con KURT WEILL (*Love Life*, 1948) y BURTON LANE (*On a Clear Day You Can See Forever*, 1965; película, *Vuelve a mi lado*, 1970), entre otros. Entre sus guiones cinematográficos figura *Un americano en París* (1951, premio de la Academia).

Cabeza de Medusa en el foro romano de Leptis Magna.
FOTOBANCO

Lerwick Ciudad (pob., 1991: 7.336 hab.) y centro administrativo de las islas SHETLAND, norte de Escocia. Se encuentra en la costa oriental de la isla de Mainland. La ciudad más septentrional de Gran Bretaña, se originó como un pueblo de pescadores y se destaca por la pesca del arenque. El auge petrolero de la década de 1970 en el mar del Norte provocó un aumento del tráfico portuario y Lerwick se convirtió en un centro de abastecimientos y servicios petroleros. Es la capital de las islas Shetland.

Les Six ver Les Six

Lesage, Alain-René *o* **Le Sage** (6 may. 1668, Sarzeau, Francia–17 nov. 1747, Boulogne-sur-Mer). Novelista y dramaturgo francés. Estudió leyes en París, pero abandonó su condición de empleado para dedicarse a la literatura. La clásica *Aventuras de Gil Blas de Santillana* (1715–35), una de las primeras novelas realistas, influyó en que la NOVELA PICARESCA pasara a ser una moda literaria en Europa. Prolífico dramaturgo satírico, adaptó los modelos españoles a sus primeras obras teatrales, como en la tan exitosa comedia *Crispín, rival de su amo* (1707). También compuso más de 100 vodeviles en la tradición de MOLIÈRE.

Lesage, Jean (10 jun. 1912, Montreal, Quebec, Canadá–12 dic. 1980, cerca de Quebec). Político canadiense. De 1953 a 1957 ocupó el cargo de ministro de recursos y desarrollo de Canadá. En 1958 fue dirigente del Partido Liberal de Quebec. Cuando los liberales ganaron las elecciones provinciales de 1960, pasó a ser primer ministro de Quebec. Inició la reforma social y cultural, nombró al primer ministro de educación y modernizó el sistema escolar y la administración pública. Cultivó lazos culturales estrechos entre Quebec y Francia. Cuando los liberales cayeron derrotados en 1966, se desempeñó como dirigente de la oposición hasta 1970.

lesbianismo *también llamado* **safismo** *u* **homosexualidad femenina** Calidad o estado de intensa atracción emocional y, usualmente, erótica de una mujer hacia otra mujer. La palabra lesbiana fue usada por primera vez a fines del s. XVI, en referencia a la isla griega de LESBOS. A fines del s. XIX se le agregó la connotación de homosexualidad femenina, cuando se hizo una asociación con la poesía de la poetisa lesbiana SAFO (c. 610–c. 580 AC). Al inicio del s. XXI, los temas que preocupan a las lesbianas de Europa y América del Norte son el reconocimiento legal de las uniones del mismo sexo, los derechos de adopción de niños, los cuidados de salud de las mujeres, los impuestos, la herencia, así como el compartir los beneficios médicos con una pareja.

Lesbos, isla *o* **isla Mitilene** *griego* **Lesvos** *o* **Mitilini** Tercera isla más grande (pob., 1991: 87.151 hab.) del mar Egeo. Cubre una superficie de 1.630 km² (630 mi²) y junto con otras dos islas conforma una provincia griega. Su principal ciudad es Mitilene. Lesbos fue la cuna de la poetisa SAFO, y en ella se originó el término lesbiana. Habitada desde c. 3000 AC, c. 1050 AC fue colonizada por los etolios. Después de estar bajo dominio persa (527–479 AC), se unió a la Liga de DELOS. Durante la guerra del PELOPONESO cayó en manos de ESPARTA (405 AC), pero después la recuperó ATENAS (389 AC). Más tarde, floreció bajo el gobierno de Bizancio. Antes de ser anexada a Grecia, Lesbos fue gobernada por el Imperio otomano (1462–1911). Tanto la pesca como la exportación de olivas son importantes actividades económicas.

Leschetizki, Theodor *orig.* **Teodor Leszetycki** (22 jun. 1830, Łańcut, Polonia, Imperio austríaco–14 nov. 1915, Dresde, Alemania). Pianista y profesor de piano polaco. Niño prodigio, estudió en Viena con KARL CZERNY y Simon Sechter (n. 1788–m. 1867) desde los diez años de edad, y ya era profesor a los 14. Además de intérprete, fue el profesor de piano más célebre de su tiempo, primero en el conservatorio de San Petersburgo (1852–78) y posteriormente en Viena. Entre sus discípulos estuvieron varios de los pianistas

más renombrados de su época, como IGNACY PADEREWSKI y ARTUR SCHNABEL.

lesión permanente *inglés* **mayhen** DELITO que consiste en tullir, mutilar o desfigurar premeditada y permanentemente parte del cuerpo de otra persona. Algunas legislaciones no distinguen entre esta clase de lesiones y el resultado de otras agresiones físicas. El derecho JAPONÉS trata todas las agresiones de manera similar; el derecho INDIO distingue entre "lesiones" y "lesiones graves". En la mayoría de los estados de EE.UU., las lesiones de carácter permanente comprenden aquellas ocasionadas por la agresión y la agresión agravada.

Leslie, Frank *orig.* **Henry Carter** (29 mar. 1821, Ipswich, Suffolk, Inglaterra–10 ene. 1880, Nueva York, N.Y., EE.UU.). Ilustrador y periodista angloestadounidense. Sus primeros dibujos fueron publicados en *Illustrated London News*. Se trasladó a EE.UU. en 1848. Allí fundó varios periódicos y revistas, como el *New York Journal* (1854), *Frank Leslie's Illustrated Newspaper* (1855) –nombre que adoptó en 1857– y *Frank Leslie's Boys' and Girls' Weekly* (1866). Sus ilustraciones de los campos de batalla de la guerra de Secesión le reportaron sus mayores ganancias. Su segunda esposa, Miriam Florence Leslie (n. 1836–m. 1914), cambió legalmente su nombre a Frank Leslie luego de la muerte de su esposo y continuó con sus negocios periodísticos, rescatándolos en dos ocasiones de la quiebra. Amasó una gran fortuna, y a su muerte legó gran parte de ella a la feminista CARRIE CHAPMAN CATT, para que la destinara a la causa sufragista.

Leśniewski, Stanisław *o* **Stanisław Leshniewski** (30 mar. 1886, Serpujov, Rusia–13 may. 1939, Varsovia). Lógico y matemático polaco. Como profesor en la Universidad de Varsovia (1919–39), fue cofundador y principal representante de la escuela lógica de Varsovia. Su contribución distintiva fue la construcción de tres sistemas formales (ver sistema FORMAL) interrelacionados, a los cuales dio los nombres (derivados del griego) de prototética, ontología y MEREOLOGÍA.

LESOTHO

▸ **Superficie:** 30.355 km² (11.720 mi²)

▸ **Población:** 2.031.000 hab. (est. 2005)

▸ **Capital:** MASERU

▸ **Moneda:** loti

Lesotho *ofic.* **Reino de Lesotho** *ant.* **Basutolandia** País de la región meridional de África, que constituye un enclave dentro de la República de Sudáfrica. Casi toda la población es SOTHO, pueblo de habla bantú. Idiomas: sotho, inglés (ambos oficiales), afrikáans, zulú, xhosa y francés. Religiones: cristianismo (oficial), que comprende católicos, evangélicos y anglicanos. Cerca del 66% de la superficie de Lesotho es montañosa; su cumbre más alta es el monte Ntlenyana (3.482 m [11.424 pies]). Los montes Maloti, situados en la región central noroccidental, constituyen la fuente de dos de los ríos más grandes de Sudáfrica, el TUGELA y el ORANGE. Los recursos minerales son escasos. La agricultura representa el 66% de la fuerza de trabajo; los principales productos agrícolas son el maíz, sorgo y trigo. La actividad pecuaria suministra productos para la exportación (ganado vacuno, lana y *mohair* o lana de Angora). Entre las manufacturas destacan la industria alimenticia, textil, del vestuario y de muebles. Lesotho es una república bicameral; el jefe de Estado es el rey y el jefe de Gobierno, el primer ministro. En el s. XVI comenzaron a asentarse en la región grupos de agricultores de habla bantú, de los cuales surgieron algunos jefes tribales. En 1824, el más poderoso de ellos organizó a los sotho y en 1843 obtuvo protección británica, al tiempo que aumentaba la tensión entre los sotho y los bóers de Sudáfrica. En 1868, la región pasó a ser territorio británico y en 1871 fue anexada a la Colonia de El Cabo, convirtiéndose en Basutolandia; se produjo una revuelta en 1880, y cuatro años después la región pasó a ser un territorio administrado directamente por el alto comisionado británico. En 1964 declaró su independencia bajo la forma de una monarquía constitucional y poco después adoptó el nombre de Lesotho. Una nueva constitución, puesta en vigor en 1993, terminó con siete años de gobierno militar. A comienzos del s. XXI, el país estaba afectado por problemas políticos internos y el deterioro de la economía.

Lesse, río Río del sudeste de Bélgica. Nace en las Ardenas y discurre serpenteante hacia el nordeste por 84 km (52 mi) hasta confluir con el río MOSA. A la altura de Han-sur-Lesse fluye subterráneamente en un tramo de unos dos kilómetros a través de las Grutas de Han, famosas por sus estalactitas y estalagmitas.

Lesseps, Ferdinand (-Marie), vizconde de (19 nov. 1805, Versalles, Francia–7 dic. 1894, La Chenaie, cerca de Guilly). Diplomático francés, constructor del canal de SUEZ.

Ferdinand Lesseps.
CULVER PICTURES

Durante su carrera diplomática cumplió funciones en Egipto y en otros países hasta 1849. En 1854 fue autorizado por el virrey de Egipto para construir un canal a través del istmo de Suez. Organizó una compañía en 1858, con la mitad del capital de origen francés, y la construcción comenzó en Port Said en 1859. El canal de Suez fue inaugurado oficialmente en 1869. En 1879, Lesseps organizó otra compañía para construir un canal en Panamá, pero abandonó al proyecto debido a dificultades económicas y políticas. Fue procesado y absuelto por cargos de malversación de fondos, aunque miembros del gobierno francés fueron acusados de aceptar sobornos.

Lessing, Doris (May) *orig.* **Doris May Tayler** (n. 22 oct. 1919, Kermānshāh, Irán). Novelista y cuentista británica. Vivió en una granja en Rhodesia del Sur (hoy Zimbabwe) en 1924–49 antes de establecerse en Inglaterra, donde comenzó su carrera literaria. Sus obras, en las que suele reflejarse su activismo político de izquierda, generalmente presentan a gente atrapada en medio de trastornos políticos y sociales. *Hijos de la violencia* (1952–69), serie de cinco novelas semiautobiográficas protagonizadas por Martha Quest, refleja su experiencia en África, y suele considerarse su obra más gravitante. *El cuaderno dorado* (1962), su novela más leída, es un clásico de la literatura feminista. Sus magistrales cuentos fueron publicados en varios volúmenes. También escribió una serie de novelas de ciencia ficción, dos novelas firmadas con seudónimo (Jane Somers) y obras autobiográficas, como *Dentro de mí* (1994).

Lessing, Gotthold Ephraim (22 ene. 1729, Kamenz, Alta Lusatia, Sajonia–15 feb. 1781, Braunschweig, Brunswick). Dramaturgo y crítico alemán. Después de escribir varias comedias ligeras, se dedicó a la crítica teatral en Berlín en 1748. Su obra *Sara Sampson* (1755) fue la primera expresión de la nueva tragedia alemana. Después de estudiar filosofía y estética en Breslau, escribió el influyente tratado *Laocoonte o los límites entre la pintura y la poesía* (1766). Luego escribió *Minna de Barnhelm* (1767), su principal obra, que establece el inicio de la comedia clásica alemana. Fue consultor del primer teatro nacional de Hamburgo y más tarde publicó *Dramaturgia de Hamburgo* (1767–69), un conjunto de críticas teatrales en formato de ensayo acerca del fundamento teatral. En sus *Fragmentos de Wolfenbüttel* (1774–78) impugnó la ortodoxia cristiana, lo que provocó gran controversia. Asimismo, escribió el drama *Emilia Galotti* (1772) y el famoso poema dramático *Nathan el sabio* (1779).

Leteo Antigua personificación griega del olvido. Hija de ERIS (Discordia), su nombre designaba además un río o llanura en el reino de los muertos. En los misterios órficos se creía que los recién muertos que bebían del río Leteo perdían todo recuerdo de su existencia pasada. A los iniciados se les enseñaba en cambio a beber del Mnemosine, el río de la memoria.

Leto, Julio Pomponio *o* **Giulio Pomponio Leto** (1428, Diano, Reino de Nápoles–1497, Roma). Humanista italiano. En su juventud decidió dedicar su vida al estudio del mundo antiguo. Reunió en Roma a un grupo de humanistas en torno a una sociedad semisecreta, la Academia Romana. La celebración de ritos de la Roma antigua por sus miembros despertó las sospechas del papa Pablo II, quien disolvió la Academia y encarceló a Leto y sus camaradas. La falta de rigor y espíritu crítico de Leto ha inducido a los estudiosos modernos a tratar con cautela sus escritos.

letón Lengua BÁLTICA oriental hablada por unos dos millones de personas en la República de Letonia y en comunidades de la diáspora, entre ellos, alrededor de 85.000 hablantes en América del Norte. Al igual que el lituano, existen escasos testimonios del letón hasta la aparición de los primeros libros impresos en ese idioma en 1585–86. Las bases de la ortografía actual, que emplea el alfabeto LATINO con varios diacríticos, fueron adoptadas en 1908. El letón literario se basa en el dialecto hablado en Riga, la capital de Letonia, aunque recientemente se ha producido un resurgimiento del alto letón, que es el dialecto de Letonia oriental. Emparentado con el lituano, el letón ha sufrido numerosos y sorprendentes cambios de sonidos, aunque las estructuras gramaticales de ambas lenguas son similares.

LETONIA

▸ **Superficie:** 64.589 km² (24.938 mi²)

▸ **Población:** 2.299.000 hab. (est. 2005)

▸ **Capital:** RIGA

▸ **Moneda:** lat

Letonia *ofic.* **República de Letonia** País del nordeste de Europa, a orillas del mar BÁLTICO y del golfo de RIGA. Menos del 60% de la población es de origen letón, pueblo de habla LETÓN, una de las lenguas bálticas que sobreviven, y casi el 70% de ella está compuesta por grupos étnicos rusos. Idiomas: letón (oficial) y ruso. Religiones: luteranismo, catolicismo romano y ortodoxo. En el paisaje se observa una llanura ondulada con tierras bastante bajas alternadas con colinas. Es un país totalmente industrializado. Sus principales actividades son la fabricación de maquinaria y la industria metalúrgica, y también produce embarcaciones, equipos de transporte, motores, implementos agrícolas y textiles. Es una república

Panorámica de Riga, capital de Letonia, situada en ambas riberas del Dvina occidental, y uno de los principales puertos del Báltico.
G.R. RICHARDSON/ROBERT HARDING WORLD IMAGERY/GETTY IMAGES

unicameral, cuyo jefe de Estado es el presidente, y el de Gobierno, el primer ministro. Letonia fue colonizada por pueblos bálticos en tiempos remotos. En el s. IX quedaron bajo el dominio absoluto de los varegos, o vikingos, y más tarde fueron dominados por sus vecinos occidentales de habla germánica, quienes evangelizaron Letonia en los s. XII–XIII. Los caballeros teutónicos conquistaron el territorio en 1230 y establecieron el reinado germánico. Desde mediados del s. XVI hasta comienzos del s. XVIII la región se dividió entre Polonia y Suecia, pero a fines del s. XVIII Rusia anexó la totalidad de Letonia. Luego de la REVOLUCIÓN RUSA DE 1917, el país declaró su independencia. En 1939 se vio obligado a aceptar bases militares de la Unión Soviética en su territorio, y en 1940 fue invadido por el Ejército Rojo. Después de ser ocupado por la Alemania nazi (1941–44), fue recapturado por los soviéticos e incorporado a la Unión Soviética (EE.UU. no reconoció esta toma de posesión). Tras el colapso de la Unión Soviética, Letonia se independizó en 1991. A partir de entonces, intentó privatizar su economía y estrechar lazos con Europa occidental, junto con mejorar sus difíciles relaciones con Rusia.

letra de cambio Instrumento financiero negociable de corto plazo que consiste en una orden por escrito que el vendedor extiende al comprador de un producto y mediante el cual le exige efectuar el pago de cierta suma de dinero a solicitud o en una fecha futura. Las letras de cambio se utilizan habitualmente en operaciones internacionales. El titular de una letra puede convertirla de inmediato en dinero en efectivo mediante su venta con descuento a un banco. Las letras de cambio que se utilizan en operaciones internas a veces se denominan órdenes de pago. Ver también PAGARÉ.

letra del Tesoro a corto plazo VALOR financiero a corto plazo del gobierno de EE.UU. Su plazo de vencimiento fluctúa entre una y 26 semanas. Las letras del Tesoro a corto plazo se venden en general con descuento en subastas, con una rentabilidad igual a la diferencia entre el precio de compra y el valor a la fecha de vencimiento. Dado que son valores de alta liquidez (el dinero no se invierte por largos períodos de tiempo en estos instrumentos), su rentabilidad es normalmente menor que la de otros valores de mayor plazo. En general, sus precios no varían tanto como los de otros valores del gobierno, pero se pueden ver afectados por la compra o venta de grandes cantidades de letras a corto plazo por parte del BANCO CENTRAL. El uso de las letras del Tesoro a corto plazo se generalizó por primera vez durante la primera guerra mundial. Al principio eran consideradas una fuente de ingresos de emergencia, pero debido a su flexibilidad y a su interés relativamente bajo se adoptaron

como un elemento permanente en la DEUDA NACIONAL. Entre 1970 y 1998 la compra mínima de letras del Tesoro a corto plazo era de diez mil dólares, pero posteriormente fue reducida a mil dólares. En 2001, el Tesoro de EE.UU. dejó de ofrecer las letras con un plazo de vencimiento de 52 semanas.

letrados En China y Japón, eruditos cuya poesía, caligrafía y pintura se supone eran concebidas básicamente para revelar su refinamiento y expresar sus sentimientos personales más que demostrar habilidad profesional. El concepto de pintores letrados apareció por primera vez en China durante la dinastía SONG del norte, pero se institucionalizó durante la dinastía MING gracias a DONG QICHANG. En los s. XVIII–XIX, la pintura de los letrados se popularizó entre los japoneses, quienes exageraron la composición y el pincelado de los chinos. Ver también IKE NO TAIGA.

Letrán, concilios de Cualquiera de los cinco concilios ecuménicos de la Iglesia católica celebrados en un palacio contiguo a la basílica de Letrán en Roma. El primer concilio de Letrán (1123), realizado durante el papado de CALIXTO II, ratificó decretos de concilios ecuménicos anteriores (condenación de la SIMONÍA, prohibición al clero de casarse, etc.). El segundo (1139) fue convocado por Inocencio II para poner fin al cisma creado por la elección de un papa rival. El tercero (1179), efectuado durante el papado de ALEJANDRO III, estableció una mayoría de dos tercios del Colegio de cardenales como requisito para la elección papal y condenó la herejía de los CÁTAROS. INOCENCIO III convocó el cuarto concilio de Letrán (1215) en un intento de reformar la Iglesia; sus decretos obligaron a los católicos a efectuar una CONFESIÓN anual, aprobaron la doctrina de la TRANSUSTANCIACIÓN e hicieron preparativos para lanzar una nueva CRUZADA. El quinto (1512–17), convocado por JULIO II, afirmó la inmortalidad del alma y restableció la paz entre los gobernantes cristianos en guerra.

Letrán, tratado de o **pactos de Letrán** (1929). Acuerdos de reconocimiento mutuo entre Italia y el Vaticano suscritos en el palacio de Letrán, Roma. El Vaticano aceptó reconocer al Estado de Italia, con Roma como su capital, a cambio del reconocimiento formal del CATOLICISMO ROMANO como la religión del Estado de Italia, el establecimiento de la instrucción religiosa en las escuelas públicas, la prohibición del divorcio y el reconocimiento de la soberanía papal sobre la Ciudad del Vaticano, así como la plena independencia del papa. En 1985, un segundo concordato terminó con la condición de religión del Estado que ostentaba el catolicismo y con la educación religiosa obligatoria.

letrero En marketing y publicidad, dispositivo situado sobre o delante de un establecimiento para identificar a sus ocupantes y la naturaleza del negocio que allí se desarrolla o, situado a distancia, para publicitar un negocio o sus productos. Los antiguos egipcios y griegos usaban letreros para propósitos publicitarios, como también los romanos, quienes además crearon tableros de anuncios blanqueando ciertos sectores de los muros que resultaban convenientes para instalar avisos. Los primeros letreros de tiendas se desarrollaron cuando los comerciantes, al tener que tratar con un público mayormente iletrado, inventaron ciertos emblemas fácilmente reconocibles para representar sus mercancías. Los diseñadores modernos de letreros emplean variadas formas de animación e iluminación.

Letterman, David (n. 12 abr. 1947, Indianápolis, Ind., EE.UU.). Anfitrión de programas de conversación (*talk-show*) de la televisión estadounidense. Comenzó su carrera como cómico en clubes nocturnos, y en 1979 se convirtió en animador invitado del programa de conversación *Tonight Show* de JOHNNY CARSON. Posteriormente fue el presentador del programa de trasnoche de la NBC *Late Night with David*

Letterman (1982–93), por el cual obtuvo seis premios Emmy y una gran popularidad por su estilo impertinente, irónico y mordaz para entrevistar, que los críticos consideraron una parodia de los programas de conversación. Desde 1993 conduce *The Late Show with David Letterman* en la CBS.

lettre de cachet (francés: "carta con un sello"). Carta que portaba un sello oficial, firmada por el rey y refrendada por un secretario de Estado, usada principalmente para autorizar el encarcelamiento sin juicio previo de una persona. Importante instrumento de administración bajo el ANTIGUO RÉGIMEN en Francia, que se utilizó en forma muy abusiva en los s. XVII–XVIII. Se suprimió en 1790.

leucemia CÁNCER de los tejidos formadores de la sangre, con gran número de LEUCOCITOS. La exposición a radiaciones y la susceptibilidad hereditaria son factores que influyen en algunos casos. En las leucemias agudas aparecen en forma rápida ANEMIA, fiebre, sangramientos e hinchazón de los ganglios linfáticos. La leucemia linfocítica aguda, que ocurre principalmente en niños, antes era fatal en seis meses en el 90% de los casos; la farmacoterapia puede curar hoy a más de la mitad de estos niños. La leucemia mielógena aguda (granulocítica), que se ve por lo general en adultos, tiene remisiones y recidivas frecuentes y pocos pacientes sobreviven largo tiempo. La leucemia mielógena crónica comienza más a menudo en la quinta década de la vida; sus manifestaciones como baja de peso, fiebre moderada, debilidad y otros pueden tardar en aparecer, y la QUIMIOTERAPIA alivia los síntomas, pero no prolonga la vida.

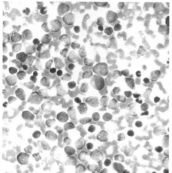

Leucemia: frotis de sangre con proliferación maligna de leucocitos, aumentado x100.
SIU/VISUALS UNLIMITED/GETTY IMAGES

La leucemia linfocítica crónica, que se manifiesta de preferencia en la senectud, puede permanecer inactiva durante años; sus tasas de sobrevida son mejores que en la leucemia mielógena y la mayoría de las muertes se deben a infección o hemorragia.

leucina Uno de los AMINOÁCIDOS esenciales presente en la mayoría de las PROTEÍNAS comunes y particularmente abundante en la HEMOGLOBINA. Es uno de los primeros aminoácidos descubiertos (1819); se utiliza en la investigación bioquímica y como un suplemento nutritivo.

leucita Uno de los minerales FELDESPATOIDES más comunes, aluminosilicato de potasio ($KAlSi_2O_6$). Se encuentra sólo en ROCAS ÍGNEAS, particularmente en lavas recientes ricas en potasio y pobres en sílice. Se lo halla principalmente en Roma, Italia; Uganda; y Wyoming's Leucite Hills, EE.UU. La leucita se usa como fertilizante en Italia (debido a su alto contenido de potasio) y como fuente de alumbre comercial.

leucocito o **glóbulo blanco** Cualquiera de las células sanguíneas de varios tipos que participan en la defensa del cuerpo contra las INFECCIONES. Las diferentes formas maduras –granulocitos, que comprenden neutrófilos, eosinófilos y basófilos; monocitos, incluidos los macrófagos; y los LINFOCITOS– tienen variadas funciones, como ingerir BACTERIAS, PROTOZOOS o células corporales infectadas o muertas; producir ANTICUERPOS y regular las acciones de otros leucocitos. Actúan principalmente en los tejidos y aparecen en el torrente sanguíneo sólo para transportarse. La sangre normal contiene 5.000–10.000 leucocitos por milímetro cúbico.

Leucotea En la mitología GRIEGA, diosa del mar. Es mencionada por primera vez en la *Odisea*, en la que salvó a ODISEO de morir ahogado. Era tradicionalmente identificada con Ino, hija de CADMO, quien provocó la ira de HERA por cuidar al niño DIONISO, hijo de ZEUS y SÉMELE. Hera hizo enloquecer a Ino y a su hijo Melicertes, quienes se precipitaron al mar, donde fueron convertidos en deidades marinas: Ino en Leucotea, Melicertes en Palemon. Un delfín llevó el cuerpo de Melicertes al istmo de Corinto, y los JUEGOS ÍSTMICOS fueron instituidos en su honor.

Leucotea dando de beber a Dioniso del cuerno de la abundancia, bajorrelieve antiguo; Museo de Letrán, Roma.
ALINARI–ART RESOURCE

leva Componente de una máquina con movimiento rotatorio u oscilante para generar un movimiento prescrito en un elemento de contacto (el seguidor). Puesto que la forma de la superficie de contacto de la leva está determinada por el movimiento prescrito y el perfil del seguidor, la leva puede adoptar varias formas. Los mecanismos leva-seguidor son particularmente útiles cuando un movimiento simple de una parte de una máquina debe convertirse en un movimiento más complicado de otra parte, que debe sincronizarse exactamente con respecto al movimiento simple y puede incluir períodos de reposo. Las levas son elementos esenciales en MÁQUINAS HERRAMIENTAS automáticas, máquinas para IMPRESIÓN, máquinas de COSER y maquinaria TEXTIL.

leva Recluta de gente contra su voluntad para el servicio militar o naval. Hasta comienzos del s. XIX la leva floreció en los poblados portuarios de todas partes del mundo, con "levadores" que escudriñaban pensiones, burdeles y tabernas de la zona de muelles. A menudo escogían vagabundos o presos. Los hombres de la leva eran forzados al servicio mediante violencia o coerción, y eran obligados a cumplir sus deberes mediante una disciplina brutal. A comienzos del s. XIX, buques de la ROYAL NAVY detenían naves estadounidenses en busca de desertores británicos, y a menudo reclutaban por la fuerza a ciudadanos estadounidenses por naturalización, hecho consignado como una de las causas de la guerra ANGLO-ESTADOUNIDENSE. La leva declinó en el s. XIX a medida que los estados adoptaron métodos más sistemáticos de reclutamiento. Ver también CONSCRIPCIÓN.

levadura Cualquiera de ciertos hongos normalmente unicelulares, de importancia económica (ver HONGO), la mayoría de los cuales se clasifican como ascomicetos. Distribuidas por todo el mundo en suelos y superficies vegetales, las levaduras abundan sobre todo en medios azucarados, como el néctar floral y las frutas. Para producir pan, cerveza y vino se usan normalmente cepas seleccionadas de *Saccharomyces cerevisiae*; las pastillas y paquetes pequeños que se emplean contienen miles de millones de células de levadura, cada una de las cuales puede fermentar aproximadamente su propio peso en glucosa por hora.

Levadura (*Saccharomyces cerevisiae*).
© ENCYCLOPÆDIA BRITANNICA, INC.

La levadura seca es 50% proteína y rica en vitamina B; la levadura de la cerveza se ingiere a veces como suplemento vitamínico. Algunas levaduras son levemente patógenas y pueden ser hasta peligrosas para los seres humanos y animales. La *Candida albicans*, por ejemplo, irrita los epitelios orales y vaginales, y los *Histoplasmas* y *Blastomyces* causan infecciones pulmonares persistentes.

levantamiento de pesas ver HALTEROFILIA

Levante Nombre histórico de los países situados en las costas orientales del mar MEDITERRÁNEO. Se aplicaba a los territorios costeros de ANATOLIA y Siria, y en ocasiones se ampliaba para englobar de Grecia a Egipto. El nombre estuvo asociado con frecuencia a las incursiones comerciales venecianas. También se ha utilizado como sinónimo de Medio Oriente o Cercano Oriente. En los s. XVI–XVII se usó la expresión de Alto Levante para referirse al Lejano Oriente (Asia del este). Después de la primera guerra mundial (1914–18) se dio el nombre de Estados de Levante al mandato francés de Siria y Líbano.

leveller Miembro de una facción republicana en Inglaterra durante las guerras civiles INGLESAS y el período republicano (o Commonwealth). El nombre fue acuñado por los enemigos del movimiento para sugerir que sus partidarios deseaban igualar o nivelar los bienes de los hombres. El movimiento comenzó en 1645–46 y exigió que la soberanía residiera en la Cámara de los Comunes (con exclusión del rey y los lores), lo que se sustentaba en la creencia de que el sufragio de los hombres adultos haría al parlamento verdaderamente representativo. Sus miembros dominaron el NUEVO EJÉRCITO MODELO, pero los debates de Putney en el consejo del ejército sobre el nuevo contrato social que proponían (1647) llegaron a un punto muerto. Los generales restablecieron por la fuerza la disciplina del ejército y pusieron fin al poder político de los *levellers*.

Leven, lago *inglés* **Loch Leven** Lago en el centro-este de Escocia. Con un diámetro de aprox. 5 km (3 mi), y una profundidad promedio de 4,5 m (15 pies), es uno de los menos profundos del país. Contiene una subespecie de la TRUCHA COMÚN, conocida como trucha del lago Leven. En Castle Island, una de las siete islas del lago, se encuentran las ruinas de un castillo del s. XIV donde estuvo encarcelada MARÍA I ESTUARDO (1567–68).

Lever Bros. Empresa británica fabricante de jabones y detergentes. William Hesketh Lever, posteriormente vizconde de Leverhulme (n. 1851–m. 1925), y su hermano, James Darcy Lever, fundaron la empresa Lever Bros. en 1885 para fabricar y vender jabón. Lever Bros. fue la primera empresa en comercializar barras de jabón fabricado con aceite vegetal en lugar de sebo, y se expandió internacionalmente con la ayuda de convincentes eslóganes publicitarios. Otorgaba a sus trabajadores beneficios como participación en las utilidades y seguros gratuitos, y en 1888 construyó una villa industrial modelo en Port Sunlight. William fue elegido miembro del parlamento en 1906 y nombrado vizconde en 1922. En 1929, Lever Bros. se asoció con firmas europeas a fin de constituir la empresa UNILEVER.

Levertov, Denise (24 oct. 1923, Ilford, Essex, Inglaterra–20 dic. 1997, Seattle, Wash., EE.UU.). Poetisa, ensayista y activista política estadounidense de origen inglés. Levertov fue enfermera civil durante la segunda guerra mundial. Después del conflicto se casó con un escritor norteamericano y se trasladó a EE.UU., donde se relacionó con la Black Mountain College, entre cuyos miembros estaban los poetas Charles Olson y Robert Duncan. Influenciada por la deliberada simplicidad de la poesía de WILLIAM CARLOS WILLIAMS, escribió versos engañosamente prosaicos acerca de temas políticos y personales. Entre sus poemarios cabe citar *Aquí y ahora* (1957), *The Sorrow Dance* [La danza de la tristeza] (1967) y *The Freeing of the Dust* [La liberación del polvo] (1975).

Lévesque, René (24 ago. 1922, New Carlisle, Quebec, Canadá–1 nov. 1987, Montreal, Quebec). Político canadiense. Ingresó a la Canadian Broadcasting Corporation (Corporación de radiodifusión de Canadá) en 1946, fue corresponsal de guerra en Corea en 1952 y comentarista de televisión de 1956 a 1959. En 1960 ingresó al poder legislativo canadiense, formó parte del gobierno de JEAN LESAGE y, en 1967, participó como uno de los fundadores de un grupo separatista que se combinó con otros para formar el PARTI QUÉBÉCOIS. En 1976, su partido ganó el control de la asamblea de Quebec y él pasó a ser primer ministro. Propuso que Quebec fuera independiente en unión económica con el resto de Canadá, plan al que dio el nombre de "asociación de soberanía". En 1980, el electorado de Quebec rechazó su plan. En 1985 renunció debido a su mala salud.

Leví En el antiguo Israel, el tercer hijo del patriarca JACOB. Leví se convirtió en jefe de los clanes de funcionarios religiosos conocidos como levitas. A diferencia de las 12 tribus de ISRAEL, los levitas no recibieron tierras cuando CANAÁN fue conquistada. Se supone que prestaban servicios subordinados asociados con el culto público, oficiando de músicos, guardianes, funcionarios del templo, jueces y artesanos.

Levi, Primo (31 jul. 1919, Turín, Italia–11 abr. 1987, Turín). Escritor y químico italiano. Dos años después de titularse de químico, Levi, que era judío, fue capturado por los nazis y enviado a Auschwitz como trabajador esclavo. Sus obras autobiográficas –*Si esto es un hombre* (1947), *La tregua* (1963) y *Los hundidos y los salvados* (1986)– son crónicas y reflexiones mesuradas y conmovedoras en torno a la supervivencia en los campos de concentración nazi. Su obra más conocida, *El sistema periódico* (1975), es una colección de 21 meditaciones, cada una de las cuales lleva el nombre de un elemento químico. Los efectos persistentes de sus traumáticas experiencias lo habrían llevado al suicidio.

Levi Strauss & Co. La mayor empresa fabricante de pantalones del mundo, famosa por sus vaqueros de mezclilla azul. Debe su existencia a Levi Strauss (n. 1829–m. 1902), un inmigrante bávaro que vendía ropa a los mineros durante la FIEBRE DEL ORO en California. Sabedor de que los mineros necesitaban pantalones durables, contrató a un sastre para confeccionarlos de lona, la que posteriormente se sustituyó por MEZCLILLA. En 1873, él y un socio patentaron el remachado de cobre que utilizaban para reforzar los pantalones. La empresa experimentó su crecimiento más espectacular después de 1946, cuando decidió fabricar exclusivamente prendas de vestir con su propia marca. En 1959 comenzó a exportar y durante la década de 1960, los vaqueros se hicieron enormemente populares en todo el mundo. En 1971 se convirtió en sociedad anónima abierta, pero en 1985 volvió a ser una sociedad cerrada controlada por los descendientes de Strauss.

Levine, James (Lawrence) (n. 23 jun. 1943, Cincinnati, Ohio, EE.UU.). Director de orquesta estadounidense. Debutó a la edad de diez años como pianista con la Orquesta Sinfónica de Cincinnati. Estudió piano en la Julliard School con Rosina Lhévinne (n. 1880–m. 1976) y dirección de orquesta con Jean Morel (n. 1903–m. 1975). Fue director asistente de la orquesta de Cleveland desde 1964 hasta 1970. Una presentación como director invitado en *Tosca* (1971) lo llevó a ser nombrado director titular (1973), más tarde director musical (1975) y finalmente director artístico (1986) del METROPOLITAN OPERA. Convirtió a la languideciente orquesta de este último en un conjunto virtuoso y llegó a ser reconocido como uno de los más grandes directores del mundo. Entre 1973 y 1993 fue director del Festival Ravinia de Chicago.

Levinson, Barry (n. 6 abr. 1942, Baltimore, Md., EE.UU.). Director de cine estadounidense. Trabajó como libretista y guionista de comedias para CAROL BURNETT y MEL BROOKS durante la década de 1970, y en 1982 debutó como director con *Diner*, la primera de varias películas ambientadas en su ciudad natal.

A continuación realizó *El mejor* (1984), *El secreto de la pirámide* (1985), *Dos estafadores y una mujer* (1987) y *Buenos días, Vietnam* (1987). Es reconocido por su versatilidad como director, que abarca desde el drama e historias de crimen hasta la sátira política. También dirigió las muy populares *Rain Man* (1988, premio de la Academia), *Avalon* (1990), *Bugsy* (1991), *Sleepers* (1996), *La cortina de humo* (1997) y fue productor ejecutivo de *La tormenta perfecta* (2000).

levirato y sororato Costumbres o leyes que reglamentan el MATRIMONIO después de la muerte de uno de los cónyuges o, en algunos casos, cuando aún uno de ellos está vivo. El levirato decreta que la viuda debe casarse de preferencia con el hermano del difunto. En la sociedad hebrea antigua, esta práctica servía para perpetuar la línea del hombre que moría sin dejar descendencia. Con frecuencia, el hombre que contrae matrimonio con su cuñada representa al fallecido y no se celebra un nuevo matrimonio, pues se reconoce a toda la progenie como descendiente del difunto. El sororato decreta el matrimonio del hombre con la hermana de su esposa muerta o, en la llamada poliginia sororal, con las hermanas más jóvenes de la esposa a medida que alcanzan la madurez. Algunas tribus amerindias practicaron la poliginia sororal en el s. XIX, que continúa vigente entre los ABORÍGENES AUSTRALIANOS.

levístico Hierba (*Levisticum officinale*) de la familia de las Umbelíferas(ver PEREJIL) originaria de Europa meridional. Se cultiva por sus tallos y follaje, que se usan para infusiones, como verdura y para sazonar alimentos. Sus RIZOMAS se emplean como carminativo y las semillas para condimentar postres. El aceite que se obtiene de las flores se utiliza en perfumería.

Lévi-Strauss, Claude (n. 28 nov. 1908, Bruselas, Bélgica). Antropólogo social francés de origen belga y principal exponente del ESTRUCTURALISMO. Estudió primero filosofía en la Universidad de París (1927–32), y posteriormente realizó cátedras de sociología en la Universidad de São Paulo (1934–37) y dirigió investigaciones de campo con indígenas de Brasil. En la New School for Social Research de Nueva York (1941–45) recibió la influencia del lingüista ROMAN JAKOBSON; llegó a considerar la CULTURA como un sistema de comunicación análogo a una lengua y elaboró modelos basados en la lingüística estructural, la teoría de la información y la cibernética para su interpretación.

Claude Lévi-Strauss.
AP/WIDE WORLD PHOTOS

Intentó identificar estructuras del pensamiento universales a partir de los MITOS, los SÍMBOLOS culturales y la organización social. Entre 1950 y 1974 fue director de estudios de la École Pratique des Hautes Études de la Sorbona y en 1959 integró el cuerpo docente del Collège de France. Entre sus principales obras se encuentran *Las estructuras elementales del parentesco* (1949), *Tristes trópicos* (1955), *Antropología estructural* (vol. 1, 1958; vol 2., 1973) y *Mito y significado* (1964–71), en cuatro volúmenes.

Leviticus Rabbah (c. 450 DC). Compilación de 37 composiciones sobre temas sugeridos por el libro del Antiguo Testamento, Levítico. Su mensaje alude a que las leyes de la historia se centran en la vida santa de Israel (el pueblo judío). Si los judíos obedecen las leyes de la sociedad que persiguen la santificación de Israel, entonces la historia predestinada se desarrollará tal como Israel lo espera. Israel, por su parte, puede influir en su propio destino. Por consiguiente, la salvación al final de la historia depende de la santificación en el aquí y el ahora.

Levitt, Helen (n. 31 ago. 1913, Nueva York, N.Y., EE.UU.). Fotógrafa estadounidense. Inició su carrera como fotógrafa a los 18 años de edad. Su primera exposición, "Photographs of Children" tuvo lugar en el Museo de Arte Moderno de Nueva York, en 1943. Esta presentaba el tema de los niños, especialmente los menos privilegiados, con la visión humana que caracteriza gran parte de su obra. A mediados de la década de 1940 colaboró con el novelista JAMES AGEE, el cineasta Sidney Meyers y la pintora Janice Loeb en *The Quiet One*, un documental premiado sobre un niño afroamericano. Durante la mayor parte de la década de 1960 se concentró en la edición y dirección cinematográficas. Levitt retomó la fotografía en la década de 1970.

Levittown Extensa construcción comunitaria de viviendas en las afueras de Hempstead, Long Island, N.Y., EE.UU. Desarrollado en 1946–51 por la empresa Levitt and Sons, Inc., fue un ejemplo temprano de un complejo residencial completamente prediseñado y producido en serie. Contenía miles de viviendas de bajo costo (acompañadas de centros comerciales, patios de juegos, piscinas, centros comunitarios y escuelas). Levitt repitió la fórmula en el condado de Bucks, Pa. (1951–55). El nombre Levittown se identificó con comunidades urbanas similares, construidas en el país con el *boom* de la edificación de la posguerra. Aunque en algún momento fueron fuertemente rechazados, sus diseños, con sus caminos que serpentean entre la exuberante vegetación, se distinguen de los generalmente monótonos y chatos proyectos de viviendas para la clase media.

levodopa *o* **L-dopa** Compuesto orgánico (L-3,4-dihidroxifenilalanina) a partir del cual el cuerpo fabrica la DOPAMINA, NEUROTRANSMISOR que presenta deficiencia en las personas que sufren de PARKINSONISMO. Cuando se administra oralmente en grandes dosis diarias, la levodopa puede reducir los efectos de la enfermedad. Sin embargo, se vuelve menos efectiva con el paso del tiempo y causa movimientos involuntarios anormales (disquinesia).

levulosa ver FRUCTOSA

Lewes Ciudad (pob., est. 1998: 14.900 hab.) en el condado administrativo de EAST SUSSEX, condado histórico de Sussex, Inglaterra. Está situada a orillas del río Ouse, diez km (6 mi) al norte del canal de la MANCHA. En 1264, Simón de MONTFORT derrotó a ENRIQUE III en la batalla de Lewes. Entre los sitios de interés histórico de la ciudad se cuentan las ruinas de un castillo del s. XI y Barbican House, del s. XVI (hogar de ANA DE CLÈVES). Lewes es un núcleo administrativo con algunas industrias livianas. Cerca de ella se encuentra Glyndebourne, famosa sede de festival internacional de ópera.

Lewin, Kurt (9 sep. 1890, Mogilno, Alemania–12 feb. 1947, Newtonville, Mass., EE.UU.). Psicólogo alemán radicado en EE.UU. Después de formarse y ejercer la docencia en Berlín, emigró a EE.UU., donde enseñó en la Universidad de Iowa (1935–45). Posteriormente llegó a ser director de un centro de investigación en dinámicas de grupo en el Instituto de Tecnología de Massachusetts (MIT) (1945–47). Es conocido sobre todo por su teoría de campo, que sostiene que la conducta humana es función del ambiente psicológico del individuo. Según Lewin, para comprender y predecir exhaustivamente la conducta humana, es preciso considerar la totalidad de los acontecimientos en el campo psicológico de una persona o "espacio vital". Entre sus trabajos se cuentan *Una teoría dinámica de la personalidad* (1935) y *La teoría de campo en la ciencia social* (1951).

Lewis, C(larence) I(rving) (12 abr. 1883, Stoneham, Mass., EE.UU.–3 feb. 1964, Cambridge, Mass.). Filósofo estadounidense. Enseñó principalmente en la Universidad de Harvard (1920–53). Sus obras más conocidas son *La mente y el orden del mundo* (1929), *Lógica simbólica* (1932), *Un análisis del* *conocimiento y la valuación* (1947) y *The Ground and Nature of the Right* [Fundamento y naturaleza del derecho] (1955). Sostuvo que el conocimiento es posible sólo allí donde hay también la posibilidad de error. Su posición epistemológica representa una síntesis entre el EMPIRISMO y el PRAGMATISMO.

Lewis, C(live) S(taples) (29 nov. 1898, Belfast, Irlanda–22 nov. 1963, Oxford, Oxfordshire, Inglaterra). Escritor y académico británico de origen irlandés. Fue docente en Oxford (1925–54) y después en Cambridge (1954–63). Una de sus primeras obras, *Alegoría del amor* (1936), ensayo crítico acerca de la literatura medieval y renacentista, suele considerarse su mejor trabajo académico. Se hizo conocido en Inglaterra y EE.UU. por una serie de programas radiales de la BBC sobre el cristianismo durante los años de la guerra. Muchos de sus libros abrazan la APOLOGÉTICA cristiana, el más conocido es *Cartas del diablo a su sobrino* (1942), una novela epistolar satírica en la cual un experimentado demonio instruye a su joven aprendiz en el arte de la tentación. También son muy populares las *Crónicas de Narnia* (1950–56), una serie de siete cuentos infantiles (de los cuales el más popular es *El león, la bruja y el armario*, 1950) que se transformó en una obra clásica de la literatura fantástica; y su trilogía de ciencia ficción, conocida sobre todo por su primer volumen, *Lejos del planeta silencioso* (1938).

Lewis, Edward B. (20 may. 1918, Wilkes-Barre, Pa., EE.UU.–21 jul. 2004, Pasadena, Cal.). Genetista estadounidense. Obtuvo un Ph.D. en genética en el Instituto Tecnológico de California. Cruzando miles de moscas de la fruta demostró que los genes se disponen en el cromosoma en el orden que corresponde a los segmentos corporales, ordenamiento conocido actualmente como el principio de colinearidad. El estudio de Lewis contribuyó a explicar los mecanismos del desarrollo biológico general, incluidas las causas de las deformaciones presentes en los seres humanos al nacer. En 1995 compartió el Premio Nobel con Christiane Nüsslein-Volhard (n. 1942) y Eric F. Wieschaus (n. 1947).

Lewis, (Frederick) Carl(ton) (n. 1 jul. 1961, Birmingham, Ala., EE.UU.). Atleta estadounidense. Se clasificó para los Juegos Olímpicos de 1980, pero no participó debido a que EE.UU. había boicoteado los juegos de Moscú. En los Juegos de los Ángeles (1984) ganó el salto de longitud, los 100 y 200 m planos y formó parte del equipo vencedor en la posta de 4 × 100. En los Juegos de Seúl (1988) volvió a imponerse en el salto de longitud, con lo que se convirtió en el primer atleta en ganar la prueba dos veces seguidas. Consiguió medalla de oro en los 100 m y de plata en los 200 m. En los Juegos de Barcelona (1992) venció nuevamente en el salto de longitud y formó parte del equipo ganador de la posta de 4 × 100 m. En los juegos de Atlanta (1996) asombró al mundo al ganar su cuarta medalla de oro consecutiva en el salto de longitud.

Lewis, (Harry) Sinclair (7 feb. 1885, Sauk Center, Minn., EE.UU.–10 ene. 1951, cerca de Roma, Italia). Novelista y crítico social estadounidense. Fue reportero y columnista antes de labrarse una reputación en el ámbito literario con *Calle mayor* (1920), un retrato del provincialismo del Medio Oeste norteamericano. Entre sus populares novelas satíricas que clavan sus garras en la complacencia de la clase media destacan *Babbitt* (1922), mordaz estudio acerca de un hombre de negocios conformista; *El doctor Arrowsmith* (1925), en la que ofrece una particular mirada al oficio mé-

Sinclair Lewis.
THE GRANGER COLLECTION

dico; *Elmer Gantry* (1927), una denuncia de la religión fundamentalista, y *Dodsworth* (1929), la historia de una acaudalada pareja estadounidense en Europa. Fue el primer escritor estadounidense que obtuvo el Premio Nobel de Literatura (1930). Entre sus últimas novelas destaca *Cass Timberlaine* (1945). El prestigio de Lewis decayó en los años siguientes, durante los cuales vivió gran parte del tiempo en el extranjero. Estuvo casado con DOROTHY THOMPSON en 1928–42.

Lewis, Jerry *orig.* **Joseph Levitch** (n. 16 mar. 1926, Newark, N.J., EE.UU.). Actor, productor y director de cine estadounidense. En 1946 junto con Dean Martin (1917–95), comenzó a desarrollar rutinas cómicas que presentaron en clubes nocturnos, en las que Martin era el afable cantante bufonesco que se enfrentaba al personaje de Lewis. Posteriormente actuaron juntos en 16 películas, entre las que se cuentan *My friend Irma* (1949) y *Juntos ante el peligro* (1956), antes de terminar su sociedad en 1956. Más tarde Lewis produjo, dirigió y actuó en filmes como *El botones* (1960) y *El profesor chiflado* (1963). Estas películas, junto con sus colaboraciones con el director Frank Tashlin, llevaron a muchos críticos, especialmente en Europa, a considerarlo el heredero cómico de CHARLIE CHAPLIN y BUSTER KEATON. Desde 1966 Lewis ha conducido la Teletón anual, cruzada benéfica en ayuda a los discapacitados de EE.UU.

Lewis, Jerry Lee (n. 29 sep. 1935, Ferriday, La., EE.UU.). Músico de rock and roll estadounidense. Comenzó a tocar el piano en su infancia bajo la influencia de músicos de blues y gospel. Asistió a la escuela bíblica en Texas, pero fue expulsado. Cuando regresó a Louisiana, tocó en varias bandas, perfeccionando su técnica pianística característica llamada "pumping" (la mano izquierda mantiene un patrón de *boggie* con impulso rítmico mientras la mano derecha toca ornamen-

taciones llamativas). Sus primeros éxitos llegaron en 1957 con "Whole Lotta Shakin' Goin' On" y "Great Balls of Fire". En 1958 se descubrió que se había casado con una parienta de 13 años de edad, lo que mermó la venta de sus discos. Aunque tuvo algunos otros éxitos posteriores, se concentró en sus vigorosas y desinhibidas presentaciones personales. Su carrera despertó siempre controversia.

John L. Lewis, 1963.
AP/WIDE WORLD PHOTOS

Lewis, John L(lewellyn) (12 feb. 1880, cerca de Lucas, Iowa, EE.UU.–11 jun. 1969, Washington, D.C.). Dirigente sindical estadounidense, hijo de inmigrantes galeses. Empezó a trabajar como minero del carbón a la edad de 15 años. Fue escalando posiciones en la UNITED MINE WORKERS OF AMERICA (UMWA) y desde 1911 estuvo también dedicado a organizar la American Federation of Labor (AFL), a la que estaba afiliado el sindicato de mineros. Como presidente de UMWA (1920–60), Lewis se unió a varios otros dirigentes sindicales de la AFL para formar el Comité para la Organización Industrial (1935), cuyo objetivo era organizar a los trabajadores de las industrias de producción en serie. Al romper con la AFL (ver AFL-CIO), Lewis y otros líderes sindicales disidentes fundaron el Congreso de Organizaciones Industriales. Como presidente de esta entidad (1936–40), lideró la lucha –con frecuencia violenta– para introducir el sindicalismo en los sectores industriales donde no había sindicatos, como la industria del acero y de los automóviles. Ver también WILLIAM GREEN; SINDICATO.

Lewis, Lennox *p. ext.* **Lennox Claudius Lewis** (n. 2 sep. 1965, Londres, Inglaterra). Boxeador británico. Comenzó su carrera profesional en 1989, en Inglaterra. Ganó el título mundial de la categoría peso pesado del Consejo Mundial de Boxeo (CMB) en 1992, lo perdió en 1994 y lo recuperó en 1997. En 1999 enfrentó al estadounidense EVANDER HOLYFIELD, que poseía los títulos de la Asociación Mundial de Boxeo (AMB) y de la Federación Internacional de Boxeo (FIB). En una decisión controvertida, el jurado decretó empate. Ese mismo año se disputó la revancha, en la que Lewis resultó ganador indiscutido, unificando de ese modo el título de los pesados. No obstante, la AMB y la FIB le arrebataron poco después la corona, debido a desacuerdos acerca de peleas obligatorias para la defensa del título, pero retuvo el cinturón del CMB y fue considerado el campeón indiscutido por gran parte del mundo del boxeo. En un combate que se llevó a cabo en 2002, Lewis noqueó al estadounidense MIKE TYSON en el octavo asalto.

Lewis, Matthew Gregory (9 jul. 1775, Londres, Inglaterra–4 may. 1818, en alta mar). Novelista y dramaturgo inglés. El enorme éxito de su NOVELA GÓTICA *El monje* (1796) le valió el apodo de "Monk" ["Monje"] Lewis. El horror, la violencia y el erotismo de la obra la hicieron atractiva para el gran público, a pesar de la condena universal que esta recibió. Lewis escribió además un popular drama musical que sigue la misma línea, *The Castle Spectre* [El espectro del castillo] (1798). Luego de heredar una gran fortuna en Jamaica en 1812, navegó en dos oportunidades a la isla para indagar acerca del trato que se daba a los esclavos en sus propiedades, y murió en alta mar. *El diario de un plantador de las Antillas* (1834) es una obra que da testimonio de sus actitudes liberales y humanitarias.

Lewis, Meriwether (18 ago. 1774, cerca de Charlottesville, Va., EE.UU.–11 oct. 1809, cerca de Nashville, Tenn.). Explorador estadounidense. Miliciano durante la revolución del whisky (1794) en Pensilvania occidental, luego pasó al ejército regular. En 1801 ocupó el cargo de secretario privado del pdte. THOMAS JEFFERSON, quien lo escogió para dirigir la primera expedición terrestre al Pacífico noroccidental, que

incluía la zona de la adquisición de LUISIANA. A petición suya se nombró a WILLIAM CLARK para acompañarlo en el mando. El éxito de la expedición de LEWIS Y CLARK (1804–06) se debió en gran medida a la preparación y pericia de Lewis. Al término de la expedición, él y Clark recibieron 650 ha de tierra cada uno, a modo de recompensa. En 1808 fue nombrado gobernador del Territorio de Luisiana. Murió en circunstancias misteriosas mientras viajaba a Washington, en una posada situada en el Natchez Trace. Si se suicidó o alguien lo asesinó todavía es motivo de controversia.

Meriwether Lewis, retrato de Charles Willson Peale; Independence National Historical Park, Filadelfia, EE.UU.
GENTILEZA DE LA INDEPENDENCE NATIONAL HISTORICAL PARK COLLECTION, FILADELFIA

Lewis, (Percy) Wyndham (18 nov. 1882, en alta mar cerca de Amherst, Nueva Escocia, Canadá–7 mar. 1957, Londres, Inglaterra). Escritor y pintor inglés. Fundador y máximo exponente del VORTICISMO. En 1914, Lewis creó la revista *Blast*, de corta vida, donde expuso los postulados del movimiento. Su primera novela, *Tarr*, apareció en 1918. *The Childermass* [El día de los inocentes] (1928) fue seguida de la novela satírica *The Apes of God* [Los simios de Dios] (1930) y *The Revenge for Love* [La venganza por amor] (1937). En la década de 1930 produjo algunas de sus pinturas más notables, como *The Surrender of Barcelona* [La capitulación de Barcelona] (1936). También escribió ensayos, cuentos y dos memorias admirables. En la década de 1930 cobró mala fama por su defensa del fascismo, aunque posteriormente renegó de esa ideología.

Lewis y Clark, expedición de (1804–06). Primera expedición terrestre, ida y vuelta, a la costa estadounidense del Pacífico, dirigida por MERIWETHER LEWIS y WILLIAM CLARK. Ante una iniciativa del pdte. THOMAS JEFFERSON, la expedición se propuso encontrar una ruta terrestre al Pacífico y documentó su exploración a través de la nueva adquisición de LUISIANA. Unos 40 hombres, expertos en diversos oficios, salieron de St. Louis en 1804. Siguieron el curso superior del río Missouri hasta lo que es hoy Dakota del Norte, donde construyeron Fort Mandan (más tarde Bismarck) y pasaron el invierno con la tribu de los sioux mandan. Reanudaron el viaje la primavera siguiente, tras contratar a Toussaint Charbonneau y a su mujer india, SACAGAWEA, quien sirvió de guía e intérprete. Cruzaron Montana y pasaron a caballo la línea divisoria continental hasta la cabecera del río Clearwater. Construyeron canoas que los llevaran al río Snake y de ahí a la desembocadura del Columbia, donde levantaron Fort Clatsop (más adelante Astoria, Ore.) y pasaron el invierno. Al regreso, el grupo se dividió, luego se reunió para navegar en canoa río abajo por el Missouri hasta St. Louis, adonde arribaron en septiembre de 1806, entre grandes aclamaciones. Todos menos uno de los miembros de la expedición sobrevivieron. Los diarios que mantuvieron tanto Lewis como otros expedicionarios informaron acerca de las tribus indígenas, la fauna y flora, y la geografía, e hicieron mucho por disipar el mito de una salida fácil hasta el Pacífico.

Hipódromo de Red Mile en Lexington, Kentucky, EE.UU.
TONY LEONARD&MDASH;SHOSTAL

Lexington Ciudad (pob., 2000: 260.512 hab.) en el centro-norte del estado de Kentucky, EE.UU. Recibió su nombre en 1775 por Lexington, Mass., después de las batallas de LEXINGTON Y CONCORD; fue sede de la primera sesión de la asamblea legislativa de Kentucky (1792) e incorporada en 1832 al condado de Fayette. Es sede de la Universidad de Transilvania (fundada en 1780) y de la Universidad de KENTUCKY, así como también sede de la American Thoroughbred Breeders Association.

Lexington y Concord, batallas de (19 abr. 1775). Escaramuzas iniciales entre soldados británicos y colonos estadounidenses que marcaron el comienzo de la guerra de independencia de los ESTADOS UNIDOS DE AMÉRICA. En camino desde Boston a capturar los almacenes militares que los colonos mantenían en Concord, Mass., una fuerza británica de 700 hombres se encontró en Lexington con 77 *minutemen* (milicianos locales) (ver MINUTEMAN), a quienes PAUL REVERE y otros habían dado aviso. No está claro cuál de los bandos disparó primero, pero la resistencia terminó pronto. Los británicos siguieron avanzando hacia la cercana Concord, donde les salieron al paso más de 300 patriotas estadounidenses, por lo que tuvieron que retirarse. En su marcha de regreso a Boston fueron hostigados continuamente por colonos que les disparaban desde los graneros, detrás de los árboles y las cercas del camino. Las bajas sumaron 273 británicos y 95 colonos.